文渊 管理学系列

第2版

# 品牌管理

Brand Management

王新刚 编著

机械工业出版社
CHINA MACHINE PRESS

基于全球市场的发展和国家政策的号召，本书着眼于品牌运营规律和自主品牌影响力，以品牌的定位、个性、延伸、社群、品牌资产、社会责任、虚拟社群、国际化等为主题，辅之以发散思维的慕课案例，对品牌内涵及外延做了全面而深入的讲解，对建设品牌强国、培养优秀的品牌管理人才，将起到有力的推动作用。

本书可作为高等院校工商管理、新闻传播、平面设计、动画制作等专业品牌管理相关课程的教材使用，也可供相关领域的从业人士研习和参考。

## 图书在版编目（CIP）数据

品牌管理 / 王新刚编著 . —2 版 . —北京：机械工业出版社，2023.4（2024.11 重印）
（文渊·管理学系列）
ISBN 978-7-111-72777-4

Ⅰ. ①品…　Ⅱ. ①王…　Ⅲ. ①品牌-企业管理-高等学校-教材　Ⅳ. ①F273.2

中国国家版本馆CIP数据核字（2023）第045374号

机械工业出版社（北京市百万庄大街22号　邮政编码100037）
策划编辑：张有利　　　　　　责任编辑：张有利　李晓敏
责任校对：梁　园　卢志坚　　责任印制：李　昂
河北宝昌佳彩印刷有限公司印刷
2024 年 11 月第 2 版第 8 次印刷
185mm × 260mm · 18.75印张 · 2插页 · 420千字
标准书号：ISBN 978-7-111-72777-4
定价：55.00元

电话服务　　　　　　　　　　网络服务
客服电话：010-88361066　　机 工 官 网：www.cmpbook.com
　　　　　010-88379833　　机 工 官 博：weibo.com/cmp1952
　　　　　010-68326294　　金 书 网：www.golden-book.com
**封底无防伪标均为盗版**　　机工教育服务网：www.cmpedu.com

师道文宗

笔墨渊海

文渊阁 位于故宫东华门内文华殿后，是故宫中贮藏图书的地方
中国古代最大的文化工程《四库全书》曾经藏在这里，阁内悬有
乾隆御书"汇流澄鉴"四字匾。

# 文渊
## 管理学系列

## 作者简介

**王新刚** 中南财经政法大学工商管理学院教授，文澜青年学者（2016），硕士生导师、博士生副导师。2016—2017 年香港城市大学访问学者。主持国家自然科学基金项目 3 项，教育部课题 3 项。在《管理世界》《南开管理评论》《清华管理评论》等期刊上发表论文 30 余篇。主讲的"品牌管理"慕课获省级一流本科线上课程（2020），获 2022 年湖北省优秀教学成果奖二等奖（序三）。入选 2021 年湖北省"院士专家企业行"。

品牌是一个国家的名片，体现着国家实力。从制造大国到制造强国，再到品牌强国，注定是一条漫长而艰难的道路。根据《福布斯》《财富》等杂志对"世界 500 强"的排名，中国有很多企业上榜，但根据《福布斯》《财富》等杂志和 Interbrand 对世界最有价值品牌 100 强的排名，中国品牌上榜的寥寥无几。没有自主品牌，中国在国际产业链分工中就会处于劣势，就难以获得国际市场消费者的认可，在国际市场上自然也就没有一席之地。

为了创建自主品牌，建设品牌强国，早在 2014 年，习近平总书记就提出推动"中国产品向中国品牌转变"。2016 年，国家要求大力宣传知名自主品牌，讲好中国品牌故事，提高自主品牌影响力和认知度。从 2017 年开始，每年的 5 月 10 日被定为"中国品牌日"。在全球市场的发展和国家政策的号召下，要建设品牌强国，就需要培养优秀的品牌管理人才，编写一本好的品牌管理教材自然就变得非常重要了，本书的出版希望能够为此做出贡献。

2020 年 4 月，《品牌管理》第 1 版由机械工业出版社出版，承蒙业界和同行厚爱，截至 2022 年 11 月底第 1 版已累计印刷八次。为了能够紧跟时代步伐，我和团队成员在第 1 版的基础上进行了更新修订，主要体现在以下五个方面。

第一，融入思政内容。本书对开篇案例进行了更新，大多以国产品牌为主融入思政内容，如融合中国传统文化的茶颜悦色等，不仅如此，这些案例都是从大学生视角出发编写的，涉及的基本上都是他们熟悉的品牌，编写时使用他们常用的语言。

第二，科研成果融入。在第 1 版的基础上，融入作者发表的科研成果，如世界最有价值品牌名称研究和老字号品牌标识研究等内容。

第三，彰显数字经济。在第 1 版的基础上，增加了平台品牌、数字品牌、私域流量等理论知识或案例分析。

第四，时效内容修改。对全书在时效方面滞后而不恰当的内容进行删除或更新。

第五，线上资源整合。全书增加了"品牌管理"慕课的网址链接，在阅读教材的同时，可登录中国大学 MOOC 网观看视频讲解。

本书延续了之前每章结尾的体例，分为本章小结、思考题、案例分析、学术延伸、观察思考等栏目。除此之外，本书提供了相应的教学配套资料，如课件、教学大纲、习题集及答案等，一方面希望为热爱品牌管理的读者提供丰富实用的学习内容，另一方面希望为品牌管理的授课教师提供全面的教学解决方案。若需要教辅资料，请联系机械工业出版社获取。

本书是国家自然科学基金面上项目——社交媒体环境下被伤害品牌的自我救赎逻辑研究：群体极化理论视角（72272150）的研究成果，同时获得中南财经政法大学2022年度研究生教学教改项目中的特色教材建设项目立项（项目号：JCAL202209）以及2022年本科教材立项资助和支持。特此说明。

虽然项目组团队成员为本书的修订成稿付出了大量的时间和精力，但由于资源和能力有限，在结构、内容或一些细节上，难免会存在这样或那样的不足，欢迎各位读者批评指正，不吝赐教！

王新刚

于武汉晓南湖畔

2023 年 1 月

# 第一章　品牌概述

- 了解品牌的由来，掌握品牌的定义和内涵，对品牌有更深入的解读；
- 熟悉品牌的特征及作用，了解名牌所产生的效应；
- 掌握品牌与产品、品牌与商标的区别和联系；
- 清楚不同视角下品牌的分类，并理解不同分类品牌的定义。

## 开篇案例

### 中国品牌该如何走向世界

2017 年是中国品牌战略发展历史上具有里程碑意义的一年。为什么这么说呢？ 2017 年 5 月 2 日，国务院批复国家发改委《关于设立"中国品牌日"的请示》，同意自 2017 年起将每年 5 月 10 日设立为"中国品牌日"。它标志着中国品牌建设直接从产品和企业层面，跨越行业层面，升级到国家层面，也使得"发挥品牌引领作用，推动供需结构升级"成为当前推动品牌建设的主导思想。在中国经济从要素规模驱动向创新引领驱动转型的关键时期，品牌战略的地位和作用正在从辅助、支持向支撑、引领、主导升级，品牌正在与社会经济的各个维度产生激烈的碰撞和交互，在推动供需结构升级的整体战略中，品牌正在成为发展的新动能、驱动的新模式、增长的新力量。

一项针对企业生存年限的统计显示，寿命超过 200 年的企业，德国有 837 家，荷兰有 222 家，法国有 196 家，日本有 3 146 家，为全球最多，更有 7 家日本企业历史超过了 1 000 年。而中国现存的超过 200 年历史的老店仅 9 家，而且中国中小企业的平均寿命仅 2.5 年，集团企业的平均寿命仅 7～8 年，与欧美企业平均寿命 40 年相比相距甚远。据统计，寿命超过 200 年的中国企业有成立于 1530 年的六必居，成立于 1600 年的陈李济，还有张小泉（1628 年）、长沙玉和酿造（1649 年）、九芝堂（1650 年）、同仁堂（1669 年）、王致和（1669 年）、海天味业（清乾隆年间），而始于周秦时期的西凤酒，更是已有 3 000 多年的历史。

2022 年 8 月，财富 Plus App 发布了 2022 年《财富》世界 500 强排行榜。榜单显示：中国企业达到了 145 家，较上年增加 2 家，上榜企业数量继续位居各国之首。从 1995 年《财富》世界 500 强排行榜同时涵盖了工业企业和服务性企业以来，还没有任何一个其他国家的企业数量如此迅速地增长。在美国《福布斯》杂志每年发布的世界 500 强当中，中国企业连续多年都有几十家位居其中。2022 年榜单前 500 家上榜企业有 169 家来自美国，中国有 77 家企业上榜，多为银行、保险、能源、基建、金融、科技等企业。中国科技公司中，腾讯、阿里巴巴、百度、联想集团上榜，排名分别为 28、33、419 和 497 位。

Interbrand 2022 年全球品牌百强榜显示：苹果再次居首，紧随其后的是微软，亚马逊排名跌至第三位。其中，苹果公司的品牌价值增长了 18%，连续第十年登上 Interbrand 年度排名榜首。对中国品牌而言，华为 2014 年首次上榜，更是连续 9 年上榜，此次列第 86 位品牌价值为 66.34 亿美元。值得一提的是中国品牌小米首次上榜，以 73.26 亿美元的品牌价值列第 84 位。

当今世界正经历百年未有之大变局，我国发展的内部条件和外部环境正在发生深刻、复杂的变化。中国品牌该如何走向世界呢？为了让市场竞争中胜出的"中国品牌"走向世界，尤其是针对那些高品质、增产业、创品牌的企业，在新时代经济发展中占领优胜，而相对于那些无品质、无服务、无品牌的企业将面临市场经济劣汰的情况下，向世界传播中国品牌的文化内涵和民族素养，全面开启中国自主品牌新时代；树立民族品牌形象，发挥品牌影响力，全面提升中国品牌的知名度，把中国品牌推向世界，并引领国际市场同时，也使中国品牌走进千家万户，使国内外消费者能够共享中国品牌带来的巨大精神享受和物质福利。

资料来源：作者根据网络相关资料汇编而成。

## 第一节　品牌的内涵

品牌是生产者和消费者共同的追求，是供给侧和需求侧升级的方向，是企业乃至国家综合竞争力的重要体现。加强品牌建设，有利于推动经济大国向经济强国转变，有利于满足人们更高层次的物质文化需求，有利于弘扬中华文化、提升中国形象。基于此，从国家到企业都开始意识到品牌的重要作用，并纷纷强调自主品牌的创建和应对品牌进行科学的管理。但在这之前，我们应首先弄清楚几个基本的问题：品牌的由来及它的内涵是什么？品牌有哪些作用和分类？这些都是学习品牌管理的前提条件。

## 一、品牌的由来

"品牌"（brand）一词有很多来源，大家比较认同的有两种：一种是说来源于古代斯堪的纳维亚语中的"brandr"；另一种是说来源于古法语中的"brandon"。尽管来源不同，但它们均有"烙印"的含义，意思是用烧红的烙铁给牲畜打上记号。这个记号是烙给买者（他人）看的，用以区分不同部落之间的财产，上面写着："不许动，它是我的。"由此我们可以推断最初品牌的含义，首先是区分产品，其次是通过特定的标识在他人心中留下烙印。

当时，品牌是主人用来标记与识别牲畜的方式。农场主人通过给牲畜肉品打上烙印，表示对其所售出的产品负责，让质量更有保障。这个烙印就存在着能够满足消费者对安全、保险等情感需求的可能，当消费者认同某一农场的肉品（对打上某个烙印的肉品有深刻印象），这样的肉品在消费市场上就会变得比较好卖，自然也就可能卖到较高的价格。可见，"品牌"的诞生就是为了在消费者（受众）心目中建立独特的印象，满足消费者的某种情感需求。

中世纪的欧洲，手工艺匠人用这种打烙印的方法在自己的手工艺品上烙下标记，以便顾客识别产品的产地和生产者。这就产生了最初的商标并以此为消费者提供担保，同时向生产者提供法律保护。16世纪早期，蒸馏威士忌酒的生产商将威士忌装入烙有生产者名字的木桶中，以防不法商人偷梁换柱。1835年，苏格兰的酿酒者使用了"OldSmuggler"这一品牌，以维护采用特殊蒸馏程序酿制的酒的质量声誉。在《牛津大辞典》中，品牌被解释为"用来证明所有权，作为质量的标志或其他用途"，即用以区别和证明品质。

现代意义的品牌，已经演变成消费者对产品的全部体验。它不只包括物质的体验，更包括精神的体验。它向消费者传递一种生活方式，一种价值取向。人们在消费产品时，被赋予一种象征性的意义，最终改变人们的生活态度以及审美情趣。人们更换品牌，越来越多地是在追求一种精神感受，而非产品的物理属性。产品是冰冷的，而品牌是有血有肉、有灵魂、有情感的；产品有生命周期，会过时、落伍，被竞争者模仿，而品牌则是独一无二的。

在西方，品牌被人们称为经济的"原子弹"，被认为是最有价值甚至是暴利的投资。一些国际品牌的资产高达数千亿美元，例如，Interbrand 2022年全球品牌百强榜正式发布：毫无疑问，市值已经突破万亿美元的苹果公司排在第一位，品牌价值为4 822.15亿美元。紧随其后的是微软，品牌价值为2 782.88亿美元。亚马逊以2 748.19亿美元的品牌价值超越了谷歌，保住了前三甲的地位。Interbrand公司称，亚马逊"几乎每年都会进行革新"，在时装业务领域已成为美国最大的时装零售商。国际市场的普遍规律是20%

的强势品牌占据着 80% 的市场。这一规律同样适用于中国，未来的市场趋势将是弱者更弱，强者更强。

## 二、品牌的定义

品牌到底是什么？这个命题吸引着无数精英去思考和求索。对于品牌的定义不胜枚举，可谓仁者见仁，智者见智。比较分析各种品牌的定义会发现，实际上一些所谓权威人士的看法，也只是从某一个角度谈谈而已，并没有全面阐述品牌的本源。

奥美的创始人大卫·奥格威在 1955 年这样阐述品牌的定义：品牌是一种错综复杂的象征，它是品牌名称、包装、价格、历史、声誉、广告等方面的无形总和。

广告史上的伟大人物之一沃尔特·兰道曾经这样说：简单说来，一个品牌就是一个承诺，通过识别和鉴定一个产品或服务，品牌表达的是一种对品质和满意度的保证。

品牌研究领域最权威的专家之一戴维·阿克，在《创建强势品牌》$^{\ominus}$一书中提及品牌是一个"精神的盒子"，而且从资产方面给出了品牌的定义：与品牌名称和标志联系在一起的一套资产或负债，它们可能提高也可能降低产品或服务的价值。

美国市场营销协会（AMA）对品牌的定义如下：品牌是一种名称、术语、标记、符号或设计，或是它们的组合应用，其目的是借以辨认某个销售者或某群销售者的产品或服务，并使之同竞争对手的产品或服务区别开来。由于 AMA 的权威性，因此采用这个定义的人最多，营销学术界的大师菲利普·科特勒也在其著作中采用。其实它只是从品牌的"体貌特征"而言，实质就是商标的定义。

随着品牌营销实践的不断发展，品牌的内涵和外延也在不断扩大。凯文·凯勒（1998）认为，品牌是扎根于顾客脑海中对某些东西的感知实体，根植于现实，却反映某种感知，甚至反映顾客的独特性。该定义从消费者视角来诠释品牌，明确地告诉我们，品牌是消费者的，借助品牌可将消费者区分开来。消费者视角的品牌内涵认知，深入剖析了品牌内在的机理，即说明真正的品牌一定是人性化的。

## 三、品牌内涵要素和心理暗示

品牌名称、标识等外在元素只是用来识别不同品牌来自不同的生产者，真正让消费者动心的是品牌内在与众不同的气质、个性和形象，它们能够与消费者产生高度的共鸣。例如，苹果品牌的内涵不仅指手机上的名称和标识，还包括苹果的名称及标识能在消费者心中唤起的对该品牌手机的一切美好印象之和。这些印象既包含有形的，也包含无形的，如社会的或心理的效应。

### （一）品牌内涵要素

品牌内涵在于，除了向消费者传递品牌的属性和利益外，更重要的是它向消费者传

---

　　$\ominus$　本书中文版机械工业出版社已出版。

递的品牌价值、品牌个性及在此基础上所形成的品牌文化。品牌属性、品牌利益、品牌价值、品牌使用者、品牌个性及品牌文化这六种要素共同构成品牌的内涵。美国著名营销学家科特勒以德国名牌奔驰轿车为例，说明这六者是紧密联系的统一体，具体关系如图 1-1 所示。

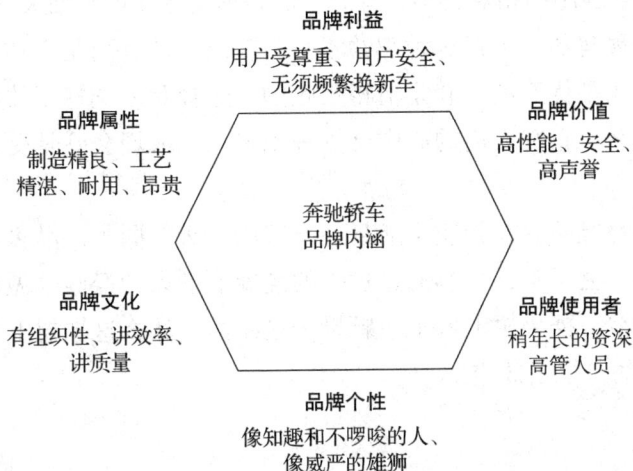

图 1-1　品牌内涵六要素

品牌属性是指品牌产品在性能、质量、技术、定价等方面的独特之处，如德国奔驰轿车的特色是高性能（耐用）、高质量（制造精良）、高技术（工艺精湛）和高定价（昂贵）。品牌利益是指品牌产品给用户带来的好处和用户在使用过程中所获得的满足，例如，奔驰轿车的用户从车价的昂贵上获得尊重需要的满足，从车的制作精良上获得安全需要的满足，而从车的耐用上节约换新车的成本。品牌价值是指品牌生产者所追求和评估的产品品质，如奔驰轿车的价值评估是高性能、安全和高声誉。品牌使用者是指品牌所指向的用户种类或目标市场细分，如奔驰轿车的一个主要目标市场细分是稍年长的资深高管人员。品牌个性是指品牌形象人格化后所具有的个性，如奔驰轿车的形象个性是知趣、不啰唆的人或威严的雄狮。品牌文化是指品牌背景中的精神层面，常常体现品牌所属的国家文化或民族文化，如奔驰轿车体现德国人讲求严密组织性、效率和质量的精神。

## （二）品牌心理暗示

在产品日益同质化的时代，产品的物理属性已经相差无几，唯有品牌给人的心理暗示不同，它可以满足消费者不同的情感和精神寄托。

（1）**品牌是一种保证**。对于陌生的事物，消费者不会轻易冒险去尝试。对于品牌产品和非品牌产品，消费者更愿意选择品牌产品，因为品牌给消费者以信心和保证。比如，在 NBA 比赛中，如果是勒布朗·詹姆斯出场，人们会更愿意观看，因为人们相信，有詹姆斯出场，这场球赛一定会很精彩。在这里，詹姆斯就是品牌，就是保证和信心。

（2）**品牌是一种象征**。品牌是个性的展现和身份的象征，使用什么样的品牌，基本上可以表明你是个怎样的消费者。例如，同样是牛仔服饰，对于消费者而言，穿威格牌，表示他粗犷、豪迈很有男子汉气概；而穿李维斯牌，则表示他是个自由、反叛、有性格的人。

（3）**品牌是一种制约。**在某些领域，市场局势已经尘埃落定，强势品牌已经形成，这时留给后来者的市场空间将非常小。而在没有形成强势品牌的领域，竞争者将面临大好的市场机会，受到的制约相对较小，有时不需高难动作便可坐拥天下。

（4）**品牌是一种契约。**不过这种契约不是写在纸上的，而是存在于人们的心中。品牌向天下人承诺：我是优秀的，我是值得信赖的，选择我就选择了放心。而一旦它违背了自己的承诺，那么，它在人们的心中已然等于毁约，人们会感觉受到欺骗而从此不再相信它。

（5）**品牌是一种经验。**在物质生活日益丰富的今天，同类产品多达成百上千种，消费者根本不可能逐一去了解，只有通过过去的经验或别人的经验来做出购买选择。因为消费者相信，如果在一棵果树上摘下一颗果子是甜的，那么这棵树上的另一颗果子也是甜的。这就是品牌的"果子效应"。

## 四、品牌的解读

品牌究竟是什么？从词的构成来看，中文的"品牌"一词由"品"和"牌"构成。牌代表了知名度，它涉及人们经常谈到的品牌识别、品牌形象、品牌影响力等，是一个容易理解的话题。但一个品牌仅仅有了知名度还远远不够，知名度的极致最多意味着可以是"名牌"，但并不完全等同于"品牌"。品代表了美誉度，有了品才形成忠诚度。所以说品牌重要的不是谈牌，而是谈品，无品无以成品牌。

品字由三"口"组成，"口"代表器物之形，以三"口"表示器物众多。《说文解字》中记载："品，众庶也，从三口。""品"本义是众多，后由众多引申为品种、等级，进而再由等级引申为品评、品质、品德等。品由三"口"组成，蕴含了朴素的哲学观。三是复杂事物最简单的代表，三可以集点成面，是最稳固的支撑，小到几何图形，大到宇宙万物，古人更有"道生一，一生二，二生三，三生万物"的哲学观。所以，谈论一个品牌成功与否，是否有"品"，不能看一人之口，而要看众人之口。

这里所说的"三人之口"分别是企业自身之口、用户体验之口、市场第三方之口。企业自身之口就是关于"产品、市场宣传、公关活动"等由品牌自身向市场传递的声音（如产品、活动、企业新闻、市场广告等）；用户体验之口是指"用户体验、消费评价"等来自消费者对某一品牌的认同（如用户评价、口碑等）；市场第三方之口主要是指关于"权威机构、媒体、组织、竞争者"等市场第三方主体对某一品牌的评价（如权威机构测评、品牌排名等）。成功的品牌是"三人曰善"，成功的品牌管理是"众口一致"。管理一个品牌，"三人曰善"是目的，"众口一致"是过程，是手段。也就是说，当三人之口对某个品牌的知名度、美誉度、品牌联想、品牌内涵等内容，达成了一致的声音、实现"众口一致"的时候，即可称其为成功的品牌管理。

# 第二节 品牌的特征及作用

各类元素如商标、符号、包装、价格等综合联系在一起，构成完整的概念而成为品牌。基于此，品牌以其内在的丰厚性和元素的多样性向受众传达多种信息。企业把品牌作为区别于其他企业产品的标识，以激发消费者对本品牌的兴趣并形成记忆。从消费者的角度来看，品牌作为综合元素与信息的载体，一同存储于大脑中，成为他们记忆的对象和搜寻的线索。

## 一、品牌的特征

（1）**表象性**。品牌最原始的目的就是通过一个比较容易记忆的形式，让人们记住某一产品或企业。因此，品牌必须要有一系列的物质载体来表现自己，使品牌形式化。没有物质载体，品牌就无法表现出来，更不可能达到品牌的整体传播效果。优秀的品牌在载体方面表现较为突出，例如，麦当劳以"M"作为其标志，颜色采用金黄色，像两扇打开的黄金双拱门，象征着欢乐与美味。

（2）**无形性**。品牌拥有者可以凭借品牌的优势不断获取利益，也可以利用品牌的市场开拓力、形象扩张力和资本内蓄力实现不断发展，这是品牌的价值。但品牌的价值并不能像物质资产那样用实物的形式来表述，它能使企业的无形资产迅速增加，并且可以作为商品在市场上进行交易。例如，根据知名品牌评估机构 Interbrand 发布的全球品牌百强榜（2022）：苹果、微软和亚马逊前三大品牌占总榜价值的约三分之一（33.5%）。

（3）**排他性**。品牌拥有者经过法律程序的认定，享有品牌的专有权，有权要求其他企业或个人不能仿冒、伪造，即品牌的排他性。然而我国企业在国际竞争中由于没有很好地利用法律武器，没有发挥品牌的专有权，被抢注了部分品牌，如"龙井茶""碧螺春""信阳毛尖"在韩国被一茶商注册；上海冠生园食品总厂的"大白兔"在日本、菲律宾、美国和英国都曾被抢注；海信商标"HiSen"曾在欧洲被西门子合资公司抢注等。中国企业应该提高警惕，充分利用品牌的专有权。

（4）**扩张性**。品牌具有识别功能，代表一种产品、一个企业，企业可以利用这一优点展示品牌对市场的开拓能力，还可以帮助企业利用品牌资本进行扩张。例如，飞利浦最初是荷兰一家以生产碳丝灯泡为主的电子公司，后来进入音响、电视、灯壶、手机等领域，这就是品牌扩张成功的典型例子。同样，作为全球第四大智能手机制造商的小米科技有限公司，在智能手机行业崭露头角后，又不失时机地推出了小米笔记本、小米电视机、小米空调，后又延伸到小米摄像机和小米剃须刀等领域。

（5）**风险性**。品牌创立后，在其成长的过程中，由于市场的不断变化、需求的不断提高，企业的品牌资本可能壮大，也可能缩小，甚至某一品牌在竞争中退出市场。因此，品牌在成长中存在一定风险，对其效益的评估也存在难度。对于品牌的风险，有时由于企业的产品质量出现意外，有时由于服务不过关，有时由于品牌资本盲目扩张而运作不佳，这些都给企业品牌的维护带来难度，也给企业品牌效益的评估带来不确定性。

## 二、品牌的作用

在知道了品牌的由来、定义、内涵以及品牌的特征以后，人们可能会产生以下疑问：为什么要做品牌？企业不都是在做销售吗，难道就一定要做品牌？要解答这些问题，人们需要看到品牌的力量，并了解品牌对企业、消费者和竞争者的作用。

### （一）对企业的作用

首先，品牌知名度形成后，企业可以利用品牌优势扩大市场，促成消费者对于品牌的忠诚。其次，品牌有助于企业稳定产品的价格，降低价格弹性，增强对动态市场的适应性，降低未来的经营风险。再次，企业可以借助成功或成名的品牌，扩大企业的产品组合或延伸产品线，采用现有知名品牌一定的知名度或美誉度有利于新产品的开发，同时降低新产品进入市场的门槛，节约费用。最后，品牌有利于把本企业产品与其他同类品牌区分开来，抵御竞争，保持市场优势，同时能够帮助企业培养目标消费者的忠诚度。

### （二）对消费者的作用

首先，品牌作为一种信号，有助于消费者识别产品的来源或产品的制造厂家，更有效地选购商品。其次，品牌作为一种承诺和保证，有利于保护消费者权益，例如，选购时避免上当受骗，出现问题时便于索赔和更换等。品牌实质上代表着卖方交付给买方的产品特征、利益和服务的一贯性的承诺。在这种情况下，品牌有助于消费者避免购买风险，降低购买成本，从而更有利于消费者选购商品。最后，品牌作为消费者的自我延伸，有助于对消费者形成较强的吸引力，进一步形成品牌偏好，最终满足消费者的精神需求。

### （三）对竞争者的作用

首先，从竞争的角度来看，企业可采用"品牌补缺"战略占领一部分市场，从而获取利润。因为无论竞争对手的品牌系统或产品组合多深多广，都很难满足所有消费者的所有需求，所以没有饱和的市场，只有未被发现的市场。其次，在竞争日益激烈的市场上，企业可以不间断地推出相对应的产品品牌进行反击。最后，有些企业可以不做品牌而做销售。品牌不是万能的，开发市场需要多种因素组合，例如，消费者对某些产品购买介入程度不深，对产品品牌抱着一种无所谓的态度，也就是说，消费者对某类产品的品牌不敏感，但他们可能是价格敏感者或从众者，或质量和功能敏感者。因此，企业只要抓住一点或几点，就可以吸引一部分消费者。

## 三、名牌效应

名牌是指知名品牌或强势品牌，人们研究品牌，正是为了帮助企业创立名牌，利用名牌，希望通过对名牌的研究，让人们充分意识到名牌的作用，树立名牌意识。名牌的巨大作用是它的名牌效应，如图 1-2 所示，名牌以此为基点，推动产品、企业甚至社会的进步和发展。名牌作为企业资产在市场开拓、资本扩张、人员内聚等方面都会给企业带来影响，使企业拥有成功的法宝。

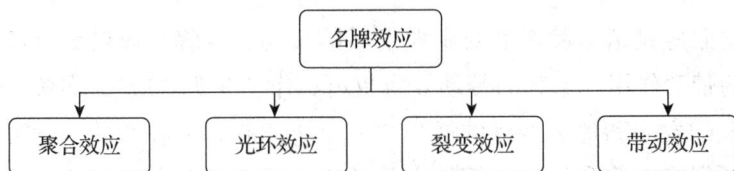

图 1-2 名牌效应

### （一）聚合效应

企业及其产品成了名牌，不仅可获得较高的社会效益和较好的经济效益，而且可以利用品牌资本使企业不断发展壮大。名牌企业或产品在资源方面会获得社会的认可，由此社会的资本、人才、管理经验甚至政策都会向名牌企业或产品倾斜。名牌企业会稳固自己的实力，加强与供应商、下游企业的关系，通过资本运营聚合社会资源，使企业进一步扩大，产生规模效益。这样的企业聚合了人、财、物等资源，形成并很好地发挥了名牌的聚合效应。

### （二）光环效应

名牌企业或产品作为同行业中的佼佼者，会自带一道美丽的光环，在这美丽光环的照耀下，企业或产品会得到正面的经济效应。名牌的名气和声誉会对消费者、政府、合作者及其他社会公众产生一种亲和力、吸引力及认同感。消费者会慕名而来，购买使用名牌产品，也会由此及彼，爱屋及乌，选购企业的其他产品，享受企业的其他服务；政府会因名牌企业或产品而给予支持、爱护，促使名牌的实力得到加强；合作者看到名牌的效应，也会与企业加强合作，建立起良好的关系；其他社会公众也会较关心名牌、谈论名牌、推荐名牌，给名牌创造更佳的成长环境。

### （三）裂变效应

当品牌发展到一定阶段后，它积累、聚合的各类社会资源及营销力量、管理经验就会产生裂变，不断衍生出新的产品、新的服务。裂变效应在名牌的聚合效应下使企业积蓄力量，成长壮大，在名牌的光环效应下使企业有效地发展，有利于开拓市场，占有市场，形成新的名牌。例如，海尔首先是在冰箱领域创出佳绩，成为知名企业、知名品牌后，才逐步将其聚合的资本、技术、管理经验等延伸到空调、洗衣机、彩电等业务领域，并在新领域取得了令人满意的成果。接着，海尔又乘着网络、信息业发展的东风，把业务拓展到了计算机、手机等信息产品上，并致力于使家电信息化、智能化。名牌的裂变效应使企业顺利聚集了各种力量，达到裂变效果时就能产生裂变功能；否则，就不会产生积极、良好的效果，有时反而会使企业陷入困境，不能自拔。因此，对于名牌裂变效应，企业要把握裂变的方式、时机等。

### （四）带动效应

名牌的带动效应是指名牌产品对企业发展的拉动，名牌企业对城市经济、地区经济甚至国家经济的带动作用。名牌的带动效应也可称作"龙头效应"，名牌产品或企业像龙头一样带动企业的发展和地区经济的增长。一个企业有了名牌产品，就可能优化企业内部资源，使资源得到充分利用，发挥最大的效用，同时积蓄力量、积累经验，从而在时机成熟时衍生、创造出更多的名牌，由此使企业不断成长壮大。

企业之间有两种关系：一种是竞争，另一种是合作。名牌企业与同行业企业进行竞争，兼并收购了一些竞争对手，使自己壮大，同时也促使一些对手在相互竞争中为了不被吃掉，反而生存下来、发展起来。名牌企业与竞争对手在一定条件下也会相互合作，共同促进企业发展。名牌企业的拉动作用除了上述表现，最重要的是它带动相关企业、相关行业。一个名牌企业很容易成为支柱企业，带动相关企业、相关行业取得飞速发展，从而对城市经济、地区经济、国家经济产生拉动作用。

# 第三节　品牌与产品、商标

提及品牌，最为相关的名词是产品。品牌与产品有诸多联系，但两者毕竟不同。产品是具体的，消费者可以触摸、感觉或看见（有形产品可视，无形的服务可感觉或感受）；而品牌是抽象的，是消费者对产品感受的总和。没有好产品，品牌一定不会在市场上永久不坠；但是有了好产品，却不一定有好品牌。

## 一、品牌与产品

### （一）品牌与产品的区别

"产品是工厂所生产的东西，品牌是消费者所购买的东西。产品可以被竞争者模仿，品牌却是独一无二的。产品极易过时落伍，但成功的品牌却能持久不衰。"现代品牌策略大师史蒂芬·金的这段话，明确地定义了产品与品牌的本质区别。

#### 1. 抽象和具体

进一步来说，产品是具体的，消费者可以触摸、感觉、耳闻、目睹、鼻嗅。产品是物理属性的组合，具有某种特定的功能以满足消费者的使用需求，如车可以代步，食物可以果腹，衣服可以御寒保暖，音乐能够愉悦性情，等等。而品牌是抽象的，是消费者对产品一切感受的总和，它注入了消费者的情绪、认知、态度及行为。例如，产品是否有个性,是否足以信赖,是否产生满意度与价值感,是否代表某种特殊意义或情感寄托,在生活中是否不可或缺。

### 2.无生命周期和有生命周期

产品的市场生命周期不是指产品的使用寿命,而是指产品从进入市场到退出市场为止所经历的全部时间,即这种产品在市场上进入、退出的循环过程。产品进入(退出)市场是市场生命周期的开始(结束)。产品有市场生命周期是科技进步、新产品迭出的必然结果;而由于决定品牌在市场存活或退出的主要因素(产品及品牌形象等)能够通过企业科学而合理的努力得到激活,从而使品牌永不坠落,也可以说,品牌生存与消亡的周期现象不具有客观必然性。所以,产品有市场生命周期,品牌并非必须有市场生命周期,或者说品牌没有市场生命周期。事实上,正是因为产品有市场生命周期,才使得品牌没有市场生命周期。只要品牌经营得当,及时对消费者需求的变化做出快速的反应,品牌便能长盛不衰、永葆青春。

### 3.象征价值和功能价值

同样的产品,贴不贴品牌标签对消费者而言意义完全不同。一件西服或T恤,如果不附加任何产品之外的信息,消费者穿着时的感觉也许就是颜色、款式、质地而已。若西服或T恤上印有“阿玛尼”(Armani)、“古驰”(Gucci)的标识,穿上就会给人一种端庄、大气、有个性的感觉。而当T恤上印的是“耐克”的品牌标识时,浮上消费者心头的或许又变成了一位执着追求胜利、实现自我超越的运动明星形象。

### 4.传递价值和创造价值

产品是在原材料的基础上,通过生产部门的加工创造出来的,因此,产品侧重于价值的创造。而品牌形成于整个营销组合环节,需要营销组合当中的每一个环节传达品牌的相同信息,这样才能使消费者形成对品牌的认同。换句话说,品牌主要是用来传播的,侧重于与消费者沟通和互动,因此,品牌侧重于价值的传递。

## (二)品牌与产品的联系

由实践可知,产品不一定必须有品牌,但是在每一个品牌下均有产品。产品是品牌的基础,没有好的产品,用于识别商品来源的品牌就无从谈起。一种产品只有得到消费者的信任、认可与接受,并能与消费者建立起密切的关系,才能使标定在该产品上的品牌得以存活。品牌是无形的/面子上的/虚的,产品是有形的/里子上的/实的,阴阳相济,有无相生。

### 1.品牌以产品为载体

品牌不仅代表着一系列产品属性,而且体现着某种特定的利益,如功能性或情感性利益等。品牌这种使人感知的利益是由产品属性转化而来的,或者说品牌利益相当程度上依赖于产品属性。就奔驰而言,“工艺精湛、制造精良”的属性可以转化为“安全”这样的功能性利益;“昂贵”的属性可以转化为“这车令人羡慕,让我感觉到自己很重要并受人尊重"这样的情感性利益;"耐用"属性则可以转化为"可以使用多年或多年内不需要买新车"这样的功能性利益等。产品的属性以及品牌给消费者带来的利益,都源于它所标定的产品,因此,品牌以产品为客观基础,或品牌以产品为载体。

**2. 品牌借产品来兑现承诺**

品牌对消费者的承诺通过消费产品来兑现。企业以各种传播手段和方式向广大消费者传播品牌信息、品牌承诺,消费者接受品牌信息,并通过购买、消费该品牌的产品来感受这种承诺的存在与否。消费者感知、接受、信任品牌承诺的根本在于,消费者在使用该品牌产品后的实际感受与品牌承诺的一致性。许多品牌正是因为不能实现品牌承诺而失信于消费者,消费者的反馈则是放弃对该品牌的购买。

**3. 品牌竞争力的基础是产品质量**

消费者对品牌的信任首先是基于对该品牌产品质量的信任。产品质量的好坏直接关系到消费者在消费产品中获得的功能性利益,如果功能性利益不能得到满足,就会产生负面情感性效用。设想一位购买了某知名品牌运动鞋的年轻人,只穿了两天,鞋就坏了,他今后恐怕再也不会购买该品牌的产品了,还会不厌其烦地向其他人讲述他的遭遇,则该品牌的市场命运也就可想而知了。纵观世界品牌发展史,强势品牌无一例外皆是产品品质优良的楷模;相反,许多品牌衰落也是败在产品质量的不稳定上。

由此可见,从产品到品牌并不是一个简单的、必然的过程,或者说每个品牌之下都有一个产品,却不是每个产品都能架构一个品牌。品牌的形成需要经过企业的经营者、品牌管理人员、品牌营销人员、消费者等多方面一定时间的锤炼与检验。企业主要保证产品的品质与功能,提供消费者所使用产品的价值与满意度;营销人员和广告企划人员负责赋予产品某种人格化的个性、情感、形象、生活方式、身份、荣誉、价值、地位或意义等附加信息,并将此附加信息通过整合传播方式,有效地传递给目标消费群体;消费者经过一定时间的认知、感觉、使用体验后,形成对产品的感受与印象,对围绕产品的附加信息产生认同、信赖、荣辱与共等正面的认知、态度与行动,产品才真正成为一个品牌。

## 二、品牌与商标

品牌与商标是极易混淆的一对概念,一部分企业错误地认为把产品进行商标注册后就成了品牌。事实上,两者既有联系,又有区别。有时两个概念可等同替代,有时却不能相互混淆。

### (一)商标是品牌的一部分

商标是品牌的一部分,这已基本上成为共识,但商标是品牌的哪一部分却有不同的观点。一种观点认为:商标不是品牌的全部,仅是品牌的一种标识或记号。依此来看,商标仅是品牌中的标识部分，或者说商标就是指品牌标识，是便于消费者识别的部分。因此，商标传播的基本元素。当然，此种观点还认为商标的主要功能中应包括法律保护。另一种观点认为：商标是向政府注册的受法律保障其专用权的品牌。

品牌与商标都是用以识别不同生产经营者的不同种类、不同品质产品的商业名称及其标志。商标不仅仅是一种标志或标记，更多的时候它还包括名称或称谓部分。在品牌注册形成商标的过程中，这两部分常常一起注册，共同受到法律的保护。在企业的营销实践中，品牌与商标的基本目的也都是区分商品来源，便于消费者识别商品，以利竞争，可见品牌与商标都是传播的基本元素。品牌与商标的不同之处，主要是商标能够得到法律保护，而未经过注册获得商标权的品牌不受法律保护。所以，商标是经过注册获得商标专用权从而受到法律保护的品牌。

### （二）商标属于法律范畴，品牌是市场概念

商标是法律概念，它强调对生产经营者合法权益的保护；品牌是市场概念，它强调企业（生产经营者）与消费者之间关系的建立、维系与发展。商标的法律作用主要表现在：通过商标专用权的确立、续展、转让、争议仲裁等法律程序，保护商标权所有者的合法权益；促使生产经营者保证商品质量，维护商标信誉。在与商标有关的利益受到或可能受到侵犯的时候，商标显现出法律的庄严与不可侵犯。品牌的市场作用表现在：品牌有益于促进销售，增加品牌效益；有利于强化消费者品牌认知，引导消费者选购商品，并建立消费者品牌忠诚。

品牌与商标的关系，在中国基本是混用的，或者说，"商标"与"品牌"这两个术语几乎是通用的，没有什么区别，因为中国的商标有"注册商标"与"未注册商标"之分。另外，品牌与商标是可以转化的。如品牌经注册获得专用权就转化成商标，也就具有了法律意义。正是借助商标的法律作用，品牌所产生的超出产品本身价值的利益才得以受到保护。

# 第四节　品牌的分类

品牌起源于对有形产品品牌的研究，但是随着社会经济的发展，品牌的外延也在不断扩大，其概念早已突破了有形产品品牌的范围。具体来讲，品牌可以依据不同的标准划分为不同的种类。

## 一、根据品牌来源地划分

品牌来源地是指拥有该品牌名称、负责产品设计的公司所在地或隐含在知名品牌中的原产地。例如，法国的爱马仕、意大利的阿玛尼、英国的博柏利，这些都是根据品牌的原产地来界定的。品牌原产地是最初培养和生产品牌的那个地区，可以把它理解为

"品牌的国籍"。例如，品牌根据国籍可划分为美国品牌、日本品牌、德国品牌等。品牌来源国家的声誉、经济发展水平也会对消费者产生影响，比如，虽然"本田"和"别克"都在中国生产，但人们通常将前者视为日本品牌，后者视为美国品牌。

最初，品牌来源地研究集中于某国或某地的生产与制造引起产品质量的差异，进而影响购买的倾向。因此，最初的研究将"原产地"概念等同于"制造地"。后来，跨国公司"组装"盛行，生产制造全球化导致"杂交"产品出现，即产品可能在其母国设计，但不在母国制造，产品配件来自世界多个国家。"杂交"产品使"原产地"概念复杂化，有研究把"原产地"进一步分为"制造地""设计地""组装地"。由于品牌在全球的影响力不断增强，品牌来源地对消费者的品质评价和购买选择的影响力远大于产品制造地或设计地。

## 二、根据产品生产经营所属的环节划分

根据产品生产经营所属的环节，品牌可以分为制造商品牌和经销商（自有）品牌。制造商品牌由制造商推出，并且用自己的品牌标定产品，进行销售。制造商是该品牌的所有者，像人们平常非常熟悉的一些品牌，如索尼、格力、长虹等都是制造商品牌。经销商（自有）品牌是经销商自己创立并拥有的品牌，可以是自己商店的名字，也可以是自己独立拥有的品牌名。它包括批发商品牌和零售商品牌，但常见的是零售商品牌。目前比较著名的经销商品牌有美国的沃尔玛、瑞典的宜家、日本的7-11便利店等，我国有屈臣氏和王府井百货等。

随着产业链上竞争的不断升级，传统的制造商品牌正受到来自经销商（自有）品牌的威胁和挑战。近年来国际大型企业普遍采用经销商（自有）品牌的经营战略，通过自有品牌建设，提升企业的信誉，最终提高了企业的效益，使企业得到更好的发展。如美国最大的零售集团沃尔玛拥有20 000个供货商、500个较大的制造商，它们必须按照沃尔玛的设计造型、包装、质量要求进行生产，并印上沃尔玛的自有品牌，是经销商品牌的成功案例。

## 三、根据品牌的知名度和辐射区域划分

根据品牌的知名度和辐射区域划分，品牌可以分为地区品牌、国内品牌、国际品牌。地区品牌是指来自同一区域内的某类产品在市场上具有较高的知名度和美誉度，为顾客所信任，使顾客产生品质纯正、质量上乘的印象，则该区域的企业在市场开拓中可以凭借区位品牌效应，节约营销费用，迅速打开市场。如洛阳和菏泽的牡丹、漳州的水仙、杭州的龙井茶等，都是知名的地区品牌。国内品牌是指国内知名度较高，产品在全国范围销售的品牌，如白酒品牌茅台等。国际品牌是指在国际市场上知名度、美誉度较高，产品辐射全球的品牌，如可口可乐、麦当劳、奔驰、爱立信、微软、皮尔·卡丹等。

随着品牌辐射区域的不断扩大，品牌的管理难度也逐渐增大，最大的困难和障碍也许是区域市场间的文化差异——它是影响品牌扩张成败非常重要的因素。在有关品牌扩

张的文献中都非常强调文化的重要性。无论是区域、国内还是国际文化的影响，品牌在未进行运作扩张前是很难感受到的。大多数人认为理所当然的事情，在扩张的过程中却行不通。在品牌扩张的过程中，人们发现一些品牌早已成为当地消费者生活中的一部分，一个外来品牌要想突破很难。品牌的区域扩张就是要改变消费者对新品牌的认知、了解，放弃原来品牌、接纳新品牌的过程，是培养消费者和忠诚顾客的过程。

## 四、根据品牌的主体划分

根据品牌的主体，品牌可以分为个人品牌、产品品牌、企业品牌、城市品牌、国家品牌等。

### （一）个人品牌

个人品牌是指个人拥有的外在形象或内在修养所传递的，独特的、鲜明的、确定的、易被感知的，足以引起群体消费认知及消费模式形成重大改变的整体性、长期性、基本性（已经显明或者即将显明）的影响力集合体。例如，任正非、乔布斯等都属于个人品牌。

### （二）产品品牌

产品品牌对产品而言包含两个层次的含义：一是指产品的名称、术语、标记、符号、设计等方面的组合体；二是代表有关产品的一系列附加值，包含功能和心理两方面的利益点，主要指产品所能代表的效用、功能、品位、形式、价格、便利、服务等。例如，潘婷、海飞丝等属于产品品牌。

### （三）企业品牌

企业品牌传达的是企业的经营理念、企业文化、企业价值观念及对消费者的态度等，能有效突破地域之间的壁垒，进行跨地区的经营活动，并且为各个差异性很大的产品提供了统一的形象、统一的承诺，使不同的产品之间形成关联，整合了产品品牌的资源。例如，华为、苹果、三星等属于企业品牌。

企业品牌与产品品牌根本的价值差异在于二者在企业运营中的战略位置、战略功能不同。企业品牌战略决定和指导企业业务的经营战略，为经营战略的执行与落地构建内外部平台，强大的企业品牌将为产业的发展与选择、人才聚集、投融资活动的执行等创造良好的内外部环境，进而支撑企业战略目标的实现。

企业品牌需承载实现"母合"优势的战略功能。企业品牌是"母"，产品品牌是"子"，以企业品牌统领、助力产品品牌的发展与建设，将企业资源、企业品牌资产传递到每一个产品品牌，为其发展提供保障。而产品品牌在企业经营战略之下，是企业经营战略实现的重要载体，同时也是实现消费者与企业联结的载体。当然，产品品牌也承载着向企业品牌输送品牌资产的责任，反哺"母"品牌，形成"母""子"品牌之间的良性互动，最终实现企业无形资产的积累，推动企业的持续、快速发展。

企业品牌与产品品牌的差异具体体现为品牌塑造目的不同、涵盖的范围不同、核心受众不同、出发导向不同等。企业品牌塑造的目的是将企业价值观和个性传递给利益相关者，而产品品牌的塑造是通过建立有吸引力的品牌形象或诉求来推动具体产品的销售。企业品牌涵盖的范围必须有充分的前瞻性和包容性，而产品品牌是以个别产品为核心，只需考虑该产品本身的发展及产品所在行业的发展趋势。企业品牌的核心受众更广泛，包括政府及政府官员、媒体、投资者、商业伙伴、意见领袖、下属子品牌消费者、用户、内部员工及社会团体等，而产品品牌的核心受众聚焦在消费者及渠道成员的沟通，是产品走向消费者的桥梁。企业品牌的发展与塑造以企业自身信念及经营理念、业务发展方向与竞争优势为导向，而产品品牌以消费者为导向，满足消费者需求是产品品牌建设的根本。

### （四）城市品牌

城市品牌就是一个城市在推广自身形象的过程中，根据城市的发展战略定位所传递给社会大众的核心概念，并得到社会的认可。例如，哈尔滨的冰雪节、宁波的国际服装节、青岛的啤酒节等属于城市品牌。

### （五）国家品牌

国家品牌指的是一定时期内一个国家在外国公民心目中的总体形象。国家品牌不仅包括实物形态的"硬产品"，还包括非实物形态的服务、旅游、投资环境、文化传统、政府管理、居民等"软产品"。例如，中国的万里长城、埃及的金字塔、法国的埃菲尔铁塔、美国的自由女神像等属于国家品牌。

## 本章小结

美国市场营销协会（AMA）对品牌的定义为：品牌是一种名称、术语、标记、符号或设计，或是它们的组合应用，其目的是借以辨认某个销售者或某群销售者的产品或服务，并使之同竞争对手的产品或服务区别开来。

品牌属性、品牌利益、品牌价值、品牌使用者、品牌个性及品牌文化这六种要素共同构成品牌的内涵。品牌的心理暗示为：对于消费者而言，品牌是一种经验，也是一种保证，更是个性的展现和身份的象征；对竞争者而言，品牌是一种制约；对于品牌自身而言，品牌是一种契约。

品牌是一项重要的无形资产，具有专有性和排他性，具有一定的表象性、风险性及扩张性。对企业来说，品牌有助于稳定产品的价格，有利于新产品的开发等。对消费者来说，品牌是一种信号，也是一种承诺和保证，有助于消费者避免购买风险，降低购买成本，从而更有利于消费者选购商品。

名牌效应包括聚合效应、光环效应、裂变效应和带动效应。

品牌与产品的区别在于：产品是具体的，品牌是抽象的；产品有市场生命周期，品牌则没有市场生命周期；产品侧重于功能价值，品牌侧重于象征价值；产品侧重于价值的创造，品牌侧重于价值的传递。品牌与商标的区别在于：商标是品牌的一部分，商标属于法律范畴，品牌是市场概念。

根据品牌来源地可以划分出不同国别的品牌；根据产品生产经营所属的环节可以将品牌分为制造商品牌和经销商（自有）品牌；根据品牌的知名度和辐射区域划分，可以将品牌分为地区品牌、国内品牌、国际品牌；根据品牌的主体划分，可以将品牌划分为个人品牌、产品品牌、企业品牌、城市品牌、国家品牌等。

## 思考题

1. 美国市场营销协会对品牌的定义是什么？
2. 你对品牌内涵的解读是什么？
3. 对于企业、消费者和竞争者来说，品牌分别起到什么样的作用？
4. 品牌与产品、品牌与商标的区别和联系有哪些？

## 观察思考

### 品牌建设的名利路径和名利观

自古以来，"功名"和"利禄"就是人们所追求的，企业当然也不例外。品牌建设不仅重利，而且重名，正如司马光所说："彼汲汲于名者，犹汲汲于利也。"大多数品牌在创业初期，既没有较高的知名度，也没有不菲的身价。品牌对名利的追求是伴随着自身成长和发展的，为了达到最终目标——名利双收，不同的品牌选择的路径也有所不同，归纳起来有两类：通过名来赢得更多的利，通过利来换取更多的名，如图1-3所示。内在动机是需要付诸实践才能够实现的，良好的名声需要社会公众的评价和认可，更多地体现在做人方面；而财富的积累需要经营管理方面的努力，更多地体现在做事方面。先做人，后做事，偶尔"做做秀"，已成为一种"口号思维"，被奉为品牌处世的哲学。"名利"一词，名在利前，利在名后，做人求名，做事逐利，做人（求名）和做事（逐利）相辅相成，不可分割。

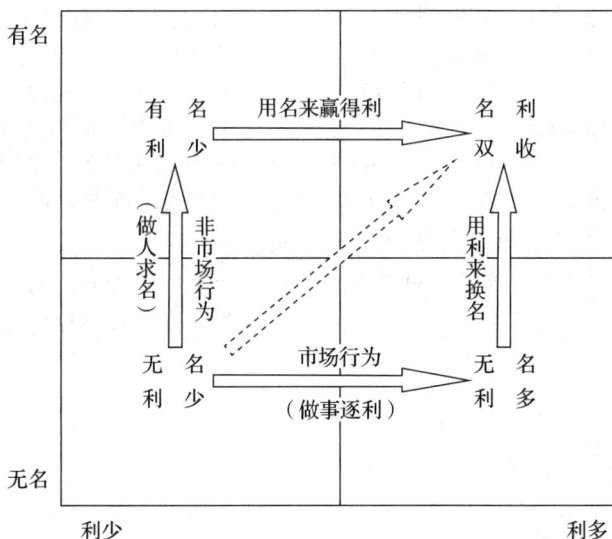

图1-3 追名逐利路径图

仔细观察品牌的行为，大致可以分为两类：非市场行为（做人）和市场行为（做事）。非市场行为主要是指品牌构建、维护与利益相关者（如政府、社会公众、媒体等）关系的行为，如支持体育赛事、文化艺术事业、慈善捐助以及参加政府、媒体等组织的活动等；市场行为主要是指品牌经营管理方面的战略和战术决策行为，如制定战略规划、结成战略联盟、新产品推广、市场调研等。非市场行为更多体现的是做人，侧重于利益相关者关系的构建与维护，可以提高品牌的知名度和美誉度。当品牌拥有良好的声誉时，自然会赢得外部利益相关者的尊重和认可，提高品牌的经济绩效，增加品牌的财富积累，最终达到名利双收。而市场行为更多的是做事，侧重于经营管理水平和绩效的提高，利于企业财富的积累。当企业拥有足够多的财富时，便开始重视对名的追求，希望通过履行社会责任或慈善捐助得到社会的尊重和认可，以提高品牌的美誉度，最终达到名利双收。

现代科技非常发达，"名"既可以是当下的，也可以是身后的，而"利"则多是当下的。当品牌离开这个世界时，名利是无法带走的，只会将宝贵的精神财富和巨额的物质财富留给社会。由此可以看出，企业的名利是从社会中获取的，最终要回馈给社会。不论是在获取还是回馈的过程中，企业都需要有正确的名利观和行为；否则，将不能名利双收或全身而退。因为企业并非生存于真空中，其观念和行为需要得到利益相关者的认可，也会对利益相关者的利益产生影响。那什么样的名利观和行为才算是正确的呢？符合"道德"的名利观才是正确的。"道德"从字面上看很简单，但真正理解和做起来就难了，将"道德"拆开来讲，可以看出，做人和做事首先要符合"道"，"道"之后是"德"为先，"德"指人的良心，也是"道"的起点。

追名逐利是通过做人（非市场行为）和做事（市场行为）来实现的，而做人和做事是要讲"道德"的。"道"存在于万物之中，既包括有形的，也包括无形的，如图1-4所示，道是指整个圆（包括边线）。

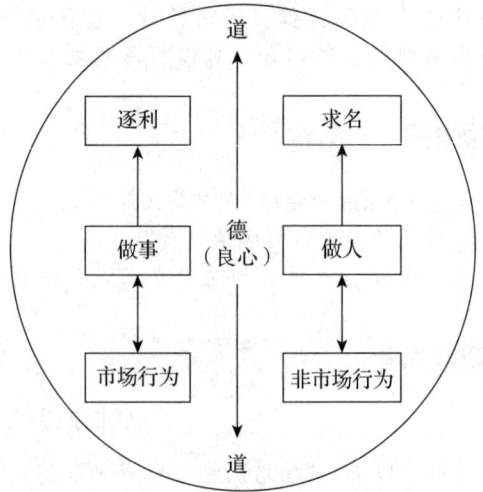

图 1-4  品牌正确的名利观

企业在追求名利之时，不论选择哪种路径，起点均是品牌的良心（德），凭良心做人，凭良心做事，最终才能名利双收。在追求名利的过程中，有利己也有互利的行为，但从企业对名利的渴求来看，实质上更多的是侧重于"利己"。在功成名就之后，"利"最终将成为物质财富的积累，"名"最终将成为精神财富的积累。不论是物质财富还是精神财富，最终都是要回馈于社会的，回馈社会的过程实质是"利他"的过程，也是"个己"道德向上发展的过程。事实上，在这个过程中，品牌的境界已由功利上升至道德境界，这样的品牌才会名垂青史，成为后来者学习的榜样，品牌精神才会流芳后世。

**思考题**

1. 品牌建设之道有哪些？
2. 品牌建设过程中如何树立正确的名利观？

# 第二章  品牌定位

## 【学习目标】

- 了解品牌定位的产生和作用，掌握品牌定位的定义；
- 掌握品牌定位的建立步骤和实施步骤；
- 熟悉品牌定位的原则，掌握品牌定位的策略。

## 开篇案例

### 蜜雪冰城："农村包围城市"，下沉青年的快乐源泉

蜜雪冰城是张红超于1997年在郑州成立的冰淇淋与茶饮品牌。它致力于"让全球每个人享受高质平价的美味"饮品，始终秉持"近者悦，远者来；以奋斗者为本，以顾客为中心"的经营理念，以"真人真心真产品，不走捷径不骗人"为核心价值观，始终坚持"以优质的原材料打造产品，以优质的团队服务顾客"。虽然在创业初期，草根出身的蜜雪冰城名不见经传，但它用自己独特的经营之道，从2018年到2020年实现了营业收入从35亿元到65亿元的跨越，利润为8亿元，并且门店数量达到11 926家，成为中国本土茶饮市场中第一个突破1万家门店的品牌。而蜜雪冰城发展如此迅猛，主要得益于精准的品牌定位。在奶茶店开遍大街小巷时代，蜜雪冰城为什么能在"老品牌相互厮杀，新品牌层出不穷"的茶饮行业中，创造20多年的不败神话？

正所谓商场如战场，当喜茶、奈雪的茶等高端茶饮在一线、二线城市开疆拓土时，蜜雪冰城深知一线、二线城市不利于自身的发展，因此转移目标，瞄准了各大高校和三线、四线城市，将主要客群定位为大学生这一年轻消费群体，针对客群设计产品。从蜜雪冰城的产品组合中可以看出，蜜雪冰城主打"冰淇淋与茶""原叶奶茶"系列，这两个系列产品数量占全店产品数量的60%，而这些产品与现今年轻人群的饮用习惯相符合，加糖的多少也迎合了年轻人对于健康的需求。喜茶、奈雪的茶这些高端奶茶店，一般都开在市中心。而大学，一般都距离市中心较远。比如，在郑州的龙子湖高校园区，喜茶距离学生们有12公里之远，一年内能喝到的次数可谓屈指可数，但蜜雪冰城却存在于许多大学校园中，充分占领了广大的学生市场。

并非人人都能高价制胜，80%的下沉市场需要物美价廉的东西，商品可以从"薄利多销"战略中获利。与市场上其他品牌采用高价方式相反，蜜雪冰城采用低价空位的方式取得差异化优势。市场上，像喜茶、奈雪的茶客单价基本上都在30元左右，CoCo、一点点等茶饮品牌客单价则在15元左右。蜜雪冰城机智地填补了低价的市场空白，主打高质平价，以平均6元左右的客单价成功地牢牢抓住酷爱奶茶的学生和小镇青年的心，成为年轻人的快乐源泉。

蜜雪冰城深受年轻人的喜爱，除了超高性价比之外，也和与之呼应的"土味"营销密切相关。比如，2021年6月3日，蜜雪冰城品牌官方号在B站上传了主题曲MV《你爱我，我爱你，蜜雪冰城甜蜜蜜》。这首歌一共13个字、不到30秒，旋律简单，"魔性"又"上头"。主题曲被各大平台疯狂传播，微博转发量达1.3亿次，抖音转发量达10.9亿次，B站官方则收获了超过1 377万次的播放量、66万次的点赞量。各大平台的评论区，网友留言直呼"魔性""上头""洗脑""我也沦陷了"。网友们还自主进行二次创作，改编版本层出不穷，这首具有年代感的"土味"歌曲，击中年轻人的复古情怀，让蜜雪冰城集聚了不少流量。

蜜雪冰城通过"土味"营销这种接地气的方式与用户交流，更能拉近双方的距离，并且"土味"营销不仅符合蜜雪冰城的品牌调性，也符合年轻人追求个性的心理需求。当然，"土味"营销虽好，却不能乱用，要与品牌的市场知名度和品牌调性相结合，才能取得意想不到的效果。蜜雪冰城正是充分把握住了下沉市场消费者群体的心理特征，使"高质平价"的品牌定位深入人心，从而能够杀出重围，在市场竞争异常激烈的茶饮赛道占领一席之地，成为门店最多、受众最广的品牌。"农村包围城市"的做法是中国共产党革命经验的总结，应用至品牌定位中，符合中国国情和市场规律。

资料来源：妮蔻. 蜜雪冰城，一家被低估的娱乐公司 [EB/OL]. (2021-07-07) [2022-12-31]. https://new.qq.com/rain/a/20210707A0BZTE00.

# 第一节　品牌定位概述

所谓品牌定位，就是让品牌个性在消费者心中占据一个有利的位置，目的在于塑造良好的品牌形象。它是品牌建设的基础，是品牌经营的前提，关系到品牌在市场竞争中的成败，因而越来越受到企业的高度重视。可以说，品牌经营的首要任务就是品牌定位。

## 一、品牌定位的产生

20世纪50年代初，在定位概念被提出来之前，市场营销经历了产品时代和品牌形象时代两个阶段。在产品时代，市场上产品品种较少，商品差异化程度较高，因此企业主要通过产品本身的属性特点和功能利益的差异取得市场竞争优势。在这一时期，罗瑟·瑞夫斯的"独特的销售主张"（unique selling proposition，USP）理论成了营销理论的主流，它以竞争对手做不到或是无法提供的独特功能和利益为诉求。这一时期企业的注意力集中在产品的特色和消费者的利益上。

可是在20世纪50年代后期，随着技术革命的兴起，产品之间以功能的差异来吸引消费者将越来越难，因为独特的卖点越来越少了。到了60年代，成功的企业发现，在产品的销售中声誉或者形象比任何一个具体的产品特色都更加重要。于是，大卫·奥格威提出了品牌形象论，认为"每一次广告都是对品牌形象的长期投资"，然而当每家公司都想建立自己的声誉时，市场上有太多的产品和太多的营销噪声，因此仅有少数公司取得成功。

人们逐渐认识到，产品重要，公司形象也重要，但比这些更重要的是，你必须在潜在顾客大脑里建立一个"定位"。1970年，杰克·特劳特和艾·里斯在《广告时代》杂志上发表文章，提出了营销史上具有划时代意义的崭新观念——定位，以及诸如"心理占位""第一说法""区隔化"等极其重要的营销传播理论，指出任何一个品牌都必须在目标受众的心智中占据一个特定的位置，并维持好自己的经营焦点，定位理论宣告了一个营销新时代的到来。1995年，杰克·特劳特又与里夫金合作，出版了定位理论的刷新之作《新定位》。《新定位》一书借鉴了心理学及生命科学的最新成果，提出营销定位的心理原则及其误区，从而使定位理论体系更完整、发展更成熟，在全世界各个领域得到了广泛的应用。

由于杰克·特劳特和艾·里斯提出了"有史以来对美国营销影响最大的观念"，因而被誉为"有史以来对美国营销影响最大"和"发现市场营销永恒法则"的人。正如美国西南航空公司前副总裁唐·瓦伦丁所说，"营销心法的第一条，就是通读《定位》<sup>⊖</sup>这类书。它的核心看似简单，实则充满了力量，并且已经在各个领域得到广泛运用"。不只是在美国，定位理论对全球营销界的影响也是巨大而深远的。

## 二、品牌定位的定义

杰克·特劳特和艾·里斯认为，消费者的大脑中储存着各种各样的产品信息，就像一块吸满水的海绵，只有挤掉原有的产品信息，才有可能吸纳新的产品信息。据此，他们给定位这样一个定义："定位并不是要对你的产品做什么事……是对你未来的潜在顾客心智所下的功夫……也就是把产品定位在你未来潜在顾客的心中。"他们认为，定位改变的是名称、价格及包装，实际上完全没有改变产品，所有的改变，基本上是在做修饰而已，其目的是在潜在顾客心中得到有利的地位。杰克·特劳特和艾·里斯把定位当作一种纯粹的传播策略，让产品信息占领消费者心智中的空隙。由此可以看出，定位是对现有产品进行的一次创造性试验。

所谓品牌定位，就是对品牌进行设计，从而使其能在目标消费者心目中占有一个独特的、有价值的位置的行动，或者说是建立一个与目标市场有关的品牌形象的过程与结果。品牌定位是市场营销发展的必然产物与客观要求，是品牌建设的基础，是品牌成功的前提，是品牌运作的目标导向，是品牌全程管理的首要任务，在品牌经营中有着不可估量的价值。因此，品牌定位理论自诞生之日起，就发挥着越来越重要的作用，甚至被提升到品牌经营战略的高度。每个品牌都必须有一个清晰准确的定位，以便在宣传推广时能向消费者传达有效的信息。可以说，品牌经营的首要任务就是品牌定位。

实际上，也有人认为品牌定位就是对顾客情感的一种管理。情感是人类生命中最生动的有机组成部分。最好的品牌定位能强烈地吸引顾客，最好的品牌是情感品牌。例如，耐克熟练地开发与运动健身有独特关系的情感产品，轻而易举地成了运动健身世界中情感与物质回报的主角，其品牌价值已达几百亿美元；迪士尼是家庭奇妙生活中受人尊敬的主角，它十分明快地与每一个人内心的童趣联系在了一起；手表、钢笔及奢侈用品公司万宝龙的首席执行官（CEO）诺伯特·普拉特在谈到其品牌与顾客间的情感共鸣时说："万宝龙代表了激情与灵魂……当世界不停地上紧发条时，我们却在松开发条。我们公司的哲学是反加速，就是对信息技术的反冲。因为顾客渴望那些能留住瞬间的东西。"耐克、迪士尼、万宝龙一直围绕着顾客情感展开定位，由此建立起了成功的品牌。

## 三、品牌定位的作用

品牌的定位始于产品，但品牌定位并非对产品采取行动，而是要对顾客的心智采取行动。品牌定位就是企业将品牌在市场上树立一个明确的，既区隔于其他品牌又符合消费者需要的，并能占据消费者心智模式的形象。先知战略定位认为，品牌的定位对企业

---

来说是至关重要的。品牌定位的作用有以下三个。

### （一）品牌定位是形成市场区隔的根本

准确的品牌定位能使你的品牌与其他品牌区别开来，从众多同类或同行业的品牌中脱颖而出，从而在消费者心目中形成一定的地位。例如，汤达人方便面把自己定位于"好面汤决定"的方便面，与强调面饼好吃的传统方便面区隔开，迅速占据消费者的心智模式，从而很快成为汤特色类方便面的第一品牌。

成功的品牌定位，对企业占领市场、拓展市场具有很大的引导作用。品牌定位已远远超出了产品本身，产品只是承载品牌定位的物质载体，人们使用某种产品在很大程度上是体验品牌定位所表达的情感诉求。品牌诉求发生变化会带来截然相反的市场反应，因此，品牌定位准确与否将直接影响市场开拓。

### （二）品牌定位有利于树立品牌的形象

品牌定位是针对目标市场及目标消费者确定和建立起来的独特品牌形象的结果。它是人们在看到或听到某一品牌后所产生的印象，是消费者通过对品牌的感觉、认知和理解，在脑海中储存的品牌信息。而品牌定位是对企业的品牌形象进行整体设计，从而在目标消费者的心中占据一个独特的有价值的地位。例如，百事可乐定位于"新生代的可乐"，给消费者留下"年轻、活泼、时代"的形象。品牌和人一样都是有个性的，品牌个性的形成与定位密切相关，品牌定位是品牌个性的前提和条件。品牌定位不同，体现的个性也不相同，如牛仔品牌威格体现出的是"男子气概的、粗犷的、强壮豪放的个性"，这种西部牛仔自由的个性深入人心。

### （三）品牌定位有利于品牌的整合传播

品牌传播就是通过广告、公关等手段将品牌形象传递给消费者，以获得消费者的认知和认同，并在消费者心智中占据一个明确的位置。品牌定位必须通过品牌的传播才能实现定位的目的，传播要依赖于品牌的定位，也是为定位服务的。没有品牌定位，品牌传播就缺少针对性，更难以获得系统性和一致性，从而会导致难以在消费者心目中留下清晰可识的品牌形象。因此，品牌定位是品牌整合传播的基础。

品牌的定位说清楚了"我是谁、有何不同、何以见得"的过程。要想与消费者沟通，取得消费者的认可，就需要系统解决以上几个问题，给消费者充分的选择理由。例如，佳洁士传递给消费者"防蛀牙专家"的定位，通过大量实验性的广告把这个定位深深地植入消费者的心智中。

## 第二节　品牌定位的步骤

定位就是使品牌实现区隔。今天的消费者面临太多选择，经营者要么想办法做到差异化定位，要么就给产品定一个很低的价格，才能生存下去。其中关键之处，在于能否使品牌形成自己的区隔，在某一方面占据主导地位。为此，根据杰克·特劳特和艾·里斯的观点，企业应该按照以下五个步骤来建立品牌定位。

## 一、品牌定位五步骤

### （一）分析行业环境

企业不能在真空中建立区隔，周围的竞争者都有着各自的概念，所以企业的品牌定位需要适应行业环境才行。首先，企业需要从市场上竞争者发出的声音开始，弄清它们在消费者心智中的大概位置，以及它们的优势和弱点。通常采用调查模式是就某个品类的基本属性，让消费者从 1 到 10 给竞争品牌打分，这样可以弄清不同品牌在人们心目中的位置，也就是建立区隔的行业环境。同时考虑市场上正在发生的情况，以判断推出区隔概念的时机是否合适。例如，在旅游行业，景观有历史景观、山水景观、现代建筑景观等分类，提及历史景观会想起长城、故宫等，提及山水景观会想起桂林、九寨沟等，提及现代建筑景观会想起鸟巢、水立方等。又如，在餐饮行业，有中式餐、西式餐、快餐等分类，中式餐又有火锅、烧烤等分类，提及快餐会想起肯德基、麦当劳、真功夫等，提及火锅会想起海底捞等。

### （二）寻找区隔概念

分析行业环境之后，企业需要寻找一个概念，使自己与竞争者区别开来。例如，一匹马，可能有很多种类，所以很快就可以得到区隔：赛马、跳马、牧马、野马等。而赛马又可以从品种、表现、马厩、驯马员等方面去区分。再来看看一所大学如何得到区隔的概念。根据美国国家教育统计中心的数据，美国有 5 762 所大学，比世界上任何地方都要多，但它们在很多方面都很相似，尤其是愿意接受政府援助作为奖学金和助学金。位于底特律西约 145 公里的希尔斯代尔学院，就此向保守的支持者们提出了一个区隔概念：拒绝政府资金，甚至包括联邦背景的贷款——几乎没有竞争者敢这样做。希尔斯代尔学院的口号是"我们脱离政府的影响"，将学校定位为"保守思想的乐园"，使自己的区隔概念深入人心。正如一位集资者所说，"我们把这个产品（学校）卖了出去"。又如，在水行业中，娃哈哈定位于纯净水，农夫山泉定位于天然水，康师傅定位于矿物质水，等等。

### （三）找到支撑要点

有了区隔概念，企业还要找到支撑要点，让它真实可信。当 IBM 提出"集成电脑"区隔概念的时候[一]，一切似乎显得过于简单，那是因为 IBM 的规模和多领域技术优势，是它天然的支撑点。任何一个区隔概念，都必须有据可依。比如，一辆"宽轮距"的庞帝克，轮距就应该比其他汽车更宽；英国航空作为"世界上最受欢迎的航空公司"，乘客自

---

　　[一]　曾经负债累累的 IBM，凭着为顾客提供"集成电脑"服务而成功实施战略转型。

然要比其他航空公司的多；可口可乐敢说"正宗的可乐"，是因为它就是可乐的发明者；当赫兹声称"赫兹非寻常"时，它就得提供一些别人所没有的服务。区隔不是空中楼阁，消费者需要企业证明给他们看，企业必须能支撑起自己的区隔概念。例如，娃哈哈说自己是纯净水，因为它的水经过 27 层过滤；农夫山泉说自己是天然水，因为它的水源地是千岛湖和长白山等；康师傅说自己是矿物质水，因为它的水里含有矿物质。

### （四）持续不断传播

并不是说有了区隔概念，就可以等着顾客上门。最终，企业要靠传播才能将概念植入消费者心中，并在应用中建立起自己的定位。一方面，企业要在每一方面的传播活动——广告、手册、网站、销售演示中，都尽力体现出区隔的概念。例如，有一位快餐业的 CEO 甚至亲自过问圣诞节寄给特许经营商的贺卡，一定要在节日的问候中捎带上自己的"区隔"。另一方面，一个真正的区隔概念，也应该是真正的行动指南。几年前，泽西联合银行把自己定位为"快速行动银行"，它很快就参透了这种精神，争着比来自"大城市"的对手（戏称"昏睡国家银行"）做得更快，大大地提高了审批贷款和解决投诉的速度，业务同步增长。美国企业到处充斥着"激励员工"的话，但实际上，员工并不需要公司告诉他"怎样发挥潜能"，他们只想知道一个问题的答案——什么使我们的公司与众不同？如果他对答案产生认同，就会和公司一起奋力前进。当企业的区隔概念被别人接受，而且在企业的销售、产品开发、设备工程，以及任何大家可以着力的地方都得到贯彻时，你才可以说你为品牌建立了定位。

### （五）别不舍得投钱

值得强调的一点是，在建立品牌定位的过程中，仅有一个好的区隔概念还远远不够，企业必须要有足够的财力把概念植入消费者心中。今天的营销是一场在心智上展开的比赛，进入心智需要真金白银，保住基业需要的还是真金白银。当年，史蒂夫·乔布斯和史蒂夫·沃兹尼亚克拥有了一个伟大的概念——个人电脑，但令苹果电脑成功的，却是麦克·马库拉的 9.1 万美元。马库拉因此掌握了苹果 1/3 的股份，而本来他应拥有超过一半。为了保住品牌地位，宝洁公司每年要花掉 20 多亿美元的广告费，通用汽车的广告费也高达 15 亿美元。没有钱支撑的概念一文不值。如果企业碰巧穷得只有概念，就做好准备吧，为集资做出最大的让步。不少企业家不敢或者说舍不得把钱花在无形事物如广告或品牌上，觉得通过打广告和做品牌来衡量绩效结果是不靠谱的；他们喜欢把钱花在有形事物上，比如建楼或建广场、买设备等，这样更直接明了。

| 文中引例 |

## 今年过年不收礼，收礼只收脑白金

这句中国大众最耳熟能详的广告语，　　　　已经"蹂躏"电视观众好多年了。但是，不管有多少人不屑、挖苦，甚至痛骂脑白金的广告，脑白金还是成功了。自1997年在江阴面市以来，脑白金每年都保持了10亿元的销售额，2006年的数据则达到历史最高，接近15亿元。这样的成绩，在中国保健品行业的发展史上绝对是一个奇迹，创下了一个不可逾越的高度。脑白金取得如此骄人的业绩，广告功不可没。除了高频率、高覆盖的投放，脑白金广告的成功是定位清晰的结果。

首先，从行业来看，脑白金从搏杀残酷的"功能型保健品"市场突围，自己开创了一个"礼品型保健品"市场，这是它成功的第一要素。根据《中华人民共和国广告法》的规定，保健品不能在广告中宣传治疗功效，这无疑给保健品的营销套上了一把枷锁；而且保健品市场还很不成熟，绝大部分的企业缺乏技术研发和产品创新的能力，市场竞争主要集中在概念炒作上。因此，脑白金另立门户，开创了一个礼品市场的蓝海，有效地摆脱了这两个问题的掣肘。跳出保健品行业圈，却用保健品的诉求冲击传统的礼品市场，脑白金的差异化和营销卖点立刻找到了。礼品的定位抓住了"吃的人不买，买的人不吃"这一重要特点，也就是购买者和使用者决裂。

其次，从顾客来看，脑白金选择礼品市场，可谓是切中要害。中国人的传统观念中，保健品更多是给老人使用的，但是，通过调查了解，老年人主动购买保健品的概率很低，绝大多数还是晚辈孝敬长辈。礼仪中国，孝行天下。因此，脑白金的目标消费群，或者说购买的决策者，并不是使用者本人，而是使用者的子女及其他晚辈。那么，这些购买者并不会深入了解产品的功效，或者也不想去了解，他们关注的是产品是否符合自己的身份、是否适合送礼对象的身份。这样一来，脑白金的广告语，针对这一特殊消费群体，就具有极强的引导作用。之后改良的广告语"孝敬爸妈，脑白金"，也是同理。

资料来源：http://www.icourse163.org/course/ZNU-EDU-1003452001，节选自本书配套品牌管理慕课视频3.1。

## 二、品牌定位实施步骤

由于杰克·特劳特和艾·里斯的品牌定位建立步骤倾向于停留在宏观抽象层面，因此为了能将观点落到营销实践操作层面，品牌定位需要对消费者、竞争对手以及企业自身进行科学、系统的分析。为了获得清晰准确的定位，必须遵循一定的操作程序。

### （一）深入分析消费者需求

品牌必须将自己定位于满足消费者需求的立场上，最终借助传播让品牌在消费者心中获得一个有利的位置，所以消费者的需求分析是进行品牌定位的首要步骤。要达到这一目的，可以借助消费者行为调查，通过客观的数据来了解目标市场顾客的生活形态或心理层面的情况。为了找到切中消费者需要的品牌利益点，思考的焦点需要从产品属性转向消费者利益。消费者利益的定位是站在消费者的立场上来看的，它是指消费者期望从品牌中得到什么样的价值满足。所以用于定位的利益点选择除了产品利益外，还有心理象征意义方面的利益，这使得产品转化为品牌。因此可以说，定位与品牌化其实是一体两面，如果说品牌化是消费者认知的过程，那么定位就是公司将品牌提供给消费者的过程。

### （二）明确竞争对手及其定位

品牌定位的实质就是与竞争品牌相区别，以给消费者留下独特的印象，所以一个企业在进行品牌定位时应该首先分析品牌的竞争者。确认品牌竞争者是一个需要全面分析的过程，因为品牌竞争者不仅包括同类产品竞争的品牌，还包括其他种类产品的品牌（直接的或间接的替代产品品牌）。比如，可口可乐不仅要和百事可乐竞争，还要考虑绿茶、果汁等其他非碳酸饮料的竞争。这将作为一个行业分析的基础。在确认之后，企业必须明确每个竞争者品牌是如何在其属性上定位的。一般而言，探求竞争性品牌的定位可以采用竞争性框架的方法：根据产品的某些属性来作一幅树形图，并分别细分这样一些属性，最后把所有的竞争性品牌按这些属性在这个树形图上"对号入座"，以明确竞争品牌的差异性定位。

### （三）归纳提炼品牌核心价值

有价值的、值得开发的品牌竞争优势一般并不能直接用于品牌定位，它是原始的、粗糙的和宽泛的，要经过高度概括和提炼，得到其核心竞争价值。而这种品牌核心价值是品牌创建的重要战略目标，只有它们才真正地把品牌与其竞争对手区别开来。迪士尼的核心价值是"快乐的家庭娱乐"，其首席执行官迈克尔·艾斯纳在回忆录中写道，"迪士尼的天才们将它变成了最好的家庭娱乐的代名词。无论是主题公园还是电视节目，无论是卡通电影还是迪士尼的一块手表……迪士尼为人们许诺了一种体验：适合任何年龄孩子的全家娱乐，产品与服务高度可靠安全，提供了一套可预见的价值"。所以这种核心价值是品牌的精髓，是品牌向消费者承诺的最根本利益，也是消费者认同、忠诚于品牌乃至愿意为之付出高价的原动力，是可以建立品牌定位的本质性的东西。

### （四）清晰确定品牌差异化定位

在前面步骤的基础上，通过竞争环境分析、差异研究、消费者需求的探索、品牌和新价值的提炼等，就可以获得品牌的一些定位点。然而品牌定位还要在这一系列的定位点上进行优化组合，舍弃不合理的方案，保留可行方案，再对这些方案进行严格筛选，以在相互竞争的参考体系中找到品牌的理想位置，最终形成品牌定位。这种定位应该能够用文字简洁而准确地表述出来，如美国的米勒淡啤酒是这样陈述的：地道的美国标准强度的啤酒，好喝而且相当爽口，目标对象是18～24岁的男性，标准啤酒的饮用者特别针对那些关心个人外在表现的人。

### （五）持续传播监控并不断调整

品牌定位是开始而不是结束。当品牌定位确定之后，企业还必须有效且一致地传播这一定位。品牌传播要采取有效的手段来表达这一定位，让目标消费者认识、理解、接受这一定位，产生心灵的共鸣。这种认同感才是最终在消费者脑中对品牌形成特殊印象的基础，所以定位是否成功，只有消费者才最有发言权。品牌传播有公关、广告、包装、价格、营销渠道等多种途径，其中最重要的是广告。因为广告可以通过图文结合、多媒体的表现方式，立体地展现品牌的定位。一旦品牌定位已经在消费者脑中形成了，企业还要注意监控它在市场上能否有效地维持。一方面，企业可以通过记录不同时期研究出来的品牌形象，来了解品牌定位状况；另一方面，企业也可以确定竞争者品牌的状况。

# 第三节　品牌定位的原则与策略

品牌定位需要经常向消费者宣传品牌识别，目的是有效地建立品牌与竞争者的差异性，在消费者心目中占据一个与众不同的位置。在产品越来越同质化的今天，要成功打造一个品牌，品牌定位可谓举足轻重。品牌定位是一种策略行为，离不开科学严密的思维，必须讲究原则和方法。

## 一、品牌定位的原则

为了使一个新品牌能够在激烈的商战中找到立足之地，应该根据企业的资金、人才和技术等综合情况进行定位，遵循某一个品牌定位的原则。品牌定位原则是定位的总体战略取向，可以有所侧重，分清主次，根据企业的具体情况，强调或削弱某些方面，精炼为本品牌特有的定位原则。

### （一）顺应原则

顺应原则是指跟随市场主导流向，寻找目标品牌。采用这种原则的企业通过在市场潮流中发现流行的主题，顺应市场畅销品牌的产品特点，做出自己的选择。在此，顺应有模仿的意味，是带有一定主见的模仿。由于业内已经有可以借鉴的成功品牌例子，采用这一原则比较保险，可以规避市场风险，比较适合缺乏品牌运作经验的新生品牌借鉴和参照，但是产品风格容易与其他品牌雷同而没有特色，缺少个性，一旦被指与某个更著名的品牌相似，则会影响品牌的感召力。此原则比较适合中低档品牌的定位。

### （二）对立原则

对立原则是指与市场上出现的主要流行风格相反，走个性化、另类化品牌路线。强调个性的定位原则可以凸显品牌的主张，吸引年轻消费群体，增添创造性成分，符合市场多元化发展的趋势。采用对立原则的企业依靠设计的力量突出品牌风格，产品形象比较抢眼且富有个性，能形成比较明显的品牌风格，以产品的设计价值体现产品的附加值。但由于目标消费群体较小，产品的社会需求总量不多，过于个性化的产品将失去市场。此原则更适合走中高档路线、以质取胜的品牌定位。

### （三）空位原则

空位原则是指寻找当前市场在风格和品种上的空当，创造业内空缺或罕见的风格。采用空位原则的企业通过避开与主流风格的正面交锋，迂回侧击，来保存实力，在夹缝中求生存。企业由于开创了前所未有的风格而独树一帜，少有竞争对手，拥有潜在消费市场，其原创意识更多地体现在新的产品类别开发上，只要掌握得当，容易一炮打响。但从产品推出到被接受，消费者对它有一个认识过程，因为缺少参照物，产品开发的难度较大，存在一定的市场风险。此原则适合各种档次品牌的定位。

### （四）差异原则

差异原则是指在现有品牌中，通过比较与研究，寻找产品之间可能存在的根本的不同点，利用设计方法中的结合法，树立差异化理念，开发差异化产品及服务，体现出差异化竞争的特点。因为有比较成熟的参照对象，可以适度规避产品开发的市场风险。任何方面都可以纳入差异的内容中，重点在于产品的不同风格和不同功能的定位差异，一旦找准方向，市场潜力不可估量。市场的成熟使差异点不易寻找，差异度难以控制，可能会流于为了差异而差异的形式。概念性差异化卖点的市场推广需要时间和力度，必须做足宣传才能吸引人。

## 二、品牌定位的策略

### （一）以产品特点为导向的定位

（1）**类别定位**。类别定位就是与某些知名而又司空见惯的产品做出明显的区别，或给自己的产品定义为与众不同的"另类"，这种定位也可称为与竞争者划定界线的定位。如美国的七喜汽水，之所以能成为美国第三大软饮料，就是因为采用了这种定位策略，宣称自己是"非可乐"型饮料，是代替可口可乐和百事可乐的清凉解渴饮料，突出与两"乐"的区别，因而吸引了相当多的"两乐"转移者。又如娃哈哈出品的"有机绿茶"，与一般的绿茶构成显著差异；舒肤佳推出的免洗洗手液，提出"随时随地，清洁双手"的理念，与普通洗手液形成区别。这些都是类别定位策略的运用。

（2）**概念定位**。概念定位就是使产品、品牌在消费者心目中占据一个新的位置，形成一个新的概念，甚至造成一种思维定式，以获得消费者的认同，使消费者产生购买欲望。该类产品可以是以前存在的，也可以是新产品。在遭遇"非典"、原材料涨价等多重压力的 2003 年，海尔空调销量不俗，最主要的因素来自于产品概念的独特分类——氧吧空调。这就是概念定位的成功，是对消费者生活密切关注而满足需求方式的结果。红牛定位于"能量与活力"，打出功能概念，不断传播"有能量，无限量""困了，累了，喝红牛""我的能量，我的梦想"的诉求，是全球较早的功能饮料品牌之一。另一个概念定位成功的案例是"脑白金"，品牌本身就创下了一个概念，容易让消费者形成诱导式购买，人们"身不由己"地把脑白金和送礼佳品、年轻态健康品等同起来了。

（3）**功效定位**。消费者购买产品主要是为了获得产品的使用价值，希望产品具有所期望的功能、效果和效益，因而以强调产品的功效为诉求是品牌定位的常见形式。很多产品具有多重功效，定位时向顾客传达单一的功效还是多重功效并没有绝对的定论，但由于消费者能记住的信息是有限的，往往只对某一强烈诉求产生较深的印象。因此，向消费者承诺一个功效点的单一诉求更能突出品牌的个性，获得定位的成功。例如，洗发水品牌中飘柔的定位是"柔顺"，海飞丝的定位是"去头屑"，潘婷的定位是"健康亮泽"。又如，汽车品牌中沃尔沃轿车的定位是"安全"。

（4）**档次定位**。档次定位主要是将质量和价格结合起来构筑品牌识别。质量和价格通常是消费者最关注的要素，大家都希望买到质量好、价格相对便宜的物品。因而实际中，这种定位往往表现为宣传产品的价廉物美和物有所值。但不同档次的品牌带给消费者不同的心理感受和体验。现实中，常见的是高档次定位策略传达了产品高品质的信息，往往通过高价位来体现其价值，并被赋予很强的表现意义和象征意义。例如，劳力士、浪琴和江诗丹顿，能给消费者独特的精神体验，并表达"高贵、成就、完美、优雅"的形象和地位。又如，奥迪A4上市时，宣称"撼动世界的豪华新定义"，显示出产品的尊贵和气派。

（5）**历史定位**。历史定位是指以产品悠久的历史建立品牌识别。消费者都有这样一种惯性思维，对于历史悠久的产品容易产生信任感，一个做产品做了许多年的企业，其产品品质、服务质量应该是可靠的，而且给人神秘感，让人向往，因而历史定位具有"无言的说服力"。例如，云南香格里拉酒业股份有限公司推出的香格里拉·藏秘青稞干红传承1848年法国酿酒工艺，近年在干酒行业异军突起，与其历史定位是分不开的，"来自天籁，始于1848年，跨越三个世纪，傲然独立"的品牌渲染给人以凝重、悠远的历史品位，令人神往。又如，泸州老窖公司拥有始建于明代万历年间（1573）的老窖池群，所以总是用"您品味的历史、国窖1573"的历史定位来突出品牌传承的历史与文明。

### （二）以心理需求为导向的定位

（1）**文化彰显定位**。该定位将文化内涵融入品牌，形成文化上的品牌识别。文化彰显定位能大大提高品牌的品位，使品牌形象更具特色。中国文化源远流长，国内企业要予以更多的关注和运用，目前已有不少成功的案例。珠江云峰酒业推出的"小糊涂仙"酒，就成功地实施了文化彰显定位，公司借"聪明"与"糊涂"反衬，将郑板桥"难得糊涂"的名言融入酒中，把握了消费者的心理，将一个没什么历史渊源的品牌运作得风生水起；金六福酒业推出的金六福酒实现了"酒品牌"与"酒文化"的信息对称，把在中国具有亲和力与广泛群众基础的"福"文化作为品牌内涵，与老百姓的"福文化"心理恰巧平衡与对称，使金六福品牌迅速崛起。

（2）**生活情调定位**。该定位就是使消费者在使用产品的过程中，能体会到一种良好的、惬意的生活气氛、生活情调、生活滋味和生活感受，从而获得一种精神满足。该定位使产品融入消费者的生活中，成为消费者的生活内容，使品牌更加生活化。例如，青岛纯生啤酒的"鲜活滋味，激活人生"给人以奔放、舒畅和激扬的心情体验；美的空调的"原来生活可以更美的"给人以舒适、惬意的生活感受；云南印象酒业公司印象干红的"有效沟通，印象干红"给人以人际交往中轻松、惬意的交流氛围。

（3）**群体归属定位**。该定位直接以产品的消费群体为诉求对象，突出产品专为该类消费群体服务，以此获得目标消费群体的认同。该定位把品牌与消费者结合起来，有利于增强消费者的归属感，使消费者产生"我自己的品牌"的感觉。例如，金利来定位为"男人的世界"；百事可乐定位为"青年一代的可乐"；北京统一石油化工公司的"统一经典"润滑油定位为"高级轿车专用润滑油"。

（4）**自我表现定位**。该定位通过表现品牌的某种独特形象和内涵，让品牌成为消费者表达个人价值观、审美情趣、自我个性、生活品位、心理期待的一种载体和媒介，使消费者获得自我满足和自我陶醉的快乐感觉。例如，果汁品牌"酷儿"的"代言人"大头娃娃，右手叉腰，左手拿着果汁饮料，陶醉地说着"Qoo……"这个有点儿笨手笨脚，却又不易气馁的蓝色酷儿形象正好符合儿童"快乐、喜好助人但又爱模仿大人"的形象，令小朋友看到酷儿就像看到了自己，因而博得了小朋友的喜爱；浪莎袜业锲而不舍地宣扬"动人、高雅、时尚"的品牌内涵，给消费者一种表现靓丽、妩媚、前卫的心理满足；夏蒙西服定位于"007的选择"，对崇尚勇敢、智慧、酷帅和英雄主义的消费者极具吸引力。

（5）**情感表达定位**。该定位是将人类情感中的关怀、牵挂、思念、温暖、怀旧、爱等情感内涵融入品牌，使消费者在购买、使用产品的过程中获得这些情感体验，从而唤起消费者内心深处的认同和共鸣，最终形成对品牌的喜爱和忠诚。例如，浙江纳爱斯的雕牌洗衣粉，借用社会关注资源，在品牌塑造上大打情感牌，它创造的"下岗片"广告较成功地运用了情感表达定位策略，"……妈妈，我能帮您干活啦"的真情流露令消费者内心震撼并产生了强烈的情感共鸣，自此，纳爱斯雕牌更加深入人心；丽珠得乐的"其实男人更需要关怀"也是情感表达定位策略的绝妙运用；哈尔滨啤酒"岁月流转，情怀依旧"的品牌内涵勾起人无限的岁月怀念。

### （三）以行业竞争为导向的定位

（1）**首席定位**。首席定位主要是指追求品牌成为本行业中领导者的市场定位。如广告宣传中使用"正宗的""第一家""市场占有率第一"等口号，就是首席定位策略的运用。首席定位的依据是人们对"第一"印象最深刻的心理规律。例如，第一个登上月球的人，第一位恋人的名字，第一次的成功或失败，等等。尤其是在现今信息爆炸的社会，各种广告、品牌多如过江之鲫，消费者会对大多数信息毫无记忆。专业机构调查显示，一般消费者只能回想起同类产品中的七个品牌，且名列第二的品牌的销量往往只是第一品牌的一半。因此，首席定位能使消费者在短时间内记住该品牌，并为以后的销售大开方便之门。

在每个行业每一产品类别里，"第一"只有一个，而厂商、品牌众多，并不是所有的企业都有实力运用首席定位策略，只有那些规模巨大、实力雄厚的企业才有能力做到。对大多数厂商而言，重要的是发现本企业产品在某些有价值的属性方面的竞争优势，并取得第一的定位，而不必非在规模上最大，如波导手机宣称"连续三年全国销量第一"，高露洁是防蛀牙膏的第一，麦当劳是快餐行业的第一。采用首席定位策略，能使品牌深深印在消费者的脑海中。

（2）**加强定位**。加强定位主要是指在消费者心目中加强现有形象的定位。品牌是被设计出来的，当企业在竞争中处于劣势且对手实力强大不易动摇其优势地位时，品牌经营者可以另辟蹊径，避免正面冲突，以期获得竞争的胜利。例如，美国安飞士公司强调"我们是老二，我们要进一步努力"；七喜汽水的广告语是"七喜非可乐"；河北中旺集团推出"五谷道场"方便面时，强调"非油炸"获得了很好的效果；统一鲜橙多告诉消费者"满足每天所需的维生素 C，多喝多漂亮"。

（3）**空当定位**。空当定位是指寻找为许多消费者所重视但尚未被开发的市场空间。任何企业的产品都不可能占领同类产品的全部市场，也不可能拥有同类产品的所有竞争优势。市场中机会无限，只看企业是否善于发掘。谁寻找和发现市场空当的能力强，谁就可能成为后起之秀。例如，美国 M&M's 公司生产的巧克力豆，其广告语"只溶在口，不溶在手"给消费者留下了深刻的印象；露露集团开发的杏仁味"露露"饮料由于具有降血压、降血脂、补充蛋白质等多种功效，因而定位为"露露一到，众口不再难调"，同样是成功的空当定位案例。

（4）**对比定位**。对比定位主要是指通过与竞争品牌的客观比较，来确定自己市场地位的定位策略。在市场经济发达的国家和地区，产品、品牌成百上千，企业要发现市场空当不是一件容易的事情。此时，企业要让自己的品牌在消费者心目中占有一席之地，只有设法改变竞争者品牌在消费者心目中现有的形象，找出其缺点或弱点，并用自己的品牌进行对比。

例如，美国温蒂公司（Wendy's）在广告中起用一名 70 多岁的老太太，老太太看着一个竞争品牌的汉堡问："牛肉到哪里去啦?"广告采用对比定位策略使消费者对该品牌的信心大增，从而提高了品牌的市场地位。又如，泰诺击败在止痛药市场上占"领导者"地位的阿司匹林，使用的也是对比定位策略。泰诺在广告中说道："有千百万人是不应当使用阿司匹林的。如果你容易反胃或者有溃疡，或者你患有气喘、过敏或缺铁性贫血，在使用阿司匹林前就要先向医生求教。阿司匹林能侵蚀四壁，引发气喘或过敏反应，并引起肠胃微量出血。幸运的是有了泰诺……"以此广告，泰诺一举击败了市场第一的阿司匹林，成为止痛药市场的"领导者"。

（5）**攀附定位**。攀附定位是指攀附或借助名牌之光而使自己的品牌生辉，主要有两种形式：①甘居第二，即明确承认同类中最负盛名的品牌，自己只不过排第二而已。采用这种策略的公司会给人们一种谦虚诚恳的印象，使人们相信公司所说是真实可靠的。如蒙牛乳业启动市场时，宣称"做内蒙古乳业第二品牌""千里草原腾起伊利集团、兴发集团、蒙牛乳业……我们为内蒙古喝彩，让内蒙古腾飞"。②"攀龙附凤"，其切入点亦如上述，承认同类中某一领导品牌，本品牌虽自愧弗如，但在某地区或在某一方面还可与它并驾齐驱，平分秋色，并和该品牌一起宣传。如内蒙古的宁城老窖，宣称是"塞外茅台"。

## 本章小结

　　所谓品牌定位，就是对品牌进行设计，从而使其能在目标消费者心目中占有一个独特的、有价值的位置的行动，或者说是建立一个与目标市场有关的品牌形象的过程与结果。品牌定位是形成市场区隔的根本，有利于树立品牌的形象和品牌的整合传播。

　　品牌定位的五步骤是：分析行业环境，寻找区隔概念，找到支撑要点，持续不断传播，别不舍得投钱。品牌定位的实施步骤是：深入分析消费者需求，明确竞争对手及其定位，归纳提炼品牌核心价值，清晰确定品牌差异化定位，持续传播监控并不断调整。

　　品牌定位的原则有顺应原则、对立原则、空位原则、差异原则。品牌定位的策略包括：以产品特点为导向的定位，如类别定位、概念定位、功效定位、档次定位、历史定位；以心理需求为导向的定位，如文化彰显定位、生活情调定位、群体归属定位、自我表现定位、情感表达定位；以行业竞争为导向的定位，如首席定位、加强定位、空当定位、对比定位、攀附定位。

## 思考题

1. 杰克·特劳特和艾·里斯对品牌定位的理解是什么？
2. 品牌定位的五步骤和实施步骤分别是什么？
3. 品牌定位的作用和原则是什么？
4. 品牌定位的具体策略包括哪些？

## 学术延伸

### 品牌摆架子还是没架子

　　在人际交往中，"摆架子"是位于里子和脸面之间的一个环节，要以好的、扎实的里子为基础，以建立和维持好的脸面为支撑的人格形象，围绕自我认知的较高心理定位，做出一系列行为架构的适当选择。其中，里子是内在的、实的，体现为能力或权力，必须要好，因为它是摆架子的基础和资本；而脸面是外在的、虚的，体现为道德和成就指向，它们是摆架子支撑的人格形象。

　　在品牌领域，产品质量代表的是里子，是内在的、有形的、实的，不仅要优而且要异，它是品牌摆架子行为的基础和资本。而品牌定位和品牌形象是脸面，是外在的、无形的、虚的，它们是摆架子行为架构支撑和外化的对象，强调象征意义的程度，程度越强，品牌的架子摆得就越足；程度越弱以至于没有象征意义，则品牌无须摆架子。

　　那么，品牌能不能摆架子跟什么相关呢？从人际交往的逻辑来看，它与品牌的价值定位密切相关。于是，根据品牌象征意义程度的高低，品牌可以划分为象征价值品牌、形象价值品牌和功能价值品牌。由于摆架子行为不仅是品牌对自身认知的心理定位，而且反映了消费者对品牌本身及其使用者群体的心理认知定位，与品牌使用者的社会地位和拥有财富密切相关，因此，如图 2-1 所示，根据品牌使用者社会地位的高低和拥有财富的多少，可以划分为四类人群：① 既富且贵的人；② 贵而不富的人；③ 富而不贵的人；④ 无产者。

　　对象征价值品牌来说，在"实"的方面，性价比相对很低，但在"虚"的方面，象征意义的程度相对最高且没有上限，传递的价值体现了真正的富贵，如百达翡丽、江诗丹顿等手表，目标顾客为第①类既富且贵的人。这类消费群体在选择品牌时，与社会表达相比，较侧重品牌的自我表达，他们深度了解品牌的来源和内涵、产品的设计风格等方方面面，能看"懂"品牌或产品等"物"背后的"人"的意识和意念，看重的是生产者所赋予品牌或产品的"神"，即风格、思想和精神，是否与自己契合。举例来说，这部分消费者买产品的时候，基本都会去弄清楚这个产品或品牌背后设计的想法是什么，他们一定会想办法搞清楚产品是怎么来的，为什么这样设计。

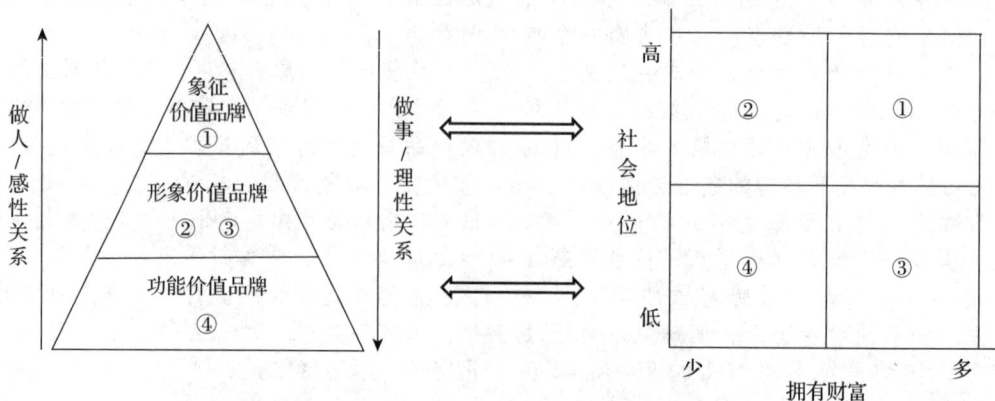

图 2-1　品牌价值定位分类和消费者群体细分

对形象价值品牌来说，在"实"和"虚"两个方面，性价比和象征意义均相对适中。象征意义虽有，但仅仅体现了"形"，而未抓住"神"，传递的价值体现了贵而不够富或富而不够贵，如浪琴、名士等手表，目标顾客为第②类贵而不富的人和第③类富而不贵的人。与象征价值品牌相比，这类品牌对目标顾客的心理需求把握相对简单，而且不够深入。此类消费群体在选择品牌时，与自我表达相比，较侧重品牌的社会表达，看重的是"外"在的"形"能够给自己带来多大的社交价值，并不像第①类既富且贵的人那样，深度了解品牌"内"在的"神"是否与自己契合。举例来说，就像有的人买个路易威登（LV）的包，并不知道这个包的设计理念以及它的来龙去脉。

对功能价值品牌来说，在"实"的方面，性价比相对很高，但在"虚"的方面，象征意义接近于零，无法体现富和贵，传递的仅仅是产品的功能价值，如海飞丝、格力空调、红牛饮料等，目标顾客为第④类无产者。此类品牌基本不做"虚"的，聚焦于"实"即功能价值，较侧重解决目标顾客群体的外在需求，也就是与产品消费相关的现实问题。此类消费群体在选择品牌时，更看重性价比，以及产品的质量和功能等方面。

在营销实践中，品牌摆架子该如何操作呢？第一，对产品销量进行限制，这符合经济学所讲物以稀为贵的逻辑；第二，定价极高，而且从不降价打折，甚至还会不断地提价；第三，销售的渠道网点稀少，难以见到；第四，广告代言人常表现出一副高冷的姿态；第五，终端销售店面气势逼人，让人看了没有底气进去消费；第六，终端门店销售服务人员对进店购物的普通消费者态度冷漠傲慢。

资料来源：王新刚，张琴. 品牌摆架子行为对消费者购买意愿的影响 [J]. 经济管理，2018(6): 86-99. 详细讲解可参考本书配套品牌管理慕课视频 3.2, https://www.icourse163.org/course/ZNUEDU-1003452001。

**思考题**

1. 品牌摆架子与顾客让渡价值之间的冲突是什么？
2. 品牌摆架子与行业是否相关？在不同行业该如何运用摆架子？

# 第三章　品牌设计

## 【学习目标】

- 了解品牌命名的作用，熟悉品牌命名的原则；
- 掌握世界最有价值品牌命名的模式；
- 掌握品牌标识（logo）设计的要素，了解品牌标识设计的风格；
- 掌握老字号品牌标识设计的模式。

## 📖 开篇案例

### 蒙牛：初心不变，焕新出发

　　蒙牛是中国领先，全球乳业第七的乳制品供应商，品牌价值 685 亿元。蒙牛旗下拥有特仑苏、纯甄、真果粒、冠益乳、优益 C、每日鲜语、爱氏晨曦、瑞哺恩等王牌产品，以满足不同消费者的营养需求。蒙牛始终坚持创新研发，致力于成为全球最值得信赖的营养健康食品公司。2021 年 12 月 18 日，蒙牛宣布焕新品牌标识，这是蒙牛成立 22 年来首次升级品牌标识。新标识由设计出苹果品牌标识（被咬了一口的苹果）的著名设计师罗勃·简诺夫（Rob Janoff）倾情打造。简诺夫团队在设计过程中坚持"在传承中不断进行形象焕新"的理念，以及"具有传承性兼具年轻化、国际化新形象"的升级思路，最终在数百张手绘草图中确立终版。

　　全新标识传承了 1999 年蒙牛的造型：右上方为牛角，下方代表河流和草原。图形的内部化繁为简，去掉了 MENGNIU 和笔画细节部分，外形方形变得更加圆润。图形处理得更加饱满、流畅，"蒙牛"二字也变大了。"蒙牛"新标识最大程度保留了原有的图文结构和基本色调，延续了消费者的情感回忆。

1999　　　　　　　　　　　　2021

简诺夫团队遵循黄金比例美学设计原则，使新标识变得严谨、和谐、简约以及具有比例美学，同时为品牌注入了新的内涵：暗示着蒙牛来自黄金奶源带的天然优势。整个标识由白色、绿色构成，突出寻求天然，新的品牌色系"草原绿"与之前相比略显明亮。这是内蒙古草原的颜色，代表着天然、健康和品质。下方的"河流"，代表土地与民族的母亲河——黄河，母亲河滋养的黄金奶源带为消费者贡献世界品质好奶。右上方的"牛角"不仅是奶牛的标志性符号，更象征着蒙牛"天生要强、与自己较劲"的企业精神，也象征着广袤地球与浩瀚星空。"蒙牛"的汉字书法延续消费者的情感回忆，"河流"与"牛角"突破边框、黄金分割，寓意超越自我、追求卓越，也寓意蒙牛从草原牛向世界牛前进的决心。简诺夫团队运用更简约、更现代的设计语言，对蒙牛的品牌图形进行全新的诠释，用更开放、更具亲和力以及更国际化的品牌形象去拥抱世界。

官方介绍称：自从1999年蒙牛品牌创立至今，22年来首次更换品牌标识，新标识从整体视觉上更简约、大气。我们的根来自内蒙古绿色大草原，这是我们永远不变的底色；"牛角"是蒙牛的精神符号，代表了蒙牛一直以来"天生要强"的企业精神；"母亲河"的元素更是代表了蒙牛在黄河沿岸黄金奶源带的产业布局，滋养出了世界品质好奶。同时，通过对大量消费者的市场调研，新标识保留了经典中文毛笔字"蒙牛"，这也显示了对中国传统的延续。官方发布的海报中还调侃了简诺夫：要把标识缩小的同时，再放大一些。操刀蒙牛标识，这是他第一次与中国知名消费品牌合作。

品牌焕新既是为产品营销服务的角色，也是产品营销必不可少的价值体现，背后更是一个成功公司顺应时代、调整核心竞争力的发展脉络。如今，蒙牛换品牌标识也顺应了时代发展，年轻一代蒙牛人的接力势必迸发新的势头，这也是一个时代的标志！未来，蒙牛将在全球乳业产业链刻下新的"中国足迹"，为全球乳业发展提供更多"中国动力"。

资料来源：腾讯微信号. 蒙牛品牌LOGO焕新分享[EB/OL]. (2022-08-04) [2022-12-31]. https://mp.weixin.qq.com/s/PEmFUR--RSJ5oZeB_noR5A.

# 第一节　品牌命名

一个企业的诞生是从它的名字开始的，人们认识一个企业也是从它的名字开始的，可以说，起一个好名字是企业迈向成功的第一步，企业对此十分重视。好的名字是起名者智慧的结晶，是一种思想文化的体现；好的名字能联结消费者的心，唤起人们对精神生活和物质生活的追求。

# 一、品牌命名的作用

品牌成功的第一步，就是要取个好名称。日本索尼公司称："我们最大的资产是 4 个字母 'SONY'，它不是我们的建筑物、工程师或工厂，而是我们的名称。"艾·里斯和劳拉·里斯在《品牌 22 律》<sup>⊖</sup>中指出："从长远的观点看，对于一个品牌来说，最重要的是名字。"孔子也曾说："名不正则言不顺，言不顺则事不成。"一位企业家甚至说企业能否发达，关键在于品牌名称起得好不好。名称对于品牌的作用可见一斑。所以，品牌命名成了品牌建立之始的重头戏。具体而言，品牌名称的作用，可以分为以下几点。

## （一）激发消费者联想

从企业的视角来看，信号理论指出：在市场信息不对称的条件下，公司希望通过品牌名称发出信号来表明自己的定位，以及与竞争对手在竞争优势方面的差异。而从消费者的视角来看，当他们面对不确定性的产品时，品牌名称是一个重要的信号，它能够帮助消费者降低搜索成本和认知努力。

品牌名称是品牌中能够读出声音的部分，是品牌的核心要素，是品牌显著特征的浓缩，是形成品牌文化概念的基础。一个好的品牌名称本身就是一句最简短、最直接的广告语，能够迅速而有效地表达品牌的中心内涵和关键联想。中国自古就有"正名"之说，名称的好坏，关系到品牌的成败。例如，Coca-Cola 最初译作"蝌蚪啃蜡"，不仅音译生硬令人难以理解，还会在中文语境中引发不好的联想，对品牌的发展有害而无益；而后，将其改译作"可口可乐"，音节顺畅，发音响亮，而且暗喻饮料口感良好，使人快乐舒心，可谓天衣无缝，获得了极好的效果。

## （二）体现核心价值

品牌名称是品牌最重要的组成要素之一，它表明了品牌最核心的要素和价值。品牌名称会带给消费者这个品牌的整体印象和基本评价。一提到某一品牌名称，人们便很快对该品牌所代表的产品质量、技术、服务等有一个总的概念和印象。好的品牌名称是一笔巨大的无形资产，能给企业带来丰厚的回报。例如，劳斯莱斯、奔驰代表了性能卓越的轿车，海尔、IBM 代表了优质的售后服务，苹果、华为代表了先进的移动通信技术，谷歌、百度代表了优质的搜索体验，等等。每一种品牌名称都给人们带来了有关的信息，而且长期影响人们的消费行为。因此，不能仅仅把品牌名称当作无关紧要的代号、符号，而应进一步挖掘品牌名称这一重要信息所代表和象征的核心价值，著名的品牌更是如此。

## （三）体现品牌文化

名称是一种符号，反映了取名者的道德修养、文化水准和对品牌寄托的希望，是一

---

笔宝贵的文化财富；同时，它也反映了品牌的文化品位。好的名称充满生机、活力与诱惑力，能深深地根植在消费者心中，以至于消费者有相关需求时，会直奔相关品牌而去，事情简单得就像人们感到口渴时直接去买一瓶可口可乐或雪碧一样。业界有人对品牌名称有一个恰当的比喻："一个好的产品是一条龙，而为它取一个好的品牌名字，就犹如画龙点睛，成为神来之笔，为产品品牌增添光彩，对提高产品品牌的知名度，扩大产品品牌的市场份额，起着很重要的作用。"

### （四）体现民族文化

作为语言文字的一种独特表现形式，品牌名称具有鲜明的文化性和民族性。它扎根于民族文化的土壤，从中汲取养分，同时也能够反映一个民族的政治制度、历史传统、风俗习惯、宗教信仰。中华民族有五千多年的文明史，形成了独具特色的方块文字。我国的品牌大都以汉字来命名，体现了民族文化特色，也展现出品牌命名者的美好愿景。作为经济发展的一种自然现象，品牌名称能折射出特定时代的经济文化和民族心态。例如，"全聚德""亨得利"体现了早期工商业者励精图治，以期致富的心态；"老凤祥""梦祥银"体现了人们追求吉祥、好运的心态；"华为""中兴"等则体现了在祖国日益发展的当代，企业家们希望国家和企业能对世界产生重大影响的美好愿景。

品牌名称对公司的绩效有着重要的影响。研究表明：好的品牌名称不仅能够提高品牌的知名度和消费者的忠诚度，进而占领较高的市场份额，而且能提高消费者支付溢价的可能性，同时降低消费者对价格提升的敏感性。除此之外，好的品牌名称还可以增加品牌延伸的机会并降低消费者品牌转换的可能性。由此可见，品牌名称是品牌资产当中一项重要的价值，而品牌命名则是提升品牌资产的重要手段之一。因此，企业在进行自主品牌创建的过程中，品牌命名的作用不容忽视。

## 二、品牌命名的原则

鉴于品牌名称的作用，企业如何才能给品牌取个好的、有影响力的名称呢？关于这个问题，已有很多学者做了大量的研究工作，提炼出一些标准和原则。遗憾的是这些标准和原则至今未能达成统一。汇总起来品牌命名大致有13个标准：能够体现产品的利益，容易记住，与公司和产品的形象一致，具有法律有效性，利于说服，独特而有竞争力，不宜太长，易于阅读，对潜在用户有正面的暗示，适合包装，现代且时尚，易于理解，便于促销和做广告。基于此，本书梳理出以下几个重要的、贴近实践的原则。

### （一）易读易记

品牌名称的首要功能是识别和传播，要让消费者轻而易举地通过名称来识别产品，并且能够通过各种途径使名称在市场上广为流传。德国著名的品牌专家海因里赫·赖夫认为，评价品牌名称好坏的第一项标准就是是否简明。所谓简明，就是指语言形式简单，便于消费者识别和记忆。好的品牌名称要做到简洁明快、个性独特、新颖别致、高雅出众，要有强烈的冲击力和浓厚的感情色彩。因此，品牌名称要尽可能地易于消费者识记，尽量减少生僻字的使用以及可能存在的多音字情况，避免带来记忆和传播上的困难，影响品牌传播效果。

### （二）简单响亮

音节简单、发音响亮、声调起伏的名字才容易上口，便于识别和传播，让消费者记忆深刻、经久难忘，使品牌能够脱颖而出。在中文的语境里2～4个音节是最佳的选择。像索尼爱立信手机虽然取得了一些成功，但是不见得会有更大的前景。因为索尼爱立信的名称较为烦琐，不易传播，后来改用"索爱"，与"所爱"同音。Google的中文名"谷歌"就不够响亮，而竞争对手"百度"就响亮许多。一般而言，声母为k、b，韵母为ang、ong 等音节的词往往发音较为响亮。倘若声调能够搭配好，有起伏，就可以达到抑扬顿挫的效果。

---

| 文中引例 |

## 娃哈哈的品牌命名

杭州"娃哈哈"是一个口碑不错的品牌。娃哈哈公司为自己生产的营养口服液取名时，颇费了一番功夫。公司通过新闻媒介向社会广泛征集产品名称，然后组织专家对数百个应征名称从市场学、心理学、传播学、社会学、语言学等学科理论角度进行研究论证，最终选定了"娃哈哈"这三个字。

娃哈哈®
**Wahaha**

理由有三：其一，"娃哈哈"三字中的韵母a是孩子最早发出的音，极易模仿，且发音响亮，音韵和谐，容易记忆，因而容易被他们接受；其二，从字面上看，"哈哈"被各种肤色的人用于表达欢笑喜悦之情；其三，同名儿歌以特有的欢乐明快的音调和浓烈的民族色彩，唱遍了长城内外、大江南北，把这样一首广为流传的民族歌曲与品牌联系起来，可以很好地提高它的知名度。

作为一个经典案例，"娃哈哈"命名的成功，除了它通俗、准确地反映了一个产品的消费对象外，最关键的一点是它将一种祝愿、希望，与一种消费的情感效应结合，以儿童的天性作为品牌命名的核心，而"娃哈哈"这一名称又天衣无缝地传达了上述形象及价值。这种对儿童天性的开发及祝愿刚好是该品牌形象定位的出发点，也是该品牌打造市场竞争优势的出发点。

资料来源：根据网络公开资料整理而成。

### （三）寓意丰富

品牌名称本身要具有一定的意义，这种意义可以直接或间接地传递产品的某些信息，让消费者从中得到愉快的联想。一般来说，品牌名称可以巧妙、含蓄地蕴含以下功能和意义。第一，宣传产品。如果品牌名称能够反映产品的某些性能和特点，向消费者透露产品的有关信息，就能够引导消费购买。第二，表明具体服务对象。任何品牌都有具体的服务对象，有自己的目标消费者。如果品牌名称能同目标消费者有适当的关联，让人们通过品牌名称知道品牌的消费主体，就可以大大提升品牌的信息传递效果，并引导消费。第三，阐释品牌经营理念。如果通过简单的品牌名称能够传达品牌的经营理念，公众就更容易形成对品牌的认同和信赖，从而提升品牌形象。第四，宣传优秀传统文化。我国是历史悠久的文明古国，优秀的传统文化源远流长。如果能够把这些优秀的传统文化融入品牌之中，必将大大提升品牌的亲和力和消费者的认同感。

### （四）彰显特性

目前我国主要商品已进入生产相对过剩的时代。企业大规模生产的结果是产品单一，差异不明显。随着经济全球化的加速，商品生产正经历全面的"同质化"。随着生活质量的提高和人本意识的强化，消费者不仅仅关注产品本身的质量，更要求产品具有特色，能体现自我个性。因此，品牌名称贵在个性，就是风格独特，与众不同。只有这样，才能在众多品牌中脱颖而出，形成魅力，给消费者以鲜明的印象和深刻的感受，这样才能满足消费者厌倦重复、追求新奇的心理。例如，"无印良品"就反品牌标识日益明显的潮流而行，突出自身没有品牌标识的特征，为崇尚极简、低调的消费者提供了彰显个性的特色商品，收到了良好的成效。

### （五）适应时空

品牌名称的适应性有两方面的含义：从时间方面来看，品牌名称应该考虑品牌未来的发展，适应社会经济的发展潮流；从空间方面来看，品牌名称应考虑适合不同地域、不同国度和不同民族的需求。由于文化传统、宗教信仰、风俗习惯、语言文字等的差异，不同时间、不同地域、不同文化的消费者对同一品牌名称的认知和联想是不完全相同的，因此品牌名称要符合目标市场的文化价值观念，顺应品牌全球化的趋势。例如，嘀嗒出行最早叫"嘀嗒拼车"，仅仅体现了拼车的业务。但随着出租车、顺风车等业务的上线，嘀嗒拼车的品牌名称已经不足以涵盖其业务，因此需要耗费大量财力、物力、人力进行改名和重新宣传，给企业造成了一定的损失。而若企业在一开始就能够具有远见卓识地为品牌命名，则会对企业的发展起到重要的推动作用。

### （六）合法合规

品牌名称受到法律保护是品牌被保护的根本，品牌名称要得到法律保护就必须申请注册。策划人员在命名时应遵循相关的法律条款。品牌名称的选定首先要考虑该品牌名称是否有侵权行为，策划人员要通过有关部门，查询是否已有相同或相近的品牌被注册，如果有，则必须重新命名。其次，要注意该品牌名称是否在允许注册的范围以内。有的品牌名称虽然不构成侵权行为，但仍无法注册，难以得到法律的有效保护。最后，要注意品牌名称自身的保护，防止"山寨""盗版"等情况的出现。例如，阿里巴巴担心被"山寨"，为了保护品牌商标，无奈注册了十几个类似商标，如阿里妈妈、阿里爸爸、阿里姐姐、阿里奶奶等，基本上把整个"阿里家族"都注册了。

## 三、品牌命名的程序

偶然的灵感迸发，甚至无意间的错误可能获得非同凡响的品牌名称。例如，"Google"这一名称最初来源于创始人拉里·佩奇舍友的建议——googol，意为 10 的 100 次方，象征着巨大的数字，而在注册时，佩奇则错拼为"google"，却由此获得了一个今日看来无比响亮的名号。但是这样的好运并不会时时都有，像 Google 的中文名"谷歌"的推出便没能获得网民们的热烈欢迎，原因在于它只是内部人员尤其是高层的意见，而没有遵循科学严谨的程序，未通过受众测试就草率推出。因此，遵循科学严谨的命名程序有助于提高品牌命名成功的概率，从而促进品牌的快速成长。科学严谨的品牌命名程序通常有以下六大步骤。

### （一）确立目标

在品牌命名之前，企业应该先对目前的市场情况、未来国内市场及国际市场的发展趋势、品牌主体的战略思路、载体的构成成分与功效、人们使用后的感觉、竞争者的命名等情况进行摸底，明确需要什么类型的品牌名，要在多少个国家使用该品牌名，新品牌名与公司目前的命名文化是否相适配，或者它是否属于十足的创新，竞争对手将会做出什么反应等一系列的问题，以便确立品牌命名的目标，做到有的放矢。

### （二）搜集方案

确立目标之后，企业就可以开始搜集备选方案，网罗各路精英，发动头脑风暴，让所有可以参与的人畅所欲言、集思广益，甚至采用计算机软件辅助取名，任何可能的名称都不要放过。在此过程中，企业尽量减少即时的评价和筛选，以免打击参与者的积极性和创意，而是逐一记下，日后再做筛选。

### （三）评价筛选

将所搜集的品牌名称，按品牌命名原则进行评价和筛选，并列出相关结果。评价和筛选品牌名称的一个重要问题是由什么人来筛选。组织一个合理的评选小组十分重要，该评选小组的成员最好包括语言学、心理学、美学、社会学、市场营销学等方面的专家。可供评价和筛选的原则除了前面已经阐述的品牌命名原则外，还应注意品牌未来的发展，尽量避免品牌名称含义过于狭窄，以便品牌能够有效延伸。

### （四）受众测试

专家对品牌名称的评价和筛选的结果还需通过目标受众的测试。品牌是主体与受众心灵的烙印、思想共鸣的产物，因此要充分考虑受众的感受。通常可采用问卷调查、电话访谈、网络聊天等形式了解受众对品牌名称的反应。如果测试的结果表明目标受众并不认同被测试的名称，那么不管专家还是管理者多么偏爱这个名称，一般都不应该采用，而应考虑重新命名。

### （五）法律审查

通过受众测试的名称，还要经过详细、充分的法律审查。这个过程既费钱又费时，但至关重要，因为不能注册就得不到法律的有效保护。例如，有时注册一个名称可能会遭遇许多明显的异议，在这种情况下，就应当分析为何有这些异议，通常还要与异议者保持联系，有时还须签署必要的商业协定。另外，在某些特殊情况下，还有必要实施周密的调查，以查证某一商标是否被使用，如果被使用，是用在哪种产品上，有时甚至有必要通过诉诸法律以废止某个商标，以便自己可以注册。

### （六）确定注册

通过法律审查的名称可由决策者们根据偏好做出选择并最终确定，尽快进入法律程序进行相关注册，在没有确保注册通过之前最好能够保密，不要事先发布，以免遭人暗算。例如，Google 发布中文名"谷歌"就犯了这个错误，让另一家公司抢先注册，导致不必要的法律纠纷，而在这方面联想开拓海外市场时宣布英文名由"Legend"改为"Lenovo"就要明智许多，因为"Legend"商标在国外已经被他人先注册使用。

## 四、品牌命名的方法

一个好的品牌名称是品牌被消费者认知、接受、满意乃至忠诚的前提，作为品牌的核心要素，品牌名称在很大程度上对产品的销售产生直接影响，甚至直接影响一个品牌的兴衰。因此，通过对市场众多品牌的研究，总结以下十种命名方法，供企业在进行品牌命名时借鉴。

### （一）时间法

时间法是指将与产品／品牌相关的历史渊源作为命名的要素，使消费者对该产品／品牌产生来源于历史的认同感和信赖感。众所周知的"道光廿五"酒，就缘于 1996 年 6 月凌川酒厂在老厂搬迁时，偶然发掘出的穴藏于地下 150 多年的清道光乙巳年（1845 年）的四个木酒海（古时盛酒容器）。经国家文物局、锦州市人民政府组织考古及酿酒专家鉴定，这批穴藏了一个半世纪的贡酒实属"世界罕见，珍奇国宝"。于是，企业抓住历史赋予的文化财富，为用这种酒勾兑的新产品酒取名"道光廿五"。消费者只要看到"道光廿五"，就会产生喝到祖传佳酿的感觉。因此，企业运用时间法确定品牌名称，可以借助历史赋予品牌的深厚内涵，迅速获得消费者的青睐。

### （二）地域法

地域法是指将企业或产品／品牌与地名联系起来，将消费者对地域的信任和印象进一步延伸到对产品／品牌的信任。著名的青岛啤酒就是以地名命名的品牌，人们看到"青岛"二字，就会联想起这座城市"红瓦、黄墙、绿树、碧海、蓝天"的美丽景色，从而在对青岛认同的基础上产生对青岛啤酒的认同。同样，飞速发展的蒙牛牌乳制品，就是将内蒙古的简称"蒙"字作为企业品牌的要素，消费者只要看到"蒙"字，就会联想起"风吹草低见牛羊"的壮观景象，进而对蒙牛产品产生信赖。由此可见，企业将具有特色的地域名称与产品／品牌联系起来以确定品牌名称的方法，可以借助地域文化积淀，促进消费者对品牌的认同。

### （三）目标客户法

目标客户法是指将品牌与目标客户联系起来，进而使目标客户产生认同感。"巴拉巴拉""小猪班纳""巴布豆"通过与卡通形象结合，很容易使人联想到儿童服装；"淑女屋"也很容易使人与年轻的女性服装品牌联系起来；还有"好孩子"，也是儿童用品的绝佳品牌；"兼职猫"把目标客户定位为想做兼职的大学生，使 App 得到了快速推广。运用目标客户法来命名品牌，对于获得消费者认同具有强大的作用。

### （四）人名法

人名法是指将名人、明星或企业创始人的名字作为产品／品牌名称，充分利用人名的价值，促进消费者认同产品。例如，"李宁"，就是体操名将李宁利用自己的体育明星效应而创造的一个体育用品的名牌；世界著名的"戴尔"电脑，就是以创始人戴尔的名字命名的品牌。采用人名法命名的品牌还有"王致和"腐乳、"张小泉"剪刀、"福特"汽车、"惠普"电脑、"松下"电器等。用人名来命名品牌，可以发挥人名的联想作用，提高认知率，并在一定程度上吸引受众。

### （五）中英文结合法

中英文结合法是指运用中文和英文字母或两者结合来为品牌命名，使产品增加"洋"的味道，进而促进产品销售。例如，Lenovo（联想）中的 Le 取自联想本意"Legend"（传奇），"novo"是拉丁语"创新"的意思，都代表着联想创新的核心精神。锐澳（RIO）鸡尾酒源于巴西"里约热内卢"（RIO DE JANEIRO）的简称"里约"（RIO），寓意充满活力、时尚、热情、阳光、快乐、自在的性格。同样，外国名牌在翻译成中文时，巧用中文音义与字义，取得了很好的效果，如宝马汽车、潘婷洗发水、苹果电脑等。还有音译和意译相结合的品牌命名，如可口可乐、百事可乐等。运用中英文结合法命名品牌时，要巧妙结合，切忌为洋而洋，或为中而中，尤其要防止乱用"洋名"，使消费者产生厌倦而导致反作用。

### （六）数字法

数字法是指用数字来为品牌命名，借用人们对数字的联想效应，为品牌增加特色。例如，三星电子（SAMSUNG）中的 SAM 代表三，而 SUNG 的意思是星星；另外，韩语 SAM 有强大之意，SUNG 有永恒的意思，因此也寓意永恒的强大。又如，"7-11"是世界最大的连锁便利店集团，在北美和远东地区有 2.1 万家便利店，该公司是用自己从 1946 年推出的，深受消费者欢迎的早 7 点到晚 11 点开店时间的服务特色命名的，目前已成为世界著名品牌。运用数字法命名，可以使消费者对品牌增强差异化识别效果，且便于记忆和传播。

### （七）功效法

功效法是指用产品功效为品牌命名，使消费者能够通过品牌对产品功效产生认同。例如，"飘柔"洗发水形象地描述了产品的功效——使头发飘逸柔顺，从而得名；"脑轻松"，就是一个"健脑益智"的营养口服液品牌，"美加净""舒肤佳"香皂，用香皂的功效对品牌进行命名。采用功效法为品牌命名的还有"汰渍"洗衣粉、"云南白药"牙膏、"佳能"相机等。

### （八）价值法

价值法是指企业追求用精练的语言来为品牌命名，使消费者看到品牌就能感受到企业的价值观念。例如，上海"盛大"网络发展有限公司、湖南"远大"集团，突出了企业志存高远的价值追求；福建"兴业"银行，体现了"兴盛事业"的价值追求；武汉"健民"品牌突出了为民众健康服务的企业追求；北京"同仁堂"、四川"德仁堂"品牌，突出了"同修仁德，济世养生"的药商追求。因此，运用价值法为品牌命名，对消费者迅速感受企业价值观具有重要的意义。

### （九）形象法

形象法是指运用动物、植物和自然景观来为品牌命名。例如，"七匹狼"服装，给人以狂放、勇猛的感受，使人联想起《与狼共舞》的经典情节；"圣象"地板，使人产生大象都难以踏坏的坚固形象；还有"大红鹰""熊猫""美洲豹""牡丹""翠竹"等。运用形象法命名品牌，借助动植物的形象，可以使人产生联想及亲切的感受，加快认知速度。

### （十）借用法

借用法是指企业选择历史或者日常生活中人们非常熟悉的人或事物，直接作为企业或产品的品牌。例如，小米科技的名称直接取自日常生活中的"小米"，曹操出行直接取自历史人物曹操，苹果手机直接取自水果中的苹果，锤子手机直接取自日常工具中的锤子。这样命名的方法有利于品牌更快、更好地问世，因为这些人或事物都是消费者天天接触且非常熟悉和喜闻乐见的。如此命名，不仅可以降低因侵权而面临的风险，还能大大降低企业的宣传成本，迅速提高品牌知名度。

# 第二节　世界最有价值品牌命名

经济全球化的快速发展以及多国文化间差异的存在，为品牌国际化命名提出了新的课题和挑战。其中，主要的障碍和难题在于表音语言体系（如英语）和符号语言体系（如汉语）间的差异和转化，因为前者侧重于通过听觉的语言传递，如英文"hot"，读者看后不仅明其意，而且知道它是怎么读的；后者较侧重于通过视觉的书写传递，如中文"热"，读者看到下面的四点就如同架在燃烧的火堆上，却不能从书写中知道它是怎么读的。由此可见，虽然两者都在达"意"，但方式和途径却存在很大的不同。

## 一、品牌国际化命名动因

鉴于此，在上述两种语系的背景下，学者们对品牌名称展开了丰富、深入的研究，归结起来主要有三个方面：汉语语言体系下、英语语言体系下和英 – 汉间的相互转化。其中，在英语语言体系下，大多数学者都是从词汇的某一个方面出发进行因果研究，缺少对国际化品牌英文名称共性特征全面系统的描述和探索性研究。而在汉语语言体系和英 – 汉相互转化的研究中，学者们普遍关注的是中文品牌名称的共性特征，以及外资品牌进入中国市场的名称转化研究，可这样的结论对中国民族品牌走向国际市场的指导意义势必有限。

为此，不同于以往的研究，本节以世界最有价值品牌"英文"名称（201 个）为样本，从样本特征、词汇结构和词汇发音等方面，寻找它们的共性特征和规律，提炼总结它们的命名模式。开展这样的研究，理由如下：首先，民族品牌走向国际市场先要解决语言转换的问题。其次，中文和英文品牌名称间的文化差异，将严重影响民族品牌国际化的进程。最后，民族品牌国际化是彰显自主品牌国际形象的重要途径。

## 二、英语和汉语语言体系下命名方法

### （一）品牌命名原则

从品牌命名的原则来看，本章第一节已经提到，普遍认为有 13 个标准，主要体现在市场营销、法律和语言三个方面。可是从操作层面来看，这些标准依然无法有效解决如何给品牌取个好名称的问题。所以，越来越多的学者开始关注品牌命名的具体可操作策略方面的研究，不过这些研究大多集中在英语和汉语语言体系背景之下。

### （二）英语语言体系下的命名方法

从英语语言体系来看，在品牌名称当中，就语音而言，与爆破音（如 [p]）和后元音（如 [o]）相比，摩擦音（如 [θ]）和前元音（如 [i]）在尺寸、重量、颜色和形状等方面，让消费者对产品的这些属性更倾向于产生小、轻、淡、有角等感知。就语意而言，在品牌名称当中的元音所传递的语意（如 sharp）对于产品类别（如 knife）高度相关且正面的情况下，消费者会更加偏爱该品牌，也更可能购买该产品。语音和语意在影响消费者对品牌评价的过程中存在显著的交互作用。

### （三）汉语语言体系下的命名方法

从汉语语言体系来看，中国品牌名称有如下特征：双音节和三音节占到99%，而单音节和三音节以上的非常罕见；就音调而言，虽然行业间存在较大差异，但每个行业当中的高音调品牌名称均超过半数；在词汇的合成结构中，修饰语＋名词中心语最受欢迎；语义方面，绝大多数行业品牌都有清晰明确的褒义。当具体到特殊的群体——老字号品牌时，吴水龙和卢泰宏等人（2009）研究发现存在两种基本的命名模式：三音节＋升调＋褒义词＋含吉利字；双音节＋降调＋中性词＋未含吉利字。而在外资品牌进入中国市场后，品牌名称由英文转化为中文的研究发现，这两种命名模式（音译法＋译音词＋双音节＋中性词；谐音兼义法＋偏正式＋三音节＋褒义词）所占比例最高。

### （四）评价分析

由上述梳理不难看出，以往学者的研究存在以下两个方面的共性和局限：第一，英语语言体系下，主要是针对词汇发音较为零散的因果研究，缺乏全面系统的品牌名称共性特征的描述和探索性研究，而这一点在汉语语言体系下恰恰相反。第二，在全面系统的品牌命名共性特征的研究中，学者们较多关注中国品牌和外资品牌在中国市场的命名研究，却很少关注中国品牌和外资品牌在国际市场的命名研究。基于此，本节拟对世界最有价值品牌在国际市场的命名展开深入研究，总结其共性特征和命名模式，为民族品牌国际化命名提供参考和指导。

## 三、英语语言体系下命名框架

为了全面系统、科学合理地构建本节研究框架，本书作者与3位英语专业的教师进行深入沟通，同时邀请5位营销专业人士开展小组讨论，最终确定主要从样本特征、词汇结构、词汇发音三个方面，对世界最有价值品牌名称进行研究和分析，如图3-1所示。样本特征主要包括品牌所处行业、品牌所在国家或地区、品牌创建至今的年龄。词汇结构的分析主要包括构成要素分析（如字母、数字、单词等）、表现方式（如大小写或混合等）以及字母使用频次的统计。

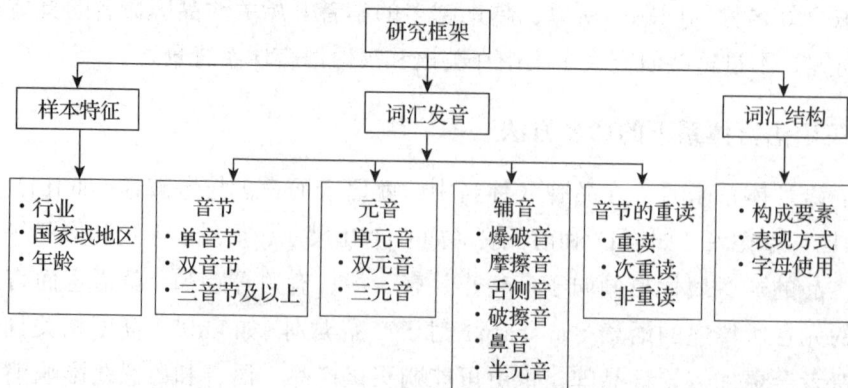

图 3-1　世界最有价值品牌名称研究框架

词汇发音主要参考《牛津英语词典》等权威词典当中的美式发音，从音节、元音、辅音以及音节的重读四个方面进行分类。首先，从音节来看，由一个元音和一个或若干个辅音构成的词，称为单音节词；由不相连拼的两个元音和一个或若干个辅音构成的词，称为双音节词；依此类推为三音节词和多音节词。从元音来看，可分为单元音、双元音和三元音，单元音共有 14 个，如 [i]、[æ]、[ɑ]、[u] 等；双元音共有 9 个，如 [aɪ]、[ɔɪ] 等；三元音共有五个，如 [aɪə]、[ɔɪə] 等。从辅音来看，可分为爆破音（如 [b]、[p]）、摩擦音（如 [f]、[s]）、破擦音（如 [dʒ]、[tʃ]）、舌侧音（如 [l]）、鼻音（如 [m]、[n]）和半元音（如 [j]、[w]）。从音节的重读来看，可分为重读、次重读和非重读音节，重读音节是指音标左上角标有重音符号；次重读音节是指音标左下角标有重音符号；非重读音节一般不标出重音符号。

## 四、世界最有价值品牌名称搜集与分析

实证研究主要分为三个步骤：首先，从福布斯、世界品牌实验室和 BrandZ 三家公司或机构，连续三年（2010—2012 年）所发布的世界最有价值品牌排行榜当中，分别选取前 100 个品牌名称作为样本，在剔除重复的品牌名称之后，最终剩下 201 个有效样本。尽管时隔多年，但本书认为最近的数据并不改变本节研究结论，因为样本中的大部分品牌并未发生变化。其次，根据本节关于品牌名称研究框架当中的分类标准和依据，制定编码手册，由两位英语专业和一位市场营销专业人员，按此手册分别进行独立编码，一致率达 95%，剩下的经共同协商达成一致。最后，从样本特征、词汇结构以及词汇发音三个方面，对所搜集的数据进行分析讨论，归纳总结世界最有价值品牌命名的基本模式。

### （一）样本特征分析

从品牌所在国家或地区分布来看，北美最高，有 100 个，以美国（94 个）和加拿大（5 个）为主；其次是欧洲地区，有 63 个，以英国（14 个）、法国（12 个）、德国（11 个）等为代表；最后是亚洲地区，有 33 个，以中国（18 个）和日本（9 个）等为主。剩下的是澳大利亚、巴西以及墨西哥等其他国家。总体来看，欧美日等发达国家和地区所占比例超过 80%，占有绝对优势。从品牌创建至今的年龄来看，100 岁以下的所占比例最高，100～200 岁之间的其次，200 岁以上的最少。这说明：即便是世界最有价值的品牌，也是有生命周期的；而能够存活到 100 岁上下也许正当壮年，200 岁以上就有点接近老年了。由此可见，随着时间的流逝和竞争日益激烈，如何保持品牌价值将会是各类组织机构所面临的难题和挑战。样本特征分析结果如表 3-1 所示。

从行业分布来看，按照所占比例高低排序，依次是批发零售（包括食品饮料、服装、日化等，如沃尔玛）、计算机 IT（包括互联网、计算机办公设备等，如微软）、金融投资（包括银行、保险等，如汇丰银行）、文化娱乐（包括教育、娱乐等，如哈佛大学）、机械制造（包括汽车、工业设备制造等，如通用电气）、能源化工（包括石油、能源、化工等，如壳牌）、商业服务（包括物流和咨询等，如埃森哲）以及其他行业（如美国国家地理学会等）。不难看

出，排名比较靠前的行业多数与普通消费者日常的生活、工作和学习是息息相关的，如批发零售、计算机 IT 等，这说明普通消费者群体依然是品牌获取价值最主要的源泉和基础。

表 3-1　样本特征分析结果

| 国家或地区 | 数量 / 个 | 比例（%） |
| --- | --- | --- |
| 美国 | 94 | 46.8 |
| 欧洲 | 63 | 31.3 |
| 亚洲 | 33 | 16.4 |
| 其他 | 11 | 5.5 |
| 总计 | 201 | 100 |
| 年　龄 | 数量 / 个 | 比例（%） |
| 100 岁以下 | 118 | 58.7 |
| 100～200 岁 | 75 | 37.3 |
| 200 岁以上 | 8 | 4.0 |
| 总计 | 201 | 100 |
| 行　业 | 数量 / 个 | 比例（%） |
| 批发零售 | 52 | 25.9 |
| 计算机 IT | 41 | 20.4 |
| 金融投资 | 31 | 15.4 |
| 文化娱乐 | 26 | 12.9 |
| 机械制造 | 25 | 12.4 |
| 能源化工 | 13 | 6.5 |
| 商业服务 | 8 | 4.0 |
| 其他行业 | 5 | 2.5 |
| 总计 | 201 | 100 |

### （二）词汇结构分析

从名称当中的字母使用来看，按照频次高低排序，位列前五的分别为 e（156 次）、a（143 次）、o（109 次）、n（102 次）、i（98 次）。而位列后五位的分别是 j（3 次）、z（7 次）、x（13 次）、v（17 次）、y（17 次）。由此可见，元音字母（除 u 之外）排序相对靠前。从单词书写的表现形式来看，单词首字母大写的有 142 个，如 Apple、Facebook 等，全部大写的有 52 个（含 38 个由大写字母缩写而成的名称），如 HARVARD、NOKIA 等，其他混合组成的有 7 个，如 McDonald's、eBay 等。

从名称的构成要素来看，单独由数字构成的为 0，由字母缩写构成的有 38 个（占 19%），由数字、字母或单词混合构成的有 4 个（占 2%），如 7-Eleven、O2、US Bank 等。剩下的均由单词构成，其中，由一个单词构成的有 120 个（占 60%），如 Dell 和 Google；由两个单词构成的有 29 个（占 14%），如 Red Bull 和 Dream Works；由三个和四个单词构成的各有 5 个（各占 2%），如 Bank of America 和 The Wall Street Journal。

### （三）词汇发音分析

由于音节主要是针对一个单词而言，因此对于音节的分析，本书剔除了包含两个或两个以上单词的品牌名称（39 个）。在剩下的 162 个有效样本当中，双音节词有 87 个（占 54%），如 Apple 和 SONY ；三音节词有 44 个（占 27%），如 Microsoft 和 Blackberry ；多音节词有 15 个（占 9%），如 Wikipedia ；单音节词有 17 个（占 10%），如 Dell 和 Ford。从元音的分类来看，含单元音的品牌名称最多，有 135 个（占 67%），如 Pepsi 和 Disney ；含双元音的只有 7 个（占 3%），如 TIME 和 Chase ；含三元音的有 1 个，如 Science。在单元音、双元音、三元音的组合中，有 57 个品牌名称既含有单元音又含有双元音，占总数的 28%，如 Facebook 和 Nike，只有 1 个名称包含单元音、双元音、三元音，如 National Geographic Society。

从辅音的分类来看，有 170 个品牌名称中出现爆破音；132 个品牌名称中出现摩擦音；102 个品牌名称中出现鼻音；58 个品牌名称中出现舌侧音；36 个品牌名称中出现破擦音；15 个品牌名称中出现半元音。进一步来看，品牌名称当中包含单一类型辅音的，爆破音出现频次最高为 15 个；两种类型辅音组合中，爆破音和摩擦音的组合出现频次最高为 36 个，如 Oscar['askər] ；三种类型辅音组合中，爆破音、摩擦音和鼻音的组合出现频次最高为 27 个，如 Science['saɪəns]。从音节的重读来看，有 101 个品牌名称只含重读，有 44 个不含重读和次重读，有 38 个既含重读又含次重读，有 15 个既含重读又含非重读，有 3 个不仅含重读和次重读，而且还含有非重读。

## 五、世界最有价值品牌命名模式

针对上述词汇结构和词汇发音各要素特征，本书还分别检验了它们在国家或地区以及行业间是否存在差异，结果显示：只有音节的分类在不同国家或地区之间存在显著的差异，例如，在表 3-1 的"亚洲"和"其他"国家或地区当中未发现单音节品牌名称。从行业分布来看，只有品牌名称包含单词的个数存在显著差异，例如，在批发零售、计算机 IT、金融投资、能源化工、商业服务行业中，并未发现含有三个及以上单词的品牌名称。总体来看，在世界最有价值品牌名称中，品牌所在国家或地区以及行业分布对品牌命名的影响并不大，这足以说明不同国家、各行各业的人们，对最有价值品牌名称有着共同的看法和认知。

为了能从整体上归纳出世界最有价值品牌名称的共性特征和规律，本书利用上述各要素特征所统计的数据，对在各要素类型当中所占比例最高的样本进行归纳总结。结果显示：世界最有价值品牌存在两种主要的命名模式，即把各要素特征统计数量占第一位的连线成图，称为第一种命名模式，也就是"单一单词 + 首字母大写 + 字母（e, a, o, n, i）使用 + 双音节 + 单元音 + 爆破音 + 重读"；将各要素特征统计数量占第二位的连线成图，称为第二种命名模式，也就是"字母缩写 + 全部大写 + 字母（r, t, s, c, b）使用 + 三音节 + 单双组合 + 摩擦音 + 非重读"。两种命名模式如图 3-2 所示。

从构成要素来看，由单一单词命名的品牌的所占比例最高，其次是字母缩写，其他诸如由数字、多个单词或数字和单词混合命名的品牌非常少见，这符合品牌命名简单的原则。从表现形式来看，绝大多数名称采取的是首字母大写，这样能够引起消费者的注意，其余字母小写，这符合品牌命名易识别的原则。但若是单词全部大写，就有可能让消费者难以识别，虽然第二种模式中提到有 26%（52 个）的品牌名称是全部大写，但其中包含 38 个字母缩写而成的名称，所以真正单词全部大写的名称依然很少。从字母的使用来看，元音字母"e, a, o, i"和辅音字母"n, r, t, s, c, b"排名比较靠前，主要原因在于元音/辅音一般都是乐音/噪音，响度较大/小，口腔中气流不受/受阻碍。

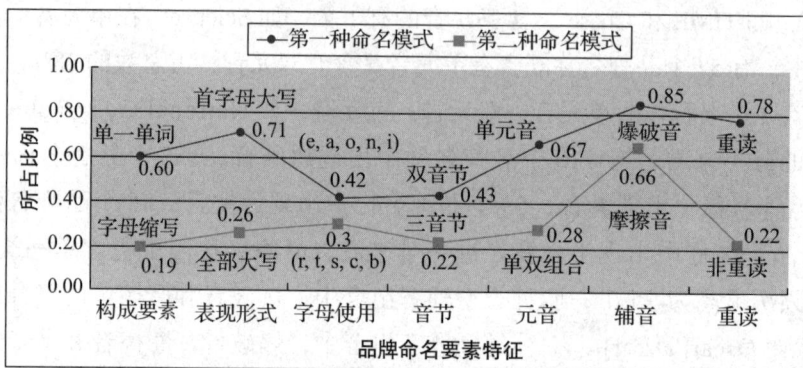

图 3-2　世界最有价值品牌命名模式

从音节的分类来看，双音节和三音节命名的品牌所占比例较高，而单音节和多音节命名的品牌相对较少，这一结论与汉语语言体系背景下中文品牌名称的研究结论类似。例如，在品牌中文名称中，两个字（双音节）和三个字（三音节）命名的品牌所占比例较高。从元音的分类来看，单元音和单双元音组合命名的品牌所占比例分别位列第一和第二。究其原因在于单元音是双元音和三元音的基础，单元音在发音时，口形不变，而双元音在发音时，口形需要变化。从辅音的分类来看，爆破音命名的品牌所占比例最高，摩擦音其次，因为与其他辅音类别相比，爆破音和摩擦音的发音相对简单；并且与摩擦音相比，爆破音听起来更加响亮悦耳。从音节的重读来看，大多数品牌名称中包含音节的重读，只有五分之一左右的品牌名称未含有重读符号，主要是因为与重读音节相比，非重读音节听起来会产生很短、很轻的感觉。

## 六、世界最有价值品牌命名总结

### （一）从样本特征来看

从品牌所在国家或地区分布来看，依然是发达国家占绝大多数，而发展中国家只有中国（18 个）相对较多。这说明在世界最有价值品牌这一特殊群体当中，发展中国与发达国家之间还存在很大的差距。因此，加快自主品牌建设依然是发展中国家需要长期坚持的重要战略。从品牌的行业分布来看，与普通消费者日常生活发生直接关系的行业所占比例普遍较高，这说明在加快自主品牌建设以及培育世界最有价值品牌的过程中，普通消费者的日常生活需求不可忽视。因为，它们是世界最有价值品牌产生的源泉和成长的基础。

从品牌年龄的分布来看，各领风骚数百年的品牌已不多见，而随之发生改变的是，世界最有价值品牌的平均年龄越来越小，最小的为 Facebook（创办于 2004 年）。这足以反映出"长江后浪推前浪，世界代有品牌出"。因此，在未来较长的时间里，随着环境的变化和竞争的加剧，如何保持并使品牌价值不断增值，将会是各类组织机构所面临的难题和挑战。

### （二）从词汇结构来看

从品牌名称的构成要素来看，大多数名称是由一个单词构成，当名称中由多个单词构成时，大多采用的是单词首字母大写缩写的形式，而使用多个单词或数字与单词混合的名称非常少见。这不仅符合特劳特定位思想当中所提到的品牌命名至简的原则，也符合老子《道德经》中所讲到的大道至简的思想。从品牌名称的表现形式来看，大多数品牌采用单词首字母大写、其余小写的形式，而采用单词字母全部大写的或全部小写的极少。从认知视角来看，单词首字母大写能够吸引消费者的注意，而小写字母便于识别，这样的组合最受企业欢迎。从字母使用的频次来看，与辅音字母相比，元音字母相对更受青睐。因为在英语语言体系下，与辅音字母相比，元音字母的发音比较响亮悦耳。从品牌所在国家或地区以及行业的分布来看，不同组间品牌名称在词汇结构方面并无显著差异，只是在批发零售、计算机 IT、金融投资、能源化工、商业服务行业中，并未发现含有三个及以上单词的品牌名称。

### （三）从词汇发音来看

从音节的分类来看，表音（英语）语言体系下和符号（汉语）语言体系下的研究结论具有相似之处，那就是双音节品牌名称所占比例最高，其次是三音节品牌名称，其他诸如多音节和单音节命名的品牌的相对较少。主要原因在于单音节品牌名称的表达不够充分，而多音节品牌名称又过于复杂，所以双音节和三音节最合适。从元音的研究来看，单元音命名的品牌所占比例居多，主要因为单元音是构成双元音和三元音的基础，并且在发音时口形不变，相对简单；而从辅音的分析来看，爆破音和摩擦音使用的频次较高，一方面是因为与其他辅音类别相比，这两种辅音的发音相对简单，另一方面是因为与摩擦音相比，爆破音相对悦耳。最后，与词汇结构一样，结合品牌所在国家或地区以及行业的分布，与词汇发音做交叉分析后发现，不同组间品牌名称的词汇发音并无显著差异，只是在表 3-1 的"亚洲"和"其他"国家或地区当中未发现单音节品牌名称。

## 第三节　品牌标识概述

品牌标识是指品牌中可以被识别，但不能用语言表达的视觉识别系统，即运用特定的造型、图案、文字、色彩等视觉语言来表达或象征某一品牌的形象，并构成一整套品牌视觉规范。品牌标识包括标志物、标志色、标志字、标志性包装等，它们同品牌名称等都是构成完整品牌概念的基本要素。事实上，几乎所有关于品牌的运作都涉及品牌标识设计，从产品的包装系统到品牌延伸、新产品开发管理，从营销网络的拓展到零售空间的管理等。一个成功的品牌标识设计所构建的稳定的、具有差异化价值的、简明易记的品牌视觉识别系统将会为品牌带来潜在的传播价值。

## 一、品牌标识的作用

品牌标识对于强势品牌的传播具有重要作用。心理学家的研究结论表明：在人们凭感觉接收到的外界信息中，83% 来自视觉，剩下的 11% 来自听觉，3.5% 来自嗅觉，1.5% 来自触觉，另有 1% 来自口感或味觉。品牌标识正是品牌给消费者带来的视觉印象，其重要性可见一斑。与品牌名称相比，品牌标识更容易让消费者识别。品牌标识作为品牌形象的集中表现，充当着无声推销员的重要角色，其功能与作用体现在以下几个方面。

### （一）识别性

识别性是企业标识的重要功能之一。市场经济体制下，竞争不断加剧，消费者面对的信息纷繁复杂，各种品牌标识更是数不胜数，只有特点鲜明、容易辨认和记忆、含义深刻、造型优美的标识，才能在同类中凸显出来。有鲜明特征的品牌标识，能够区别于其他企业、产品或服务，使受众对企业留下深刻印象，这就彰显了品牌标识设计的重要性。例如，不识字的幼童看到麦当劳金黄色的"M"，便想到要吃汉堡；消费者看到四个相连的圆环就知道是奥迪，看到三叉星的标识会认出这是奔驰。这些形象、简洁的品牌标识让消费者十分容易识别品牌，第一眼就能将之彻底与其他品牌区分开来。

### （二）统一性

品牌标识代表着企业的经营理念、文化特色、价值取向，反映出产业特点、企业的经营思路，是企业精神的具体象征。消费者对企业标识的认同等同于对企业的认同，故标识应与企业自身情况保持统一，不能脱离企业的实际情况，不能违背企业宗旨；只做表面形式工作的标识，失去了标识本身的意义，甚至会对企业形象造成负面影响。标识设计可以承载品牌对外第一印象的展示任务，同时能够高度概括该品牌的形象特征或文化内涵，通过其形象及色彩引发大众产生联想力，从而实现与整个公司有机联系在一起。

### （三）革新性

标识与广告或其他宣传品不同，一般都具有长期的使用价值，不轻易改动。但随着时代的变迁，历史潮流的演变，以及社会背景的变化，原先的标识可能已不适合现在的环境，这就需要对品牌标识进行更新设计。比如"联想""星巴克"等标识的演变，就是生动的例子。企业经营方向的变化、接受群体的变化，也会使企业产生革新标识的必要。总之，标识总是适合企业并紧密结合企业经营活动的重要元素。它可能会随着时间和空间的变化而变化，只是要在比较长的时间维度上变化。

## | 文中引例 |

# 农夫山泉：相识 12 年为何要变脸

农夫山泉以前的标识是以浙江省千岛湖的实景为画面的，换标之后是写意，就是图案变得抽象了。现在这个水滴状的图案，已经不再特指千岛湖了，而是泛指所有的山水。水滴的上半部分尖尖的，像山，水滴的下半部分由虚的波浪线组成，像水。新标识意味着农夫山泉的核心业务是水，但又跟山分不开，这就是山水不分家，象征着农夫山泉坚持水源地建厂。

农夫山泉（原包装）　　新包装（2010）

此次换标写景的这个水滴有三个层次的内涵。第一个是"上善若水"，农夫山泉在生产制造秉持的企业价值观念，就是承担社会责任，保护人类生活的家园。农夫山泉选择在大山里建厂，从自然界获取水源，类似于古代的采集社会，就是从自然界获取食物，却尽可能地不伤害和改变自然界。第二个是"水滴石穿"，多年来，农夫山泉一直坚持水源地建厂的理念，一直坚持天然水的理念，产品线并没有非常多，相对聚焦，这是一种水滴石穿的精神。第三个是"小水滴折射大世界"，农夫山泉越做越发现人类之渺小、企业之渺小，越来越意识到企业与社会和自然界之间的关系，这就是"小水滴折射大世界"。另外，从战略上来讲，与以前的标识相比，农夫山泉现在的标识显得更加聚焦、专一和专注。其实换标并不容易，根据农夫山泉的领导钟睒睒先生所说，换成写意的水滴，有 99% 的人不同意，但钟睒睒先生相信真理是掌握在少数人手里的，所以坚持换标，而且为此付出了巨大的成本。当然，从目前的市场来看，农夫山泉的产品和换标都得到了消费者的普遍认可。

资料来源：https://www.icourse163.org/course/ZNUE-DU-1003452001，节选自本书配套品牌管理慕课视频 5.1。

## 二、品牌标识设计原则

品牌标识要简单、便于记忆、易读易说，可运用于各种媒体形式，适应国际市场，细致微妙，没有不健康的含义，构图具有美感。因此，在品牌标识设计中，除了最基本的平面设计和创意要求外，还必须考虑营销因素和消费者的认知、情感心理。这些方面构成了品牌标识设计的四个原则：营销原则、创意原则、信息原则和设计原则。

### （一）营销原则

品牌标识设计要体现品牌定位。品牌标识以品牌定位为基础，准确传递产品信息，体现品牌价值和理念，传递品牌形象，成为消费者识别品牌的鉴别器。即使属于同一品类，由于品牌来源、品牌角色、品牌文化、品牌地位的不同，品牌识别也表现出明显的差异。这就是为什么随着企业的发展，许多知名品牌开始更换品牌标识，因为它们原有的标识已经不能适应新的营销需要。

### （二）创意原则

从标识创意的视角来看，品牌标识设计须做到新颖独特、一目了然，给消费者以强烈的视觉冲击。在信息爆炸的时代，消费者对复杂、大众化的信息过目即忘，因此标新立异、匠心独运的品牌标识易于让消费者识别出其独特的品质、风格和经营理念。1976年，乔布斯指定 Regis McKenna 公关公司的艺术总监罗勃·简诺夫，重新设计一个更好的商标来配合 Apple II 的发行。简诺夫开始时制作了一个苹果的黑白剪影，但是总感觉缺了些什么，最后便简化苹果的形状，并且在一侧"咬"了一口。咬掉一口的苹果究竟有何深意呢？这足以引发消费者关注。

### （三）信息原则

消费者对信息的处理加工可分为两条线：认知和情感。从消费者对品牌标识的识别和认知视角来看，品牌标识在图形及色彩的运用上要做到简洁明了、通俗易懂、鲜明醒目、容易记忆，并符合消费者的生活习惯、审美和价值观。但要注意，在品牌标识设计中往往存在这样的误区，即过分追求图形的艺术性，高度抽象，而忽略大多数消费者的可识别性。另外，企业也可以通过设计内涵丰富、情意浓重的标识，唤起消费者和社会公众美好的联想，从而使自己备受青睐。为此，企业更应该重视品牌情感建设，具体可以通过情感包装、情感名字、情感品味、情感香味和情感故事等要素来实现。这样可以让品牌标识"音形色香味"俱全，同时吸引更多的消费者达到情感的共鸣，形成品牌忠诚。

### （四）设计原则

设计原则一般涉及平面工艺设计的美学原则，品牌标识的设计在线条及色彩搭配上应遵守对比鲜明、平衡对称的原则。对比是指利用大小、形状、密度及颜色的比较，以增强可读性，更加吸引人们的注意力；平衡是指各要素的分布要令人赏心悦目，留下和谐的视觉印象。另外，品牌标识的设计还要清晰明确，隐喻象征恰当。比如，百威啤酒标识采用斜体字和小皇冠装饰图设计，显得华美精致，突出了品牌的高贵气质。

### 三、品牌标识设计要素

品牌标识由基本视觉识别系统和延伸视觉识别系统构成,其中基本视觉识别系统的要素包括标志物、标志色、标志性线条、标志字、标志性包装等,而延伸视觉识别系统的要素包括辅助图形、吉祥物等。这里主要介绍标志物、标志色、标志性线条和标志字等基本要素的一些设计要点。

#### (一)标志物

标志物作为非语言性的符号,以直观、精练的形象诠释品牌理念,传达品牌风格,能够有效克服语言和文字的障碍。图形和图案作为标识设计的元素,都是采用象征寓意的手法,进行高度艺术化的概括提炼,形成具有象征性的形象。图形象征寓意有具象和抽象两种:具象的标识设计是对自然形态进行概括、提炼、取舍、变化,最后构成所需的图案。人物、动植物、风景等自然元素皆是具象标识设计的原型,采用何种原型取决于产品的特征和品牌内涵。常用的图形有太阳、月亮、眼睛、手、王冠等。抽象的标识设计则是运用抽象的几何图形组合传达事物的本质和规律特征。几何图形构成抽象标识设计的基本元素,"形有限而意无穷"是抽象标识设计的主要特征。

标志物设计通常包括三个步骤。

(1)**标识的标准制图**。通过严谨的制图,对标识内部的构成和各个部分的比例做出严格的界定,确保在后续操作中能够正确使用。

(2)**标识的解说**。使用文字对标识的设计理念和具体含义做出详细的说明,以保证后续操作者和阅读者能够正确地理解标志物。

(3)**标识变形规范**。为了扩大标识延伸应用空间,在不损害标识整体形象特质的前提下,对标识中的关键造型和主题象征进行变化。

#### (二)标志色

色彩在标识设计中具有强化传达感觉和寓意的作用。色彩通过刺激人的视觉而传递不同的寓意:可口可乐标识的红底白字给人以喜庆、快乐的感觉;雪碧的绿色则带给人们清爽、清凉及回归自然的遐想。色彩运用于品牌标识的基础是它能给人带来丰富的联想。不同色彩带来不同的联想意义,常见的色彩与联想的意义如表 3-2 所示。

表 3-2　常见的色彩与联想的意义

| 色　彩 | 正面联想意义 | 负面联想意义 |
|---|---|---|
| 白色 | 纯真、清洁、明快、喜欢、洁白、贞洁 | 致哀、示弱、投降 |
| 黑色 | 静寂、权贵、高档、沉思、坚持、勇敢 | 恐怖、绝望、悲哀、沉默 |
| 灰色 | 中庸、平凡、温和、谦让、知识、成熟 | 廉价 |
| 红色 | 喜悦、活力、幸福、快乐、爱情、热烈 | 危险、不安、妒忌 |
| 橙色 | 积极、乐观、明亮、华丽、兴奋、欢乐 | 欺诈、妒忌 |

（续）

| 色　彩 | 正面联想意义 | 负面联想意义 |
|---|---|---|
| 黄色 | 希望、快活、智慧、权威、爱慕、财富 | 卑鄙、色情、病态 |
| 蓝色 | 幸福、深邃、宁静、希望、力量、智慧 | 孤独、伤感、忧愁 |
| 绿色 | 自然、轻松、和平、成长、安静、安全 | 稚嫩、妒忌、内疚 |
| 青色 | 诚实、沉着、海洋、广大、悠久、智慧 | 沉闷、消极 |
| 紫色 | 优雅、高贵、壮丽、神秘、永远、气魄 | 焦虑、忧愁、哀悼 |
| 金色 | 名誉、富贵、忠诚 | 浮华 |
| 银色 | 信仰、富有、纯洁 | 浮华 |

资料来源：黄静.品牌管理[M].武汉：武汉大学出版社，2005.

### （三）标志性线条

人眼有建立完整图形和简化结构的本能要求。简约的形式能够更好地表现出画面美感，因此品牌标识设计当中运用线条、形状的首要目的，就是作为画面的主导线和基本形，组织各形象元素，建立起画面的秩序。当造型元素较多时，如果没有统一的线形结构，画面会显得杂乱无章。有了一条主导线形，就可以把它们组织成一个整体，并由此表现出形式的美感，传达特定的意义和情绪。线条的抽象能力是和联想能力相辅相成的。具备了线条的抽象能力，就能够透过表象看到本质，透过杂乱发现美，因而也就可以通过联想创造美。以抽象出来的美的线条去象征、比喻具有相似性质的事物，从而为品牌标识的创造开辟一个新途径。线条及其寓意如表3-3所示。

表3-3　线条及其寓意

| 线　条 | 寓　意 |
|---|---|
| 直线 | 果断、坚定、刚毅、力量，有男性感 |
| 曲线或弧线 | 柔和、灵活、丰满、美好、优雅、优美、抒情、纤弱，有女性感 |
| 水平线 | 安定、寂静、宽阔、理智、大地、天空，有内在感 |
| 垂直线 | 崇高、肃穆、无限、宁静、激情、生命、尊严、永恒、权力、抗拒变化的能力 |
| 斜线 | 危险、崩溃、行动、冲动、无法控制的情感与运动 |
| 参差不齐的斜线 | 闪电、意外事故、毁灭 |
| 螺旋线 | 升腾、超然、脱俗 |
| 圆形 | 圆满、简单、兼具平衡感和控制力 |
| 圆球体 | 完满、持续的运动 |
| 椭圆形 | 妥协、不安定 |
| 等边三角形 | 稳定、牢固、永恒 |

### （四）标志字

标志字设计的文字样式在品牌传播中出现频率极高，它们不仅持续传递品牌多方面的信息，而且以鲜明的文字个性和美感传达品牌风格。根据品牌传播的实际需要，可以选择的标志字有手写字体、广告字体、印刷字体或者通用字体等。例如，可口可乐的英文标识，采用了十分飘逸的手写字体，体现出流畅爽快的质感，十分契合可口可乐"爽"的特性。另外要特别强调的是，中文作为一种象形文字，字间的呼应、笔触的交接无不渗透着极高的艺术性，在图文的统一性上达到了很高的水平，对于这种独特文字魅力的开发和应用，还需要进行仔细而严谨的考量。

## 四、品牌标识设计风格

### （一）现代主义风格和后现代主义风格

20 世纪以来，标识的设计风格经历了从现代主义风格到后现代主义风格的两个阶段。在商业传播中，现代主义文化强调对进步和未来的信仰，从工作中求得解放。后现代主义文化丢弃了等级，以个人的自我发展和自我统治为中心，强调个人的独立意志，这种文化为西方年轻一代所崇尚。

#### 1. 现代主义风格

现代主义艺术风格盛行于 20 世纪初的欧洲，代表性人物有毕加索、蒙德里安等。现代主义风格的基本理念是：强调和谐统一，"装饰即是罪恶""简单就是美""美在比例""少就是多"，表现在设计行为上便是将装饰部分减少到最基本的圆、方和水平或垂直线等几何图形，但这种过于方正或圆滑的风格在视觉上缺乏美感。

#### 2. 后现代主义风格

20 世纪 50 年代出现了后现代主义的萌芽，到 60 年代逐步发展成熟。后现代主义风格的理念是：强调感官愉悦，随心所欲，漫不经心；注重的是暂时性、片刻性，不严肃，不经意，无关联性。80 年代初，后现代主义风格运用到标识设计中，它摒弃了现代主义和谐统一的原则，不求明朗、利落、清晰单纯，追求包容、繁杂、模糊、暧昧，二元并存而又不统一。采用后现代主义风格设计的标识呈现出一种有趣且丰富的复杂性，形成视觉上的多样性和活力，与现代人的审美观相匹配。

### （二）仿洋品牌风格和仿古品牌风格

品牌标识能引起联想，好的品牌标识能增强品牌知晓度，并赋予品牌与生俱来的直接优势。不少企业在品牌标识上可谓费尽心思。单从标识来看，有的很像是西方品牌，同时有中、英两种名称，而且英文名称是由中文名称音译或意译的，大多没有具体含义，因而可能会被误认为是西方品牌，如丸美（MARUBI）。相反，还有一些品牌具有浓厚的传统中国文化特色，让消费者以为是有着几百年历史的中国老字号品牌，而实际上这些品牌不过是 20 世纪 90 年代才建立的，如养生堂。

#### 1. 仿洋品牌风格

仿洋品牌标识一定程度上传递了西方文化意义。西方品牌文化中强调感知质量、名望和地位、现代、时髦，以及代表成为国际消费文化的一员。品牌的象征价值比实用价值更重要，即使购买私人使用物品时，消费者选择西方品牌的主要动机还是因为现代、名气、地位等象征价值。西方品牌具有较突出的象征价值，可以用来满足很多消费者对成就的需要。

随着中国自主品牌建设力度的加大，仿洋风格的品牌对中国消费者的吸引力逐渐下降，而彰显中国传统文化特色的国风、国潮品牌逐渐崛起并走向国际市场。

### 2. 仿古品牌风格

本土文化也是影响消费者心理偏好的一个普遍存在的变量。本土品牌可以借助本土文化设计具有正宗和威信等象征意义的标识。实际上，孝道、关爱家庭和尊敬长者等传统儒家文化以及追求养生、人与自然和自我保护等价值观的传统道家文化，受到了中国消费者的一致偏好。儒家文化的责任和道家文化的养生等中国传统文化传递出与防范负面效果相关的意义，所以说可以用来满足中国消费者对责任、安全的需要。

## 第四节　老字号品牌标识设计

老字号品牌一般是指在 1956 年公私合营改造之前，尤其是在中华人民共和国成立前就已创立、存在并展开经营，后来经过社会主义改造，继续以国有、集体、股份制等所有制形式延续下来的老品牌。作为中华民族品牌阵营当中的特殊群体，其品牌标识的设计渗透着中国传统文化的元素，传承着中国上千年的文化精髓。

## 一、老字号品牌标识设计动因

品牌标识是指品牌中易于识别和记忆，但不能用语言来表达的视觉符号，主要包括图案、文字或数字、色彩等。作为与消费者交流的重要工具之一，与其他营销沟通方式相比，品牌标识显得相对稳定持久。为此，很多企业不惜花费重金和大量的时间，进行品牌标识的设计和宣传，目的在于使它能够成为企业重要的、有价值的品牌资产。研究表明：借助一定的图案、文字和色彩等视觉要素，品牌标识不仅能够创造认知，塑造独特的品牌个性和形象，与竞争对手形成明显的区隔，而且能够激发消费者的品牌联想和偏好，进而影响产品销售和顾客的品牌忠诚度。

从原则性层面看，普遍认为品牌标识设计的标准包括：可记忆、有意义、讨人喜欢、可转换、可适应、可保护。前三个标准可以通过对品牌元素的正确判断来建立品牌资产，扮演攻击性角色，具体是指品牌标识要容易被消费者记忆和识别，并能激发消费者的联想，同时在美学上要有足够强的吸引力。后三个标准是在面临不同的机遇和限制时，提升和保持品牌资产，扮演防御性角色，具体是指品牌标识能否在品类或地域之间进行转换，能否随时间和环境变化进行修正或更新，在法律方面是否受到法律保护，在竞争方面是否很难被效仿。

从设计策略层面看，大多数研究集中于品牌名称，但因其结论侧重于听觉而非视觉，所以有学者逐渐将目光转移至品牌标识。从设计风格的角度看，仿洋品牌强调感知质量、名望和地位、现代和时尚的风格；而仿古品牌则强调儒家文化的责任和义务，以及道家文化的养生与和谐等价值观。从激发联想的角度看，与完整的品牌标识相比，不完整的品牌标识会让消费者觉得更加有趣，认为该公司更具有创新性；与不完整的品牌标识相比，完整的品牌标识会让消费者觉得更加清晰，认为该公司更值得信任。从象征意义的角度看，针对不同消费群体，品牌标识凸显（大、小、无）对奢侈品品牌购买决策有显著的影响。

尽管以往学者关于品牌标识的研究取得了丰富的成果，但至今仍缺少对老字号品牌标识特征更具体、系统的分析，这也正是我国老字号品牌濒临老化甚至消失的重要原因之一。为此，本节以商务部第一批认定的 434 个中华老字号品牌标识为研究样本，从一般意义上归纳出中华老字号品牌标识特征和设计模式，为老字号品牌的激活和复兴提供具体的策略和参考建议。

## 二、老字号品牌标识的搜集与分析

首先，本书作者及其团队从字体、图案、色彩、心理等领域查阅文献，并与五位相关专家深入讨论交流，确定老字号品牌标识特征分类的标准和依据。例如，根据辨识度，将图案划分为具象图案和抽象图案。其次，根据商务部首批老字号品牌名单，搜集相应的品牌标识图案，并由三位专业人员负责依据分类标准进行独立编码，统计各项分类要素在总体当中出现的频次和所占比例。最后，参考吴水龙和卢泰宏等人（2010）在老字号品牌命名当中所使用的方法，利用样本在各要素类型当中所占比例最高，归纳总结出老字号品牌标识设计模式。

2013 年，以商务部第一批 434 个老字号品牌为样本框，剔除 75 个找不到、不清晰、不完整的无效样本，从权威信息来源（如公司网站、电话垂询等）搜集清晰完整的老字号品牌标识 359 个。以此为研究对象，从老字号品牌年龄分布和行业分布、图文特征、色彩特征以及文化特征等方面进行数据分析，具体如下。

### （一）基本特征分布

#### 1. 老字号品牌年龄分布

整体来看，老字号品牌年龄呈正态分布，频数为左偏峰型，年龄最为集中的区间为100～200 岁，频数最高的是 113 岁，共计 149 个，也就是说在 1900 年（清光绪二十六年）创建的老字号品牌传承下来的最多，并且百年以上的老字号，随着年龄的增长，传承下来的品牌相应减少。老字号品牌年龄区间分布如表 3-4 所示。

表 3-4　老字号品牌年龄区间分布

| 年龄 / 岁 | 数量 / 个 | 比例（%） | 年龄 / 岁 | 数量 / 个 | 比例（%） |
|---|---|---|---|---|---|
| 0～100 | 50 | 13.9 | 400～500 | 15 | 4.2 |
| 100～200 | 235 | 65.4 | 500～1 000 | 7 | 2 |
| 200～300 | 23 | 6.4 | 1 000 及以上 | 6 | 1.7 |
| 300～400 | 16 | 4.4 | 不详 | 7 | 2 |

**2. 老字号品牌行业分布**

根据老字号品牌的核心产品业务，可将其分布的行业大致归为：食品加工、餐饮住宿、零售、医药、服务和其他。食品加工业核心业务包括对酒类、豆瓣、调味品等的加工，餐饮住宿业核心业务包括酒店、饭庄、饭店等的经营；零售业核心业务包括百货、衣帽、烟酒、茶叶等产品的销售，服务业核心业务包括照相、美容美发、摄影等。从行业分布来看，老字号品牌主要集中于食品加工、餐饮住宿、零售和医药四个行业，累计占有效样本的83.3%。这说明老字号品牌的创建符合时代发展的背景，既是典型传统行业的体现，也是文化传承的重要载体。老字号品牌行业分布如表3-5所示。

表 3-5   老字号品牌行业分布

| 行 业 | 数量 / 个 | 比例（%） | 行 业 | 数量 / 个 | 比例（%） |
|-------|-----------|-----------|--------|-----------|-----------|
| 食品加工 | 141 | 39.3 | 医药 | 40 | 11.1 |
| 餐饮住宿 | 76 | 21.2 | 服务 | 11 | 3.1 |
| 零售 | 42 | 11.7 | 其他 | 49 | 13.6 |

## （二）图文特征分析

常见的品牌标识有三种：文字标识、图案标识和图文组合标识，当然老字号品牌也不例外。根据本节统计，在359个有效样本中，图文组合标识最多，单一文字标识其次，单一图案标识最少，该结论在不同行业当中同样适用。

**1. 老字号品牌字体分析**

根据笔者团队的分析整理，书法字体依然是老字号品牌标识设计中最常采用的。但由于科技和市场的发展，字体种类越来越多，划分标准也变得模糊不清，加上有些老字号企业对品牌标识及其构成要素做了调整，因此，除了书法字体外，其他字体的准确统计就变得更加困难了。按繁简体划分，结果发现：采用简体字的比例，要远远高于繁体字。

原因可能在于：虽然繁体字与老字号品牌的身份比较相符，但考虑到市场的变化和发展，以及满足消费者需求等原因，老字号企业不得不减少繁体字在品牌标识当中的运用，转而提高简体字的比例。

**2. 老字号品牌图案分析**

关于品牌标识图案，通常采用具象和抽象的分类方法。具象图案主要是指以自然界存在的具体形象为题材，经装饰、变化等手法创作而成的装饰图案。抽象图案是相对于动物、植物、人物等以具体形态为素材的图案而言的，以点、线、面或肌理效果为主要表现对象的图案。研究表明：具象的图案更容易让消费者将对图案的印象转移至品牌或产品身上；而抽象的图案则具有更加丰富的内涵，给予消费者更加丰富的想象空间。

对老字号品牌标识图案的数据统计结果显示：从整体来看，具象图案和抽象图案基本持平；从具体行业来看，在医药、餐饮住宿和食品加工等行业老字号品牌标识中，与抽象图案相比，具象图案略占上风；而在服务业和零售业老字号品牌标识中，与具象图案相比，抽象图案则明显要多一些。原因可能在于医药、餐饮住宿以及食品加工行业的产品较为具体明确，而服务业则因为服务无形，零售行业则因为涉及产品较多，无法通过具象的图案将消费者的联想转移至品牌或产品上，所以只能通过抽象的图案给予消费者更大的想象空间。

### （三）色彩特征分析

在色彩特征分析过程中，分别从字体和图案两个方面进行数据统计。无论是字体还是图案，老字号品牌标识设计所使用的色彩，无外乎红、黄、黑、白、绿、蓝、紫、橙八种颜色。从字体色彩统计数据来看，品牌标识采用单色字体的占绝大多数，只有极个别的品牌采用双色或三色字体；在色彩组合运用中，红、黄两种组合最多。在单色字体中，按色彩出现频次高低排序为黄、红、黑、白、绿、蓝、紫、橙，其中前四种颜色占总数的85.1%。从具体行业来看，食品加工行业使用红、黄、黑、白四种颜色较多，餐饮住宿、零售行业使用红、黄、黑三种颜色较多，医药业则使用红、黄两种颜色较多。

从图案色彩统计数据来看，品牌标识采用单色图案的占绝大多数，采用双色或三色图案的占极少数，同样在色彩组合当中，红、黄两种组合最多。在单一图案中，按色彩出现频次高低排序为红、黄、绿、黑、蓝、白、紫和橙，其中前三种颜色占总数的90%，红色显著高于其他两种颜色。从具体行业来看，餐饮住宿行业使用红、黄、绿三种颜色较多，食品加工和零售行业使用红、黄两种颜色较多，医药和服务行业使用红色较多。由此可见，无论是在字体还是图案当中，红、黄两种颜色使用频率都比较高，原因在于红、黄色调都是中国传统色彩的主要色调，红色暗含生意红红火火，而黄色则代表高贵和权威。

### （四）文化特征分析

对于品牌标识的文化特征，一般从吉利字和吉祥图案两个方面进行分析。鉴于吴水龙和卢泰宏等人在老字号品牌命名中，已对吉利字做过分析，因此，这里主要研究品牌标识中的吉祥图案，即主要指以含蓄、谐音等曲折的手法，组成具有一定吉祥寓意的装饰纹样，如太极、印章、祥云、龙、蝙蝠、凤凰、孔雀、荷花、麦穗、灵芝、鼎等。

从整体来看，在带有图案的品牌标识中，有一半以上的标识含有吉祥图案。其中医药行业含吉祥图案的比例最高，蕴含着该行业品牌能够给患者带来吉祥安康之意。从具体图案来看，按出现的次数排序为太极、印章、祥云、龙、蝙蝠、麦穗、凤凰与荷花、孔雀、灵芝、鼎等。这些吉祥图案一方面传承了中华民族独特的传统文化、哲学观念和生命意向，另一方面也体现了企业所倡导的处事原则和商业精神。

## 三、老字号品牌标识设计模式

为了能从整体上发现老字号品牌标识设计的共性特征和规律，笔者团队总结出老字号品牌标识设计主要存在如图 3-3 所示的两种模式：把各要素特征统计数量占比相对较高的连线，称为第一种设计模式（实线），即"书法标准字＋具象图案＋黄色字体＋红色图案＋含吉祥图案"；将各要素特征统计数量相对较低的连线，称为第二种设计模式（虚线），即"混合标准字＋抽象图案＋红色字体＋黄色图案＋未含吉祥图案"。

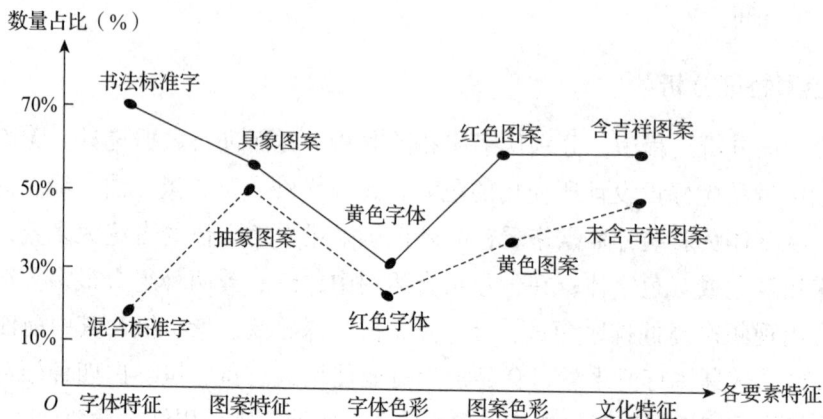

图 3-3  老字号品牌标识设计模式

第一种设计模式充分体现了中国传统图案标识的设计风格，因为书法标准字与老字号品牌的身份是比较吻合的，常常会激发消费者的历史感；具象和含吉祥图案显著相关，不仅容易激发联想，让消费者对标识图案的印象转移至品牌或产品上，而且能体现中国消费者趋福避祸、求好运、图吉利的心理；黄色字体与红色图案的组合则更加醒目，容易让人记忆。

与第一种设计模式相比，第二种设计模式体现了老字号品牌在传统图案标识设计基础上的变化和创新，混合标准字常常通过不同风格字体的组合，给人以新颖独特、印象深刻的感觉；抽象和未含吉祥图案显著相关，不仅蕴含丰富的意义，能激发消费者丰富的联想，而且能给人以现代艺术的感觉，红色字体与黄色图案的组合虽未能摆脱传统主色调的束缚，但在组合上有所变化，同样可以达到引起消费者注意、记忆以及唤醒消费者的目的。

## 四、老字号品牌标识设计总结

（1）在设计模式方面，第一种模式为传统模式，第二种模式则在传统的基础上有所创新。数据分析结果表明，图案特征和字体色彩的分类数据并无显著差异，而字体和文化特征的分类数据存在显著差异。虽然图案色彩的分类数据存在显著差异，但并未脱离红、黄传统色调。由此可见，企业在进行品牌标识设计时，模式的创新在于图 3-3 中折线的两端（字体特征和文化特征），需要继承和坚持的在于折线中间（图案特征、字体色彩和图案色彩）。

（2）在总体特征方面，图文组合最多，单一文字其次，单一图案最少。原因在于单一文字在视觉上较少激发联想，而单一图案却不足以让消费者记住品牌名称。因此，若想同时实现两种效果，企业在品牌标识设计时需考虑图文组合。

（3）在字体方面，书法标准字最多，混合标准字其次，装饰标准字最少，这说明在餐饮住宿、食品加工、零售等传统行业中，企业在进行品牌标识设计时考虑最多的依然是凸显传统文化元素的书法字体；从繁简字体划分来看，简体字最多，既有繁体字又有简体字的其次，繁体字最少，这说明企业品牌标识的设计需顺应时代背景的发展和消费者的需求。

（4）在图案方面，具象图案和抽象图案比例基本持平，在产品单一、清晰、具体明确的食品加工、餐饮住宿等行业中，具象图案和抽象图案并无显著差异；而在产品涉猎范围比较广泛的零售和产品无形的服务行业中，抽象图案的比例显著高于具象图案。因此，企业应考虑品牌标识的辨识度与它所处行业的具体特征相匹配。

（5）在色彩方面，无论是字体还是图案，采用单色的最多，采用双色和多色的极少。从字体色彩来看，使用黄、红、黑、白四种颜色的较多，从图案色彩来看，使用红、黄颜色的较多，这说明红、黄两种颜色依然是企业进行品牌标识设计时需要重点考虑的色调。另外，医药行业的标识中未使用白色字体，而服务行业的标识中未使用绿色和黑色的图案，这说明色彩的选择需要结合行业的特征，避免让消费者产生负面的联想，例如，白色会让人联想到致哀，绿色会让人联想到稚嫩，黑色会让人联想到恐怖和压抑。

## 本章小结

品牌成功的第一步，就是要取个好名称。品牌命名的作用包括激发消费者联想，体现核心价值，体现品牌文化，体现民族文化。品牌命名务必遵循以下六大原则：易读易记，简单响亮，寓意丰富，彰显特性，适应时空，合法合规。

品牌科学严谨的命名程序通常有以下六大步骤：确立目标，搜集方案，评价筛选，受众测试，法律审查，确定注册。品牌命名的方法有：时间法、地域法、目标客户法、人名法、中英文结合法、数字法、功效法、价值法、形象法、借用法。

世界最有价值品牌命名模式：第一种命名模式，即"单一单词＋首字母大写＋字母（e，a，o，n，i）使用＋双音节＋单元音＋爆破音＋重读"；第二种命名模式，即"字母缩写＋全部字母大写＋字母（r，t，s，c，b）使用＋三音节＋单双组合＋摩擦音＋非重读"。

品牌标识是指品牌中可以被识别，但不能用语言表达的视觉识别系统，即运用特定的造型、图案、文字、色彩等视觉语言来表达或象征某一品牌的形象，并构成一整套品牌视觉规范。品牌标识设计要素包括标志物、标志色、标志字、标志性线条、标志性包装、辅助图形、吉祥物等，它们同品牌名称等都是构成完整品牌概念的基本要素。

品牌标识要简单、便于记忆、易读易说，可运用于各种媒体形式，适应国际市场，细致微妙，没有不健康的含义，构图具有美感。品牌标识设计的四个原则是：营销原则、创意原则、信息原则和设计原则。品牌标识的设计风格经历了从现代主义风格到后现代主义风格两个演变阶段。从品牌标识设计外观来看，还可分为仿洋品牌风格和仿古品牌风格。

老字号品牌标识设计模式：第一种设计模

式，即"书法标准字＋具象图案＋黄色字体＋红色图案＋含吉祥图案"；第二种设计模式，即"混合标准字＋抽象图案＋红色字体＋黄色图案＋未含吉祥图案"。

## 思考题

1. 品牌命名的作用和原则是什么？
2. 简述品牌命名的程序和方法。
3. 世界最有价值品牌命名的两种模式分别是什么？

4. 品牌标识设计包括哪些要素？
5. 老字号品牌标识设计的两种模式分别是什么？

## 学术延伸

### 品牌标识设计究竟该大还是小

以下内容主要参考了市场营销专业国际一流学术期刊 *Journal of Marketing* 上面的一篇文章，标题为"Signaling Status with Luxury Goods: The Role of Brand Prominence"。文章说的是企业在设计品牌标识时，有的标识在产品上面看起来很大，有的标识在产品上面看起来很小，有些品牌甚至没有标识。这是为什么呢？当你面对一个品牌的产品，一个产品上面印着很大很大的标识，而另外一个产品上印着很小很小的标识，假设产品都是一样的，你会选择买哪一个呢？买印有大标识产品的动机是什么？买印有小标识产品的动机又是什么呢？比如，有的奢侈品品牌就是这么做的，像奔驰、路易威登等，你有没有见过奔驰车和路易威登包上面，印有自己的品牌标识，是大大的那种？你有没有见过把自己的品牌标识印得小小的那种呢？

奢侈品品牌根据消费者所拥有财富的多少和地位的高低，最终将品牌使用者分为如图3-4所示的四类人群。第一类和第二类不是其目标客户。第三类人呢？显然，他们是买大标识的，因为他们是"土豪"嘛。第四类人呢？显然，他们是买小标识的。

再看购买印有大标识的产品和印有小标识的产品的动机。大家的答案通常是基于个体的思维。如果把品牌看作社交的载体和媒介，大家就会更容易理解另外一种动机了。其实从社会阶层上来讲，一般而言，次优的群体都希望接近更优群体的人，而且希望融入他们，并且有朝一日成为他们。所以，每一类次优群体的人都希望通过品牌的使用来

释放一种信号，表达自己的身份和地位，除此之外，还希望能够融入更优的群体。

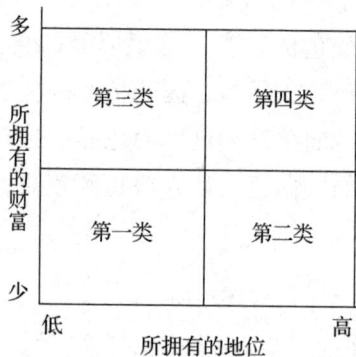

图 3-4　品牌使用者分类

反过来，更优的群体是否希望跟次优的群体在一起或者说融合呢？显然，他们是不愿意的。因此，次优群体的人愿意融入更优群体的，就买印有大标识的产品；而更优群体的人为了排斥次优群体的融入，就会买印有小标识的产品。比如，有一天你见到我，我穿了一件价值好几千元的T恤衫，上面印有一个很小的标识，或者是没有标识。你说："王老师，您今天穿的衣服皱巴巴的，不好看，回去换一件吧。"另外一名同学见到我说："哇，王老师，您今天穿的是某某品牌吧？这个牌子的衣服不便宜啊。"我一听就知道你跟我不是一个圈子的，而另外一名同学跟我可能是一个圈子的。另外，品牌标识凸显的大小与价格也有很大的关系，基于上面的分析，我问大家是标识越大的产品价格越

贵，还是标识越小的产品价格越贵呢？显然，标识越小价格越贵。所以，大家逛街买奢侈品时就要仔细了，是买大标识的还是小标识的呢？

　　资料来源：https://www.icourse163.org/course/ZNUE-DU-1003452001，节选自本书配套品牌管理慕课视频 5.3。

**思考题**

1. 从消费者的角度来看，品牌标识凸显程度背后的消费心理有哪些？
2. 从商家的角度来看，品牌定位高低选择的逻辑基础是什么？

# 第四章 品牌个性

## 【学习目标】

- 掌握品牌个性的定义及内涵，了解品牌个性的分析；
- 理解品牌个性与品牌定位以及品牌形象的区别与联系；
- 了解品牌个性的特征及品牌个性的价值；
- 理解人格大五维度，掌握不同背景下品牌个性的维度；
- 熟悉品牌个性塑造的法则及来源。

## 📖 开篇案例

### 珀莱雅：敢爱，也敢不爱

珀莱雅作为始于中国、放眼世界的、具有国际化视野的化妆品品牌，18 年间潜心探索肌肤新生科技，严格甄选优质原料，不断创新科技护肤技术，为所有消费者提供更安全、见效更快的前沿科学肌肤解决方案。自 2003 年诞生以来，珀莱雅秉承年轻前沿科技为品牌核心实力，成为顺应时代变迁，快速渗透并影响年轻消费人群的"国货之光"品牌之一。

珀莱雅的品牌个性秉承"趁年轻，去发现"的探索精神，与用户一起带着年轻无畏的发现精神，用勇气和乐观探索世界、追逐梦想，发现自己的光芒，创造更多的可能。2021年 5 月 20 日，珀莱雅携手单向空间与上海译文，与抖音某知名美妆博主一起重新追问爱的内核，发起#敢爱，也敢不爱#主题活动，探讨爱情不只是无所畏惧的奔赴，也可以是义无反顾的退出。敢爱，是爱情里最大的冒险；敢不爱，是爱情里最大的自由。

珀莱雅进一步在"敢爱"的基础上，探讨"敢不爱"的可贵，更进一步地与用户进行关于"爱"的交流，跳出当下盛行的"红娘式"营销范畴，真正回归到以人为核心的本我主题，在情人节、"5·20"、七夕等节日营销成为常态的当下，有着重要的参考意义。用户热衷过节的背后，实际上是对真挚情感的渴望，告白的形式或许能够逐年迭代，为品牌带来创意供给，但对爱本质的永恒追求才是品牌与用户关注的长期话题。珀莱雅以文学为切入点，在"5·20"之际引领用户参与关于爱的深层讨论，实际上是回归到人最本质的需求上来。珀莱雅这一举措虽然让节日少了些主流告白的热闹，却增加了"人味儿"的浪漫。珀莱雅之所以另辟蹊径地对爱情做出了全新阐释，是因为洞察到现代年轻人会以一种更加理性与自主的观点去看待爱情和婚姻。珀莱雅"勇敢者"的主张与当代社会年轻群体的心理契合，更能引起他们的共鸣。

随着消费的升级，人们对产品和品牌越来越"挑剔"。在他们看来，好品质是合格线，附加价值和精神满足是潜在诉求。尤其是正在崛起的 Z 世代，他们有更强的品牌意识，更关注品牌与自己的个性、价值观、生活方式等有无契合之处，带着个性化标签、思想前卫的 Z 世代正成为消费主力军。在"5·20"这一营销节点上，珀莱雅并没有把营销重心放在"爱"这一泛泛而谈的概念上，而是聚焦"敢"这一认知点，强调人的主观能动意识，溯源爱的本质。珀莱雅再一次向内探索年轻群体的精神世界，传递品牌的年轻化态度和价值。

"勇敢是我们认为珀莱雅在目前这一阶段应该有的品牌态度，我们通过对不同议题的讨论，去诠释勇敢。"珀莱雅品牌方在与品牌主创的对谈中说道。"年轻感、科技感和发现精神"是珀莱雅的品牌内核，但这些精神层面的词，显然无法让消费者形成很直观的感受，更别提记住了。品牌的年轻感不在于年龄，而是能否形成自己的价值态度，并始终跟当下的年轻人保持同一个频道。珀莱雅传达更多鼓励、温暖、治愈、开放的情感态度，诠释"致爱里的勇敢者：敢爱，也敢不爱"的价值理念，再创国产化妆品牌传递价值的新高度。

资料来源：广告狂人. 珀莱雅致爱里的勇敢者：敢爱，也敢不爱［EB/OL］.（2021-12-19）［2022-12-30］. https://www.socialmarketings.com/casedetails/3161.

# 第一节　品牌个性概述

20 世纪 50 年代，是品牌个性理论取得大发展的时代。通过对品牌内涵的进一步挖掘，美国葛瑞（Grey）广告公司提出了"品牌性格哲学"，日本小林太三郎教授提出了"企业性格论"，从而形成了品牌广告创意策略中一种后起的、充满生命力的新策略理论——品牌个性论。该策略理论认为，广告在进行宣传时，不只要"说利益""说形象"，更要"说个性"，通过广告呈现品牌个性，由品牌个性来促进品牌形象的塑造，通过品牌个性吸引特定人群。这一理论强调品牌个性在品牌宣传中的重要性，认为品牌应该人格化，给受众留下深刻的印象；同时，品牌应该寻找和选择能代表品牌个性的象征物，使用核心图案和特殊文字造型表现品牌的特殊个性。

## 一、品牌个性的定义及内涵

个性本是一个心理学名词，指的是人所具有的稳定而持久的特征，它包括能力、气质、性格和兴趣。将这一概念运用于品牌中，就形成了所谓的品牌个性。品牌个性实质上是一种拟人化的说法，指的就是将品牌人格化。广告大师大卫·奥格威早就在其品牌形象论中提到过"个性""性格"等词。他指出，最终决定品牌市场地位的是品牌的性格，而不是产品间微不足道的差异。曾任奥美集团总裁的肯·罗曼与杰出的撰稿人简·马斯对这一思想进行了精辟的总结：人们要为品牌建立"个性"，广告的语言必须能反映出品牌个性。

市场营销学学者及企业在万物有灵论（认为万物都是有生命的）的基础上，将品牌拟人化，把心理学的个性概念应用到品牌管理理论上，形成了具有人格的品牌，这就是品牌个性。根据印象形成理论，消费者会把接触到的形象与相关事物翻译成人类的语言，以便进行人格化的解读。基于这一理论，企业会利用人们将物体拟人化的倾向，引导消费者赋予无生命的品牌以人类的特性。所以品牌就如人一样，既有外表的个体形象，也有属于自己的个性。品牌个性属于品牌的特征属性，可以用人格化的形容词来描述，如"优雅的""迷人的"等。品牌个性正反映出经由品牌所引发的情感与情绪，有助于了解消费者选择产品时考虑的因素。

在竞争日益激烈的市场上，企业必须要令品牌有自己的个性——最终决定品牌市场地位的是品牌总体上的性格差别，而不是产品间微不足道的差异。早期学者们对品牌个性的定义及内涵鲜有深入讨论，一般都是在研究品牌形象时，将品牌个性并入其中，认为品牌形象包括产品特性与感受、产品知觉、信念与态度、品牌个性与产品特性和情绪感受间的联结。而随着品牌理论的不断发展，品牌个性的重要性越来越凸显。因此，学界和实践界日渐将品牌个性作为一项重要的独立理论进行研究。

通俗一点来讲，企业在打造品牌时，从正确的定位出发，进行持续不断的有效沟通，使品牌产生了差异性，这种差异性就是品牌个性。例如，一个洗发水品牌，企业可以为它创造"关爱"的品牌个性，把它看作一位善于持家的太太；也可以为它创造"温馨"的品牌个性，把它看作一位充满柔情的情人；还可以为它创造"强硬"的品牌个性，把它看作一位勇敢坚强的硬汉。人们从"飘柔，就是这样自信""海飞丝，头屑去无踪，秀发更出众""好迪，大家好才是真的好""拉芳，爱生活，爱拉芳""蒂花之秀，青春好朋友""丽彤，真的不同"等品牌主题中，可以感受到这些不同洗发水品牌流露出的个性。

## 二、品牌个性分析

大部分心理学家认为，个性是由各种属性整合而成的，具有相对稳定和独特的心理模式。所谓"有诸于内，形诸于外"，这能很形象地概括出个性的内涵，即个性就是人的表里的统一体。品牌个性就像人的个性一样，它是通过品牌传播赋予品牌的一种心理特征，是品牌形象的内核；它是特定品牌使用者个性的类化，蕴含着品牌利益相关者心中对品牌的情感附加值，是消费者特定的生活价值观的体现。品牌个性具有独特性和整体性，它创造了品牌的形象识别，使得消费者可以把一种品牌当作人看待，使品牌人格化。

### （一）品牌个性是消费者特定的生活价值观的体现

价值观可以表现为对令人兴奋的生活的向往、对自尊的追求、对理智的需要、对自我表现的要求等。每个人将自身的价值观作为生活的中心，而不同的人可能有着不同的价值观：一个人可能高度关注对娱乐和刺激的追求，另一个人也许更关心自我表现或安全。具有独特个性的品牌，可以与某一特定价值观建立强有力的联系，并强烈吸引那些认为该价值观很重要的消费者。例如，"金利来——男人的世界"，诠释了金利来是成功男人的象征，就容易被成功或渴望成功的人所认同。"小米"手机追求极致性价比和高端科技，象征着"极客"们的生活方式，契合年轻消费者的价值观，让人们联想起充满闯劲的年轻人形象。这些联想正好迎合了消费者渴望成功的心愿，足以引起购买动机。

### （二）品牌个性是特定品牌使用者个性的类化

当人们想到一个人时，首先是用性别（男性或女性）、年龄（年轻或年老）、收入或社会阶层（穷人、工薪阶层、富人）来进行描述。同样地，品牌通常也能被认为是男性化的或女性化的、时髦的或过时的，以及蓝领或白领。不论在哪种文化哪种语言中，人们都可以用成百上千个形容词来描述彼此的个性特征，如将某人描述为热情、愚蠢、心灵卑劣、有闯劲等。类似地，一个品牌的特点可以是冒险的、顽固的或是易兴奋的且有些粗俗的。詹妮弗·艾柯通过研究，提出了五个品牌个性因素："真诚""兴奋""能力""复杂性""单纯性"。例如，"海尔"使消费者立即联想到活泼可爱的海尔兄弟，每时每刻令人体会到"真诚到永远"；麦当劳总令人联系起"麦当劳叔叔、欢乐"的特色，以年轻人或小孩为主的顾客群、开心的感受、优质的服务、金黄色的拱门标识、快节奏的生活方式，乃至炸薯条的气味。

### （三）品牌个性蕴含着利益相关者心中对品牌的情感附加值

品牌个性具有强烈的情感方面的感染力，能够激发现有消费者及潜在消费者的兴趣，持续保持情感的统一，因此，品牌个性蕴含着消费者心中对品牌的情感附加值。一方面，正如人们可以认为某人（或某一品牌）具有冒险性并且容易兴奋一样，人们也会将这个人（或品牌）与激动、兴奋或开心的情感联系起来。另一方面，购买或消费某些品牌的行为就可能使消费者经历或表现出相同的感受和感情。例如，ONLY 在英语中表示唯一，因此 ONLY 的品牌给人一种与众不同、富有激情并充满生机的感受。

### 三、品牌个性与品牌定位

品牌定位是品牌塑造的起点，为品牌塑造提供了大致的框架；品牌个性依托于品牌定位，为品牌定位的成功进行提供了情感化、人性化的差异点，成为达到占据消费者心智目的的有利途径。在时间上品牌定位在先，品牌个性在后，两者联系紧密，相互依存，都是品牌管理的一部分。在当今品牌竞争日益激烈的情况下，品牌必须找到一个吸引顾客的突破口，而集中体现品牌情感化、人性化价值的品牌个性就理所当然地成了企业的选择。

#### （一）品牌个性以品牌定位为基础

品牌个性反映品牌定位，在很多情况下，它又体现着对品牌定位的深化。品牌定位是确立品牌个性的必要条件，品牌的准确定位对建立品牌个性发挥着强大的支撑作用。品牌定位不明，品牌个性则显得模糊不清，产品也就无法叩开消费者的心扉。随着科学技术的进步和生产力的不断发展，产品同质化程度越来越高，品牌在产品的性能、质量和服务上难以形成比较优势，只有具备人性化的价值才能深深地感染消费者。可以想象，一个没有个性的品牌或产品，要想在消费者"心中的货架"上占据有利的位置谈何容易。

#### （二）品牌个性有利于品牌定位成功

品牌个性的塑造有利于品牌定位的成功，为品牌在顾客心中占据一个有利的位置提供了强大的支撑。要想在众多的品牌中脱颖而出，在消费者的心目中占据一个特殊的位置并不是一件容易的事情。品牌个性代表特定的生活方式、价值观念，容易与消费者产生个性表达、心理、情感上的共鸣，从而达到占据消费者心理地位的目的，促进品牌定位战略的实施。

#### （三）品牌个性与品牌定位的倾向和侧重不同

品牌定位是营销人员通过市场调查分析，向消费者宣传的品牌核心诉求，它是由内而外的；品牌个性是消费者对品牌人格化的评价，它是由外而内的。对品牌执行者而言，他希望消费者认知的品牌个性与其品牌定位是相辅相成的，品牌个性要反映品牌定位。例如，联合利华的力士香皂，长期以来的定位不是清洁、杀菌，而是美容。相对于清洁和杀菌来说，美容是更高层次的需求和心理满足，这一定位巧妙地抓住了人们的爱美之心。通过打影星牌，力士又很好地把品牌的独特优势传达给消费者，最终建立起"美丽、华贵、滋润、成功"的品牌个性。品牌个性和品牌定位两者各有侧重，又相辅相成，共同服务于品牌在市场中的宣传与推广。

### 四、品牌个性与品牌形象

尽管整合传播及品牌识别等新主张、新理论不断发展起来，但品牌形象和品牌个性并未过时，而是被融合进各大广告、营销公司对于品牌的培育、管理、运作的全过程中，成为指导和检测品牌成长的科学策略与参数。因此，准确把握二者的概念及精神实质是营销人员必须具备的基本素质。

### （一）品牌个性是延续品牌形象的生命基因

在内涵上，品牌形象对品牌个性具有包容性，而对品牌个性的进一步探究，可以让人们明确在打造品牌形象过程中品牌个性的作用与地位。品牌个性具有以下三个属性。

（1）持续性。在品牌形象的硬性属性中，无论是产品的外观还是伴生的功能，都是可以被模仿的。随着知识和技术的进步，产品的物理属性差异越来越小。但对于体现品牌独特内涵的软性属性，即品牌个性，却如同人的个性一样难以模仿。例如，哈雷摩托车、联合航空、奔驰等品牌彰显出来的个性，在品牌等级里是独一无二的。而这种独特性经过长期打磨，与其他品牌的区隔将会越来越明显。

（2）揭示性。一方面，品牌个性不会脱离产品本身孤立存在，恰当的品牌个性是在经过准确有效的品牌定位后，对产品功能和属性的有效揭示及演绎；另一方面，正是品牌个性的隐喻揭示出了品牌与顾客的双边关系。

（3）保护性。在茫茫的产品世界中，有一些品牌由于被赋予了个性而脱颖而出。首先，它展示了品牌形象；其次，它使品牌由于忠诚顾客分众的存在，在竞争面前不易受到新品牌或同类品牌的攻击；最后，它保护了在生存环境中品牌延伸或次品牌策略的实施。

正是由于以上三个属性，品牌个性赋予了品牌形象活力，使品牌有了生命，有了成长的基础。

### （二）品牌形象与品牌个性的两个共同基础

（1）品牌形象和品牌个性都是以"品牌"而不是以"产品"（如 USP）或"企业"（如企业识别理论）作为概念的核心和出发点。如果一个品牌领先对手的原因是产品的属性，那么这个品牌迟早会被别的品牌超越。事实上，正是由于产品物理属性上的差异容易被弥补或替代，故而不得不从超越产品层面去寻找、去创造不可替代的附加值，从而诞生品牌形象，形成品牌个性概念。

另外，如果产品体现的是在物理属性上对于消费者的有用性，那么品牌则体现出与消费者更广阔的沟通关系，前者是来自生产过程、重质重量的客观存在的东西，后者是形成于整个营销组合环节，通过传播植入消费者认知中的东西。也正是这样的基础导致了品牌个性与品牌形象在塑造中的共同指向。

（2）品牌形象和品牌个性都以品牌定位作为塑造的基础及发展过程中的参照物。由于建立品牌的核心目的依然是销售产品、追求利润，因此产品生产出来后，销售对象必须有一个基本明确的市场或者顾客区隔，并必须设法将焦点转移到潜在顾客身上，而这正是品牌定位的基本工作。"品牌定位的关键目标，就是找出能和消费者产生共鸣的优越点"。在这个基础之上，赋予产品生命与个性，则是达到在千万个品牌中引起顾客注意、与顾客沟通的手段。

著名的 Grey 广告公司提出的"品牌性格哲学"，可以准确把握品牌定位与品牌个性的关系，并从中演绎出品牌定位、品牌个性、品牌形象三者的关系。产品（产品是什么→你是什么）＋定位（你的竞争对手是谁，你的目标顾客是谁，你为何更优越，你的销售方法是什么）＋个性（你是谁）＝品牌性格。在这个公式中，假设品牌面对的是一个对它有高度认知（较为准确地接收、识别了传播者给予的信息）的消费者，那么，就可用通常所说的"品牌形象"取代"品牌性格"，并将此公式推而广之。

### （三）两者概念上的区别与联系

关于这两个概念，当代品牌策略大师戴维·阿克有极为精辟的表述："如果说品牌形象是指消费者如何看待这个品牌，那么品牌个性便是你希望消费者如何看待这个品牌。"具体而言，品牌形象就是消费者对品牌具有的联想，即一提到品牌消费者便会想到的东西。这种联想可能是功能、物理实质等硬性属性，如价位、操作性、外观、材料、速度等，也可能是软性属性，如趣味、严肃、温柔、刺激之类的特征。这些属性要素在消费者的心灵与记忆中不断积淀、扩散，形成了一张品牌构想相关的网络。品牌个性只能是其中的软性属性，典型的品牌个性更是软性属性中最能体现出与其他品牌的差异的部分，是最富有人性的部分。例如，海尔的品牌形象包括中国制造、高质材料、高价位、耐用、新款、真诚、无微不至的服务精神等，但它的品牌个性是真诚、无微不至的服务精神。

## 第二节　品牌个性特征及价值

消费者的个性和价值观是多元化的，消费需求的取向也就不一样，这样品牌个性的存在就具有了客观基础。随着经济的不断发展，各个行业都超越了单纯的产品层面，而注重品牌这一更高层次的概念，导致大量的品牌涌现出来，人们选择品牌的行为由集中化变得分散化，各种品牌都能拥有一部分的消费者。由于购买力的增强，消费者选择品牌的经济因素的影响力弱化，而情感性、自我表达、寻求差异化的因素的影响力增强，这些背景使企业对品牌个性越来越重视。要塑造一个独特的品牌，企业有必要先了解一下品牌个性的相关特征及价值所在。

### 一、品牌个性特征

品牌没有人格化，缺乏形象的人格，就很难从心理层面与消费者进行情感对接。品牌没有稳定的内在特性和行为特征，消费者无法认识和认定品牌的个性，两者自然也无法形成共鸣。消费者在进行消费时总是有意无意地按照自己的个性选择自己喜欢的产品，而没有品牌个性的商品是很难与消费者进行情感对接的，自然也就难以使消费者对品牌忠诚。如果一个品牌没有人格化的含义与象征，那么这个品牌就会失去它的个性。品牌个性是品牌的人性化表现，具有品牌人格化的特征和特点，一个成功的品牌应具备以下四个方面的个性特征。

### （一）内在稳定性

如果品牌的定位总是飘忽不定，品牌的个性也必然会随之飘忽不定，这既不利于品牌成长，也很难给消费者留下深刻的印象。品牌个性需要保持一定的稳定性，只有稳定的品牌个性才能创造品牌稳定的形象，这是品牌占据消费者心灵模式的关键，也是品牌与消费者体验的对接点。若品牌个性没有内在的稳定性，消费者就无法持续地辨别品牌的个性。就像一个人一样，如果他的个性经常变化，反差很大，就会给周围的人留下一个不好的印象。

品牌也是如此，如果品牌的个性不稳定，就很难与消费者进行个性对接，那消费者自然不会主动地选择这样的品牌，品牌最终将失去它的魅力。一些大品牌始终如一地塑造自己的品牌个性，就是为了更好地吸引和稳定自己的目标消费者。沃尔沃汽车始终坚持"安全"的价值主张，从而在它的目标消费者心目中树立起一种安全可靠的个性，那么消费者在需要选择安全的汽车时自然而然地会选择沃尔沃。

### （二）鲜明区隔性

从根本上来说，品牌塑造个性的目的就是帮助消费者认识品牌、区隔品牌，最终让消费者接纳品牌，并与其他品牌区别开来。因为品牌个性是品牌核心价值的集中表现，最能代表一个品牌与其他品牌的差异，尤其在同类产品中，许多细分品牌定位差异性不大，只有通过品牌个性才会使之脱颖而出，表现出自己与众不同的感觉，从而实现有效的品牌区隔。这不仅仅表现在不同企业竞争之间，在同一企业下不同品牌间，也需要进行有效的区隔。宝洁公司仅仅在洗发水品类上就有飘柔、海飞丝、潘婷等多个细分品牌，但它们各自都取得了成功，并未发生"窝里斗"的现象。究其原因，它们在产品细分功能上提炼出单一的独特卖点，针对不同消费者的利益诉求，塑造出不同的品牌个性，具有明显的差异性，从而实现了细分品牌的区隔，最终达到了多品牌经营的目的。

### （三）独占排他性

品牌个性具有一定的排他性和独占性，也就是说，品牌的个性一旦在消费者心目中树立，它就会表现出强烈的排他性，使竞争品牌无法模仿和跟进，有利于品牌持续地经营。例如，许多著名品牌都有自己鲜明的品牌个性，像安踏的运动、拼搏潮流，沃尔沃的安全、稳定，微软的积极、进取、自我等。这些品牌个性不但与目标消费群体的个性吻合，征服了很多的潜在消费者，而且它们的品牌个性表现出强烈的排他性，使竞争对手无法模仿，难以与之抗衡。但如果品牌到了垄断市场地位的时候，那么品牌个性的表现就应该收敛一些，否则会引起很多麻烦。例如，微软公司开发的 Windows 操作系统和 Office 办公套件，已经垄断了市场，但它那种"张扬自我"的个性，仍然表现得很强烈，引起了消费者的反感，从而引来了一些官司，得不偿失。

### （四）简约易识别

品牌个性不但要具有内在的稳定性、外在的一致性、区隔性和排他性，而且品牌的个性不能太复杂，要简约易识别。很多品牌在实际的操作中，总是试图强加给品牌很多的个性，事实上这种做法往往适得其反。品牌的个性不是人为地强加于它，而是品牌内涵的一种外在表现，品牌的个性是消费者在体验品牌过程中的一种自我认同。所以企业可以去引导塑造品牌的个性，而不能强加于它更多的个性。企业必须明白品牌的个性在于消费者的认同。

## 二、品牌个性价值

人们不会接受所有人，因为他的心理空间是有限的。所以，在人群中个性鲜明者容易脱颖而出，而如果此人具有多数人所欣赏的个性如诚信，就会为多数人接受并喜欢。同样，因为心智有限，消费者也不会接受所有的品牌，所以他只接受具有他所认可个性的品牌。由此可见，品牌个性在品牌价值中有着非常重要的地位，要提升品牌价值就必须塑造出鲜明的品牌个性。具体来说，品牌个性具有以下几个方面的价值。

### （一）差异化价值

品牌个性最能代表一个品牌与其他品牌的差异性。差异性是一个品牌在品牌繁杂的市场上最重要的优势来源。没有差异性，一个品牌很难在市场上脱颖而出。国内许多厂商喜欢用产品属性来展示差异性，但这种建立在产品上的差异性很难保持。因为产品的差异性是基于技术的，一般比较容易仿效。而由品牌个性建立起来的差异则深入消费者的意识里，它提供了最重要、最牢固的差异化优势。个性给予品牌一个脱颖而出的机会，并在消费者认知里保留自己的位置。

塑造不同的品牌个性是七喜公司营销的诀窍。三十多年来，七喜建立了"非可乐"的品牌定位，并未与美国的国民饮料可乐进行正面对抗，而是强调一种独特、不随大流的个性。而针对美国人逐渐不喜欢可乐的情况，七喜利用突出的个性夺取了很大的市场份额。它宣传的主题是："您想尝尝别的味道？只有一种！"七喜"爽点"的特征，强化了它的反偶像的品牌个性，同时也发出了颇有竞争性的品牌定位提示，加强了七喜的差异化价值。

### （二）人性化价值

产品或服务是提供给人使用的，品牌个性使企业所提供的产品或服务人性化，从而使消费者消除戒备心理，较易接受企业的产品或服务。优良、鲜明的品牌个性能够吸引消费者，在消费者购买某个品牌的产品之前，这个品牌的个性已经把那些潜在的消费者征服了。

百事可乐品牌通过广告和活动所展示出来的个性——年轻有活力、特立独行和自我张扬迷倒了新新人类，新一代年轻人饮用百事可乐不仅仅是喝饮料，更是认可、接受百事可乐的品牌个性，把百事可乐看作他们的朋友，并通过百事可乐来展示他们与上一辈（他们喝可口可乐）不一样的个性。

正因为百事可乐有意塑造出非凡的品牌个性，使百事可乐变得人性化，从而获得了青少年一代的高度认同，所以才能在激烈的饮料大战中与可口可乐相抗衡。可以说，百事可乐的品牌个性促发了青少年与百事可乐的情感联系，促使青少年喜爱百事可乐，强化了他们的购买决策，进而造就了百事可乐的品牌价值。

### （三）情感化价值

品牌个性还具有强烈的情感感染力，能够抓住潜在消费者的兴趣，持续保持情感的统一，在消费者心目中形成强烈的共鸣。例如，劲霸男装理性、成熟、品位、优雅、独立的品牌个性深深感染消费者，它激发了消费者内心最原始的冲动——一种作为男子汉的自豪感，因而深受茄克爱好者的推崇，以至于消费者把它作为展示男子汉气概的重要载体。正如具有沉稳、果断、自信个性的领导者具有超凡的个人魅力一样，出众、鲜明的品牌个性能够感染每一个消费者，而这种品牌的感染力随着时间的推移会形成强大的品牌动员力，进一步使消费者成为该品牌的忠实顾客，这是品牌个性的重要价值所在。

### （四）购买动机价值

明晰的品牌个性可以解释人们购买这个品牌产品的原因，也可以解释人们不购买其他品牌产品的原因。品牌个性赋予消费者一些类人的元素，超越品牌本身的定位；品牌个性也使品牌在消费者眼里活起来，这些元素能够超越产品的物理性能。品牌个性传递出人性化的内容，使得消费者更容易接受一种品牌，下意识地把自己与一个品牌联系起来，不再选择其他品牌。真正的品牌有自己的生命，这个生命就在人们的生活中。

品牌个性定义了人们对生活的大致要求。在众多可以选择的品牌中，消费者开始考虑某个品牌时，品牌的"种子"已经种下了。不过，此时在情感上，品牌并不一定就已经与潜在消费者联系上了。只有品牌个性，才能使品牌变成有生命的东西，才能赋予品牌人性化的特征，让人们想接近它，想得到它。品牌个性切合了消费者内心最深层次的感受，以人性化的表达触发了消费者的潜在动机，从而使他们选择那些独具个性的品牌。可以说，品牌个性是消费者购买动机的触发器。

# 第三节　品牌个性维度

品牌个性及其维度研究受到国内学术界和企业界的高度重视。欧美发达国家通过运用品牌战略，塑造鲜明的品牌个性，成功进入中国市场并获得高占有率的事实，让国内企业认识到品牌建设的重要性。詹妮弗·阿克（Jennifer L. Aaker）于 1997 年首次系统地发展了基于美国的品牌个性维度及量表，在此基础上，基于其他国家和文化的品牌个性维度及量表也相继诞生。

## 一、人格大五维度

品牌个性维度的研究，主要结合心理学和文化学进行，人格个性理论为品牌个性理论的研究奠定了基础。以往学者对个性要素集合不断进行研究和完善，最终形成了人类个性的大五模型，并建立起一套完备的测量量表体系。大五模型将人们的个性划分为神经质、外向性、开放性、随和性和责任心五个维度，如表 4-1 所示。神经质包含焦虑、生气敌意、沮丧、自我意识、冲动性、脆弱性六个子维度；外向性包含热情、乐群性、独断性、忙碌、寻求刺激、积极情绪六个子维度；开放性包括想象力、审美、感受丰富、尝新、思辨、价值观六个子维度；随和性包括信赖、直率、利他、顺从、谦逊、慈善六个子维度；责任心包括胜任力、条理性、尽责、追求成就、自律、深思熟虑六个子维度。

表 4-1 人格大五维度特征及其组成部分

| 组成特征 | 组成部分 |
| --- | --- |
| 神经质 | 焦虑、生气敌意、沮丧、自我意识、冲动性、脆弱性 |
| 外向性 | 热情、乐群性、独断性、忙碌、寻求刺激、积极情绪 |
| 开放性 | 想象力、审美、感受丰富、尝新、思辨、价值观 |
| 随和性 | 信赖、直率、利他、顺从、谦逊、慈善 |
| 责任心 | 胜任力、条理性、尽责、追求成就、自律、深思熟虑 |

资料来源：POROPAT A E. A meta-analysis of the five-factor model of personality and academic performance[J]. Psychological bulletin, 2009, 135(2):322-338.

## 二、人格大七维度

有不少心理学家对大五模型的理论和方法，尤其是因素分析方法、因素的心理含义等提出了批评意见。大七模型的倡导者在继承人格特质学派的基本思想的前提下，着重指出了大五模型在选词方面的两个致命缺陷：第一，大五维度不能代表自然语言中的人格的所有方面。有学者对特质词的分类研究做过历史回顾，发现诸如独立的、特异的、保守的等重要人格术语无法归入大五结构的任一维度。也有学者指出，大五维度没有像它所声称的那样完全抓住自然语言的人格范围。这是因为大五研究在做因素分析前就删除了评价性术语，有的还删除了描述暂时状态的术语。第二，做因素分析前的选词标准主观随意性大。有学者指出，大五研究者在制定特质词分类标准，按此标准去掉多余词或选词构成测量词表时，可能出现一系列的决策误差，词表的内容失之偏颇，依此构造的人格维度显然也不全面。

对此，特勒根（Tellegen）和沃勒（Waller）1987年率先在理论和方法上进行探索和改进，提出了人格大七因素模型。该模型的创新之处主要有两点：第一，采取相对宽容的选词标准，减少了主观随意性；第二，明确提出并证实人格描述基本是一种评价过程。人格大七维度主要包括：正面情绪性（positive emotional），组成词语有抑郁的、忧闷的、勇敢的、活泼的等；负面效价（negative valence），组成词语有心胸狭窄的、自负的、凶暴的等；正面效价（positive valence），组成词语有老练的、机智的、勤劳多产的等；负面情绪性（negative emotional），组成词语有坏脾气的、狂怒的、冲动的等；可靠性（dependability），组成词语有灵巧的、审慎的、仔细的、拘谨的等；适意（agreeableness），组成词语有慈善的、宽宏大量的、平和的、谦卑的等；因袭性（conventionality），组成词语有不平常的、乖僻的等。

在人格大七维度中，正面效价和负面效价是两个新的人格维度，其余五个维度——正面情绪性、负面情绪性、可靠性、随和性和因袭性，分别与大五维度的外向性、神经质、责任心、随和性和开放性有大致的对应关系。两个模型之间有五个（至少四个）维度存在对应关系，指的是它们相类似，但不完全相同，例如，"大七"和"大五"都有适意这一因素，在"大五"中该因素包括涉及脾气的一些特质词，如易怒的、暴躁的、野蛮任性的，而"大七"中同名因素却不包括这些词。这说明"大五"中该因素兼有情绪和行为两种倾向性，而"大七"中的同名因素去除了情绪倾向，基本指行为倾向。

## 三、品牌个性大五维度

根据西方人格理论的"大五"模型，以个性心理学维度的研究方法为基础，有学者提出了一个系统的品牌个性维度量表，如表 4-2 所示。该品牌个性测评量表是根据一个由 631 名被试者组成的样本对 40 个品牌的 114 个个性特征的评价得来的。这个量表基于个体的代表性样本、广泛的特性列表和在不同的产品类别中系统地选择系列品牌。它可以用来比较众多产品类别中品牌的个性，帮助研究者确定品牌个性的基准。这五大个性要素的可靠性通过"测试—再测试"相关性分析和可靠性分析得到证实。在这个量表中，品牌个性被分为纯真、刺激、称职、教养和粗犷五个维度。这五个维度下又有 15 个指标，总共包括 64 个品牌人格特性。该品牌个性维度量表在西方营销理论研究和实践中得到了广泛的运用。例如，柯达以"纯真"的个性，给人们以纯朴、诚实、有益、愉悦的感受；保时捷以"刺激"的个性，给人以大胆、有朝气、最新潮、富于想象的感受；IBM 以"称职"的个性，给人们以可信赖、成功、聪明的感受；奔驰和雷克萨斯以"教养"的个性，给人以上流阶层、迷人的感受；耐克则以"粗犷"的个性给人以户外、强韧的感受等。

表 4-2　品牌个性的大五维度及其组成

| 维　度 | 指　标 | 描绘词语 |
|---|---|---|
| 纯真（如柯达） | 纯朴 | 家庭为重的、小镇的、循规蹈矩的、蓝领的、美国的 |
| | 诚实 | 诚心的、真实的、道德的、有思想的、沉稳的 |
| | 有益 | 新颖的、诚恳的、永不衰老的、传统的 |
| | 愉悦 | 感情的、友善的、温暖的、快乐的 |
| 刺激（如保时捷） | 大胆 | 极时髦的、刺激的、不规律的、华丽的、煽动性的 |
| | 有朝气 | 冷酷的、年轻的、活力充沛的、外向的、冒险的 |
| | 富于想象 | 独特的、风趣的、令人吃惊的、有鉴别力的、好玩的 |
| | 最新潮 | 独立的、现代的、创新的、积极的 |
| 称职（如 IBM） | 可信赖 | 勤奋的、安全的、有效率的、可靠的、小心的 |
| | 聪明 | 技术的、团体的、严肃的 |
| | 成功 | 领导者、有信心的、有影响力的 |
| 教养（如奔驰） | 上流阶层 | 有魅力的、好看的、自负的、世故的 |
| | 迷人 | 女性的、流畅的、性感的、高贵的 |
| 粗犷（如耐克） | 户外 | 有男人气概的、西部的、活跃的、运动的 |
| | 强韧 | 粗野的、强壮的、有力的、不愚蠢的 |

资料来源：AAKER J L. Dimensions of brand personality[J]. Journal of marketing research, 1997（August）: 347-356.

后来，詹妮弗·阿克为了探索品牌个性维度的文化差异性，对日本、西班牙这两个分别来自东方文化区以及拉丁文化区国家的品牌个性维度和结构进行了探索和检验，并结合美国品牌个性的研究结果，对三个国家的品牌个性维度变化以及原因进行了对比分析。结果发现：美国品牌个性的独特性维度是"强壮"，日本是"平和"，西班牙是"热情 / 激情"。

## 四、本土化品牌个性维度

由于品牌个性的感知以及心理形成要以特定的文化为背景，在不同的文化背景下，品牌个性的描述性词语是不一样的。我国学者卢泰宏、黄胜兵采用了词汇法、因子分析和特质论等方法，以中文语言、来自中国的品牌为内容，经中国消费者的实证研究发展出中国的品牌个性维度及量表，并从中国传统文化的角度阐释了中国的品牌个性的五大维度，即"仁、智、勇、乐、雅"，如图 4-1 所示。"仁"主要包括平和、环保、和谐、仁慈、家庭、温馨、经济、正直、有义气、忠诚、务实、勤奋等词语；"智"主要包括专业、权威、可信赖、专家、领导者、沉稳、成熟、负责任、严谨、创新、有文化等词语；"勇"主要包括勇敢、威严、果断、动感、奔放、强壮、新颖、粗犷；"乐"主要包括欢乐、吉祥、乐观、自信、积极、酷、时尚等词语；"雅"主要包括高雅、浪漫、有品位、体面、气派、有魅力、美丽等词语。

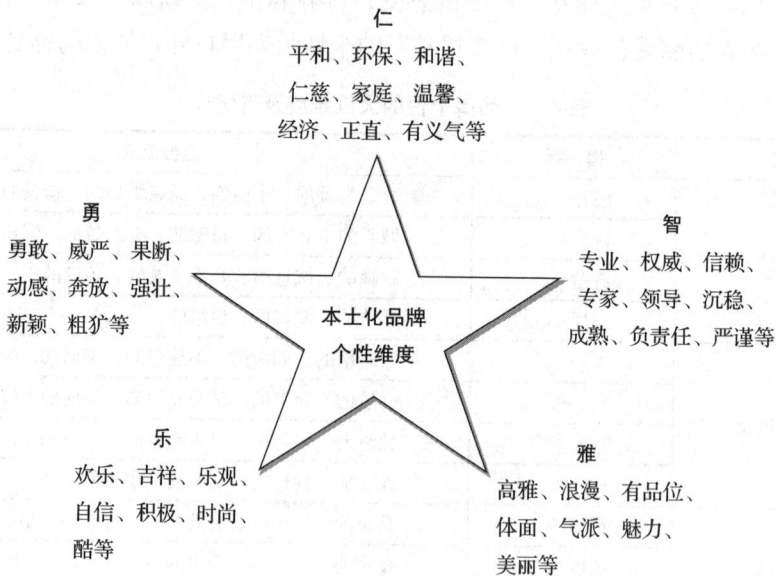

图 4-1　本土化品牌个性维度

资料来源：黄胜兵，卢泰宏.品牌个性纬度的本土化研究 [J].南开管理评论，2003（1）：4-9.

之后，卢泰宏和黄胜兵还将本土化品牌个性与美国、日本两个国家的品牌个性维度进行了跨文化的比较研究，结果表明："仁""智""雅"这三个维度具有较强的跨文化一致性，这是共性。"仁"是中国品牌个性中最具有文化特色的一个维度，其次是"乐"。

与美国相比，中国更加强调群体性利益，美国更加重视个人利益，强调个性的表现，这是两种不同文化的差异在品牌个性中的体现。而与日本相比，中国品牌个性中存在着"勇"，日本则不存在这样一个单独的维度，而"勇"与美国的"粗犷"（ruggedness）比较相关。这一维度在中国的出现，表明中国品牌的建立在一定程度上受到西方理论及文化的影响。

在营销实践中，如同人的个性复杂多变一样，品牌个性也并非单纯如一的。许多品牌是诸多个性要素的混合体，一个品牌或多或少地掺杂了不同程度的五大个性要素，综合成复杂的个性，只是某个个性特征比例较大，则品牌在整体上显示出该项个性特征。例如，李维斯牛仔裤在纯真、刺激、称职和粗犷四个个性特征上都非常显著，其中粗犷（有男子气概的、运动的）是主要的指标。另外，在品牌个性维度选择当中，产品类别也起到了一定作用。例如，在汽车业、运动器材业、化妆品业，甚至是咖啡业等产业环境中，最常运用的品牌个性特征是刺激维度（大胆的、有朝气的、富于想象的、最新潮的）；而作为银行单位或保险公司则会倾向于定位成典型的"银行家"个性（称职的、严肃的、有信心的、上流阶层的和成熟的）。

上述品牌个性维度的研究将为品牌营销实践提供有益的指导。企业的营销人员可以从产品类别、目标消费者的心理特质以及主要竞争对手的品牌个性选择适合自己品牌的个性维度，以培育品牌鲜明的个性，从而与消费者产生共鸣。

# 第四节　品牌个性塑造法则及来源

在残酷的市场竞争中，具有品牌个性的产品，消费者往往乐意购买，这是为什么呢？因为品牌个性切合消费者内心最深层次的感受，以人性化表达触发了消费者的潜在动机，使人们选择代表自己个性的品牌，从而凸显品牌价值。换句话说，品牌个性是品牌价值的核心表现，要想提升品牌价值，就必须塑造出鲜明的品牌个性，否则，品牌就会被淹没在市场的汪洋大海中。那么，企业该如何塑造品牌个性呢？

## 一、品牌个性塑造法则

品牌个性的塑造不能仅仅以企业和策划人员的喜好而定，也不能只关注品牌的定位，而要同时与产品的属性、服务特征、包装设计、广告风格、视觉符号、使用者、公共关系、品牌的历史、企业的领导者等诸多因素保持统一，它们对品牌个性树立都有着很重要的意义。因此，品牌个性的塑造，要系统化、规范化，具体而言，有以下五条法则可供企业参考。

### （一）品牌个性塑造要以核心价值为核心

品牌的核心价值是塑造品牌个性的内在动力，而品牌个性是品牌价值的集中表现，两者是相互统一的。塑造品牌个性一定要围绕品牌核心价值进行，反过来看，如果要想提升品牌价值，那么也必须有鲜明的品牌个性作为支撑，进一步丰富品牌内涵，以更好地经营品牌。例如，沃尔沃汽车品牌的核心价值是安全，为了打造品牌个性，沃尔沃在汽车安全方面的确做了很大的努力，1959年率先给汽车安装安全带，1972年首创并为汽车安装安全囊，2001年又推出新一代的安全概念车。沃尔沃在核心产品上兑现了它的核心价值；在传播方面，也不失时机地强调"安全"这一核心价值。沃尔沃就是这样以安全的核心价值，演绎着"可信赖的、可靠的、安全有保障的"品牌个性。

### （二）品牌个性塑造要以精准定位为基础

准确的品牌定位是塑造品牌个性的前提和基础，而品牌个性是品牌定位的最直接体现，二者之间既有联系又不完全相同。品牌个性并不像品牌的标识那样直观且可以看得见、摸得着。品牌个性是一种感觉，存在于消费者心灵深处，将会直接影响他对品牌的直接感官甚至购买决策。同时，由于消费者的生理、心理和经济条件等处于不断的成长之中，塑造品牌个性也要考虑目标消费者的未来期望，才能实现长时间与消费者的共鸣。

自然，品牌个性的塑造需要锁定沟通人群。其实品牌定位就是锁定目标消费者和沟通对象，只有确定好了目标消费者，品牌个性的确立才能有的放矢。品牌与消费者沟通的过程，也是让消费者了解和认知品牌个性、与消费者建立情感关系的过程。塑造品牌个性的前提条件，就是要锁定及满足目标消费者的需求，打开消费者的内心世界。例如，洋河蓝色经典近年深受消费者的喜爱，重要原因之一是品牌个性给人一种宽广、大度的男人情怀的感觉，它瞄准的就是中高收入阶层消费者，其品牌个性正好迎合了这一消费群体的需求，"世界上最宽广的是大海，比大海更高远的是天空，比天空更博大的，是男人的情怀"这句经典的广告语，深深地打动了消费者。

### （三）品牌个性塑造要设计人格化形象

品牌个性是品牌的人性化表现，是品牌人格化后所显示出的独特性。一个品牌如果没有人性化的含义和象征，那么这个品牌就失去了它的个性。品牌是为满足消费者需求产生的，而消费者是有感情的。因此，要想使品牌占领目标消费者的心，就必须使冷冰冰的商品拥有人情味及生命力，这需要让品牌人格化。品牌人格化后就容易接近消费者，与消费者进行情感沟通，使品牌产生更强的魅力。品牌个性一旦塑造成功，就能给企业带来持久的发展和竞争力。

### （四）建立和深化与消费者的情感关系

品牌个性是唤醒消费意识的主要原因之一，人们总是喜欢有人情味的东西。消费者总喜欢选择符合自己个性的品牌，因此，对于企业而言，创建与消费者具有相近个性的品牌是一种有效的营销策略。品牌的个性跟消费者的个性越接近，就越能与消费者建立情感；情感越深厚，消费者对品牌就越忠诚。如果能够为品牌创造一种个性，满足消费者的某种情感需求，就更容易打动消费者，品牌也更深得消费者的喜爱。品牌个性能提供人类情感的体验，满足情感的诉求，从而使品牌得到持久的发展。例如，在消费者看来，奔驰就是身份的象征，它"尊贵、豪华而舒适"的品牌个性，深受商界成功人士的喜爱；而宝马的蓝白标志象征着"乐趣、自由、欢快"的个性，深得成功的年轻人青睐。

### （五）加强品牌个性的投资及管理

品牌个性的塑造需要不断地进行投资。随着消费人群的更新及变化，品牌个性也要做出相应的变化，需要不断地进行维护和管理，使品牌个性深入消费者的内心，从情感上成为人们消费的理由。同时，加强品牌个性的投资，也是不断地为品牌做加法的过程，最终积累起丰厚的品牌资产，实现企业的持续性发展。例如，著名的箱包品牌路易威登，它的目标消费者是成功人士，在塑造品牌个性的过程中，它投资很大，不断对"高贵、成功"的品牌个性进行维护和管理，甚至采用了限量生产和预约登记的方法，限定使用的人群，带给目标消费者独一无二的感受，彰显它"高贵"的个性。还有一些品牌，品牌个性原本十分突出，是成功人士的象征，后来它进入了大众市场，放弃了原有的品牌特质，使品牌价值遭受了重大损失。例如，香港金利来原来是"男人的世界"，后来又推出金利来女士提包、金利来护肤品等，淡化了金利来在消费者心中的品牌个性；国酒茅台为开拓市场，推出啤酒、干红，结果销量大减。可见，加强品牌个性的投资及管理十分重要，它是长期的投资过程，应该引起企业家们的高度重视。

## 二、品牌个性塑造来源

人们会从一个人的言行举止来把握他的个性；他的名字、外貌，以及出生地和家庭背景，也会影响人们对他个性的判断。同样，影响人们对一个品牌个性认知的因素分为两大类：与产品有关的因素和与产品无关的因素。从这些影响因素中，人们可以发现品牌个性的来源，可对企业的品牌个性塑造提供有益的指导。

### （一）企业家的特质

在企业的品牌个性塑造过程中，企业家起着举足轻重的作用：一方面是因为企业家代表着整个组织，是企业拟人化的象征之一；另一方面是因为消费者通过对企业家或品牌代言人的联想来认知和理解品牌的个性特征，而品牌个性正是基于消费者记忆中强有力的偏好和独特联想而产生的。具有独特个性的企业家常常会把自己的个性转移到品牌上，作为社会公众人物的领导者更是如此，这是形成品牌个性的一个重要来源。例如，海尔集团的创始人张瑞敏诚恳、儒雅、睿智的形象无疑影响着人们对海尔品牌的看法，类似的还有微软创始人比尔·盖茨、通用电气创始人杰克·韦尔奇等。又如，非常具有影响力和反叛精神的时装设计师香奈儿，她的言行举止、社会地位、时尚风格，吸引了法国乃至全世界最核心人群的注意，她的整个生命历程其实就是香奈儿品牌最直接、最持久、最有效的广告运动。香奈儿本人就是香奈儿品牌，香奈儿品牌也就是香奈儿本人，而香奈儿品牌和香奈儿本人都已融入香奈儿式的生活方式和风格中。

## （二）象征符号

象征符号对品牌个性有很强的影响力和驱动力。苹果在希腊神话中是智慧的象征，现在引申为科技的未知领域。苹果公司的标志是咬掉一口的苹果，表明了它勇于向科学进军，探索未知领域的理想。企业在塑造品牌的个性过程中，选择能代表品牌个性的象征物往往很重要。象征物运用得当，可以赋予品牌生命，让消费者与之对话，进行情感交流，进而成为忠实的朋友。象征物通常有四类：人物、动物、植物与卡通。当淘宝商城升级为天猫的时候，一起推出大眼睛的猫作为品牌吉祥物，随着时间的推移，猫的轮廓图案已经成为天猫的品牌标识；京东商城改名为京东的时候，随着新标识的发布，一并推出了名为"JOY"的狗形象，后来进一步调整为金属狗形象；樱花卫厨以一只白色身体、黄色嘴巴和脚趾、黑色翅尖和尾巴、身穿樱花红色马甲、举起右翼向消费者敬礼的候鸟信天翁，象征品牌真诚、友善、信守承诺的个性。

## （三）与产品有关的因素

首先，产品是品牌的物质载体，可以向消费者提供功能利益、情感利益和自我表现利益，是形成品牌个性的主导力量。芭比娃娃风行全球40余年，原因在于个性鲜明而且不断创新的产品。20世纪50年代，芭比是个广交朋友、能说会道的女孩；60年代，芭比细眉轻弯，突出平民化；70年代，推出不同肤色的芭比；80年代，黑色的芭比显得可爱，而且有不同的职业装；到了90年代，芭比飞指敲击键盘，灵性十足。每一代芭比娃娃都彰显出了不同的个性，满足了不同消费者的诉求。

其次，包装很容易直接凸显品牌个性，就像一个人的穿着打扮可以反映和强化其个性一样。今天，包装的意义已经远远超越了对商品的保护作用。包装可以提供便利，方便消费者携带、使用和保管；包装是无声的推销员，具有刺激消费者购买欲望的无形力量；包装是广告媒体，可以最直接地体现品牌个性和产品特色；包装是品牌的缩影，可以体现品牌个性，展示品牌形象。

最后，价格也可以反映品牌定位，暗示品牌个性。高价位的品牌可能会被认为是富有的、奢华的，如茅台酒；低价位的品牌会被认为是朴实的、节俭的、平民化的，如二锅头。

## （四）使用者的形象

品牌所定位的目标消费者不同，给人的感觉和印象就会不同。如果一群具有类似背景的消费者经常使用某一种品牌，久而久之，这群使用者的共有个性就被附着在该品牌上，从而形成该品牌稳定的个性。一般老百姓很少喝人头马，即使广告铺天盖地，对他们也无济于事，他们绝不会掏腰包；法国白兰地也是"有钱人的酒"，有钱的人才会钟情于它。所以，人头马、白兰地品牌形象的重要特征之一就是身份和地位的象征。哈雷摩托对其拥有者有十分严格的限制，不仅要加入哈雷摩托车会，更要在外观、生活方式上保持狂野、反叛的特点。正是由于形成了统一的使用者形象，哈雷摩托的品牌个性也就定型为狂野、反叛，通过不断强化与自身消费者的个性联结，获得了无数忠实的用户。

### （五）广告传播

广告有助于塑造品牌形象，显示品牌个性，不同的广告主题、创新和风格会产生不同的广告效果。雀巢"奇巧"的广告创意始终带着幽默，传达给消费者一种休闲、轻松、幽默的个性。绝对牌伏特加（Absolut Vodka）的广告创意和风格同样独树一帜。多年来，它坚持在平面广告中采用"标准格式"，以怪状瓶子的特写为中心，下方加一行两个词的英文，总是以"Absolut"为首词，并缀以一个表示品质的词，如完美或澄清；在表现题材上与产品、物品、城市、艺术、节目、口味、服装设计、主题艺术、欧洲城市、影片时事新闻等相结合，与视觉关联的标题措辞以及引发的奇想赋予了广告无穷的魅力和奥妙。现在它的品牌个性已十分鲜明，即时髦、独特、风趣、现代、年轻。

总括而言，大部分品牌个性来源的因素，是企业可以直接利用市场营销策略操控的，如产品属性、产品类别、包装、价格、渠道、品牌名称、符号或商标、宣传策略、公关、广告风格、名人为品牌产品证言等，也有些因素是企业不能直接控制，但可以间接掌握的，如使用者形象、使用情境、企业形象、企业员工或总裁特质等，这些因素可以经由有效利用传播的平台，在消费者心目中形成鲜明的印象。

## 本章小结

品牌个性是一种拟人化的说法，实质上就是将品牌人格化。通俗一点来讲，企业在打造品牌时，从正确的定位出发，进行持续不断的有效沟通，使品牌产生了差异性，这种差异性就是品牌个性。品牌个性是特定品牌使用者个性的类化，蕴含着品牌利益相关者心中对品牌的情感附加值，是消费者特定的生活价值观的体现。

品牌个性以品牌定位为基础，有利于品牌定位的成功，和品牌定位既相区别，又相联系。品牌个性是延续品牌形象的生命基因，品牌形象和品牌个性都是以"品牌"而不是以"产品"或"企业"作为概念的核心和出发点，是以品牌定位作为塑造的基础及其不断培养、成长过程中的参照物。品牌个性应具备以下四个方面的特征：内在稳定性、鲜明的区隔性、独占排他性、简约易识别。品牌个性的价值包括人性化价值、购买动机价值、差异化价值、情感化价值。

人格大五维度包括神经质、外向性、开放性、随和性和责任心；大七维度包括正面情绪性、负面效价、正面效价、负面情绪性、可靠性、适意、因袭性。詹妮弗·阿克的研究显示：品牌个性分为五个维度，即纯真、刺激、称职、教养和粗犷。卢泰宏、黄胜兵的研究显示：中国本土化的品牌个性分为仁、智、勇、乐、雅。

品牌个性的塑造要遵循以下五个法则：品牌个性塑造要以核心价值为核心，品牌个性塑造要以精准定位为基础，品牌个性塑造要设计人格化形象，建立和深化与消费者的情感关系，加强品牌个性的投资及管理。品牌个性塑造的来源有：企业家的特质、象征符号、与产品有关的因素、使用者的形象、广告传播。

## 思考题

1. 简述品牌个性的内涵。
2. 简述品牌个性与品牌形象、品牌定位的区别与联系。

3. 品牌个性的大五维度分别是什么？
4. 本土化品牌个性的维度是什么？

## 观察思考

### 一个品牌就是一个人的精气神

品牌个性如同人的个性一样复杂多变。许多品牌是诸多个性要素的混合体，一个品牌或多或少掺杂了不同程度的五大个性要素，最终合成复杂的个性。通常所说的品牌个性，只是说某个个性特征的比例比较大，则品牌在整体上显示出该项个性特征。例如，李维斯牛仔裤在纯真、刺激、称职和粗犷几个方面的特征都非常清楚，其中，粗犷、有男子气概的、运动的个性是其主要指标。另外，在品牌个性维度的选择中，产品类别也起到一定的作用。在汽车行业、运动器材行业、化妆品行业等，最常运用的品牌个性特征是刺激的维度，如大胆、有朝气、富于想象等；但银行单位或保险公司则会倾向于定位成典型的银行家个性，如严肃的、有信心的、上流阶层的、成熟的。

品牌无论再怎么有生命，它毕竟还是物，而不会是人。但是品牌个性的形成依然要靠人，业界普遍认可的一句话是：一个门店或一个品牌就是一个人的精气神。究竟是哪个人呢？主要指企业家，就是一个企业组织结构金字塔最上面的那个人。一个企业家是什么样的个性，他所创建的品牌就会是什么个性。就像苹果的品牌个性来源于乔布斯，万科的品牌个性来源于王石先生，海尔的品牌个性来源于张瑞敏先生。一个企业对外展现的就是一个人的精气神，同样，一个门店对外展现的也是一个人的精气神。这个人还是企业家，因为无论是一线的决策还是思维习惯，员工很大程度上都会受公司内部企业家精神或价值观念的影响。这就是物背后反映着人的意识。

讲个故事给大家听：朱元璋在位的时候，有一年科举考试后需要殿试，就是朱元璋给考生出考题。大家都知道，朱元璋也没读过多少书，文化素养不高。他思来想去，决定在自己擅长的领域给考生出题。他命人抬了三箩筐稻谷到大殿上，然后问考生："你们来看看，这三箩筐稻谷有什么区别。"这些考生都是读书人，没怎么下地干过农活，一下子都被问住了。即便他们双手捧出稻谷，靠近仔细观察，依然无法辨别区分。之后，朱元璋就走过去，弯腰用手逐一摸过之后，有的还放在嘴里嚼一嚼，然后告诉那些考生说，第一筐颗粒饱满，来自扬州，反映那里的管理者是个干吏；第二筐潮湿有霉味，来自国家粮食储备库，反映那里的管理者是个庸官；第三筐有杂草沙土充斥，来自军队后勤，反映那里的管理者是个贪官。

| 颗粒饱满 | 潮湿有霉味 | 有杂草沙土充斥 |
| --- | --- | --- |
| 管理者：干吏 | 管理者：庸官 | 管理者：贪官 |

通过前台的"物"的状态，洞察背后"人"的意识，并做出预判，这是一种本事。这个

故事说明，任何一个品牌的个性，很大程度上来源和取决于创始人的个性，并且在品牌个性的塑造过程中，企业家也起着举足轻重的作用：一方面是因为企业家代表着整个组织，是企业拟人化的象征；另一方面是因为消费者通过对企业家或品牌代言人的联想，来认知和理解品牌个性的特征，在营销实践中，企业家与企业品牌往往存在极大的相关性。而品牌个性正是基于消费者记忆中所形成的强有力偏好和独特的联想而产生的。因此，具有独特个性的企业家常常会把自己的个性转移到品牌上，作为社会公众人物的领导者更是如此，这是形成品牌个性的一个重要来源。

资料来源：https://www.icourse163.org/course/ZNU-EDU-1003452001，节选自本书配套品牌管理慕课视频 6.1。

**思考题**

1. 如何训练自己看到前台的"物"的状态就能洞察背后"人"的意识？
2. 如何理解一个品牌就是一个人的精气神？

# 第五章 品牌形象

【学习目标】

- 掌握品牌形象的内涵；
- 理解品牌形象与品牌资产的联系与区别；
- 掌握帕克、凯勒、贝尔和克里斯南品牌形象的构成模型；
- 了解品牌形象塑造的原则，掌握品牌形象塑造的途径及策略。

## 开篇案例

### 茶颜悦色：聚焦中国风

茶颜悦色 2013 年于"星城"长沙开业，是大陆首创以中国风为主题的鲜茶店，秉承"中茶西做""越中国，越时尚"的理念，主打新中式鲜茶，是集产品研发、生产、销售、文创设计于一体的复合茶饮品牌。茶颜悦色如今可谓是茶饮圈的顶级流量，以"茶颜悦色：一杯有温度的茶"为标语，在微博、抖音等各大网络平台爆红。茶颜悦色将中国特色古风与西式结合，无论是品牌标识、饮品名称、茶杯包装，还是店面设计以及海报等，都围绕中国风来打造，在整个品牌形象的设计上始终围绕中国风的概念做聚焦。

在"颜值即正义"的今天，茶颜悦色深谙品牌形象意味着传播力。一方面，在品牌标识层面，茶颜悦色采用极具江南特色的古代女子形象，以朱红底色为主，采用仕女、团扇、八角窗三种中国经典元素，展现中式古风的高贵与典雅。茶颜悦色的品牌标识是小说《西厢记》主角崔莺莺执扇图，古香古色的画面感，加上手写体品牌名称，具有高辨别度，进一步突出品牌的中国风定位，也成为茶颜悦色独一无二的识别码，就连店面的装饰也充满中国风气息。

另一方面，为维持品牌形象，茶颜悦色与国内知名画师合作，坚持原创设计，花重金购买包含历史故事、古风美女、风景名胜的中式插图版权，并运用于茶杯包装设计上。充满艺术感的包装足以凸显品牌用心的态度，同时也在消费者心中打造了独特的视觉观感。从茶饮名称来看，茶颜悦色使用了古典的中文名称，增加了中国古风韵味。如茶颜悦色把红茶系列称为"红颜"，把绿茶系列称为"浣纱绿"，把增加了坚果、巧克力等配料的奶盖茶系列称为"豆蔻"，也有饮品取名为"蔓越阑珊、人间烟火、素颜锡兰"等四字词语。将中国风塑造为品牌文化内核的重要内容，也与国内市场受众定位相契合，成功打造了茶颜悦色独特的品牌形象。

无论是品牌标识，还是产品杯身，甚至门店装饰，茶颜悦色都深度聚焦中国传统文化，用国风撬动年轻人的注意力，在用户心中构建差异化认知，使品牌展现出统一风格下的别样之美，真正做到了"新中式"。

近年来，以故宫博物院为代表的中国风潮在年轻消费群体中颇为盛行，那些带有中国风情的文创产品在年轻人中很受欢迎。而茶颜悦色的受众群体多为年轻一代，它定位为中式茶饮，从品牌标识到产品名称再到视觉识别设计，无不散发出浓浓的中国风情韵味，这也是它能跟年轻人做深度沟通的基础。对于外界来讲，茶颜悦色能够区别于其他茶饮品牌最大的特点就是它的"文化属性"。梳理茶颜悦色的成功要素，会发现其文化属性是必然会涉及的话题。不管有意无意，茶颜悦色的文化基因印记都要比其他茶饮品牌浓厚得多。在国茶实验室创始人罗军看来，茶颜悦色的成功在于长期坚持对中国传统文化价值的输出。

资料来源：老罗. 从无名之辈到火遍全国，茶颜悦色是如何爆火的 [EB/OL].（2021-04-24）[2022-12-30]. https://www.163.com/dy/article/G8CI0SQP0514X2OL.html.

# 第一节　品牌形象概述

关于品牌形象，理论界的描述很多，甚至有点混乱，至今没有一个统一的定义。早期的营销专家利维（Levy）认为，品牌形象是存在于人们心里的关于品牌各要素的图像及概念的集合体，主要是品牌知识及人们对品牌的基本态度。M. 约瑟夫·西尔盖（M. Joseph Sirgy）认为，品牌像人一样具有个性形象，但这一个性形象不是单独由产品的实质性内容决定的，还应包括其他一些内容。

## 一、品牌形象的概念

### （一）形象概念的来源

品牌形象是"brand image"的中文翻译，《牛津词典》对 image 的定义为：个人、组织或产品给大众的印象；人或事物看起来像是在脑海中所呈现的画面；以照片或塑像的形式复制人或事物；透过相机、电视或计算机反射的影像，看起来犹如镜子反射；以虚构的字或措辞形容事物。《韦氏字典》则将 image 定义为：对人或物的再造或仿造，特别是对具体外形的仿造；利用光学（如镜片或镜子）或电子仪器制造出视觉上极为相像的对象，利用摄影技巧所产生出的相似对象；极相像、非常像别人的一个人；有形或可见的图像，古色古香的、梦幻般的外形；心里对实际上不存在的事物的想象，由团体成员的意见及基本态度与定位的象征所形成的心理概念；鲜明或生动的图像或描写；一种通俗的观念（如个人、习俗或国家），特别是借由大众传播媒体所凸显的。

由此可见，形象是指主体与客体相互作用，主体在一定的知觉情境下，采用一定的知觉方式对客体进行感知。从心理学角度讲，形象是反映客体而产生的一种心理图式，感知是人们对感性刺激进行选择、组织并解释为有意义的相关图像的过程。从受众角度讲，形象实际上是经过一段时间通过处理不同来源的信息所形成的对有关对象的总体感知。

### （二）品牌形象的内涵

从某种意义上讲，品牌形象随着品牌的产生而产生，品牌的含义决定了品牌形象的内涵。利维等人提出品牌形象概念的同时，批判过往研究太过表面化，仅仅关注消费者陈旧的购买理由，建议学者抛开表面化的购买理由去关注消费者购买的可持续动机，即品牌的意义和价值。利维等人认为，品牌和产品拥有物理属性，也具备社会以及心理的属性，即品牌形象是影响消费购买的重要因素。虽然利维等人一开始从概念上就抓住了品牌形象的实质，但之后的很多学者对品牌形象却给出了不同的概念和定义。关于品牌形象的术语充斥着学术报刊和通俗刊物，其概念和内涵也产生了分化，甚至和企业视角的品牌识别相混淆。虽然概念并不稳定一致，不过综合各类主张，关于品牌形象的内涵，业界实际上存在以下共识。

（1）**品牌形象是以消费者为主体的概念，存在于消费者心中**。与品牌识别等企业为主体的概念不同，品牌形象是消费者对品牌功能、技术、服务、价值与利益等内外属性，以及对公司形象和使用者群体特性的综合感知。

（2）**品牌形象感知存在理性和感性两种方式**。依照认知心理学理论，感知存在理性和感性两种方式。在信息与消费体验非常充分的情况下，消费者会对功能、技术特征等客观特性进行理性分析，形成与实际吻合度较高的感知与判断。但实际模式远非如此，消费者一般通过选择性感知的形式进行信息感知，可能受到其他消费者的评价或者消费者情绪的影响，对品牌的感知将非常感性。

（3）**品牌形象感知包括认知、联想、态度与评价等存在形态**。认知心理学认为，品牌形象作为消费者对于品牌特性、功能与价值等的综合感知，其存在形态包含认知、联想、态度与评价等。感知的事实比事实本身更加重要。品牌感知存在于消费者心中，存在于消费者主观意识中，独立于品牌客体。不论产品质量多么优秀，识别系统多么完善，营销传播计划多么系统，最终必须经过消费者这一关键环节，只有体现在消费者的感知和认同之后，才具有价值和意义。

## 二、品牌形象与品牌资产的联系与区别

两者的联系在于：企业通过准确的品牌定位，在市场上塑造良好的品牌形象，进而吸引消费者购买、培养忠诚顾客群体，达到积累品牌资产的目的，如图5-1所示。在品牌价值的实现过程中，进行品牌定位和塑造品牌形象是两个关键的步骤。品牌定位是塑造品牌形象的前提，而品牌形象的塑造反过来又会强化品牌定位。在品牌形象塑造的过程中，必须明确影响品牌形象的主要因素构成。品牌作为企业的关键资产，其价值体现为品牌资产，而对品牌资产起决定性作用的关键因素是品牌形象。

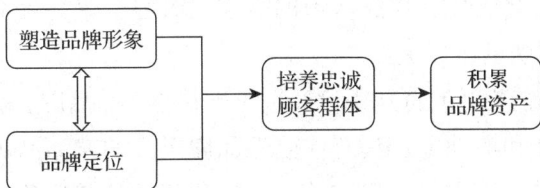

图 5-1 品牌形象与品牌资产的联系

两者的区别在于：品牌资产属于财务和经营上的概念，是一种超越生产、商品、所有有形资产以外的价值，可视为将商品或服务冠上品牌名称后所产生的额外进账。而品牌形象属于广告和营销策略上的概念，品牌的独特资产就是指满足消费者需要的那种独特的意义和象征。从消费者的角度看，品牌资产是由品牌形象驱动而带来的市场价值（或称附加价值）。对企业经营者来说，他们品牌资产更感兴趣，因为它为企业的产品销售带来额外的进账，为新产品的上市提供了资本和优势，为品牌的买卖或特许使用提供了价格依据。

# 第二节 品牌形象构成

品牌形象不是单一层面的概念，而是一个内涵丰富的多层面、立体式的概念。品牌形象的构成有：核心层面的品牌形象内涵，包括品牌文化、品牌个性等品牌要素；中间层面的品牌形象载体，包括产品本身、使用者形象等实体；外在层面的品牌形象符号，包括品牌名称、品牌标识等。对品牌形象构成的认识和理解，直接关系到采取什么样的措施以及如何实施才能将品牌形象的概念转化为具体的营销实践操作。但是，在品牌形象的构成要素方面，已有的研究成果却存在很多的分歧。这种分歧并不主要体现在与产品有关的物质和功能要素构成方面，而是体现在与产品无关的社会和心理要素构成方面，存在于不同的理论模型所包含的具体要素之间。

## 一、帕克的品牌形象构成

帕克（Parker）及其同事从消费者需求的角度出发，将消费者对于品牌所产生的形象分为以下三类。①功能性品牌形象。具有功能性品牌形象的产品品牌，主要强调为满足协助消费者解决外部的实际问题所产生的功能性需求。功能性需求，主要是指寻求产品的动机是解决与消费有关的问题。②体验性品牌形象。具有体验性品牌形象的产品品牌，主要强调满足消费者以寻求多样化与刺激为主的外部需求。体验性需求，主要是指购买产品的愿望来自消费者希望产品能够提供感官愉悦、多样性及认知刺激。致力于寻求多样化的消费美学及体验消费都阐明了体验性需求在消费中的重要性。③象征性品牌形象。具有象征性品牌形象的产品品牌，主要强调满足消费者诸如自我形象、社会地位的提升等象征性的内部需求。象征性需求，主要是指购买产品的愿望来自消费者为实现自我提升、角色定位、成为社会成员、自我认识的需求。致力于研究象征性需求的消费社会学阐明了象征性需求与消费的重要关系。

研究显示：具有功能性（或特殊用途）品牌形象的产品品牌，会将与消费者交流的策略重点放在产品的特征和属性上；具有体验性品牌形象的产品品牌，会注重从消费者的生理感官以及心理感受方面进行沟通交流；具有象征性品牌形象的产品品牌，则消费者信息传递的重点很可能放在抽象概念上，包括地位、豪华、富足等。

## 二、凯勒的品牌形象构成

凯文·凯勒（Kevin Keller）的品牌形象测评模型是从以顾客为基础的品牌资产模型转化而来的，如图 5-2 所示。他将品牌形象定义为消费者对品牌的感知，由消费者记忆中的品牌联想反映出来。消费者品牌联想的类别分为属性、态度、利益。属性是指产品或者服务的描述性特征——消费者对于产品是什么样的、有什么以及在购买的过程中涉及什么等的想法；态度是消费者对于品牌形象的总体评价；利益是消费者认为产品或者服务的属性所具有的个人价值——消费者认为产品或者服务能为他们做什么。

品牌联想的属性分为产品相关属性和非产品相关属性两种。产品相关属性是指实现消费者需求的产品或者服务的功能的必要组成成分，涉及产品的物质组成或者服务所必备的条件。非产品相关属性是指与产品或者服务购买和消费相关的外部特征。四种主要的非产品相关属性为：价格信息；包装或者产品外观信息；使用者形象，指什么类型的人使用该产品或服务；使用形象，指产品是在什么地点和哪种情形下使用的。品牌形象的利益分为功能性利益、体验性利益和象征性利益三种。功能性利益是产品和服务消费中最本质的好处，通常与产品相关属性相关。这些利益通常与非常基础的动机相关（如生理和安全需要），并且涉及解决问题或者逃避问题的期望。体验性利益涉及使用产品或者体验服务过程中所获得的感受，通常也与产品相关属性一致。这些利益满足了感官愉悦、多样性以及认知刺激。象征性利益是产品和服务消费中非固有的好处，通常与非产品相关属性相一致，与潜在的社会支持、个人表达或者符合客观外界标准的自尊相关。因此，消费者可能重视品牌的声望、档次和流行度，因为这些与自我概念相关。象征性利益更与社会可见的、表明身份的产品相关。

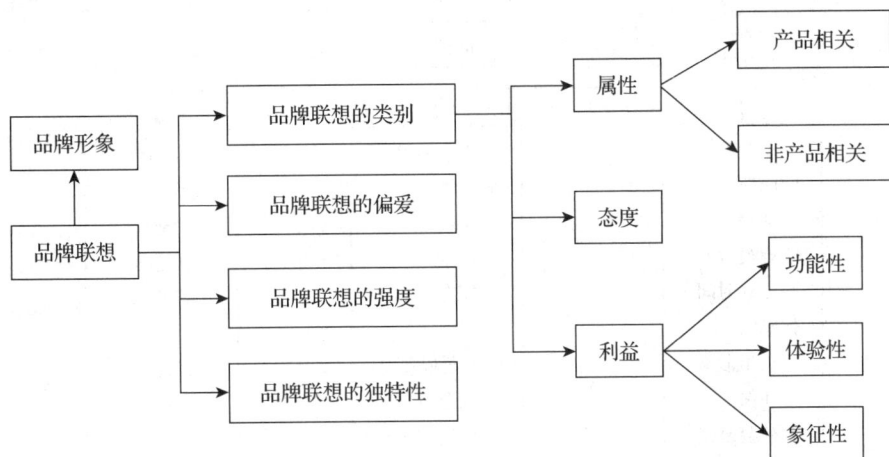

图 5-2 凯勒的品牌形象测评模型

资料来源：KELLER K L. Building customer-based brand equity[J]. Marketing management, 2001, 10(2):14-20.

品牌联想有三个特征，分别为品牌联想的偏爱、品牌联想的强度、品牌联想的独特性。品牌联想的偏爱是指消费者相信品牌具有能满足其需求的属性和利益，并且希望获得这些属性和利益联想。品牌联想的强度是指与品牌相关的信息被激发起来的难易度，信息越容易被激发起来，品牌联想就越强。品牌联想的独特性是指品牌带给消费者的联想是异于竞争品牌的，是品牌独特的卖点。品牌联想的偏爱、强度和独特性是决定品牌形象差异化的重要部分，为品牌提供差异化的价值。

## 三、贝尔的品牌形象构成

贝尔（Biel）认为品牌形象由公司形象、产品形象、用户形象三者构成，如图 5-3 所示。这三个品牌形象的子形象通过使消费者产生联想存在于消费者的头脑中。这些联想分为硬属性和软属性两个方面，其中每个形象要素都是由软、硬属性方面的联想构成的。软属性是指品牌的情感特性，如快乐、刺激、值得信赖等；硬属性是指有形的或功能属性，如公司历史、拥有的技术以及配套服务等。相对于硬属性来说，软属性不易模仿，因此能够创造比较持久的品牌差异，对于形成品牌的竞争力更为重要。

公司形象涉及有关企业的全部信息和使用企业产品的相关经验，主要包括企业的历史（国籍、创立时间、创始人等）、企业的规模和实力、企业的社会营销意识。产品形象涉及产品给消费者带来的使用利益，包括产品的价格、性能、设计等。用户形象则涉及用户的人口统计特征（如年龄、职业等）和使用者的个性特征、生活方式、价值观等。这三个不同的子形象对品牌形象的贡献依不同的产品／品牌会有所不同。在中国，品牌的公司形象非常重要。公司形象让中国消费者感到更有信心，因为他们现阶段仍然更关心产品的功能和绩效。因此，大公司的形象会让消费者感到产品更可靠。总之，积极的公司形象将加强消费者对公司产品的积极感知。当品牌名称与公司名称密切相关时，公司形象与品牌形象之间的联系尤为重要。

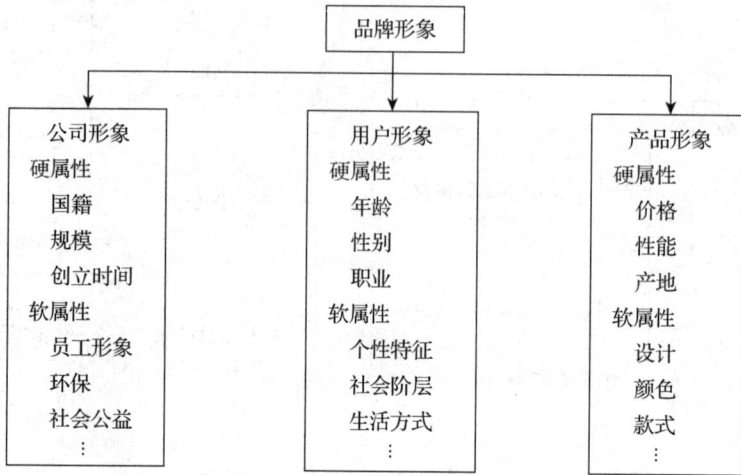

```
                        ┌──────────┐
                        │  品牌形象  │
                        └──────────┘
          ┌────────────────┼────────────────┐
   ┌──────────────┐  ┌──────────────┐  ┌──────────────┐
   │   公司形象     │  │   用户形象     │  │   产品形象     │
   │   硬属性       │  │   硬属性       │  │   硬属性       │
   │     国籍       │  │     年龄       │  │     价格       │
   │     规模       │  │     性别       │  │     性能       │
   │     创立时间    │  │     职业       │  │     产地       │
   │   软属性       │  │   软属性       │  │   软属性       │
   │     员工形象    │  │     个性特征    │  │     设计       │
   │     环保       │  │     社会阶层    │  │     颜色       │
   │     社会公益    │  │     生活方式    │  │     款式       │
   │     ⋮         │  │     ⋮         │  │     ⋮         │
   └──────────────┘  └──────────────┘  └──────────────┘
```

图5-3　贝尔的品牌形象模型

## 四、克里斯南的品牌形象模型

克里斯南（Krishnan）通过记忆网络模型来界定基于顾客的品牌资产下的各种品牌联想特性。记忆网络模型指出，记忆是由相互连接的网络进行知识的组织所组成的，组成网络模型的是节点，节点用来储存所有信息。大量研究证明，网络是一个复杂的结构。他研究的焦点主要是品牌名称反映和激发的一系列联想，从品牌联想的数量、联想的阶（偏好度）、联想的独特性和联想的来源等四个方面研究品牌联想。

联想的数量，是指经过长时间的努力，消费者建立了各种品牌的一系列联想。其中，一些联想涉及品牌特征和品牌利益，另一些则代表消费者的品牌经历（或经验）随着某品牌联想数量的增加而增加。一方面，由于联想提供了接触品牌的多种途径，因此日益增加的联想数量使消费者更容易触及记忆中的品牌节点（如联想网络模型）；另一方面，这些联想相互之间的干扰使大量的联想指向低层次的品牌记忆。但是，这种干扰对于成熟品牌（相对于新品牌而言）不会很强，原因是成熟品牌已经建立了较高的品牌知晓度。因此，拥有大量的联想对品牌来讲非常重要。

仅仅强调联想数量可能产生误导，因为大量的联想中包括积极和消极的联想。因此，必须评估积极联想与消极联想的相对数量。联想的偏好度，就是说明品牌相对喜好性的共同尺度，它是净的积极认知想法（积极的联想数量减去消极的联想数量），联想的总数量被偏好的净值变化所控制。实际上，处于两个极端的品牌有着很多的联想，通过考量这些联想的偏好度可以有效实现品牌的差异性定位。

品牌需要与其他品牌共享一些联想以说明自己是该类产品中的组成部分，但是，当共享的数量增加时，品牌就日益成为品类的代表而非它自己。因此，品牌的独特联想对品牌在品类中的形象和品牌在消费者心目中的定位有着巨大的影响，它是品牌形象的标志。最理想的状况是既拥有大量的共享联想以正确和快速地归类，又拥有一些独特联想以从该品类中脱颖而出。

消费者从很多渠道了解产品，并形成联想。主要的联想来源是品牌的直接经验（试用和使用）和间接经验（广告和口碑）。与间接经验相比，由直接经验产生的联想可能与个人更相关、更确定，并形成更生动的记忆。因此，联想大部分来源于直接经验的品牌会处于更有利的地位，并拥有更高的资产。对于间接经验而言，进一步的区分在于企业能否控制来源。从消费者角度来看，他们更相信企业非可控的来源，如口碑。因此，在口碑基础上拥有大量联想的品牌不仅受益于免费传播，还得益于不断增长的信任度。这样的联想就成为品牌形象和品牌资产的标志。

# 第三节　品牌形象塑造

品牌形象的塑造是一项长期而艰巨的任务，它不是靠哪一个人或哪一个具体行动就可以完成的。它需要按照一定的原则，通过一定的途径，全方位地精心塑造。而且在此过程中，需要掌握品牌形象塑造的策略，这样才能收到事半功倍的效果。同时，还要弄清楚品牌形象塑造的误区，如为形象而形象，过度美化品牌或者随便改变品牌形象。

## 一、塑造品牌形象的原则

### （一）系统性原则

品牌形象的塑造是一项系统工程，涉及多方面因素，企业要做大量艰苦细致的工作。它需要企业增强品牌意识，重视品牌战略，周密计划，科学组织，上下配合，各方协调，不断加强和完善品牌管理；需要动员各方力量，合理利用企业的人、财、物、时间、信息、荣誉等资源，并对这些资源进行优化组合，使之发挥最大作用，产生最佳效益。另外，品牌形象的塑造不是单在企业内部即可完成的，还要通过公众，因为品牌形象最终要树立在公众的脑海中。它需要面向社会，和社会相配合，并动员社会中的有生力量，利用社会中的积极因素。这一切都说明，品牌形象的塑造是一项复杂的社会系统工程。

### （二）全员化原则

全员参与品牌形象管理对塑造品牌形象至关重要。品牌形象要向市场发出一个声音，就是要求企业所有员工都有使命感。这种使命感又来自荣誉感，它能够对员工产生强大的凝聚力，很难想象一盘散沙或牢骚满腹的员工会向公众展示良好的品牌形象。英国的营销学者切纳东尼（Chernatony）认为，企业要使所有的员工都理解品牌的含义，使所有的员工都能认识、理解、表达自己的品牌形象，这对实施品牌战略的企业，尤其是实施品牌国际化的企业来说是一个非常重要的问题。只有众多员工达成共识，才能使不同领域的角色融为一体，使不同部门的成员向着一个方向努力。

美国学者戴维·阿克在其《品牌领导：品牌资产的鼻祖》<sup>○</sup>一书中提到，企业应把内部品牌的传播工作放在优先考虑的地位，即在得到外部认同之前，首先在内部推行，达到内部认同，因为内部认知的差异可能误导策略的实施。除了让企业内部全体员工参与品牌形象的塑造外，全员化原则还有一层含义，就是动员社会公众的力量。企业的营销、服务、公关和广告要能够吸引公众，打动公众，使公众关注品牌形象，热心参与品牌形象的塑造，使品牌形象牢固地树立在公众的心目中，产生永久、非凡的魅力。

### （三）统一性原则

品牌形象的统一性原则是指品牌识别，即品牌的名称、标志物、标志字、标志色、标志性包装的设计和使用必须标准统一，不能随意变动。例如，同一企业或产品的名称在一个国家或地区的翻译名称要统一，像日本的松下、丰田，美国的通用、微软等的中文名称就不能随便采用其他汉字来代替。

例如，肯德基是一家国际性的连锁店，最大特征是：一家是一家，十家是一家，千家还是一家，无论你身处何地，只要到了肯德基，你就会发现自己并没有走多远。因为那红白条的屋顶、大胡子山德士上校、宽敞明亮的大玻璃窗、笑容可掬的服务员，还有香喷喷、脆松松、金灿灿的油炸鸡腿，都是你再熟悉不过的了，可谓"一只鸡腿跑遍了全世界"。

### （四）独特性原则

在塑造品牌形象的过程中，能否展现出自己品牌的独特性也是十分关键的。品牌的独特性可以表现为质量特色、服务特色、技术特色、文化特色或经营特色等方面。品牌形象只有独具个性和特色，才能吸引公众，才能通过鲜明的对比，从众多品牌中脱颖而出。例如，联合利华公司的著名香皂品牌"力士"，在塑造品牌形象过程中一直突出其高贵典雅的特色，每一版广告中都大量启用国际知名影星以凸显其高贵，至今尚未有其他品牌能在这一层次上超过它。然而，如果品牌形象与其他已有品牌过于相似，就难以在消费者心中留下深刻的印象，甚至落入恶意模仿的尴尬境地，成为令人鄙夷的"山寨货"。

### | 文中引例 |

### 三只松鼠：小美、小酷和小贱

在品牌标识设计上，三只松鼠最先开创动漫色彩设计，采用最亲民的卡通形象，以三只诙谐、可爱、个性独特、人物化的松鼠形象为主要表现形式。这既契合了松鼠爱吃坚果的特点，使人看到三只松鼠的标识就联想到该品牌的产品类别，也用萌化了的品牌代言人吸引眼球和关注。

在口号设计上，三只松鼠针对不同的产品定位提出不同的宣传口号：小贱——"全世界的零食将被我承包"；小美——"松鼠小美，就是好喝"；三只松鼠——"认准这个大头"。这些口号不仅朗朗上口，而且极富个性与时尚气息，具有流行语潜质，容易在消费群体中迅速传播。

---

<sup>○</sup>  本书中文版机械工业出版社已出版。

在网站功能上，三只松鼠不断优化网

店布局，使顾客能够快速地找到产品。这是用户思维与简约思维的体现。

在网页风格上，三只松鼠巧妙吸睛，将品牌特色与舆论热点相结合，比如，围绕世界森林日、"地球熄灯一小时"，抓住"环保、森林"主题，策划了"松鼠主人、地球环保行动"主题活动，用事件获取流量。

资料来源：林靖玲. 从互联网思维看"三只松鼠"的品牌形象设计 [J]. 卷宗，2016（6）：410.

### （五）情感化原则

品牌形象塑造过程中要处处融入情感因素，使品牌具有情感魅力，以情动人，这样才能缩短与公众的距离，实现和公众的良好交流。几十年来，威格塑造了西部开阔而丰富的形象——牛仔，马群、营火及咖啡赋予威格生机勃勃、粗犷豪放、充满阳刚之气的品牌个性。它超越单纯的产品关系，将品牌与强大、恒久的情感联系在一起，塑造了"情感品牌"。情感品牌使人们认识到产品的部分价值是情感上的而非物质上的，从而拓展了产品和服务的平台。

麦当劳以情感塑造形象的招数可谓绝妙。作为世界范围内最负盛名的快餐店之一，麦当劳最初的经营业绩也很平淡。直到 1957 年，一个叫戈德斯坦的人加盟麦当劳后，麦当劳为了促销才开始做广告。1960 年，美国广播公司开播了一档全国性的儿童节目——波索马戏团，戈德斯坦觉得很有趣，于是看准时机，独家赞助了马戏团，并请波索的扮演者为麦当劳做广告。波索这个看起来滑稽的小丑殷勤地向孩子们喊道："别忘了叫爸爸妈妈带你们去麦当劳哟！"孩子们在嬉笑声中牢记"波索小丑"的话，于是光顾麦当劳的人越来越多，营业额直线上升。

## 二、塑造品牌形象的途径

### （一）树立全员品牌意识

首先，企业管理者要提高自身的管理素质，增强塑造品牌形象的意识，把品牌形象塑造作为企业的优先课题，作为企业发展的战略性问题，要把企业的经营理念反映在品牌形象上；其次，以人为本，启发员工的心智，最大限度地激发员工的智慧和潜能，树立全体员工的品牌意识，员工明白了塑造品牌形象的重要意义，才会产生荣誉感和使命感，自觉自愿地为塑造品牌形象做出贡献；最后，要在企业内部建立起特有的观念体系和运作机制，建立起科学的组织架构和严格的规章制度，这是塑造品牌形象的组织保证。

## （二）提高产品和服务质量

产品的质量是满足消费者需求的一种效能，它是品牌形象的基石，是品牌的本质和生命。提高产品质量的关键在于科技进步。科技是品牌的先导，企业只有强化高效管理和合理配置资源，不断引进新技术，才能提高产品的质量，从而为塑造品牌形象提供必要的保证。企业要想做好产品的市场销售，树立品牌形象，保持品牌的竞争优势，就必须在提高产品质量的同时，努力改善服务质量，提高服务水平。优质的服务有利于维护和提升品牌形象。当消费者遇到损失或发现产品缺陷时，就会产生报怨和不满，这会给品牌形象带来不良影响，而优质的服务可以降低消费者的风险，减少消费者的损失，增加消费者的安全感，从而赢得消费者的理解和信任。

## （三）引入文化情感因素

品牌有自己的个性和表现力，是沟通企业和公众感情的桥梁，而公众内心深处都渴望真挚、美好的感情出现。每一个国家、每一个民族都深受本国、本民族文化的影响，文化传统在不经意间影响着消费者的选择。文化是品牌的灵魂，如果某个品牌在塑造形象过程中能够引入契合传统文化的一些因素，就会在消费者心中占据一定的情感空间，引导消费者关注该品牌。

比如，某网约车企业联合上海彩虹室内合唱团打造跨界作品《春节自救指南——回家篇》，就是抓住了"春节回家"这一传统场景，通过彩虹室内合唱团的"共情"联结，吸引了消费者关注。

## （四）突出特色、勇于创新

品牌形象只有独具个性和特色，才能吸引公众，才能通过鲜明的对比，从众多品牌中脱颖而出。创新是品牌的活力，抄袭模仿、步人后尘的品牌形象不可能有好的效果，也不可能有什么魅力。品牌形象不是一成不变的，随着企业内外经营状况以及消费需求的变化，品牌形象也要不断地创新，以适应消费者的心理变化，适应企业发展的需要。韩国LG在创始时期有两个品牌名，即化工产品品牌"Lucky"和电子产品品牌"Goldstar"。1995年，为了适应全球化的发展需要，Lucky和Goldstar实现品牌重组，新企业的品牌为"LG"。1997年，LG在世界市场上全面启用醒目的脸谱型"LG"标识，以更加现代和简洁的形象出现在世人面前，其品牌形象得到大大提升。由此可见，品牌要想永葆青春和活力，就必须跟上潮流，跟上时代的步伐，及时创造新形象。

## （五）重视公关与广告传播

公关与广告对品牌形象而言，如鸟之两翼、车之两轮，其重要性不言而喻。品牌形象最终要建立在社会公众心目中，这取决于公众对品牌的信任度、忠诚度。因而品牌形象的塑造应面向公众，以公众为核心，高度重视公众的反应。一些国际品牌的公关赞助，非常有针对性和连续性，以便给社会公众留下深刻的印象。同时还应认识到，品牌的推广离不开广告宣传，不管是平面广告、立体广告，不管是通过杂志、报纸还是电台、电视等渠道，成功的品牌都会选择与自身品牌形象相符的统一的广告风格，并坚持遵守这个风格，使品牌形象清晰，不被混淆。

| 文中引例 |

### 轩尼诗精神号与娇兰香水

1992年6月7日，三桅快速帆船"轩尼诗精神号"抵达上海，揭开了轩尼诗在中国公关促销活动的序幕。接着，公司通过举办轩尼诗画展、轩尼诗影院和各种文化评奖活动，树立了文化传播使者的形象，从而顺利地打入中国市场。法国是香水王国，名牌香水也特别多，有着上百年历史的"娇兰"更是香水之王。1852年，拿破仑三世改制称帝。次年他坠入情网，迷恋西班牙美女尤金尼·梦地歌。为了赢取她的芳心，他送了她一瓶后来被称为"娇兰"的香水。奇妙的芳香几乎令尤金尼痴狂，于是尤金尼就赐予娇兰香水一个名字"帝王"。从此，娇兰抓住这个动人的故事和人们对历史人物拿破仑的崇拜心理，通过广告形式大肆宣传，树立起"娇兰"的迷人形象。

品牌形象的塑造和魅力的形成绝不是一朝一夕的工夫，需要长期积累，大量投入。但只要方法正确，加上长期不懈地努力，肯定会有丰硕的回报。

## 三、品牌形象塑造策略

### （一）文化导入策略

品牌文化是在企业、产品的历史传统基础上形成的品牌形象、品牌特色以及品牌所体现的企业文化及经营哲学的综合体。品牌需要文化，品牌文化是企业文化的核心，品牌文化可以提升品牌形象，为品牌带来高附加值。如果企业想要造就国际品牌，就更需要有根植于本国的深厚的历史文化积淀。例如，谭木匠中的"谭"字采用繁体写法，突出传统韵味；"木"字采用传统刨木工具演绎；"匠"字采用待修饰的木头演绎。配以木工作坊劳作图，极具中国传统文化特色。木匠作为中国传统木工手艺人称呼，本身就有一股浓浓的乡土味，让人产生鲁班等一系列的联想，是勤劳与智慧的象征。每一个品牌都应当着眼于塑造差异性的品牌文化，以文化感动人。

### （二）情感导入策略

品牌绝不是冷冰冰的符号名称，它有自己的个性和表现力，是沟通企业和公众感情的桥梁。因此，如果品牌能在消费者的心中占据一席之地，占据一方情感空间，那么这个品牌的塑造就是成功的。

例如，人们熟知的芭比娃娃，它已经 60 多岁了，但依旧风靡全球，在全球绝大多数国家和地区都有销售，多次被美国著名的玩具杂志评为美国畅销玩具，即便是在电子玩具大行其道的 20 世纪 90 年代，芭比娃娃仍是美国十大畅销玩具之一。

是什么让芭比娃娃具有如此大的吸引力？除了她漂亮的外表，更重要的是公司赋予了芭比情感化和拟人化的形象，他们利用广告，在电视、报刊上开辟"芭比乐园""芭比信箱"，拍摄芭比卡通片，组织芭比收藏会，芭比的形象就这样叩开了女孩们的心扉，经久不衰。[⊖]

### （三）形象代言策略

市场营销中所指的代言人，是那些为企业或组织的营利性目标而进行信息传播服务的特殊人员。早在 20 世纪初，力士香皂的印刷广告中就有了影视明星的照片。成功运用品牌形象代言人，能够扩大品牌知名度、认知度，近距离与受众沟通。受众对代言人的喜爱可能会促成购买行为的发生，建立起品牌的美誉度与忠诚度。在我国，品牌形象代言策略也被广泛应用，其中又属运动鞋、化妆品、服装行业最为突出。运动鞋品牌广告大多运用了品牌形象代言人，其中包括少量优秀运动员代言人，以强调品牌所代表的追求高超的竞技水平和永不言败的体育精神，还有一些形象代言人是歌手或者影视演员。这是因为运动鞋的目标消费群主要是青少年，而这个消费群正处于对明星人物的喜爱和崇拜的年龄段，商家就是想利用这些当红明星的影响力和号召力吸引消费者。青少年的购买心理较不成熟，他们往往会出于对品牌形象代言人的喜爱而购买商品，而不是真正看重商品本身。

### （四）专业权威策略

专业权威形象策略可以突出企业的品牌在某一领域的领先地位，增强其权威性，提高信赖度。例如，著名牙膏品牌"高露洁"，在广告宣传时强调的是中华口腔医学会和中华预防医学会共同推荐；宝洁公司在这方面表现得也很突出，在它的牙膏品牌"佳洁士"系列广告中，一位中年牙科教授的形象多次出现，她通过向小朋友讲解护齿知识等，来肯定佳洁士牙膏不磨损牙齿，有防蛀的效果，而且还有佳洁士医学会的认证，更权威；洗发水品牌"海飞丝"也多次借专业美发师之口，强调产品出众的去屑功能。

## 四、品牌形象的维护

### （一）维护品牌核心价值

品牌核心价值是品牌资产的主体部分，它让消费者明确、清晰地识别并记住品牌的利益点与个性，是驱动消费者认同、喜欢乃至爱上一个品牌的主要力量。品牌形象的维护，就是要求企业尽力地控制与掌握目标消费群对品牌的感觉和信念，根据目标消费群

---

⊖ 详细讲解可参考本书配套慕课视频 8.2，观看网址：https://www.icourse163.org/course/ZNUEDU-1003452001。

体消费需求层次的变化，随时把握消费者对品牌的感觉和信念的变化趋势。充分利用那些能赋予和提升该品牌价值的感觉和信念，同时消除那些不能使品牌核心价值与消费者生活方式产生互动，以及与市场环境变动相适应的感觉和信念，随时根据消费者需求的变化对品牌核心价值进行维护。不断维护核心价值的目的就是要凸显品牌形象的独特性。具有良好品牌形象的产品不但要在性能、形状、包装等方面满足消费者的偏好，更要在等级、身价和高雅形象上满足消费者的心理。

### （二）不断提升产品质量

质量是构成品牌形象的首要因素，也是决定品牌形象生命力的首要因素。对企业来讲，对顾客负责任，是从产品的质量开始的。出色的质量才是赢得顾客、占领市场的有力武器。没有一流的质量，就不可能获得消费者的信任，更谈不上品牌形象的塑造。

以产品质量驰名天下的奔驰汽车，号称 20 万公里不用动螺丝刀。行驶 30 万公里以后，换个发动机还可以再跑 30 万公里。在生产过程中，奔驰公司更是严把质量关，要求全体员工精工细作，一丝不苟。在产品检测上，为了绝对保持"奔驰"品质，奔驰公司在全球几大洲设有质量检测中心，有大批质检人员和高性能的设备，每年抽检上万辆奔驰车。公司还有一个试车场，每年拿出 100 辆新车进行破坏性试验，以时速 35 公里的车速撞击坚固的混凝土厚墙，以检验前座的安全性。这样的质量文化使奔驰的品牌形象总是充满活力。

### （三）持续不断改进创新

国内知名品牌设计公司捷登设计总监雷蒙（Raymon）曾说过：品牌形象的生命力一半来自创新。创新使品牌形象与众不同，给品牌生命加入了无穷活力，是延长品牌形象生命的重要途径。技术创新就是专门研究同类产品的新技术、新工艺，不断提高产品的技术含量，开发新工艺，研究产品的市场生命周期以及更新、改进、换代的时限和趋势，持续发掘产品有价值的特色，推出"热点"产品，保证产品旺盛的销售势头。市场竞争的激烈化，使产品生命周期缩短，今天的名牌，明天就有可能成为过时产品，被更具吸引力的新品牌替代。世界已经进入知识经济时代，没有超越时代的技术，难以生产出高起点、高质量、高份额的产品，品牌形象就会趋于平庸，最终导致失败。除了技术创新之外，企业还要进行管理创新、营销创新。后者是指持续研究市场消费需求、消费者购买行为的走势，消费者购买习惯的变化和消费流行动向，不断地在营销方式、价格、渠道选择、促销措施上推陈出新，引导消费，满足需求。

### （四）立身之本正心诚意

信誉是一个品牌能够在消费者心目中建立"品牌偏好"和"品牌忠诚"的基本要素。企业在产品质量、服务质量等各方面的承诺，有助于消费者对此品牌形成偏好和忠诚。良好的信誉是企业的无形资产，可以增强品牌形象的竞争力，带来超值的利润。心要正，意要诚，诚信是企业的立身之本，没有诚信就没有市场。"三鹿奶粉事件"造成了整个行业的诚信危机，中国奶制品企业的品牌形象险些集体坍塌，企业道德形象在公众眼中发生质变，行业发展遭受重创。

诚信给品牌形象带来的价值是不可估量的。一个诚信的形象，有助于品牌维系客户的美誉度和忠诚度，为企业的可持续发展奠定坚实基础。因此，诚信应当成为企业一切经营哲学的基础，也应当是企业维护品牌形象的必要工作之一。

总之，品牌形象的塑造与维护是一个长远的系统性的工程，需要企业全体员工的共同努力。只有优秀的品牌形象才能促进企业无形资产的保值增值，使企业在激烈的市场竞争中立于不败之地。

## 五、品牌形象塑造误区

近些年，品牌形象作为一个时髦词活跃在工商企业界，充斥于报纸杂志中，也常常挂在人们的嘴边。但是，某些企业提到这个词，常常只是追时尚、求新奇，并没有多少塑造品牌形象的实际行动，只见刮风，不见下雨。而有些企业虽然有投入，有行动，但认识不正确，方法有错误，因而见不到效果，甚至产生负面影响，以致某些企业管理者害怕把企业宣传倒闭了，思想误入一个死胡同。这些都是品牌塑造中的误区。笔者认为，根据我国企业品牌形象的现状，有必要对以下几个误区加以澄清和防范。

### （一）为形象而形象

有些企业以为挂几块招牌，做几次广告，形象就出来了，于是花了不少精力在这上面，而不在经营、管理、技术、质量等方面下功夫。这无异于舍本逐末，缘木求鱼。企业可以在短时间内为品牌树起一个形象，去赢取消费者，但是以这种方法树起的品牌形象就很单薄，没有根基，没有生命力。用这种投机取巧、企图一步登天的侥幸心理去管理品牌，势必会使品牌随波逐流，让消费者和社会时尚牵着鼻子走。社会时尚瞬息万变，品牌一味投其所好，最终会丧失个性，丧失自我主张，也就没有什么形象可言。

### （二）过度美化品牌形象

用虚假广告和华丽词汇过度美化品牌形象、拔高品牌形象、虚构品牌形象，这是品牌形象塑造中常见的问题。只有根据企业和产品实际，实事求是地进行品牌宣传，才能赢得消费者的信任和忠诚。宣传中加入一点感情色彩、做适度修饰是必要的，做得好还会收到意想不到的效果，但过分夸张、过度拔高，让消费者感到虚假，看出破绽，产生疑惑心理，就会失去消费者，事与愿违。

### （三）随意改变品牌形象

有一些企业，产品销售额一下降，或者市场状况一改变，就急于重塑品牌形象，推翻过去，重新开始。还有一些企业，尚未界定品牌识别、做好品牌定位时，就胡乱宣传，盲目传播，基本做法是"试一试，干了再说，不行就改"。结果是，既投了资金，又花了气力，到头来品牌形象却一塌糊涂。

### （四）"形"像"神"不像

市场上有一些企业模仿洋品牌，学界称为"假洋品牌"。"假洋品牌"抓住了形，而没有抓住神。公元1世纪，普鲁塔克提出一个问题：如果忒修斯船上的木头被逐渐替换，直到所有的木头都不是原来的木头，那这艘船还是原来的那艘船吗？有些哲学家认为是同一物体，有些哲学家认为不是。做品牌也是一样，只看到并模仿表面的东西，就无法理解内在本质的要点。

## 本章小结

形象是指主体与客体相互作用，主体在一定的知觉情境下，采用一定的知觉方式对客体进行感知。品牌形象是以消费者为主体的概念，存在于消费者心中；品牌形象感知存在理性和感性两种方式；品牌形象感知包括认知、联想、态度与评价等存在形态，所感知的事实比事实本身更加重要。品牌形象往往作为产品评价的外部线索，被消费者用来感知产品的品质。品牌形象的高低确实会正向影响其感知品质，会影响消费者的购买决策，知名度高、形象好的品牌能够提升消费者对产品的积极评价。

品牌形象的构成有：核心层面的品牌形象内涵，包括品牌文化、品牌个性等品牌要素；中间层面的品牌形象载体，包括产品本身、使用者形象等实体；外在层面的品牌形象符号，包括品牌名称、品牌标识等。帕克的品牌形象构成为：功能性品牌形象、体验性品牌形象、象征性品牌形象。凯勒品牌形象构成为：品牌联想的类别、品牌联想的偏爱、品牌联想的强度、品牌联想的独特性。贝尔品牌形象构成为：公司形象、用户形象、产品形象。克里斯南通过记忆网络模型来界定基于顾客的品牌资产下的各种品牌联想特性。

品牌形象塑造的原则包括系统性原则、全员化原则、统一性原则、独特性原则、情感化原则。品牌形象塑造的途径有：树立全员品牌意识，提高产品和服务质量，引入文化情感因素，突出特色、勇于创新，重视公关和广告传播。品牌形象塑造的策略有：文化导入策略、情感导入策略、形象代言策略、专业权威策略。品牌形象塑造的误区有：为形象而形象、过度美化品牌形象、随意改变品牌形象、"形"像"神"不像。

## 思考题

1. 简述品牌形象的内涵。
2. 试析品牌形象与品牌资产的联系与区别。
3. 试述帕克、凯勒和贝尔的品牌形象构成。
4. 简述品牌形象塑造的途径。

## 学术延伸

### 假洋品牌"形"像"神"不像<sup>○</sup>

"羊头"遮盖下的"狗肉"何其多？国货为何热衷披"洋装"？"揭穿我们身边的假洋鬼子"……尽管新闻舆论讨伐之声从未断绝，但假洋品牌这种诟病和积习在市场上

○ 王新刚，龚宇，聂燕.假洋品牌概念界定及其存在影响因素的扎根研究[J].南开管理评论，2019（6）：40-49.

却屡禁不止，尤其是在三线、四线城市以及乡镇市场，在家具、服装、奶粉等行业问题更加突出。究其原因：从认知角度来看，假洋品牌的来源国形象提升了产品整体质量和不同属性（如可信赖性和耐用性）的质量感知，并且可以作为产品溢价的一种信号或线索；从情感角度来看，假洋品牌的来源国形象能够提升产品的象征性和情感性价值相关联的属性，包括社会地位和消费者对他族的态度。

假洋品牌是营销实践中一种通俗的说法，学术研究中与之相近的表达是外国品牌化（foreign branding）和仿洋品牌。它们都强调在本土文化背景下，对品牌形象的塑造和宣传，让本土消费者感觉到该品牌看起来是外国的。它们的共同特征是：在"里"的方面，即品牌内在的"质量"，与来自西方发达国家真正的洋品牌相近；在"表"的方面，即品牌外在的"形象"，借助营销策略模仿真正的洋品牌。由此可见，来源国效应在其中起着关键作用。

实际上，在企业全球化的进程中，品牌来源国形象的处理有两种路线：外国品牌化和本土品牌化（local branding）。本土品牌化是指外国品牌在形象塑造和宣传过程中，采取本土思维和本土语言，以符合本土文化特征的方式进行品牌营销实践，让本土消费者感觉到该品牌看起来是本国的。外国品牌化主要是发展中国家品牌采取的策略，目的是从消费者认知视角，实现品牌来源国形象对产品质量感知的正面作用；而本土品牌化则主要是发达国家品牌采取的策略，目的是从消费者情感视角，加强品牌来源国形象对象征性和情感性价值的正面作用。

假洋品牌正是从外国品牌化这条路线衍生出来的。关于外国品牌化，国内的一些学者研究发现：仿洋品牌名称会让消费者联想到与西方文化相关的词语。但他们的研究并未对仿洋品牌给予清晰界定，仅仅是列举美特斯邦威、可比克、索芙特等品牌加以说明。也有国外学者综合考虑品牌来源国信息（暗示和实际）与国家类别（发展中和发达），对假洋品牌定义的理论推导以及与仿洋品牌的区别展开研究，如图5-4所示。研究发现：与实用产品相比，当品牌暗示的和实际的来源国不一致时，将会更大程度地降低消费者对享乐产品的购买意向。与图5-4a中第④象限的来源国形象不一致（主要指暗示来源国和实际来源国的不一致）相比，图5-4a中第②象限的来源国形象不一致，将会更大程度地降低消费者的购买意愿。

假洋品牌与仿洋品牌之间的区别在于：仿洋品牌的产品品质相对优（见图5-4b第②象限），指的是该品牌身份未被揭穿，即便被揭穿，在产品质量、价格和形象等属性方面，与消费者大脑当中所参照的外资品牌期望不一致的感知，仍在消费者的容忍度范围之内（见图5-4c的上半部分）。而假洋品牌的界定，虽然在"表"的方面与仿洋品牌相似，但在"里"的方面与仿洋品牌不同，即假洋品牌（见图5-4b第③象限）的"里"相对劣，指的是该品牌身份被揭穿，在产品质量、价格和形象等属性方面，与消费者大脑当中所参照的外资品牌期望不一致的感知，超出消费者的容忍度，就会由"仿"转变成为"假"，最终产生被欺骗的感觉（见图5-4c的下半部分）。

改革开放以来，随着经济的飞速发展，物质文明得到极大提升，为企业的经营创造了优越的环境，提供了丰富的资源，一批批企业迅速发展起来。然而，在诱人的利润面前，有些商人忘记了企业经营最基本的社会责任和做人的底线，以外部环境问题和企业成本增加为借口，从事不道德经营行为，假洋品牌就是例证。人们常说：厚德才能载物。没有德如何载物呢？实际上，德治是根本，假如今天市场上的每一位商人和消费者，都能够按照古人所说的修身、正心和诚意来要求自己，整个社会就能实现意真诚、心纯正、自我道德完善的目标，试问假洋品牌还会出现吗？而这其中比较重要的是：想的、说的和做的要一致，不仅想到和说到，更要做到位。

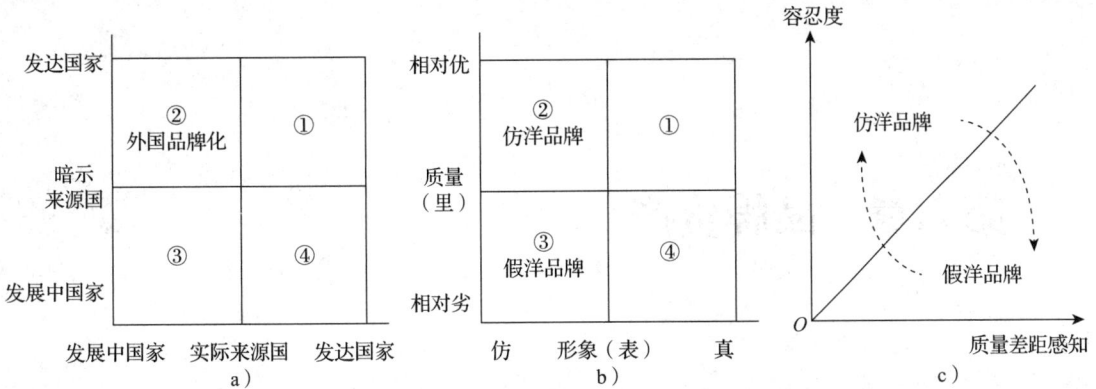

图 5-4　假洋品牌定义的理论推导以及与仿洋品牌的区别

无论是商人经营假洋品牌，还是消费者购买假洋品牌的做法，从根本上来讲就是认知的问题。古人有云：欲诚其意者，先致其知。知什么呢？在这里主要指市场规律和事物的本质。假洋品牌的出现，反映了民族自尊、文化自信等方面的不足，同时也反映了消费者对品牌象征性价值（如身份、地位）的追求等，以满足自己炫耀、有面子等心理。为什么会出现这两个方面的问题？原因在于假洋品牌的经营者没有深刻理解：一个好的品牌的根本是在满足消费者需求的同时，应该具有内在优异的产品和服务质量。再深究就是，提供优异的产品和服务质量的人，最终还是回到正心和诚意上来。

资料来源：https://www.icourse163.org/course/ZNUEEDU-1003452001，节选自本书配套品牌管理慕课视频5.2。

**思考题**

1. 分别从商家和消费者的角度来分析经营和购买假洋品牌的心理。
2. 如何系统、长远、深入地对假洋品牌展开治理？

# 第六章　品牌资产

## 【学习目标】

- 掌握品牌资产的定义，了解品牌资产的特征，深刻认识品牌资产的作用；
- 掌握戴维·阿克和凯文·凯勒品牌资产模型的构成及内容；
- 掌握品牌资产引擎模型和品牌资产趋势模型的构成及内容；
- 了解品牌资产的分类，掌握品牌资产的有效管理，熟悉品牌资产管理的内容；
- 掌握品牌资产管理的方法和提升策略。

## 📖 开篇案例

### 小米品牌标识由方变圆的东方哲学

　　2021 年 3 月 30 日，小米创始人、董事长兼 CEO 雷军宣布，小米正式启用全新标识。大家看后纷纷吐槽：花了 3 年时间、200 万元设计费、邀请世界知名设计大师的小米标识升级，结果却"升了一个寂寞"，雷军该不会是被骗了吧？这款由国际知名设计师原研哉设计的品牌视觉符号，将原本方正的橙色边框更换成了更为圆润的符号，除了边框的变化，似乎整个标识并没有任何创新之处。

原标识

新标识

原研哉认为科技越进化，就越接近生命的形态，因此，人类与科技是不断接近的。从此观点出发，他提出了"生命感"（alive）这一设计理念，以回应小米的企业理念。虽然新标识的外形看似简单地从方形变为圆角矩形，但原研哉表示这是由"alive"概念推导出的理想图形，具有实用性。小米原有的品牌颜色——橙色也被继续沿用为企业的品牌颜色。此外，该标识在应用的过程中体现出一种动态的概念。原研哉认为，生命通过在环境中的不断运动，始终保持着一种平衡状态和个性，这就是生命本身的样子。因此，对于变化的环境，标识也要与之相适应。即使是在印刷品中，标识也不是固定在四角，而是漂浮定位在最合适的地方，以一种浮游感的状态存在的。

雷军表示，这是小米10年的新形象，且由国际知名设计师提出了新的设计理念，在设计中融入了东方哲学的思考。在"alive"设计理念之下，具备"超椭圆"数学之美的小米新标识，不再局限于画面的一角，仿佛有了生命。官方对新版标识的解释，也是极具温度感与科技感，加上品牌赋予标识的生命律动感，让更多人对小米的标识升级有了更多的关注。

虽然方形给人一种安全与可靠的视觉感受，而圆角矩形更容易让人感觉到活力与亲和力，但是小米新标识公布后，还是在社交媒体上引来了很多网友围观，不少网友参与其中，甚至开始了新一轮的标识设计，有网友喊话雷军："下一代我设计好了，替你省不少钱。"雷军并没有回应，可网友一波又一波的喊话，为小米新标识增加了话题的讨论度，提升了品牌的曝光度与流量。

一直以来，小米均将用户的参与感当作品牌经营的核心理念，本着"用户对什么感兴趣，自己就推出什么样的内容"来完成营销，为用户建立一个讨论的"社区"，以便用户能够参与到品牌设计的营销活动中。此次，小米标识的升级，就极大可能地吸引了用户的眼球，为品牌赚取了流量，同时，搭建起了品牌与用户沟通的平台，使用户加深了对品牌的印象，并吸引用户自发地参与到品牌活动中，让用户以主人翁的心态去自主传播，实现长尾效应。

无论是对小米换标识的价格讨论，还是对设计本身的讨论，都牢牢地吸引着用户的注意力。除了创造噱头，小米花钱改标识却改得不够明显，其实还有品牌形象经营上的另一层思考：对品牌资产的保护。简而言之，如果小米重新设计一个全新的形象，即品牌放弃了标识在10年时间里积累的用户好感度和辨识度，而想要全新的标识形象在用户心中留下印记，就会增加品牌"教育"用户的成本。因此，小米没有必要摒弃长期打造的品牌资产与标识本身的辨识度而去启用全新的形象，而小幅度的修改正好在标识辨识度的基础上进行了契合当代用户审美的升级，并能够以此为营销"噱头"，提高用户对品牌的认知度。

资料来源：搜狐网．小米启用全新LOGO！原研哉设计 融入东方哲学的思考[EB/OL]．（2021-03-30）[2022-12-30]. https://www.sohu.com/a/458116278_115831.

# 第一节　品牌资产概述

随着全球一体化进程的快速推进，中国企业面临的一个紧迫问题将是如何建立和发展企业的品牌资产。未来的市场营销是跨越国界的、无形的品牌资产的竞争。拥有了品牌资产，就等于拥有了竞争的资本。这一点正如著名美国广告研究专家莱利·莱特所论述的："未来的营销是品牌的战争。无论是企业界，还是投资者都已一致公认品牌是公司最珍贵的资产。"

## 一、品牌资产的定义

对品牌资产的研究源自 20 世纪 80 年代，广告学界从品牌管理的角度提出了这个概念。由于当时西方国家企业兼并浪潮的涌起，为了不断探索如何利用各种因素来评价品牌资产，品牌资产引起了营销管理人员和学者们的广泛关注和兴趣，并引发了对有关品牌资产的定义、测度及运行机制的全面系统研究。

权威的美国营销科学研究院（MSI）对品牌资产的定义是：品牌资产是品牌的顾客、渠道成员和母公司等对于品牌的联想和行为，这些联想和行为能使该品牌产品获得比没有名称的条件下更高的销量和利润，可以赋予该品牌超过竞争者的强大、持久、稳定和独特的竞争优势。品牌资产理论的权威学者之一，加州大学教授戴维·阿克（1991）对品牌资产的定义是：能够增加或者减少一种产品或服务对于公司和 / 或公司客户所产生的价值的一系列资产和负债。阿克的定义主要强调了品牌资产是一种能够增值的资产，强调品牌资产形成的后向结果，对公司或者客户具有的价值。

品牌研究专家法奎哈（Farquhar）将品牌资产定义为：与没有品牌的产品相比，品牌给产品带来的超越其使用价值的附加价值或附加利益。凯文·凯勒对品牌资产的定义是：消费者由于品牌知识的不同对品牌的市场营销行为的不同反应，而品牌知识由品牌知名度和品牌形象组成。舒科（Shocker）等从两个视角界定品牌资产：消费者角度，即产品物质属性所不能解释的在效用、忠诚和形象上的差异；企业角度，即有品牌产品比无品牌产品能获得的超额现金流。科特勒进一步深化了品牌资产的定义，将品牌偏好与品牌资产结合在一起，指出品牌偏好是品牌资产的一部分。品牌资产主要分为四个层次：品牌认知度、品牌接受度、品牌偏好和品牌忠诚。尼特米耶（Netemeyer）将品牌资产定义为：顾客愿意为自己偏爱的品牌支付超过它本身价格的额外费用，而这种偏爱是因为对品牌或产品的钟爱。

从国外学者对品牌资产的定义中，可以看出品牌资产有以下几个方面的内涵特质：品牌能对消费者的记忆产生影响，即消费者对该品牌具有丰富的相关知识；消费偏好与品牌关系紧密，形成了较高的品牌忠诚度；消费者能够溢价购买自己偏爱的品牌，从而给企业带来附加值。

## 二、品牌资产的特征

品牌作为企业的一种重要的无形资产，越来越受到管理人员的重视，并把它反映在企业财务之中，以无形资产形式出现在企业的会计账目上。但品牌资产作为一种特殊的无形资产，又同其他的无形资产有着明显的区别，主要有以下几个方面的特征。

### （一）长期性

只要坚持正确的经营战略，品牌资产就可以长期存在，并且很难明确存在的年限，也没有法定的时间限制，只要得到正确使用和管理，它就会变得更加有力、更有价值。

### （二）波动性

在品牌发展的过程中，会出现品牌自然老化现象，也可能遇到突发事件对品牌产生灾难性的打击等品牌危机，此时，如果品牌管理者不能做出正确的决策，那么品牌资产就会减少；如果能采取行之有效的措施，品牌资产不但不会减少，反而有可能增加。这种波动与市场环境变化有关，但最根本的原因是品牌之间竞争激烈。

### （三）增值性

品牌资产的增值是一步一步积累的结果，为了走好每一步，企业应随时掌握品牌的发展状况，定期追踪品牌的成长轨迹，及时修正品牌发展方向，调整管理策略，保证关爱、支持和推动品牌健康发展，品牌资产才会增长。

### （四）难以准确计量

首先，品牌作为一种无形资产，是高智力的成果，主要是由复杂的脑力劳动创造的。因此，品牌的货币表现，其数值相对较高，计量也很复杂，具有测量的不准确性和不确定性。其次，企业品牌资产的特殊构成决定了品牌资产难以准确计量。品牌资产构成要素众多，彼此相互联系、相互影响、相互融合、彼此交错，难以截然分开，而且有些构成要素具有共享性，可以转移，可能为多个控制主体所利用，这些都使得品牌资产难以准确计量。

## 三、品牌资产的作用

品牌资产的作用可从消费者或企业的不同角度来研究。它通常会为消费者增加或减少价值，著名品牌有助于消费者解释、加工整理、存储该产品或服务的大量信息，有助于增强做出购买决策的信心和提高使用时的满意程度。当然，一个具有高层次品牌认识和积极品牌联想的著名品牌同样能为企业创造价值。

### （一）提高消费者对品牌的忠诚度

一些强势品牌之所以能够领导市场，是因为消费者对于这些品牌是什么以及代表什么早有认识。而消费者对品牌的忠诚度往往是通过重复购买的次数来衡量的。消费者对于自己忠诚的品牌可以不加考虑，习惯性地购买该品牌的商品。这就增加了竞争者争夺消费者的难度和成本，而且能使公司获得稳定的收入来源。

### （二）可以使企业获得超额利润

具有高度稳定性的知名品牌能够获得溢价利润。美国 Intelliquest 市场研究公司调查了全美计算机品牌和价格的关系。调查问题是：知名品牌与一个仿制的不知名计算机品牌相比，你愿意多付多少钱？结果表明：各家计算机公司借助它们的品牌来获得较高的价格，最知名的公司获得最高的溢价利润，一些没有知名品牌的企业甚至达不到行业的平均利润水平。

### （三）降低在危机时的易损性

研究表明：如果消费者忠诚于某一品牌，他们将不大可能在提价时转向另一品牌，而很有可能在降价时增加购买的数量。所以，好的品牌能降低企业在危机中的易损性。

### （四）增加商业合作机会

一个强势品牌经常可以得到批发商、零售商等中间商的支持。这些营销渠道成员既有助于品牌的成功，又可以从强势品牌中得到好处，从而使强势品牌更容易扩展市场和得到交易中的优惠，进而增加商业合作机会。

除此之外，强势品牌还能为企业带来其他利益和形成相对优势，如帮助公司吸引更好的雇员，使投资者产生更大的兴趣，获得股东更多的支持，等等。在资本日趋国际化、竞争越来越激烈的经营环境中，企业只有深刻认识品牌的价值和功能，才能有效地经营和管理品牌资产。

# 第二节　品牌资产的构成

品牌资产由品牌形象驱动，它形成的关键在于消费者看待品牌的方式所产生的消费行为。要使消费者对品牌所标示的商品或服务进行购买和消费，企业需要投资品牌形象，使消费者认同和亲近，从而接受这一品牌，购买这一品牌。品牌资产有别于有形的实物资产，它是一个系统的概念，由一系列要素构成。关于品牌资产的构成要素，各派学者有不同的观点。

## 一、戴维·阿克的品牌资产模型（"五星"概念模型）

戴维·阿克在总结前人经验的基础上，提出品牌资产的"五星"概念模型，即认为品牌资产是由品牌知名度、品牌认知度、品牌联想、品牌忠诚度和其他专有品牌资产五部分组成，如图 6-1 所示。

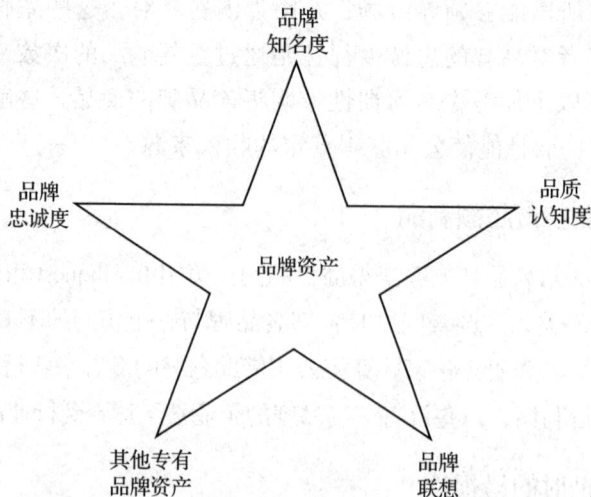

图 6-1　戴维·阿克的品牌资产模型

资料来源：AAKER D A. Managing brand equity[M]. New York: The Free Press, 1991.

### （一）品牌知名度

品牌知名度是指某品牌被公众知晓、了解的程度，它表明品牌为多少或多大比例的消费者所知晓，反映的是顾客关系的广度。它可分为无知名度、提示知名度、未提示知名度和第一未提示知名度四个阶段。

（1）无知名度是指消费者对品牌没有任何印象，原因可能是消费者从未接触过该品牌，或者该品牌没有任何特色，根本无法引起消费者的兴趣，十分容易被消费者遗忘。消费者一般不会主动购买无知名度品牌的产品。

（2）提示知名度是指消费者在经过提示或某种暗示后，可想起某个品牌，能够说出自己曾经听说过这个品牌名。比如，当问及空调有哪些品牌时，可能有人无法马上回答出来，但如果接着问他们知不知道"格力"空调时，他们会给出肯定的答复，那么这里的"格力"就只具有一种提示知名度。

（3）未提示知名度是指消费者在不需要任何提示的情况下能够想起来的某种品牌，即能够正确区别先前所见或听到的品牌。对某类品牌来说，具有未提示知名度的往往不是一个品牌，而是一串品牌。比如，说到笔记本电脑，人们就马上想到 IBM、惠普、戴尔。

（4）第一未提示知名度是指消费者在没有任何提示的情况下所想到或说出的某类产品的第一个品牌。比如，对某些消费者而言，提到碳酸饮料，就会想起可口可乐；提到家电，就会想起海尔。第一未提示知名度的品牌，是市场领导者，或者说是强势品牌。

### （二）品质认知度

品质认知度用于衡量消费者对产品或服务的适应性和其他功能特性，适合其使用目的的主观理解或整体反应程度。它是消费者对产品客观品质的主观认识，以客观品质为基础，但不等同于产品的客观品质。它的内涵包括：功能、特点、可信赖度、耐用度、服务度、效用评价、商品品质的外观。它是品牌差异定位、高价位和品牌延伸的基础包括以下四种元素。

（1）**差异性**：代表品牌的不同之处，这个指标的强弱直接关系到经营利润率。差异性越大，表明品牌在市场上同质化程度越低，品牌就更有溢价能力。差异性不仅表现在产品特色上，也体现在品牌的形象方面。

（2）**相关性**：代表品牌对消费者的适合程度，关系到市场渗透率。品牌的相关性强，意味着目标人群接受品牌形象和品牌所做出的承诺，主观上愿意尝试，也意味着在相应的渠道建设上有更大的便利。

（3）**尊重度**：代表消费者如何看待品牌，关系到对品牌的感受。当消费者接触品牌进行尝试性消费后，会印证他们的想象从而形成评价，并进一步影响到重复消费和口碑传播。

（4）**认知度**：代表消费者对品牌的了解程度，关系到消费者体验的深度，是消费者在长期接受品牌传播并使用该品牌的产品和服务后，逐渐形成的对品牌的认识。

### （三）品牌联想

品牌联想是指透过品牌而产生的所有联想，是对产品特征、消费者利益、使用场合、产地、人物、个性等的人格化描述。这些联想往往能组合出一些意义，形成品牌形象。它是经过独特销售点传播和品牌定位沟通的结果，提供了购买的理由和品牌延伸的依据。品牌联想大致可分为三种层次：品牌属性联想、品牌利益联想、品牌态度联想。

（1）**品牌属性联想**。它是指有关于产品或服务的描述性特征，又分为产品相关属性和非产品相关属性两类。产品相关属性是执行该产品或服务功能的必备要素，而非产品相关属性是关于产品或服务的购买或消费的外在方面。产品相关属性主要包括四项：价格信息、包装或产品外观、使用者特征（如哪些特征的人会使用此产品或服务）、使用情境（如在哪里以及哪种情境下此产品或服务会被使用）。而其中价格为特别重要的属性联想，因为消费者常常对价格与品牌的价值有着强烈的信念，并会针对不同品牌的价格层级，来联想他们心中的产品类别知识。

（2）**品牌利益联想**。它是指消费者给予产品或服务属性的个人价值，也就是消费者认为此产品或服务能够为他们做些什么。利益联想可进一步分为三类：功能性利益、经验性利益、象征性利益。功能性利益是指产品或服务的内在优势，如与生理及安全需求有关。经验性利益是有关使用产品或服务的感觉，通常与产品属性有关，如感官愉悦、多样性以及认知刺激。象征性利益是指产品或服务的外在优势，通常与产品属性无关，而是与社会认同或个人表现以及自尊的需求有关。

（3）**品牌态度联想**。品牌态度是最高层次也是最抽象的品牌联想，它是指消费者对品牌的总体评价。品牌态度直接影响消费者对品牌的选择，它通常建立在品牌属性和品牌利益上。例如，请消费者对餐饮店做总体评价，主要通过这几个方面的考核，如餐饮店的地理位置，店堂的布局、设计，服务的速度、态度，口味，价格等。品牌态度有一定的幅度，从厌恶到喜欢可以细分为几个层次。

### （四）品牌忠诚度

品牌忠诚度是指在购买决策中多次表现出来的对某个品牌有偏向性的（而非随意的）行为反应，也是消费者对某种品牌的心理决策和评估过程。它由五层构成：无品牌忠诚者、习惯购买者、满意购买者、情感购买者和承诺购买者。

（1）**无品牌忠诚者**。这一层的消费者会不断更换品牌，对品牌没有认同，对价格非常敏感，哪个价格低就选哪个，许多低值易耗品、同质化产品和习惯性消费品都没有什么忠诚品牌。

（2）**习惯购买者**。这一层的消费者忠于某个品牌或某几个品牌，有固定的消费习惯和偏好，购买时心中有数，目标明确。但如果竞争者有明显的诱因，如采用价格优惠、广告宣传、销售促进等方式鼓励消费者试用，让他们购买或续购某种产品，他们就会进行品牌转换，选择其他品牌。

（3）**满意购买者**。这一层的消费者对原有品牌已经相当满意，而且已经产生了品牌转换风险，也就是说，选择另一个新的品牌，会面临效益风险和适应风险等。

（4）**情感购买者**。这一层的消费者对品牌已经产生情感甚至爱，某些品牌成为他们的情感与心灵依托，比如，一些消费者天天用中华牙膏，一些小朋友天天喝娃哈哈饮品，等等。能历久不衰的品牌，就已经成为消费者的朋友，是消费者生活中不可或缺的且不易被取代。

（5）**承诺购买者**。这一层是品牌忠诚的最高境界，消费者不仅对品牌产生情感，甚至引以为傲。比如，华为的"花粉"和苹果的"果粉"，在中美贸易摩擦期间，购买华为手机甚至与民族荣誉感挂钩。

### （五）其他专有品牌资产

与品牌资产相关的还有一些专门的特殊的财产，如专利、专有技术、分销系统等。这些专门财产如果很容易转移到其他产品或品牌上，则它们对增加品牌资产所做的贡献就很小；反之，则成为品牌资产的有机组成部分。

专利竞争是国际企业竞争的战略制高点，它既是企业的进攻手段，也能从长远的利益出发，阻止竞争对手的攻击。"产品未动，专利先行"已是跨国公司谙熟的竞争战略。在知识经济时代，唯有善用专利，公司价值才能完全发挥。中国的企业应该从战略高度更加致力于对专利技术的开发和吸收，或者制定相应的应对措施，从而使自己不致在未来的发展中遭遇四处碰壁的困境。

技术可以分为两类：基础性技术和专有技术。专有技术能够被一家公司拥有，如一家制药公司可以拥有某种药品配方的专利权。只要专有技术受到保护，它就可以成为长期竞争优势的基础，使公司可以从中获得比竞争对手高的利润。"可口可乐"的神秘配方在过去的一百多年中一直被当作商业机密，这个配方勾起了人们无限的遐想，这对可口可乐品牌的个性和形象产生积极的影响，配方的价值也就自然地融入"可口可乐"品牌之中。

## 二、凯文·凯勒的品牌资产模型

凯文·凯勒于1993年提出基于顾客的品牌资产模型（customer-based brand equity，CBBE），为自主品牌建设提供了关键途径。在这个模型中，各要素的设计力求全面、相互关联和具有可行性。但是CBBE模型隐含了一个前提，即品牌力存在于顾客对于品牌的知觉、感觉和体验之中，也就是说品牌力是一个品牌随着时间的推移存在于顾客心目中的所有体验的总和。因此，企业进行各项工作的目的，就是设法保证顾客对于品牌具有与其产品和服务特质相适应的体验，对于企业营销行为持正面和积极的态度，以及对于品牌形象具有正面的评价。

### （一）基于顾客的品牌资产模型

该模型的创建旨在回答如下两个问题：一是哪些要素构成一个强势品牌；二是企

业如何构建一个强势品牌。按照 CBBE 模型，品牌资产由四个层面构成，即品牌识别、品牌内涵、品牌反应、品牌关系，如图 6-2 所示。这四个层面具有逻辑和时间上的先后关系：先建立品牌识别，然后创建品牌内涵，接着引导正确的品牌反应，最后缔造品牌与顾客的关系。同时，上述四个层面又依赖于构建品牌的六个维度：品牌特征、品牌表现、品牌形象、品牌评判、品牌情感和品牌共鸣。其中，品牌特征对应品牌识别；品牌表现与品牌形象对应品牌内涵；品牌评判和品牌情感对应品牌反应；品牌共鸣对应品牌关系。在 CBBE 模型中，构建强势品牌的四个工作步骤又细分成一系列的相关要素。

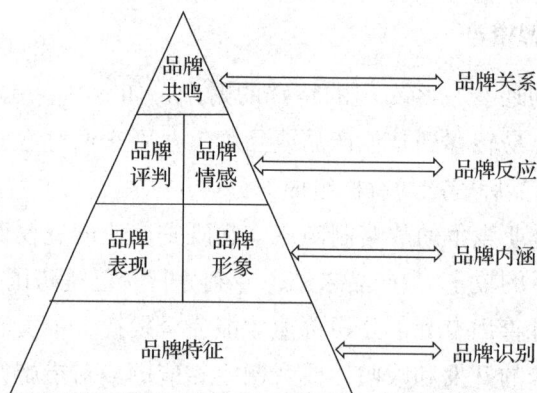

图 6-2　基于顾客的品牌资产模型（CBBE）

资料来源：KELLER K L. Building customer-based brand equity[J]. Marketing management, 2001, 10(2):15-19.

（1）建立正确的品牌标识，需要创建基于顾客的显著性的品牌特征。品牌显著性又与如下问题紧密关联：该品牌在各种场合下能够被消费者提及的频率和难易程度如何，该品牌在多大程度上能够被消费者轻易认出，哪些关联因素是必要的，该品牌的知晓度有多少说服力，等等。区分品牌显著性的关键维度是品牌深度和品牌宽度，品牌深度指的是品牌被消费者认出的容易程度，品牌宽度则指当消费者想起该品牌时的购买范围和消费状况。一个高度显著的品牌能够使消费者充分购买并在可选择范围内总是想起该品牌。

（2）创造合适的品牌内涵，关键是创建较好的品牌表现和良好的品牌形象。品牌内涵的辨识，从功能性的角度，主要指与品牌表现相关的消费者联想；从抽象的角度，指的是与品牌形象相关的消费者联想。这些联想可以直接通过消费者自己的体验而形成，并和通过广告信息或者口碑传播获得的信息相联系。品牌表现是产品或服务用以满足消费者功能性需求的外在体现，包括品牌内在的产品或者服务特征，以及与产品和服务相关的各项要素。

（3）引导正确的品牌反应，需要在两个方面努力。品牌评判指的是企业应集中关注消费者对于品牌的看法，消费者对品牌的评判主要包括质量、可信度、购买考虑、优越性四个方面。品牌情感主要指消费者对品牌的感性行为，主要包括热情、娱乐、激动、安全、社会认可、自尊等要素。

（4）**缔造适当的品牌关系，关键在于创建顾客对于品牌的共鸣**。品牌共鸣可以分解为四个维度：行为忠诚度，指的是重复购买的频率与数量；态度属性，指的是消费者认为该品牌非常特殊、具有唯一性，热衷于该品牌而不会转换成其他同类品牌；归属感，指的是消费者之间通过该品牌而产生联系，形成一定的亚文化群体；主动介入，指的是消费者除了购买该品牌的产品以外，还积极主动地关注与该品牌相关的信息，访问品牌网站并积极参与相关活动。

### （二）对基于顾客的品牌资产模型的评价

（1）CBBE 模型是吸收了近二十几年来品牌关系研究的成果而提出的，从其自身结构和建立思路可以看出，它包含了一些其他优秀品牌模型的关键元素和重要思想。凯勒自己也认为，目前其他基于顾客的品牌资产模型大多是 CBBE 模型的一个子集。

（2）CBBE 模型不再仅仅简单地罗列构成元素，而是重点阐述了它们之间的相互关系，为整个模型建立了完整的逻辑结构，使其整体具有严密性和逻辑性。

（3）模型不只是客观地阐述了品牌资产的结构与组成元素，还为建立品牌、打造品牌资产提供了原则性的指导，并设计了比较详细、具体的流程关系，使模型具有了实际的操作意义。

（4）品牌资产模型中，CBBE 的结构较为庞大和复杂，涉及的变量比较多，在六个维度之下，又分别具体创建了多个子要素，使模型呈金字塔形，颇具立体感。

（5）由于模型包容范围广、内容多，因此使用起来相对不够灵活，操作较为复杂。同时，模型更为宏观，适应面广，但专门性、行业性较弱。

## 三、品牌资产引擎模型

品牌资产引擎模型是国际市场研究集团的品牌资产研究专利技术。该模型认为：品牌资产归根到底是由品牌形象驱动的。虽然品牌资产的实现要依靠消费者购买行为，但消费者购买行为根本上还是由消费者对品牌的看法（即品牌的形象）决定的，因为尽管购买行为的指标可以反映品牌资产的存在，但它们并不能揭示在消费者心目中真正驱动品牌资产的关键因素。因此它是一种基于消费者认知的品牌资产模型，在该模型中，亲和力、功能表现和品牌价值三大要素构成了品牌资产，如图 6-3 所示。亲和力是品牌受到的来自消费者的信任和尊敬，它是指产品所包含的情感因素（如历史延续性、信赖感、创新性），包括权威性、品牌认同和价值承认三个方面的内容。功能表现是品牌资产的另一个重要组成部分，包括产品的特性以及该产品在功能利益上的表现（如质量、原料、外观等）。根据品牌的情感特征和功能属性可以成功地说明消费者对品牌资产的感知度，亲和力和功能表现构成了品牌资产，但是消费者对品牌的总体评价还必须考虑到价格因素，特别是相对于竞争品牌的价格水平。

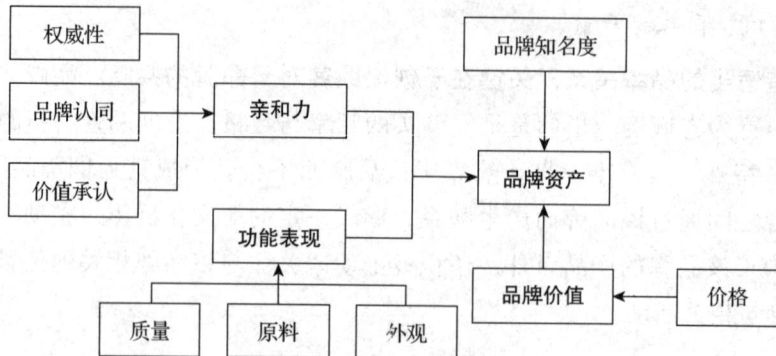

图 6-3　品牌资产引擎模型

资料来源：MORGAN R P. A consumer-oriented framework of brand equity and loyalty. International journal of market research, 1999, 42(1):32-43.

国际市场研究集团的这项技术着眼于从品牌形象的角度来评估品牌资产，从而进一步摆脱了传统的认知 - 回忆模型，有助于企业发现品牌资产的真正驱动因素。品牌资产引擎模型将品牌形象因素分为两类：一类是"硬性"属性，即对品牌有形的或功能性属性的认知；另一类属性是"软性"属性，反映品牌的情感利益。该模型既可以用于连续性研究，也可以用于专项研究，它还建立了一套标准化的问卷，并使用专门的统计软件计算出所调查的每个品牌的品牌资产标准化得分，以及品牌在亲和力和功能表现上的标准化得分，再进一步分解为各子项的得分，从而可以了解每项因素对品牌资产总得分的贡献，以及哪些因素对品牌资产的贡献最大，哪些是真正驱动品牌资产的因素。它的不足之处是，测量问卷要针对具体行业品牌做相应调整。

## 四、品牌资产趋势模型

品牌资产趋势模型是美国整体研究公司（Total Research）提出的。该模型主要由消费者衡量品牌资产的以下三项指标。①品牌的认知度，即消费者对品牌的认知程度。②认知质量，它是趋势模型的核心，因为消费者对品牌质量的评估直接影响到品牌的受欢迎程度、信任度、价格以及向别人进行推荐的比例。在趋势模型的研究中，认知质量被证实与品牌的档次及使用率或市场占有率高度正相关。③使用者的满意程度，即品牌最常见使用者的平均满意程度。

综合每个品牌以上三个指标的表现，能够计算出品牌资产的趋势得分。根据趋势模型的数据库及调查结果，美国处于领导行列的品牌多年来排名都比较稳定和一致。趋势模型比较简单，能够覆盖较广泛的品牌和产品种类，并且摆脱了传统的认知 - 回忆模型，但不足之处是太依赖认知质量这项指标（这项指标只能解释消费者为什么去买该品牌的产品，但不能解释是什么原因导致高质量）；由于认知质量和使用者的满意程度两项指标的基数不一样，所以这两项指标的相关性并不强；而且趋势模型没有很好地解释"各项指标的权重是如何得到的，是否对于每个消费者都是一样"的问题。

# 第三节　品牌资产管理

品牌资产管理就是通过品牌知名度、品牌认知度、品牌联想度、品牌忠诚度和其他专有品牌资产的协调、和谐与综合运用，形成营销管理的巨大生命力与影响力，推动营销管理内容不断更新，促进企业不断发展壮大。它包括准确定义、规范管理，并采用完善周详、切实可靠的方法，尽可能地对品牌进行衡量评估，不遗余力地开发品牌，以最大限度地挖掘价值和创造利润。从管理学的角度来说，品牌资产是一种超越生产、商品等所有有形资产以外的价值，是企业从事生产经营活动而垫付在品牌中的本钱及其可能带来的产出。从财务管理的角度来说，品牌资产是将商品或服务冠上品牌后，所产生的额外收益。

## 一、品牌资产的分类

根据消费者对品牌的认知和行为意愿的程度，可将品牌资产划分为：浅层品牌资产和深层品牌资产。浅层品牌资产主要是指品牌资产中最基础的知名度，然后就是品质认可度。拥有这两种品牌资产仅仅是品牌成功的基础，并不能构成竞争者难以复制的优势。深层品牌资产则主要包括品牌美誉度、品牌忠诚度、品牌溢价能力。品牌美誉度带来差异化的竞争优势，品牌忠诚度和品牌溢价能力为品牌带来更多的市场份额和更丰厚的利润（主要财务贡献）。国际级品牌通常是品牌联想个性鲜明、忠诚度高和溢价能力强的强势品牌。目前中国的一些品牌还处于浅层品牌资产阶段，因此要成为国际级品牌的关键是打造深层品牌资产。

## 二、有效的品牌资产管理

品牌资产是能够管理的，它不是抽象的概念。从管理学的角度认识问题，我们首先应该知道在做什么；其次清楚做这件事情的意义；然后知道如何拆分目标形成细化的任务；接下来要有规范的长期的效果评估系统；最后要有反馈提高的总结。这是最基本的品牌资产管理过程，每一步都有很详细的行动内容与方法。有效的品牌资产管理应具备以下特征。

（1）制定清晰、明确的近期、远期品牌资产管理目标，同时配备详细的、结构化的明细任务与目标，使目标具备切实的落实可能性。

（2）决策过程严格遵守逻辑判断与结构化思维原则，使管理决策在总的方向上遵循已知的品牌资产管理规律，避免主观臆断。

（3）建立规范的、持续的、具有累积效应的辅助决策系统，对市场的描述与探究建立在科学与经验相结合的基础上，具备对自身行为表现与效果进行实时诊断分析的能力。

## 三、品牌资产管理的内容

品牌资产是一种结果，要管理结果自然要管理导致结果的原因或这种结果的构成因素，企业的市场行为就是试图通过影响这些原因或改变因素的地位来达到管理品牌资产的目的。产品是品牌形成的基础，品牌是连接产品与消费者的桥梁，品牌是消费者对某个产品的偏爱与喜好的综合评价。因此，品牌资产管理主要是围绕以下三方面做一系列的工作。

### （一）消费者

品牌是联结消费者需求、个性和产品特征的纽带，这种联结越自然、越亲密，就越容易被消费者接受。具体而言，围绕消费者的品牌资产管理工作可以分为以下三个部分。①了解消费者在生活中遇到的问题以及其需求与期望：这是企业在产品开发与市场开拓前必须了解的信息，即消费者需要什么、为什么需要。有了需求认知，企业才能满足消费者，这是成功的基础。②掌握消费者习惯与行为：在营销当中，消费者购买地点、方式、数量、时间以及购买决策者都对销售有重要影响，如果企业在品牌资产管理中没有尊重这些行为与习惯，就可能出现问题。把握习惯与行为对企业认识消费者的品牌选择与态度很有帮助。③了解消费者的产品经历与品牌经历：有些消费者能够影响周围的消费者，有些消费者经济水平较高却对价格很敏感，等等，这些很可能与消费者的产品经历和品牌经历有关系。

研究表明：消费者评判一个可能被选择的品牌的标准之一就是不能低于以往品牌的满意度，如果使用不满意，则不满意程度只要不高于以往经历即可。消费者可以分为成熟者和不成熟者，也可以分为品牌意识较强者和品牌意识较弱者。这些背景对品牌诉求、沟通方式有很大影响。作为一种常规的市场信息，人口特征、生活形态、地理差异等变量在营销决策中历来扮演着重要角色，尤其是对市场区隔与细分，更是功不可没。如果没有明确的目标消费者，品牌资产管理就无从谈起，营销行为就不知所云，容易出现混乱。

### （二）产品和服务

在品牌资产管理中，产品和服务已经不是企业眼中的产品和服务了，而是被消费者感知到的产品和服务，它包括以下三个方面。

（1）**品质感知**。产品和服务的品质最终要从消费者心目中得知，他们是怎么看的才最重要，这就是产品质量不一定要无限制提高，但一定要达到消费者的要求的原因。

（2）**成本感知**。消费者得到产品和服务不仅要付出金钱，还要付出相关的如交通、信息查询等成本，由于综合付出的不同，消费者的购买行为千变万化，那么消费者对价格的评价及对溢价品牌的看法对品牌管理就非常重要。

（3）**需要感知**。产品提供的功能与消费者的需要是否有差距，品牌表现如何。

### （三）品牌资产测量与评估

品牌资产的累积大部分是靠品牌传播来完成。品牌传播是在充分表达产品特征、个性的基础上尽量准确地切中或引导消费者的需求，这种需求既可以是功能性的，也可以是社会性的。它通过影响消费者的心理而成为提高品牌资产的一种渠道。对以下四个方面的测量与评估是品牌资产管理的重要方面。

（1）**品牌知名度**。其实知名度是一种心理份额，高知名度的品牌就占领制高点，这对品牌进入购买考虑范围是非常重要的。根据安德鲁·埃伦伯格（Andrew Ehrenkerg）的研究，在大多数情况下，某品牌在一个地区受欢迎，那么在别的市场也是受欢迎的，没有在某个区域流行而在别的区域不受欢迎的品牌。要受消费者欢迎，没有品牌知名度是万万不行的。品牌资产的管理就是要不断提高品牌在目标消费者中的知名度，占领制高点。

（2）**品牌认知度**。品牌传播的一项重要任务就是传播品牌特性和给予消费者利益，品牌知名度高只是让品牌进入考虑范围，那么在进一步的选择过程中，消费者比较倾向于买自己熟悉的产品，在这方面，知名品牌的表现尤为突出。

（3）**品牌形象**。健康的品牌形象对销售的促进作用是显而易见的，鲜明的个性、出色的亲和力、良好的评价与感知对品牌资产管理者来说是梦寐以求的。对品牌形象的管理涉及企业形象、广告与公关等方面，也是可以测量与评估的。

（4）**品牌忠诚度**。研究品牌忠诚不仅要知道品牌忠诚度，还要深入研究消费者为什么会忠诚，以及为什么会发生品牌转移。企业对这个指标的监测能为营销活动带来很多意想不到的洞见。

## 四、品牌资产管理的方法

从品牌资产的定义可以看出，要想让品牌成为资产的一部分，就必须对品牌实施资产化管理，通过不断地对其进行投入来维护和巩固其价值。品牌资产管理要从构成品牌资产的其中几个要素入手，具体方法如下。

### （一）建立品牌知名度

品牌知名度的真正内涵是认知度及回忆度。品牌知名度的建立至少有两个作用：第一，消费者从众多品牌中能辨识并记得目标品牌；第二，消费者能从新产品类别中产生联想。由此，建立品牌知名度通常可采用以下做法。

（1）**创建独特且易于记忆的品牌**。要给产品或服务取个好记的名字，这也是广告设计所遵循的基本原则。

（2）**不断增加品牌标识曝光度**。除了声音之外，品牌名、品牌标识、品牌标准色也具有很强的传播能力。目标物重复出现，可以增加人们对目标物的正面感觉，使消费者不论走到哪里始终接收一样的视觉印象，如可口可乐的红色、百事可乐的蓝色。

（3）**运用公关的手段**。广告效果显著，但相应的昂贵，且易受其他广告的干扰。但是，运用公关的传播技术营造出一些话题，通过报纸杂志来引起目标消费者注意，常常可以取得事半功倍的效果。

（4）**运用品牌延伸的手段**。运用产品线的延伸，用更多的产品去强化品牌认知度，即所谓的统一式识别。

## （二）建立品牌联想

建立品牌联想对于品牌资产管理非常重要。品牌联想是指消费者想到某个品牌的时候所能联想到的内容，然后根据内容分析出买或不买的理由，这些联想大致可以分为产品特性、消费者利益、相对价格、使用方式、使用对象、生活方式与个性、产品类别、比较性差异等。对企业而言，它要掌握的就是消费者脑海中的联想，能有一个具体而有说服力的购买理由，这个理由是任何一个品牌得以存活延续所需要具备的。品牌叙事是建立品牌联想的重要途径之一。例如，奔驰近年构建的一个品牌故事选择致敬世界上第一位女司机——本茨夫人，并拍摄了广告，打破了传统汽车广告都是男性驾驶员的刻板印象。

## （三）建立品质认知度

品质的认知度是消费者对某个品牌在品质上的整体印象。消费者对品质的认知度完全来自使用产品或享受服务之后。产品的品质并不完全是指产品或服务本身，它同时包含了生产品质和营销品质。建立品质认知度可从以下几个方面着手。

（1）**注重对品质的承诺**。企业对品质的追求应该是长期的、细致的和无所不在的，决策层必须认清品质承诺的必要性并动员全体员工参与其中。

（2）**创造一种对品质追求的文化**。因为品质的要求不是单层面的，每个环节都很重要，所以最好的办法是创造出一种对品质追求的文化，让文化渗透到每个环节中。

（3）**增加对培育消费者信心的投入**。经常关注、观察、收集消费者对不同品牌的反应是不可或缺的做法，强化对消费者需求变化的敏感性。

（4）**注重创新**。创新是唯一能够变被动为主动，进而引导、教育消费者进行消费的做法。

## （四）维持品牌忠诚度

品牌忠诚度就是来自消费者对产品的满意并形成忠诚的程度。对于一个企业来讲，开发新市场、发掘新的顾客群体固然重要，但维持现有顾客忠诚度的意义同样重大，因为培养一个新顾客的成本是维持一个老顾客成本的5倍。维持品牌忠诚度通常有以下三种做法。

（1）**给顾客一个不转换品牌的理由**。比如，推出新产品、适时更新广告来强化偏好度、举办促销活动等，都是避免消费者转换品牌的方法。

（2）**努力接近消费者，了解市场需求**。不断深入地了解目标对象的需求是非常重要的，通过定期的调查与分析，了解消费者的需求动向。

（3）**提高消费者的转移成本**。一种产品拥有差异性的附加价值越多，消费者的转移成本就越高。因此，应该有意识地制造一些转移成本，以提高消费者的忠诚度。

# 五、品牌资产的提升策略

品牌资产是企业的重要资产，是企业节约市场活动费用的有效手段，也是提升产品溢价的源泉，更是取得市场竞争优势的法宝。提升品牌资产价值，可以促进品牌声誉的价值溢出，促进品牌资产的扩张，可以建立有效的壁垒以防止竞争对手的进入。那么，如何提升品牌的资产价值呢？具体来说，可以从以下几个方面入手。

### （一）提高品牌资产的差异化价值

品牌资产的价值关键体现在差异化的竞争优势上。这种优势可以表现在产品的质量、性能、规格、包装、设计、样式等带来的工作性能、耐用性、可靠性、便捷性等的差别上；也可以表现在由服务带来的品牌附加价值（如服务的快速响应、服务技术的准确性、服务的全面性、服务人员的亲和力）之上；还可以表现在塑造品牌联想和个性中，品牌联想能够影响顾客的购买心理、态度和购买动机。所以品牌资产有利于提升顾客的感知价值，反过来，顾客感知价值的提升也可以促进品牌资产价值的提升。

### （二）提高品牌资产的外延化价值

利用品牌（尤其是名牌）资产实施兼并与合作是资本运营的一个重要方式，也是企业实现规模经济、进行低成本扩张、提高企业资源配置效率、提升品牌资产价值的有效手段。因为创建强势大品牌的最终目的是持续获取更高的销售额与利润，而无形资产的重复利用是不花成本的，只要有科学的态度和过人的智慧来规划品牌延伸战略，就能通过理性的品牌延伸与扩张，充分利用品牌资产这一无形资产，实现企业的跨越式发展。但是，诸如公司并购等品牌扩张战略是一项风险相当大的业务，为了有效地促进并购后公司业绩的增长和品牌资产价值的提升，必须慎重地制定策略。在确定公司并购时，应考虑以下因素：对公司本身的自我评估，对目标公司的评估；并购本身的可行性分析；利用品牌进行合作经营时，双方应优势互补；合作应有利于延伸品牌系列。

### （三）提高品牌资产的叙事化价值

纵观国际国内市场，那些具有良好声誉、在行业市场拥有良好表现的品牌，必然是一个品牌要素齐全、给人留下美好印象和回味的完美品牌。品牌叙事以存在主义的纽带形式把消费者和品牌联系起来，它是品牌力量的基础和源泉。品牌叙事对于深化消费者对品牌的理解与认知起着至关重要的作用，具体主要表现在以下几个方面。

（1）**完美地体现品牌的核心价值理念**。品牌核心价值理念是品牌带给消费者利益的根本所在。品牌叙事就是通过形象化、通俗化的语言和形式，将品牌核心价值理念传递给目标受众。不同行业甚至同行业中的不同品牌，由于经营方式、追求目标的不同，它们的核心价值理念也是迥然不同的。

（2）**增进与消费者的情感交流和心灵共鸣**。品牌通过娓娓道来、形象生动的故事讲述，消除目标受众对品牌的陌生感和隔阂感，增进与密切目标受众的情感交流，进而实现品牌与目标受众的心灵共鸣。

（3）**形象、巧妙地传递品牌信息**。品牌叙事的另一个明显的作用，就是通过相关渠道传递品牌的相关信息。品牌叙事更多的是以一种经过精美包装的形象化形式，将所要传递的品牌背景、品牌价值理念和产品利益诉求点等品牌信息，诉诸人们的视觉感官，使人们在欣赏品味、潜移默化中接受品牌提供的信息，增进目标受众对品牌的识别和认可。

## 本章小结

品牌资产的研究主要出于两个动机：财务动机，即出于会计目的或兼并、剥夺的目的，更精确地估计品牌价值；战略动机，即改进营销生产率。相对应地，这两个动机为品牌资产的研究提供了两个思路：管理决策角度，即从企业视角判断投资品牌建设的合理性；消费者角度，即从消费者对品牌偏好的心理过程及品牌对于消费者的效用出发进行判断。

品牌资产作为企业重要的无形资产，具备以下几个方面的特征：长期性、波动性、增值性、难以准确计量。品牌资产可以提高消费者对品牌的忠诚度，使企业获得超额利润，降低在危机时的易损性，增加商业合作机会。品牌资产的"五星"概念模型认为品牌资产是由品牌知名度、品牌认知度、品牌联想、品牌忠诚度和其他品牌专有资产五部分组成的。基于顾客的品牌资产模型由四个不同层面构成，即品牌识别、品牌内涵、品牌反应、品牌关系。这四个层面具有逻辑和时间上的先后关系：先建立品牌识别，然后创建品牌内涵，接着引导正确的品牌反应，最后缔造品牌与消费者的关系。

品牌资产引擎模型认为品牌资产归根到底是由品牌形象所驱动的，在该模型中亲和力、功能表现和品牌价值构成了品牌资产的三大要素。亲和力是品牌受到的来自消费者的信任和尊敬，它包括权威性、品牌认同和价值承认三个方面的内容。功能表现是品牌资产的另一个重要组成部分，包括产品的特性以及该产品在功能利益上的表现。品牌资产趋势模型主要由品牌的认知程度、认知质量、使用者的满意程度三个指标进行衡量。根据消费者对品牌的认知和行为意愿的程度，可将品牌资产划分为浅层品牌资产和深层品牌资产。

品牌资产是能够管理的，它不是抽象的概念。从管理学的角度认识问题，首先应该知道在做什么；其次清楚做这件事情的意义；然后知道如何拆分目标形成细化的任务；接下来要有规范的长期的效果评估系统；最后有反馈提高的总结。品牌资产管理的一般方法包括：建立品牌知名度，建立品牌联想，建立品质认知度，维持品牌忠诚度。品牌资产的提升策略包括：提高品牌资产的差异化价值，提高品牌资产的外延化价值，提高品牌资产的叙事化价值。

## 思考题

1. 简述品牌资产的定义、特征及作用。
2. 试述戴维·阿克的品牌资产模型结构及内涵。
3. 简述凯文·凯勒的品牌资产模型结构及内涵。
4. 试述品牌资产管理的一般方法及提升策略。

## 观察思考

### 支付宝和腾讯商业模式的解读

本章前面的内容基本上是从消费者的视角来讲品牌资产，这里我想通过对商业模式的解读来诠释品牌资产的构成要素。实际上，独特的商业模式也是品牌资产的重要构成要素之一。比如，对于支付宝的产生和出现，大家要思考支付宝为什么会在中国市场上出现，而不是在美国市场上诞生，支付宝都解决了哪些问题。相信大家都在使用支付宝，但有没有想过这些问题呢？其实，纵观全世界的商业历史，买家和卖家都面临着一个同样的难题，那就是交易的过程中，究竟是买家先付钱，还是卖家先给货？

如果说每次交易都需要面对面，一手交钱一手交货，那交易的规模和频次就会大大受限。那么，如果不是面对面的交易，我刚才说的问题就变得非常重要了。因为双方都担心给了钱拿不到货，或者是给了货拿不到钱，怎么办？有人说了有法律合同呢，先签合同嘛，但有的时候法律合同也存在无效性或者说失效性，因此阿里巴巴团队研发了支付宝这个产品，就非常好地解决了买方和卖方之间交易的心理障碍问题。支付宝的出现给买卖双方提供了便利、安全和保障，解决了买卖双方的需求，市场怎么能不接受、不认同呢？

再说支付宝的赢利模式。通过互联网买东西的时候，买家把钱打到支付宝账户，然后卖家发货，买家收到货确认以后，支付宝再将钱打给卖家，最后完成交易。这期间大家要想，资金有个时间差的问题，如果把支付宝比作蓄水池，虽然不停地有水进来，也不停地有水流出，但池子里面总是有水，而且这个水量很大。大家都知道资金是有时间价值的，这就成为支付宝的一个赢利渠道。再后来支付宝逐渐演变成了一个全方位、多功能、生活方式的平台系统，通过为老百姓的生活提供各种便利，来增加人们使用支付宝的各种场景，这些场景又进一步增强了人们对它的黏性和黏度。

再来看另外一个品牌——腾讯。提起腾讯，大家的第一反应可能是QQ聊天工具软件，其次是它旗下的其他产品，如QQ游戏、微信等。腾讯"养"QQ这只小企鹅其实是花了不少钱的，也冒了很大的风险。当年为了"养"QQ这只小企鹅，马化腾先生到处融资。大家可能要问了，为什么呢？因为QQ聊天工具基本不赚钱，直到今天腾讯旗下的很多产品都不怎么赚钱。当然它是靠赚钱的业务来支撑它不赚钱的业务的。那有人又要问了，为什么不赚钱还要去做呢？我想跟大家说的是，今天不赚钱，并不代表明天不赚钱。另外，做品牌除了可以获得经济效益之外，还有社会效益，比如口碑、声誉和形象等。腾讯的QQ最初虽然不赚钱，但它圈了很多消费者，而且这些消费者因为年轻，代表着中国市场的未来。后来，有很多平台品牌，它们发现了这一点，就开始跟着去圈消费者，然后再去圈商家，告诉商家自己的平台有几个亿的消费者，问商家要不要来平台卖东西？如果商家要进驻平台，平台就要求他们交租金、交广告费。这种做法叫"社交商务化"，把原来社交的平台变成了做生意的平台，就是原来是聊天的，现在是谈生意的。也有的平台品牌，是先圈卖家，后吸引买家。例如，天猫和京东，以及现在的苏宁易购和网易严选等，它们就是精选卖家，然后告诉消费者，自己这儿的产品都是有保障的，物流、支付、售后等各方面都是有保障的。这两种"圈人"顺序不一样，一个是先圈买家后圈卖家，一个是先圈卖家后圈买家，总的来说就是社交商务化或商务社交化。

资料来源：https://www.icourse163.org/course/ZNUEDU-1003452001，节选自本书配套品牌管理慕课视频8.1。

**思考题**

1. 如何通过互联网平台加强品牌与消费者间的黏性和互动？
2. 举例解释支付宝和微信为了提高品牌与消费者间的黏性和互动而选择的行为。这些行为有哪些特征？

# 第七章 品牌传播

## 【学习目标】

- 掌握品牌传播的内涵，了解社会化媒介传播；
- 掌握品牌传播的步骤，熟悉常见的营销传播方式及组合；
- 熟悉品牌调侃的概念、形式和内容特征。

## 📖 开篇案例

### 爆款频出的河南卫视火爆出圈

2021 年春节期间，河南卫视相关话题阅读量突破 25 亿，其中"河南卫视春晚导演回应节目出圈"更是登顶微博热搜榜。2021 年 5 月端午节晚会播出后，"河南卫视杀疯了""端午奇妙游"等话题又冲上了微博热搜。仔细对比来看，河南卫视陆续举办的四场晚会，成功连续出圈的关键在于两方面：一方面，它把内容的重心放在了以创新形态展现传统文化上，另一方面，主创团队善用台网互动、网络舆论场。

传统的卫视、互联网大厂晚会是直播式的明星大拼盘，一台晚会一个主题；但河南卫视陆续推出的四场晚会，其实更像是制作精良的"连续剧"。这场"连续剧"不光有清晰的主线，还有鲜明的文化主题。由 14 名装扮成唐俑的年轻女性舞蹈演员来开篇的《唐宫夜宴》，运用了 5G、AR 等技术，将虚拟和现实场景结合起来。例如，唐朝乐师在"彩排"到"正式演出"之间，节目背景也从古色古香的《千里江山图》切换到了现代化的博物馆，令人耳目一新。以良好的反响为开端，河南卫视制作了一场盛宴"连续剧"。《元宵节奇妙夜》从唐俑少女们的视角呈现整场晚会——博物馆闭馆后，唐俑少女们苏醒了，她们奔走在河南博物馆、河南应天门里，穿梭在《清明上河图》中，取代主持人成为晚会各个节目之间的"串词"人。虚实场景间的穿梭转场，与《莲鹤方壶》节目里的"鹤"互动，古境古香，令人沉醉不能自已。

卫视播出的火爆背后，更少不了对网络平台和当下主流的小屏碎片化传播方式的重视。河南卫视从一开始就将互联网当作晚会的重点传播方向。以端午节晚会为例，在 6 月 12 日晚会播出当天，河南卫视就在 B 站、抖音、快手、微博等多个平台上更新晚会相关内容片段，做了最大限度的全网覆盖和用户触达。而互动性、传播性优质的互联网平台也为晚会后续热度的提升提前创造了相对良好的传播环境。以节目《祈》为例，截至目前河南卫视在微博发布的视频就已经获得了超过 2 000 万次的播放量，转发量达到 3.9 万次，点赞量也突破了 18 万次。

官方的一系列行动和操作后，晚会很快引发了第一波自发传播。人民日报在微博上转发评论称晚会"令人叹为观止，守住初心，持续出新，才有不断'出圈'的精品，才有沛然不可遏抑的文化自信"。在媒体矩阵对晚会广泛报道的同时，河南卫视紧接着就请出了主创团队亲自解读晚会节目，从专业、文化的视角，让更多人了解这台晚会的创作构思；同时也从更有深度的文化、创意层面，引发观众的情感共鸣。例如，晚会播出后，舞蹈编导 @斜杠玩家吉叔在微博透露，《祈》想要呈现的是 1600 年前的水下飞天，短短两分钟的节目经历了近 26 小时的录制，主创团队的"精雕细琢"由此得以展现。陈佳导演则指出，将文化背景定在唐宋是为了展现女性力量，而筹办这场晚会更是希望世人知道端午文化的起源在中国。

从春节、元宵节、清明节，再到端午节，河南卫视在四个节日的晚会一直能够维持较高热度，和其贴近传统文化的主题，以及创新展现传统文化内容的策划息息相关。和当下"国潮"备受追捧的现象一样，河南卫视晚会本质是契合了大众日渐增强的文化自信和民族文化认同感，自然会获得广泛好评。不过同样重要的是，河南卫视也给一些地方电视台提供了成功经验——面对"电视已不再是信息唯一的大规模传播渠道"的现状时，能真正利用好网络这一传播渠道，并找到与年轻人对话的方法。

资料来源：郭瑞灵.文化＋科技＋营销，复盘河南卫视的"爆红出圈"秘诀[EB/OL].( 2021-06-17 )[2022-12-30]. https://mp.weixin.qq.com/s/fU2Uy6TXB4Nth88PWlWmQQ.

# 第一节 品牌传播概述

多年来品牌传播一直都是理论研究和营销实践工作者十分关注的一个概念。在学术研究和专业建设中，品牌传播以符号学、传播学和营销学为基础，具有融合广告、公关和市场营销等多个专业的强大势能。在品牌运营中，品牌传播同样有着举足轻重的地位，受关注的程度几乎可与品牌形象、品牌资产等概念相提并论。因此，加强对品牌传播理论和实践的关注，有着突出的现实意义。

## 一、品牌传播的内涵

关于品牌传播的内涵，目前最具代表性的观点分为两派：①品牌资产导向论，即品牌传播的目标是提升品牌资产；②品牌形象导向论，即品牌传播的目标是在消费者心目中建立品牌形象。对于前者，国内学者余明阳和舒永平较早明确提出品牌传播的概念，他们认为：品牌传播就是通过广告、公共关系、新闻报道、人际交往、产品或服务销售等传播手段，最优化地提高品牌在目标受众心目中的认知度、美誉度、和谐度；同时还强调，品牌传播首先应是一种操作性的实务。该定义有三个特点：突出了品牌传播的主要手段，即广告、公共关系、新闻报道、人际交往、产品或服务销售等；突出了品牌传播的目的是品牌资产的提高，因为他们所强调的"品牌在目标受众心目中的认知度、美誉度、和谐度"，实质上就是品牌资产的核心构成要素；在定义中并没有将品牌传播的对象限于单纯的消费者，而是指明为包括消费者在内的"目标受众"，这一提法具有科学性。

对于后者，品牌形象导向论是目前比较有影响的一种品牌传播观点，在网络上似乎更受欢迎。其中具有代表性的观点是这样表述的：所谓品牌传播是指企业以品牌的核心价值为原则，在品牌识别的整体框架下，通过广告传播、公共关系、营销推广等手段将企业设计的品牌形象传递给目标消费者，以期获得消费者的认知和认同，并在其心目中确定一个企业刻意营造的形象的过程。整体来看，在"品牌形象导向论"的定义中，塑造品牌形象成为品牌传播的最终落脚点。品牌传播的过程也就成为从建立"感性印象"到巩固"品牌印记"的品牌认知和深化的过程。同时"品牌识别"作为核心概念，被引入品牌传播中，成为统摄品牌传播实践的核心点。

## 二、品牌传播内涵评析

（1）从传播主体来看，品牌资产导向论突出了品牌传播的主体是品牌所有者，即企业，所指品牌的范围更广泛，是基于品牌多样性而下的品牌传播定义。"在信息高度发达的现代社会……品牌的指代已不单单限于商业品牌，还包括城市品牌、区域品牌、院校品牌、团体品牌、个人品牌等社会品牌。"品牌形象导向论定义中的品牌则为狭义上的商业品牌，所以其所有者也就理所当然地是"企业"。因此，从定义的适应性上讲，前者更具普适性。

（2）从传播目的来看，前者把"最优化地增加品牌资产"作为品牌传播的最终使命，后者基本上是把"建立品牌形象，促进市场销售"作为品牌传播的主要任务。应该说前者在表述上更具概括性，正如业界人士所讲的："所有品牌传播努力的首要目标就是提升品牌的资产价值。"不过由于品牌资产最终还要落实到品牌形象以及经济利益上，所以后者的说法就显得比较直白易懂，也就更容易被认可。事实上，"品牌传播的目标必须始终围绕促进品牌与消费者建立联系以及实现销售这两个中心"。

（3）从传播原则来看，品牌传播原则实际上体现了品牌传播者对品牌传播核心内容的战略性规定。"品牌资产导向论"的定义没有明确提出品牌传播原则，这应当是"品牌资产导向论"的最大缺憾，而"品牌形象导向论"的定义相对而言就显得比较周密，它充分强调了品牌传播的指导原则和核心框架分别是"品牌的核心价值"和"品牌识别"，这对提升品牌传播实践的科学性无疑具有显著意义。

整体来讲，品牌传播是品牌营销的重要环节和主要手段，是企业满足消费者需要、培养消费者忠诚度的有效手段，是主要的品牌资产投资，它对打造强势品牌、提升企业竞争力起着重要作用。换言之，品牌传播既是品牌信息的传播过程，也是品牌形象的塑造过程，更是品牌资产的积累过程，最终则指向消费者需求的满足和品牌所有者获益这一双赢结果。

## 三、社会化媒介传播

社会化媒介营销就是利用社会化网络、在线社区、博客、百科或者其他互联网协作平台和媒体来发布和传播资讯，从而形成的营销、销售、公共关系处理和客户关系服务维护及开拓的一种方式。一般社会化媒介营销工具包括论坛、微博、微信、博客、SNS社区，图片和视频通过自媒体平台或者组织媒体平台进行发布和传播。

### （一）社会化媒介传播要点

网络营销中的社会化媒介主要是指具有网络性质的综合站点，其主要特点是网站内容大多由用户自愿提供，而用户与站点不存在直接的雇用关系。社会化媒介营销要在自主信息时代走向成熟的关键有四点：如何做到让目标客户触手可及并参与讨论；传播和发布对目标客户有价值的信息；让消费者与品牌或产品产生联系；与目标客户形成互动并让他感觉到品牌或产品的成功有他一份功劳。

### （二）社会化媒介信息构成

信息的生成和传播都需要消费者的参与，消费者传播信息称为分享。消费者的身份、消费者信息创造、消费者信息传播构成了社会化媒介信息的三要素。

#### 1. 消费者的身份

微博和微信的出现，将消费者在某个领域的专业能力、影响力、关系人脉，以及他的喜好、习惯、职业甚至家庭等信息都"数字化""网络化"并"量化"（粉丝数、评论数、转发数等）。社交的第一要素就是"社交者的身份"，这个身份"量化""数字化和网络化"之后又非常好地促进线下消费。过去线下商户用客户关系管理（CRM）体系来提高老用户重复消费的比例，为了搜集消费者信息绞尽脑汁，但是回头看看，线下商户搜集到的消费者信息仅仅是"联系方式"和本店"消费记录"而已，与微博、微信上全面详细的消费者信息差距甚远。

这给人们的启发也很直接，为什么不用微博、微信账号当作消费者线下消费的"会员卡卡号"？如今蓬勃发展的"切客"（check in）服务能否从中得到启发？是否可以把一个社交娱乐的应用转变为社会化客户关系管理（social CRM）的初级版本？商户可不可以根据用户的粉丝数量来对应提供不同的消费折扣和服务待遇呢？

#### 2. 消费者信息创造

消费的过程就是信息创造的过程，只是过去从来没有移动应用专注在这个细节上，但是内容的生成过程每复杂一步，都会大大地降低消费者的生产动力，这就要求企业在操作容易程度、动机挖掘等方面多做文章。在移动互联网时代，拍照可以生产内容，点击触摸屏给商户打分也可以生产内容，甚至将语音转换为文字来降低输入门槛也可以刺激更多的消费相关内容产生。

动机方面，一部分消费者生产信息是为了给自己看的，收藏也好，记录也罢，总之并没有分享的目的；也有一部分消费者是为了参与互动，帮助商家变得更好，比如评论留言和打分；还有一部分消费者生产信息的主要目的就是分享传播，不管是表扬还是批评，或者仅仅是炫耀，总之就是要分享。

### 3. 消费者信息传播

说到传播，其动机和动力也不尽相同，或许为了"晒单"炫耀，或许为了"求助"决策，或许为了"推荐"消费，或许为了"投诉"泄愤。不管出于何种动机和目的，消费者产生的消费信息的传播有助于"消灭信息不对称"，过去一个不诚信的"黑商户"理论上可以把所有路人都骗一遍，而在未来，一个商户的生命周期中，只要有过一次不诚信经营，就可能会导致再无消费者进店。

对于那些真正把用户当作"上帝"对待的优质商户，借助微博、微信等社会化媒介的病毒式口碑传播，可以迅速名满天下。而优质商户对于消费者传播信息也要有很好的激励机制，比如每次消费达到平均消费水平后，消费者获得给商户评论打分权限的同时，如果愿意同步评论信息到自己的微博、微信，那么下次消费时将会基于这一条微博、微信在这段时间内产生的"商业价值"给出一个"折上折"。第一个折扣来自消费者的微博、微信粉丝数（影响力指数），第二个折扣来自该条微博、微信的覆盖面（转发数、评论数、浏览数等）。

### （三）与传统媒介的区别

传统的社会大众媒体，包含新闻报纸、广播、电视、电影等，内容由业主全权编辑，追求大量生产与销售。新兴的社交媒体多出现在网络上，如博客、微博、Twitter、小红书等，内容可由用户选择或编辑，生产分众化或小众化，重视同好朋友的集结，可自行形成某种社群。社交媒体的服务和功能更先进、多元，费用相对便宜甚至免费，近用权相对普及和便利，广受现代年轻人的喜爱。社交媒体和传统社会媒体的明显区别体现在以下五个方面。

（1）即时程度。一般而言，根据节目内容的规模不同，传统媒体常有几天、几周、几个月的制作时间；社交媒体因为偏好发布轻薄短小的图文，所以制作时间减少至一天、几小时、几分钟。有些传统媒体正向社交媒体看齐，希望能达到新闻的即时发布。

（2）传播结构。社交媒体和传统媒体都可以向全球传播。不过，传统媒体多属于中央集权的组织结构。社交媒体通常扁平化、无阶层，依照多元生产或使用的需求而表现出不同的形态。

（3）专业要求。进入传统媒体的专业门槛较高，例如，需设置全职的记者、摄影、编辑、财务、法律等部门。传统媒体人除了要具备一定的资讯素养之外，还需要其他学科的专业素养，才能经得起消费市场的检验，尤其因为传统媒体市场竞争激烈、营利压力大，对专业能力的要求可能会更高或更多元。社交媒体的专业门槛相对较低，通常只要具备初级的资讯素养即可，加上社交媒体为争取更大的注意力经济，倾向于将社交媒体的使用界面设计得更方便、更简单。

（4）近用能力。能近用传统媒体的，绝大多数是该媒体的政府或私人业主。例如，某大报的头条，由该报编辑室决定；某电影的集资拍摄，由政府和民间资金方决定。社交媒体可让社会大众低价或免费使用，如博客，人人可以免费申请，申请人可任意编辑博客的内容。

（5）固定不变。传统媒体（如新闻报纸、广播、电视、电影等）的内容一旦发布，几乎很难修改，如需答复、修正，往往要等到下一个版本，如第二天的报纸、下次广播、下期电视节目、重新剪辑的电影版本，牵涉的人力和时间较多。社交媒体的内容则随时随地可以更新修改。

# 第二节　品牌传播步骤

品牌沟通与传播是营销传播的重要组成部分，而遵循品牌传播步骤是做好品牌传播的关键。菲利普·科特勒认为，有效的品牌传播应该包括七个步骤，每一个品牌传播步骤都有不同的内涵。

## 一、确定传播目标

品牌传播的目标是营销人员希望品牌传播所达到的反应。营销人员可能要寻求目标受众的认知、情感和行为反应，通过向消费者灌输品牌信息来改变消费者的态度，或者影响消费者行为。品牌传播的目标一般可以设立为增强目标受众对品牌的知晓、认识、喜爱、偏好、信任和购买中的某一个层次的目标，但是，传播的最终目标仍然是要提高品牌美誉度以及消费者对品牌的认知度，激起他们的购买欲望并促成消费者的最终购买。

## 二、选择目标受众

必须一开始就在心目中确定明确的目标受众，这样才能保证企业的传播有的放矢。目标受众可能包括企业产品的潜在购买者、目前使用者、购买决策者或影响决策者，目标受众也可能是个体、小组、特殊公众或一般公众。针对不同的目标受众，品牌传播者要使用不同的传播策略和接触方式。如针对个体受众，传播者需要了解个体的生活背景、价值观等。这时要根据他们的需要来选择传播方式，比如使用大众传播还是人员传播。

## 三、设计传播信息

在理想状态下，信息应能引起注意，提起兴趣，唤起欲望，促成行动。因而，设计传播信息需要解决四个问题，即说什么（信息内容），如何合乎逻辑地叙述（信息结构），以什么符号进行叙述（信息形式）以及谁来说（信息源）。信息内容可分为三类：理性诉求反映受众自身利益的要求，它们能显示产品产生的一定利益；情感诉求试图激发某种否定或肯定的感情以促使消费者购买，可分为正面和负面的情感诉求；道义诉求用来指导受众有意识地分辨什么是正确的和什么是适宜的，常用来规劝人们支持社会事业或参与公益活动。

信息结构设计主要解决三个问题，即信息点安排的顺序，怎样引导目标受众做出结论和信息内容的两面性。信息主要通过文字的、视觉的、听觉的形式来表达，但信息设计的形式必须有吸引力。信息源可信度是决定信息有效与否最重要的因素，公认的信息源可信度由三个因素构成，即专长、可靠性和令人喜爱性。专长是信息传播者所具备的、支持他们论点的专业知识；可靠性是指涉及的信息源被看到具有何种程度的客观性和诚实性；令人喜爱性描述了信息源对观众的吸引力，诸如坦率、幽默和自然的品质，会使信息源更令人喜爱，这也是洗发水广告中普遍使用美女模特的原因。

## 四、选择传播渠道

从传播方式的角度看，信息传播渠道可以分为人员传播渠道和非人员传播渠道。

### （一）人员传播渠道

人员传播是指两个或更多的人相互之间进行的信息传播。他们可能面对面，诸如工作人员面对听众；也可能是在电话里，或通过电子邮件等方式进行传播。人员传播渠道通过个人宣传和反馈来取得成效。人员传播渠道分为提倡者渠道、专家渠道和社会传播渠道三种类型。提倡者渠道是由公司的销售人员在目标市场上与购买者接触而产生的。专家渠道则是由具有专门知识的独立个人对目标购买者的交谈构成的，比较常见的是药品广告中的医生。社会渠道则由邻居、朋友、家庭成员与目标购买者的交谈构成，社会渠道中，"意见领袖"具有非常大的影响力。

### （二）非人员传播渠道

非人员传播是指不直接面对某一个人的传播方式。非人员传播渠道包括媒体传播、销售促进、事件和体验以及公共宣传四种形式。媒体传播由印刷媒体、广播媒体、网络媒体、电子媒体和展示媒体组成，是非人员传播渠道的主要形式。销售促进则包括了针对消费者的促销活动（如打折、优惠券等）、贸易促销（如对经销商的相关补贴）和针对销售人员的促销活动（如销售代表竞赛等）。事件和体验包括运动、艺术、娱乐，以及与消费者互动的故事性活动，有人将现在称为"体验经济时代"，故让消费者参与体验的营销行为逐渐成为发展趋势。公共宣传则包括公司内部的员工传播以及外部消费者、其他公司、政府和媒体之间的传播。

## 五、编制传播预算

美国"百货商店之父"约翰·沃纳梅克有一句名言："我认为我的广告费有一半是被浪费掉了，但我不知道是哪一半被浪费掉了。"最常见的传播预算编制方法有四种，即量入为出法、销售百分比法、竞争对等法和目标任务法。这些方法是不同时期的主流策略。

### （一）量入为出法

量入为出法是基于对公司未来收入的预测来决定传播预算，也考虑了公司的负担能力，但在变化万千的市场中，公司的收入往往是难以准确预测的。因而，这种预算编制方法完全忽视了营销传播对销售量的即时影响，导致年度预算的不确定，给制订长期市场计划带来困难，而且不能够根据市场情况拿出相应的反应策略。

### （二）销售百分比法

许多企业以一个特定的销售量（现行的或预测的）或销售价格来安排营销传播费用。常见的有，汽车制造企业以计划的汽车价格为基础，典型地按固定的百分比决定传播预算；饮料生产企业往往也会计算在每瓶饮料的售价中可以有多大的比例作为营销传播的费用。这种方法考虑了企业的费用承受能力和竞争对手的选择，也有利于鼓励管理层以营销传播成本、销售价格和单位利润作为营销战略的先决条件进行思考；不过，这种方法是根据可用的资金而不是市场机会来安排预算，显得不够灵活。

### （三）竞争对等法

竞争对等法是指以行业内主要竞争对手的传播费用为基础来确定预算水平，采用这种方法的企业都认为销售成果取决于竞争的实力。但是，用这种方法必须对行业及竞争对手有充分的了解，而这些资料往往是难以获取的，通常情况下，得到的资料都只是反映往年的市场及竞争水平状态。而且，不同公司的声誉、资源、机会和目标有很大不同，它们的预算很难作为一个标准。

### （四）目标任务法

目标任务法是目前应用最广泛，也是最容易执行的一种预算编制方法。这种方法要求营销人员通过明确自己特定的目标，确定达到这一目标必须完成的任务以及估算完成这些任务所需要的营销费用，以此决定品牌传播预算。它可以有效地分配达成目标的任务，但是要求企业管理层认真研究关于花费、显露水平、试用率和常规方法之间关系的假设，而且这种方法要求数据充分，因此管理工作量相当大。

## 六、确定传播组合

企业在完成品牌传播预算的编制后，就可以根据预算多少来确定传播组合。品牌传播的组合决策主要是指在广告、销售促进、直复营销、公共关系、人员推销、事件/体验和新媒体等传播方式之间选择，如表7-1所示。即使是在同一行业中的公司，它们对于传播组合的选择也有所不同。如在化妆品行业，雅芳公司把它的促销资金集中用于人员推销上，而露华浓公司则看重广告。公司总在探索以一种传播工具来取代另一种传播工具的方法，以获得更高效率的品牌传播。现在许多公司已经用广告、直邮和电话营销来取代某些现场销售活动。互联网的广泛普及也为多样化的传播组合提供了有力支持。

表 7-1　常见的营销传播方式

| 广告 | 销售促进 | 直复营销 | 公共关系 | 人员推销 | 事件/体验 | 新媒体 |
|---|---|---|---|---|---|---|
| ● 印刷和广播广告 | ● 竞赛、游戏 | ● 目录营销 | ● 报刊文稿 | ● 推销展示 | ● 运动 | ● 微博 |
| ● 外包装广告 | ● 兑奖、彩票 | ● 邮购 | ● 演讲 | ● 销售会议 | ● 娱乐 | ● 微信 |
| ● 包装中插入人物画像 | ● 奖励和赠品 | ● 电话营销 | ● 研讨会 | ● 奖励节目 | ● 节日 | ● 抖音 |
| ● 电影画报 | ● 样品 | ● 电子购物 | ● 年度报告 | ● 样品 | ● 艺术 | ● 快手 |
| ● 宣传册 | ● 展销会 | ● 电视购物 | ● 慈善捐款 | ● 交易会与展销会 | ● 工厂参观 | ● 小红书 |
| ● 招贴和传单 | ● 展览会 | ● 传真 | ● 出版物 | | ● 公司展览区 | ● 虎牙 |
| ● 工商名录 | ● 示范表演 | ● 电子邮件 | ● 商务关系 | | ● 街区活动 | ● H5 小程序 |
| ● 广告复制品 | ● 赠券 | ● 语音邮件 | ● 游说 | | | ● 小游戏 |
| ● 广告牌 | ● 佣金 | | ● 识别媒介 | | | ● MAKA |
| ● 售点展示 | ● 低息融资 | | ● 公司杂志 | | | ● 其他 App |
| ● 视听材料 | ● 招待会 | | | | | |
| ● 标记和标识 | ● 折让交易 | | | | | |
| ● 录像带 | ● 连续活动 | | | | | |
| | ● 捆绑销售 | | | | | |

资料来源：科特勒，凯勒.营销管理：第12版[M].梅清豪，译.上海：上海人民出版社，2006.

## 七、测定传播效果

在开展品牌传播后，营销传播者需要衡量传播对目标受众的影响，如询问目标受众能否识别或记住该信息，看到它几次，记住哪几点，对该信息的感觉如何。企业还应该收集受众反应的行为数据，诸如多少人购买这一产品，多少人喜爱它并与别人谈论过它。测定传播效果，就是要看传播效果是否达到了预定的品牌传播目标。

测定传播效果可以为下一次传播活动的开展提供反馈信息。对品牌传播效果的测量可以从两个方面进行，一方面是直接比较传播活动开展前和传播后的销售效果，这种方法以销售为导向，并不能真正反映出品牌传播的效果，但这是一种比较简单的方式，事实上更多的营销传播者把这种方法视为衡量传播效果的唯一方法。然而，对于一个品牌的长期建设而言，营销传播者更应该关心消费者对这个品牌的态度是怎样的，这就是品牌传播效果测量的另一方面——态度测量。要询问消费者是否知道某品牌，能否记住一次传播后接收到的信息，而且经过一次传播活动后消费者对品牌的态度是否有所改变，以及有怎样的改变，有多大幅度的改变，这些都是衡量传播效果要做的工作。

## 第三节　品牌调侃策略<sup>⊖</sup>

品牌调侃（brand teasing）是指两个及以上的品牌之间，通过新媒体平台（如企业官方微博和微信公众号等），出于网络印象管理和经济绩效的动机，选择适当的时机，采取一对一、一对多、多对一和顺序接力调侃等形式，以拟人化的沟通方式（包括品牌互黑、互捧、表白、撒娇等）进行互动，由此吸引消费者的注意和兴趣，使消费者自愿、自发地做出点赞、评论和转发等递进叠加的传播行为。

### 一、品牌调侃实践背景

随着新媒体（如企业官方微博和微信公众号等）技术广泛深入的应用，品牌间的隔空喊话渐成现实，且变得相对自由随意。例如，2017 年 12 月 8 日，苏宁在其官方微博采取一对多跨行业的方式，连续对美的和海尔等十几个品牌发起对话，当天获得转发、评论、点赞累计达 21 000 多次；2018 年 3 月 1 日，京都念慈菴获得"国民大品牌"称号后，作为同行的白云山潘高寿和远大舒邦等众多品牌，在各自官方微博采取多对一的方式，轮番对京都念慈菴发起对话，当天获得转发、评论、点赞累计达 12 000 多次。类似的例子不胜枚举，它们已经引起诸多实践工作者的重视。因为这样做能快速吸引大规模消费者的注意和兴趣，而且在新媒体背景下，这种低成本传播行为还会呈现更深的递进和更广的叠加效应，对品牌形象的塑造起着关键作用。

事实上，品牌调侃已经成为一种新的营销常态。因为传统的营销宣传和沟通，绝大多数开始陷入"烧钱投入（广告宣传）"和"体力劳动（营业推广）"两种路数。"如何运用巧妙的方法以最低的成本，获得最好的营销沟通效力？"逐渐成为营销实践和理论研究普遍关注的热点话题。随着新媒体技术的发展，在品牌宣传和沟通过程中，品牌调侃这种"四两拨千斤"的做法，逐渐成为可能，且备受品牌经理人的青睐。另外，从新媒体网络环境来看，品牌调侃传播的土壤非常有利，在国外，《财富》世界 500 强中至今已有 80% 的企业在使用 Facebook，其中很多品牌拥有超过 100 万名的粉丝。在国内，2021 年 9 月，微博的月活跃用户数达到 5.73 亿；2021 年 12 月底，微信全球月活跃用户数突破 12 亿。有了这样的土壤，品牌调侃就像核裂变中的链式反应，形成指数级传播，已成为不争的事实。

⊖　王新刚，聂燕，周南. 品牌调侃概念界定及其特征的探索性研究 [J]. 北京工商大学学报（社会科学版），2020，35（1）：26-34.

## 二、品牌调侃文献来源

品牌调侃是两个及以上数量的品牌在新媒体平台上的互动，同时，消费者作为观众可以对品牌调侃的内容进行创造并转发。由此可见，品牌调侃属于品牌互动研究的方向，其文献来源有两个方向：两个品牌间的互动，侧重于战略和战术层面的合作与竞争；单个品牌与消费者间的互动，侧重于营销宣传和沟通。

### （一）两个品牌间的互动

以往两个品牌间的互动研究主要体现为战略和战术层面的合作与竞争，如图 7-1a 所示。例如，从战略合作视角来看，有学者参考并结合安索夫矩阵，讨论了品牌联合过程中目标市场与产品组合的匹配和优化；也有学者从战术合作视角，分析了品牌联合该如何打广告才能获得协同效应。从战略竞争视角来看，有学者结合资源基础与核心能力理论，讨论了品牌竞争优势的来源；也有学者从消费者空间位置的移动和智能手机优惠券等视角，研究了品牌在促销方面的竞争。从战术竞争视角来看，有学者研究竞争品牌 A 对消费者施以某种策略，消费者对自己所忠诚的原品牌 B 做出怎样的反应。例如，品牌 A 为消费者提供赠品、价格折扣，并通过广告轰炸等策略，吸引他们远离竞争品牌 B。当消费者更多地承诺和忠诚于品牌 B 时，竞争品牌 A 对消费者的刺激会唤起他们对品牌 B 的正面情感，从而有可能更喜爱品牌 B。反过来，也有学者从会员制、财务投入和社交风险等方面，研究品牌 B 该如何为消费者设置门槛和障碍，以阻止消费者转换至竞争品牌 A。

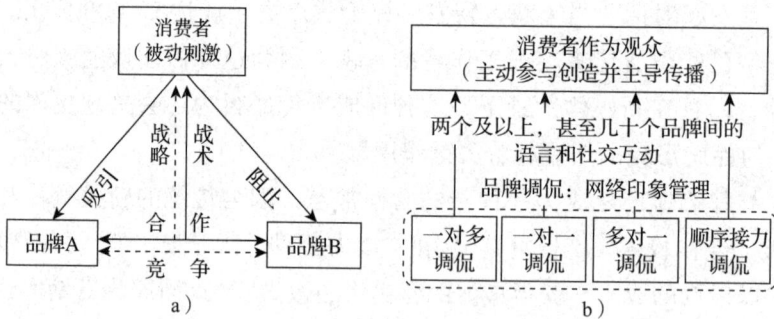

图 7-1　文献来源与品牌调侃的对比

与以往两个品牌间的互动相比，品牌调侃（见图 7-1b）有以下四个重要的区别。第一，以往品牌互动主体基本上有两个，而品牌调侃的主体数量可以有两个及以上，甚至是几十个品牌。第二，以往品牌互动形式基本为一对一，互动内容无非是战略和战术层面的竞争与合作，侧重于线下，市场行为特征显著，而品牌调侃则属于网络印象管理的一种重要策略，形式包括一对多、一对一、多对一和顺序接力调侃，调侃内容可以从产品或服务相关信息到各类社会热点，非市场行为特征显著。第三，以往品牌互动行为目标、动机和计划相对明确，不是合作就是竞争，而品牌调侃的目标、动机和计划却相对模糊、隐蔽、多样，甚至无厘头，而且品牌被调侃时可能处于无准备状态。第四，以往品牌互动行为所造成的结果基本上与产品销售绩效直接相关，而品牌调侃则主要是吸引消费者的注意力和引发他们的自媒体或社交媒体的传播行为，与产品销售绩效间接相关。

### （二）单个品牌与消费者间的互动

以往有关单个品牌与消费者之间的互动研究，主要集中在表达方式上，具体可以分为两个方向：一个方向是单个品牌对消费者的信息传递或表达，另一个方向是消费者对单个品牌的反应或评论，例如，营销实践中消费者对品牌的吐槽或者评价等行为。第一个方向的研究总的来看集中在拟人化表达方面，例如，拟人化表达不仅可以缩短消费者的心理距离，还可以将消费者代入不同的（伙伴与主人）情境，表达信息的范围可以从产品到各种社会热点等。在此基础上，有学者研究了更加具体的拟人化表达方式。例如，可爱能够提升消费者与品牌间的沟通质量；幽默会降低信息源的可靠性，但会提高消费者对品牌的正面情感和购买意愿，甚至还能化解消费者的抱怨。也有学者从自夸情境、自夸方式、自夸方法等方面进行了一系列有益的探索；还有学者从相反的视角，发现自黑在品牌负面事件沟通过程中起到缓解的作用。

与以往单个品牌与消费者间的互动研究相比，品牌调侃有以下四个重要的区别。第一，品牌调侃是两个及以上企业之间的互动，消费者作为观众，可主动参与创造并主导传播，即他们可以对品牌调侃内容加入自己的评论，并在各类新媒体上自主自愿地传播；而以往研究则聚焦于单个品牌与消费者间的互动，消费者被动接受刺激。第二，品牌调侃不仅包括以往研究中的拟人化、可爱、幽默等表达方式，还包括互黑、互捧、相互表白等表达方式。品牌群体调侃过程中，主动发起调侃的品牌可以针对不同被调侃品牌，同时采用多种表达方式；而以往单个品牌对消费者的宣传和沟通，较多采取单一表达方式。第三，品牌调侃事件发生时间较短，难以不断重复；而以往单个品牌对消费者的宣传，发生时间较长，可以不断重复。第四，不同类型的品牌调侃对涉事品牌是否产生正面／负面绩效难以预料；而单个品牌对消费者采取不同的表达方式，却相对容易知道结果。

## 三、品牌调侃与人际调侃

### （一）人际调侃

人际调侃属于线下传统印象管理，人际调侃研究是在面子对语言和社交互动影响的框架下展开的。为了维持自己和他人的面子，人们需要遵循一定的语言和行为规范，如礼貌、谦虚和自我控制等。可有时人们不得不去面对一些人际冲突，讲出或做出可能会伤害到对方的话或行为，为了尽可能降低这种负面结果并保全对方的面子，调侃就是一种偏离规范，但有效的、间接的和隐蔽的策略。

辞海对调侃的定义是：以文字或言语戏谑嘲弄。牛津词典对 teasing（调侃）的定义是：在嬉戏或恶作剧中，温和地挑衅、骚扰、惹人生气。文献中学者结合不同的研究背景对调侃的定义有很多，普遍被认可的是：调侃方对被调侃方某个方面有意或无意的评价，在调侃方看来，带有好玩、挑逗或挑衅的成分，其内容可能包括自嘲、互黑、讽刺、嘲笑、幽默、玩笑、侮辱、戏弄、隐晦的批评等，但又不完全等同于它们当中的任何一个。其中，好玩（playful）、挑逗或挑衅（provocation）是人际调侃诸多定义中共同的特征。

调侃是一种微妙的信号传递行为，有着模棱两可的效价。负面的效价，包括生理的缺陷、古怪的习惯、可疑的着装、不讨好人的观察等；正面的效价，包括增强社会纽带、爱情和亲情的润滑剂、说服教育、娱乐玩耍等。造成不确定结果的原因在于：说者与听者在调侃动机和言行方面的认知存在较大差异。比如，调侃方认为自己的行为是好玩的、无辜的，但被调侃方却认为是恶毒的、坏心肠的。有学者研究发现：与被调侃方相比，调侃方会赋予内隐动机更大的权重；而与调侃方相比，被调侃方赋予外显言行更大的权重。

关于调侃对结果的影响，其中有不少调节变量，如先前的调侃经历。如果这种经历是正面的，将会更加支持调侃；反之，将不会支持调侃。随和的人比不随和的人评价调侃更加正面，情绪不稳定的人比情绪稳定的人评价调侃更加负面。女性认为调侃更加好玩，是加强关系的一种方式；而男性却认为调侃不严肃、非正式，是弱化关系的一种方式。由此可见，人际调侃的研究结论已经相当丰富，它们对本节品牌调侃的分析，起到很好的借鉴和指导作用。反过来看，本节对品牌调侃的探讨也将拓展人际调侃相关理论的研究和应用。

### （二）品牌调侃与人际调侃的区别

品牌调侃与人际调侃既有联系也有区别，主要体现在八个方面，如表 7-2 所示。

表 7-2　品牌调侃与人际调侃的区别

| 特征 / 方面 | 品牌调侃 | 人际调侃 | 特征 / 方面 | 品牌调侃 | 人际调侃 |
| --- | --- | --- | --- | --- | --- |
| 理论基础 | 人际调侃 | 面子关心 | 主客体 | 企业 / 产品品牌 | 人 |
| 发生渠道 | 线上 | 线上 / 线下 | 主客体关系 | 同行业 / 跨行业 | 强对弱 / 上对下 |
| 发生背景 | 节假日 | 特定情境 | 观众数量 | 大规模 | 小范围 |
| 调侃形式 | 一对多为主，侧重于群体层面 | 一对一为主，侧重于个体层面 | 调侃结果 | 线上叠加 | 线下单一 |

第一，理论基础方面。品牌调侃的研究是参考和对比人际调侃理论，按照品牌似人的逻辑，采用拟人化隐喻来开展的。而人际调侃则是以面子关心（face concern）为理论基础，面子关心主要是指在沟通过程中，对自己或他人自尊或面子关心的程度，这会影响语言和社交互动。

第二，发生渠道方面。在互联网媒介没有出现之前，品牌调侃难以发生，一方面因为线下缺少适合品牌发起调侃的平台或载体，另一方面因为线下难以吸引大规模消费者的注意，以致传播效果不理想。所以，品牌调侃的发生需要依托线上的平台或载体，尤其是自媒体和社交网站（如官方微博、Facebook 等）。但在人际沟通中，调侃既可以出现在线下，也可以出现在线上。

第三，发生背景方面。品牌调侃发生的时机，大多选在东西方文化背景下的节假日，并且调侃的内容与节假日的特征是匹配的。而人际调侃的发生大多依赖特定的情境或场景，受调侃双方角色关系等因素的影响，同样，调侃的内容也要与这些因素匹配。

第四，调侃形式方面。品牌调侃的形式以一对多为主，兼有一对一、多对一和顺序接力调侃，多侧重群体层面。而人际调侃的研究多集中于一对一的形式，多侧重于个体层面。

第五，主客体方面。品牌调侃的主客体都是企业或产品品牌，人际调侃的主客体都是人。

第六，主客体关系方面。品牌调侃的主客体可以是同行业的，也可以是跨行业的。发起调侃的品牌与被调侃的品牌之间是平等的关系，不受权力依赖或实力强弱的影响。而在人际中，调侃普遍发生在上对下、强对弱的角色关系中。

第七，观众数量方面。在互联网背景下，品牌调侃的观众是大规模的，而人际调侃的研究集中于线下，所以观众都是很少的。

第八，调侃结果方面。面对品牌调侃，观众（消费者）会做出自媒体行为（如点赞、评论和转发等），并激发递进、连带、叠加的传播行为和效应，会对参与调侃的品牌知名度和形象等产生较大的影响。而在线下的人际调侃中，观众的传播行为比较单一，调侃之后并不能引发大规模的自媒体行为，对调侃双方也不会造成较大的社会影响。

## 四、品牌调侃概念及特征

### （一）品牌调侃概念

在提出品牌个性、品牌形象、品牌关系、品牌拟人化、品牌摆架子等新的概念时，品牌管理领域的学者往往会按照品牌似人的逻辑，借鉴或者以人际当中的个性理论、形象理论、关系理论等为基础展开研究。因此，本节在研究品牌调侃的过程中，同样需要参考和借鉴人际调侃的相关研究成果。

与人际调侃类似但又有所不同的是，品牌调侃发生在新媒体平台，其表达方式可包括表白、挑逗、挑战、互捧、互黑、揭短、开玩笑、拌嘴、撒娇、卖萌等。它们的共同特征在于拟人化（personification）和好玩。品牌调侃的动机有：制造矛盾冲突，展现自我优势；拉拢、抱团取暖，吸引共同消费群体的注意；蹭热度、借势、联合，并制造话题，加大传播力度；用品牌的口吻实现用户的自我表达；化解危机、转移消费者的注意力；等等。结合网络印象管理的目的来看，品牌调侃无非是希望影响和管理消费者对品牌形成印象的过程：一方面努力塑造品牌在消费者心目中的良好形象，视为获得性印象管理；另一方面尽可能弱化自己的缺点，避免被消费者消极看待，视为保护性印象管理。

然而，网络调侃对涉事品牌来说，是难以控制的。因此，其结果有正面的，比如：体现心照不宣的相互成全，增进品牌间的情感联结，表达品牌双方的诉求，展现企业的实力、理念和价值观，展现文案功底，制造爆点，以及为单方或双方的活动造势，等等。也有负面的，比如：揭短、互黑等相互贬低，无法感受到品牌间的友好或者被认为是炒作、作秀、利益的驱使等。与人际调侃不同的是，与正面的品牌调侃相比，负面的品牌调侃相对要少很多，原因在于以商业利益为出发点，双赢互利的经营理念已经普及，并得到绝大多数企业的认可。综上所述，本节提出品牌调侃这一新的概念，并给出了如本节第一段所述的定义。

### （二）品牌调侃特征

#### 1. 时机特征

与人际调侃不同，品牌调侃的发生大多依赖于时机，也就是节日的选择，而较少依赖情境。归纳起来主要有三类节日可供选择。其一是东西方文化背景下的节假日（如中秋节、春节、圣诞节和情人节等）。其二是品牌生日或新产品发布日（如锤子手机 5 月 15日新产品发布会等）。在这两类日期举办活动或发布信息，更容易将涉事主体扮演不同的角色带入情境，激发它们以及观众的情感和情绪，彰显涉事主体的权力感和面子感，并加强它们之间的情感关系。其三是行业或与品牌相关的一些特殊日期（如 5 月 10 日中国品牌日、9 月 17 日国民骑行日等）。在这类日期举办活动或发布信息，能够表达涉事主体的社会责任、公益、道德等诉求，彰显和塑造良好的公我形象。

#### 2. 形式特征

在人际调侃中，文献研究多集中于一对一的调侃，较少有人讨论一对多、多对一的调侃，以及顺序接力调侃。原因在于：一方面，一对一的调侃在线下的现实生活中出现频率较高，另一方面，一对多、多对一的调侃和顺序接力调侃在研究方法的设计操作上存在一定的困难。当然，线上名人之间的调侃同样会引来众多粉丝的互动，吸引大规模消费者的注意和兴趣。

在品牌调侃的四种形式中，一对多的品牌调侃事件，如华为荣耀手机调侃携程旅行、高德地图、百度糯米等 20 个品牌（2018 年 4 月）。相关研究表明：与被调侃方相比，人们普遍会认为主动调侃方更具有权力感和面子感，而且被调侃的人数越多，地位越高，调侃方所获得的权力感和面子感就会越多。一对一的品牌调侃事件，如京东调侃华为（2018 年 4 月）等。多对一的品牌调侃事件，如爱奇艺、科大讯飞、神州专车等共计 11个品牌调侃锤子手机（2018 年 5 月）。相关研究表明：当主体 A 遇到喜事或需要帮助时，越多的其他主体尤其是地位较高的主体主动参与调侃，那么，主体 A 所获得的权力感和面子感就会越多。顺序接力调侃事件，如五芳斋调侃南方黑芝麻、南方黑芝麻调侃稻花香、马应龙调侃五芳斋等，涉及 20 个品牌（2018 年 5 月）。

营销实践中，一对多和一对一的品牌调侃发生频率都很高，而多对一和顺序接力调侃发生的频率却很低，原因在于：品牌一对一的调侃难以造成轰动的群体效应，难以吸引消费者的注意和兴趣。而多对一的调侃，主动发起调侃的品牌在时机和内容的选择上难以步调一致，以致难以实现良好的传播效果。顺序接力调侃需要被调侃的品牌自愿接力，并清楚接力的方向，也就是下一个调侃的目标和内容；否则，将不能实现顺序调侃或达到预期的效果。

### 3. 内容特征

首先是需要采用拟人化的表达。例如，国美 @ 亲爱的美的、@ 亲爱的格力等。研究表明：拟人化沟通会让消费者更有可能认为品牌是有生命的，提升品牌作为"人"的可信度，增加消费者的临场感和存在感，帮助品牌与消费者形成社会化联系，加深其关系。

其次是需要与时间或情境匹配。例如，2017 年感恩节，杜蕾斯 @ 箭牌口香糖："亲爱的，这么多年，感谢你在我左边，成为购买我的借口。你的老朋友，杜蕾斯。"研究表明：与不匹配相比，当品牌发布的信息与时间或情境相匹配时，从理性思维角度来讲，更能提高消费者对信息处理的认知流畅性；从感性思维角度来讲，更能激发消费者对情境的临场感，进而对品牌形成积极正面的态度。

最后是好玩和隐喻。例如，苏宁易购 @ 华帝家电："自从有了你，我上得了厅堂下得了厨房。"研究表明：一方面，有趣和幽默等带有娱乐性质的信息能够吸引消费者的注意和兴趣；另一方面，直接调侃会存在很多的潜在成本，如果没有经过调整或缓解，或将导致严重的敌意，对调侃方和被调侃方来说，是一种面子威胁。因此，为了顾全双方的面子，调侃方多半会采取隐喻的做法来表达调侃，这就需要调侃双方以及消费者了解品牌背景知识。

## 五、品牌调侃总结

### （一）从品牌调侃的时机特征来看

人际中，调侃方调侃是为了释放被调侃方的某些反应，希望被调侃方能够做出某些变化，或者能够与调侃方深入互动。同时，调侃又能达到吸引注意和缓解面子压力的目的。调侃的发生多依赖于情境和双方的关系，存在多样化的特征，难以详述。但学者们一致认为，调侃常伴随着规范偏离和人际冲突而发生。在经过观察、叙事、传记和自我报告等方法的研究之后，调侃常伴随着违背交流规范而发生，如天花乱坠的虚假陈述、漫无边际的吹嘘、喋喋不休的唠叨等描述不可能的事件。也有调侃行为规范方面的背离，如学生在操场上不遵守游戏规则。在人际冲突方面，调侃有利于缓解谈判双方的矛盾。研究还发现，在孩子与父母、兄弟姐妹发生冲突时，随着矛盾冲突的上升，人们更倾向于使用调侃。

与人际调侃不同，品牌调侃的发生大多依赖于时机，也就是节日的选择，而较少依赖情境。可供选择的节日主要有三类：东西方文化背景下的节假日，品牌生日或新产品发布日，行业或与品牌相关的一些特殊日期。

### （二）从品牌调侃的形式特征来看

品牌调侃有一对多、一对一、多对一和顺序接力调侃四种形式。在人际中，文献研究多集中于一对一的调侃，较少有人讨论一对多、多对一的调侃，以及顺序接力调侃。

在自媒体环境下，一对多的品牌调侃出现频率最高，一对一的其次，多对一和顺序接力调侃出现得最少。

一对一的品牌调侃是指调侃品牌为一个，被调侃品牌也只有一个。一对多的品牌调侃是指调侃品牌为一个，而被调侃品牌有多个。多对一的品牌调侃是指调侃品牌为多个，而被调侃品牌只有一个。顺序接力调侃是指品牌 A 调侃品牌 B，品牌 B 调侃品牌 C，依此类推，类似接力比赛的逻辑。

### （三）从品牌调侃的内容特征来看

首先，拟人化是因为品牌似人，但毕竟不是人，所以调侃过程中的语言表达需要采用拟人的语气来实现，帮助品牌与消费者形成社会化联系，加深其关系。

其次，与时间或情境相匹配。当品牌发布的信息与时间或情境相匹配时，一方面，能提高消费者对信息处理的认知流畅性；另一方面，能激发消费者对情境的临场感，进而对品牌形成积极正面的态度。

最后，好玩和隐喻。为了顾全调侃方和被调侃方的面子，调侃方多半会采取隐喻的做法来表达调侃，这就需要调侃双方以及旁观者了解品牌背景知识。

## 本章小结

品牌传播的内涵分为两派：品牌资产导向论，即品牌传播的目标是提升品牌资产；品牌形象导向论，即品牌传播的目标是在消费者心目中建立品牌形象。对于前者，品牌传播就是通过广告、公共关系、新闻报道、人际交往、产品或服务销售等传播手段，最优化地提高品牌在目标受众心目中的认知度、美誉度、和谐度。

有效的品牌传播应该包括七个步骤：确定传播目标、选择目标受众、设计传播信息、选择传播渠道、编制传播预算、确定传播组合、测定传播效果。社会化媒介营销就是利用社会化网络、在线社区、博客、百科或者其他互联网协作平台和媒体来发布和传播资讯，从而形成的营销、销售、公共关系处理和客户关系服务维护及开拓的一种方式。

信息的生成和传播都需要消费者的参与，消费者传播信息称为分享。消费者身份、消费者信息创造、消费者信息传播构成了社会化媒介信息的三要素。伴随人工智能、VR、AR 等技术的持续进步，新媒体领域呈现出前所未有的巨大变化。品牌调侃是指两个及以上的品牌之间，通过新媒体平台（如企业官方微博和微信公众号等），出于网络印象管理和经济绩效的动机，选择适当的时机，采取一对一、一对多、多对一和顺序接力调侃等形式，以拟人化的沟通方式（包括品牌互黑、互捧、表白、撒娇）等进行互动。它与以往单个品牌和消费者的互动有着诸多区别，同时与人际调侃在理论基础、发生渠道、发生背景、调侃形式等方面也存在明显的区别。品牌调侃的特征包括时机特征、形式特征、内容特征，其中时机特征主要体现在东西方文化背景下的节假日、品牌生日或新产品发布日、行业或与品牌相关的一些特殊日期；形式特征主要指一对一、一对多、多对一和顺序接力调侃；内容特征主要体现在拟人化表达、与时间或情境匹配、好玩和隐喻。

## 思考题

1. 简述品牌传播的内涵及社会化媒介的特点。
2. 简述品牌传播的步骤。
3. 试述品牌调侃概念、形式和内容特征，以及与人际调侃的区别。

## 案例分析

### 品牌故事：有意思和有意义

品牌叙事通过娓娓道来、生动形象的品牌故事讲述将消费者与品牌联系起来，可以讲一个带有寓意的事件，或是陈述一件往事。那么，什么是品牌故事呢？我认为应该有三个特征：第一就是要以客观事实为基础进行演绎，不能瞎编乱造，扭曲客观事实；第二就是故事的情节要有意思，不能苍白无力，平淡无味；第三就是故事的内容要有意义，不能无厘头，要传递大同、大爱，或者有深刻的寓意。据此品牌故事可分为四类（见图7-2）：①既有意义又有意思；②有意义但没意思；③有意思但没意义；④既没意义也没意思。以前我多次听人说，做品牌要学会讲故事，故事能够创造效益之类的话。当时我不太明白，经过对企业多年的观察之后，逐渐开始认识到确实如此。希望大家听完这节课，也能明白这些话，明白故事对一个品牌的重要性。接下来我给大家讲个品牌故事，看一看大家能够从中学到什么。

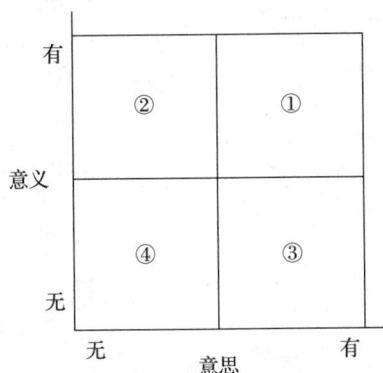

图7-2 品牌故事的分类

这是关于美泰公司旗下的产品芭比娃娃的品牌故事。芭比娃娃的创始人是汉德勒夫妇，芭比娃娃是怎么来的呢？有一天，汤姆·汉德勒看到自己的女儿芭芭拉在玩剪纸娃娃，而这个剪纸娃娃有很多职业和身份。

汉德勒突发灵感：我为什么不做一个成熟一点的娃娃呢？于是，美泰公司就迅速做出了一个拥有天使面庞、魔鬼身材的娃娃。芭比娃娃上市第一年就卖出了35万个，随后订单像雪片一样飞到美泰公司。芭比娃娃从出生开始，汤姆·汉德勒就赋予她人性化的一切，比如，很多漂亮的衣服，好几栋房屋和别墅，许多辆私家车，各种家用电器，等等。为了让芭比顺应时代的潮流，走向国际化的市场，美泰公司每隔几年就会推出芭比娃娃的一个主打职业身份，如职业女性的形象、登上月球的形象、电影音乐明星的形象、运动或啦啦队的形象等。而且在进入超过150个国家市场的时候，芭比娃娃都是以身着当地传统服装的形象展示给当地的消费者，有美国芭比、日本芭比、中国芭比、印度芭比等。这里我们要总结一下，美泰公司非常聪明的做法是，在时间上通过更换职业身份，让芭比娃娃与时俱进，在空间上通过穿戴当地的传统服饰，让芭比娃娃入乡随俗，从而打破了时间和空间上的限制。另外，还有一点需要说明的是，无论是东半球还是西半球，也无论是南半球还是北半球的消费者，大家都能够接受芭比娃娃，说明全世界人们在审美这一块是有着共同的标准和偏好的。

让人觉得更有意思的是芭比娃娃除了拥有物品之外，还拥有兄弟姐妹和男朋友。这里主要说一下她的男朋友肯，两人是在1961年拍摄它们的第一部广告片时认识的。两人一见钟情，并轰轰烈烈地相恋了43年，2001年，两人还成功地上演了芭比天鹅湖。怎么样？听起来是不是像做梦一样？这是真的还是假的？两个娃娃还能谈恋爱，还上演天鹅湖？这里有个关键的信息是相恋了43年，43年之后呢？什么时候分的手呢？就是2014年的2月14日情人节那天，美泰公司对外宣布，芭比和肯分手了。这个消息一出，在市场上引起了极大的震动，为什么呢？因为不少孩子开始问自己的家长什么是分手，这个时候家长不得不向孩子解释什么是分手，什么是离婚，还非常担心解释不好会对孩子的心理造成负面影响，所以就不停地催促美泰公司推出新的男性娃娃作为芭比的下一任男朋友。千呼万唤之后，美泰公司终于推出了一个新的男性娃娃，是澳大利亚的一个阳光帅气的沙滩男孩，名叫布莱恩。布莱恩的售价是多少呢？接近 15 美元。芭比呢？9.99 美元。而且芭比换男朋友之后，以前跟肯有关的物品、房屋、汽车等所有的衍生品，都要跟着换掉。看看美泰公司多么精明，男朋

友这么一换，就出现了新的利润增长点。美泰公司为什么要给芭比换男朋友呢？因为芭比遇到了中年危机，一个娃娃在被赋予了人性化的东西之后，年龄是个很大的问题。讲到这儿，我要问大家，芭比分手的品牌故事怎么样？是否符合客观事实？有没有意思？有没有意义？

资料来源：https://www.icourse163.org/course/ZNUEDU-1003452001，节选自本书配套品牌管理慕课视频 8.2。

**思考题**

1. 品牌故事该如何创造，应把握哪些要点？
2. 在校期间，你是否创造过属于自己的故事？请列举一二。

# 第八章　品牌危机

## 【学习目标】

- 掌握品牌危机的定义，熟悉品牌危机的分类；
- 理解品牌危机与产品伤害危机、企业危机、公共危机的区别和联系；
- 熟悉品牌危机处理的原则，掌握品牌危机处理具体的沟通操作策略；
- 理解品牌危机信息传播体系，并掌握品牌危机信息传播体系的构建方法。

## 📖 开篇案例

### 欧莱雅"便宜"不便宜的套路最终伤了谁

2021 年 11 月 16 日，一年一度"双 11"的余热尚未开始散去，"欧莱雅被指虚假宣传"却登上热搜。此前，有消费者投诉称欧莱雅曾在其微博宣传公司的安瓶面膜在某头部主播直播间的优惠为"全年最大力度"，共计 50 片的面膜售价为 429 元。但 11 月 1 日至 3 日，欧莱雅官方淘宝直播间持续放出几万张"999-200"的优惠券，使得同款面膜用券后最低价只有 257 元。对此欧莱雅官方旗舰店客服回应称：因不定期推出促销活动，不同活动的价格会有所变动。针对部分消费者希望退差价的要求，该公司客服称"主播说了不算"，表示消费者需要提供优惠券录屏进行核实。

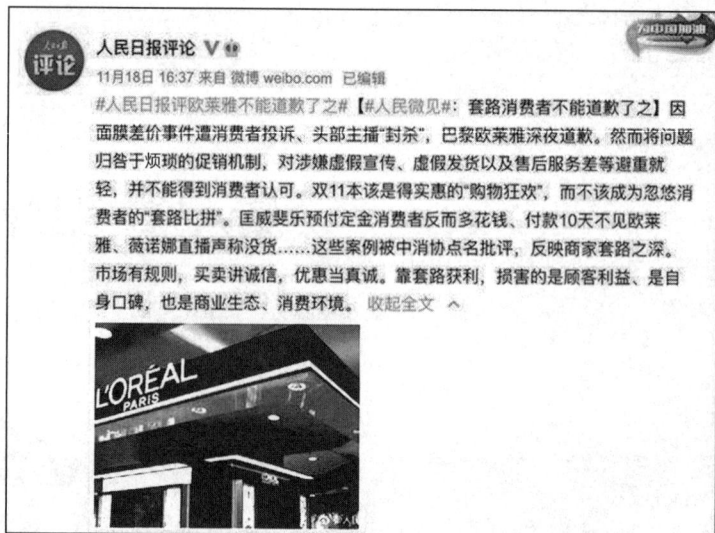

对于这一要求，部分消费者表示强烈质疑和不满，不少消费者认为欧莱雅虚假宣传诱导消费，集体投诉欧莱雅，一时间，多个投诉平台相关投诉量不断增加。11月17日晚，涉事的两名主播几乎同时发表声明称，已经跟巴黎欧莱雅品牌方进行多轮交涉，但是尚未达成一致意见，表示在此事得到妥善解决之前，直播间将暂停与品牌方的一切合作，并强调如果巴黎欧莱雅24小时内没给出解决方案，直播间就自己出补偿方案了。

11月18日2:15，巴黎欧莱雅发布巴黎欧莱雅安瓶面膜"双11"促销机制以及对两名主播声明的说明，表示消费者之所以在直播间拿到最低价，是因为叠加了平台和店铺"999-200"的优惠券，想要享受这些优惠，需要达到一定的消费门槛。在收到消费者相关反馈后，欧莱雅表示已成立事件小组，目前正和政府相关部门紧密合作，力求尽快给出相关消费者公平、妥善的解决方案。

11月18日20:16，欧莱雅官方发布"巴黎欧莱雅安瓶面膜事件说明及解决方案"。针对天猫"双11"预售期间（10/20—10/31），在"欧莱雅官方旗舰店"购买安瓶面膜且产品订单累计达到999元的消费者（包括在店铺、达人直播间购物的消费者），且未领取"999-200"消费券的消费者，将提供一张200元的无门槛优惠券；订单累计未满999元的消费者（包括在店铺、达人直播间购物的消费者），将提供两张满499元立减100元的优惠券，使用期限从领到之日至2022年6月20日。这一回应，并没有解决消费者希望的退差价问题，导致相关平台上的投诉量急剧增加，高达数万条。

对此，人民日报直指，套路消费者不能道歉了之。浙江省消费者权益保护委员会发表意见称：丢掉诚信基石，再牢固的商业大厦也会塌，劝诚广大电子商务经营者在大促期间多一些透明与真诚，别让消费者"心累"又"心寒"。中国消费者协会更是在发布的《2021"双11"消费维权舆情分析报告》中点名欧莱雅存在虚假发货。市场有规则，买卖讲诚信，优惠当真诚。靠套路获利，损害的是顾客利益、是自身口碑，也是商业生态、消费环境。

资料来源：首席赋能官.2021年度危机公关案例盘点之品牌营销篇[EB/OL].（2022-01-23）[2022-12-30]. https://mp.weixin.qq.com/s/0gX-VJvRkZ70s6PcPiu08A.

# 第一节　品牌危机概述

随着市场经济的发展，品牌危机越来越成为企业发展的常态，这并非妄言，因为在企业的发展过程中，存在着太多的变数，发展时期对一些问题的忽视或考虑不周，便会给企业带来一些隐患。事实上，从世界经济的发展来看，那些知名的大企业，无不经历过危机，在危机当中它们不仅没有倒下，反而变得更强大，诸如雀巢、蒙牛、伊利、星巴克、可口可乐、微软、联想、海尔……哪一个没有经历过危机，哪一个不是在危机来临的时候，因为处理得当才顺利渡过难关，而且在危机过后，变得更加成熟和理性？

## 一、品牌危机的定义

品牌危机指的是由于企业外部环境的突变和品牌运营或营销管理的失常，而对品牌整体形象造成不良影响并在很短的时间内波及社会公众，使企业品牌乃至企业本身的信誉大为减损，甚至危及企业生存的窘困状态。这个定义指出了品牌危机的诱因与结果，强调"信誉"这种无形资产的损失。也有学者认为：品牌危机的实质就是信任危机，主要指由于企业自身、竞争对手、顾客或其他外部环境等因素的突变，以及品牌运营或营销管理的失常，而对品牌整体形象造成不良影响，并导致社会公众对品牌产生信任危机，从而使品牌乃至企业本身信誉大为减损，进而危及品牌甚至企业生存的危机状态。

从符号识别意义的角度出发，有学者认为品牌危机"就是企业的名称、术语、标记、符号、设计，或它们的组合运用作为企业优质产品和良好服务辨别功能的丧失，直接的表现就是企业产品获得的认可度下降、市场占有率降低，有时还会直接影响企业后续产品的推出"。这个定义强调品牌危机所造成的大众识别性的下降，更多的是从企业和销售的角度来定义的。从媒介与信息传播角度出发，有学者认为品牌危机是指品牌所代表的产品（服务）及其组织的自身缺失或外部不利因素以信息的形式传播给公众，从而引发公众对该品牌的怀疑，降低好感、拒绝甚至敌视并付诸相应的行动，使得该品牌面临严重损失威胁的突发性状态。

以上定义尽管是从不同角度来阐释的，但是都涉及品牌危机的一个实质性内容：品牌危机是一种信任危机，是公众对品牌信心与忠诚的改变。

## 二、品牌危机的分类

### （一）主动性和被动性的品牌危机

根据品牌危机是否由企业自身原因造成，可以将品牌危机分为主动性的品牌危机和被动性的品牌危机。主动性的品牌危机往往是由企业自身经营管理不善，产品出现质量问题，虚假宣传广告，企业不履行社会责任或者不遵守商业道德伦理而引发的一系列危害品牌的负面事件。从消费者的归因角度出发，主动性的品牌危机是企业能够控制的而且应该承担责任，这样的感知让消费者容易选择放弃与品牌之间的关系，从而导致品牌关系的断裂。而被动性的品牌危机往往是由外部环境的变化，竞争对手的恶意造谣中伤，媒体的不实报道，政府的限制性法规出台等因素引发的危机。消费者会认为企业是值得同情和理解的，会选择继续保持或者暂时放弃与该品牌之间的关系。这种危机会导致品牌关系的扭曲或者暂时的断裂，如果企业能采取积极的应对策略，将有可能恢复和重塑与品牌之间的关系。

## （二）核心要素和非核心要素的品牌危机

是否危及品牌资产的核心要素是区分核心要素的品牌危机与非核心要素的品牌危机的关键。所谓品牌资产的核心要素，主要是由消费者对品牌认同的改变，导致品牌联想等核心要素的改变。有学者研究指出，真实或者虚假的品牌主张都会造成品牌危机，与危机的核心联想越相关，造成的危害就越大。比如，味千拉面的"骨汤门"事件：味千拉面的广告语"一碗汤的钙质含量是牛奶的四倍、普通肉类的数十倍"明确地点明了其卖点，就是汤好。然而，2011年7月有媒体爆出，味千拉面着力宣传的纯猪骨熬制的汤底竟然是用浓缩液勾兑而成的。味千拉面随后承认，味千拉面的汤底的确是由浓缩液勾兑而成的。这则负面信息会直接影响味千拉面的品牌形象，影响和改变消费者的品牌联想，造成消费者对品牌的不信任和怀疑，导致品牌遭遇危机。非核心要素的品牌危机可以归类为与品牌资产不直接相关的危机，包括品牌延伸的失败，品牌技术革新失效，企业违背社会责任等问题给企业品牌带来的危机。例如，某视频平台公司创始人，由于无法偿还大股东及其关联方债权，对企业名誉造成很大影响。这类危机虽然会对品牌造成一定的负面影响，但是企业如果能及时采取相应策略，则有可能中止或者消除危机对品牌的负面影响。

## （三）行业性和非行业性的品牌危机

前两个分类标准都是从单个企业出发研究品牌危机如何划分，从社会实际状况出发，还可以将品牌危机按照是否会引发产品大类或者行业的危机，分为行业性的品牌危机和非行业性的品牌危机两类。2018年年底，一些星级酒店被曝出卫生问题，而酒店不仅没有反思，反而将举报者拖入"黑名单"，许多消费者看了曝光视频后直言难以置信，引发了对整个酒店行业的不信任。行业性危机的发生将导致消费者对整个行业的怀疑和不信任，有可能对整个行业造成损害。非行业性危机就是相对于行业性危机而言的单个企业的危机事件，可以用前两个分类标准进行研究。

对于品牌危机类型的确定，有助于正确认识危机。事实上，综合分析各类不同来源的危机可以发现，影响危机最终损害程度的因素，大体可以分为两类：一是危机本身的严重程度，如核心要素的品牌危机比非核心要素的品牌危机造成的影响和伤害程度大；二是企业的应对策略，有些危机虽然并不严重，但由于企业没有正确地对待，造成很严重的后果。例如，某大型房地产集团旗下房产的一位租户通过个人微信给集团董事会主席写了一封信，集团却通过公众号回应，这起房产质量纠纷本来可以私底下协商解决，但后来闹大了，上升到公共舆论层面，无论从哪方面看对集团而言都是"质量问题"丑闻。集团"危机公关"的问题，就在于不愿承担责任，在赔偿问题上斤斤计较，还起诉客户，挑起事端。这样一来，集团不但没有妥善处理好与客户的质量纠纷，而且把一个个别性小事件闹成了全国皆知的负面大新闻，引发众多媒体的报道。因此辨析清楚危机的类型，有助于企业分别应对，提高企业的危机管理能力。

## 三、品牌危机与产品伤害危机的区别

首先，从产生的原因来看，产品伤害危机就是由于产品存在质量缺陷，会给消费者带来伤害；而品牌危机则不一定，产品质量问题、虚假广告甚至品牌延伸失误、企业未履行社会责任都会造成品牌危机。例如，特斯拉频繁遭遇爆燃威胁，据不完全统计，特斯拉 Model S、Model X 系列电动汽车自上市以来，在充电、行驶、碰撞中，已发生近 50 起燃烧或爆炸事故，仅 2019 年就累计发生 6 起，其中 4 起发生在中国。2019 年 1 月，一辆特斯拉 Model S 在重庆地下车库突然起火；3 月，一辆特斯拉 Model S 在上海特斯拉超级充电站充电时起火；3 月，广州市天河区汇景新城小区地下车库内，一辆红色 Model S 发生自燃；紧接着的一次爆燃发生在 4 月，又一辆特斯拉 Model S 在上海自燃。这些事件就是典型的产品伤害危机。但是，有些品牌危机不是由产品质量问题引发的，比如，杜嘉班纳（D&G）的危机就起源于 2018 年年底的一个广告视频。为了给上海大秀预热，D&G 在微博上发布广告视频"起筷吃饭"系列。不过，片中的旁白所用的"中式发音"、傲慢的语气，以及模特用奇怪的姿势使用筷子吃比萨、意大利式甜卷等片段，被网友质疑存在歧视中国传统文化的嫌疑。D&G 发布微博时还公然写道："今天我们将率先向大家展示，如何用这种小棍子形状的餐具，来吃意大利伟大的传统玛格丽特比萨。"这则视频把 D&G 推上了风口浪尖，而随后其设计师发布的不诚恳的声明也让这个品牌失去了中国市场。这起危机就属于跟产品质量无关，但是对品牌造成伤害的品牌危机。

其次，从判断标准来看，产品伤害危机可以通过严格的产品安全法规来进行判断和诊断，而除了由产品伤害引发的品牌危机之外，大量的品牌危机是没有统一的判断标准的。如某钙片品牌被指双氧水含量超标，若摄入过多会致癌，然而经过国家质检部门检查，该产品的双氧水含量并没有超过国家标准，卫生部⊖发布调查通报，称双氧水具有致癌性一说并无证据，因此该产品并没有造成产品伤害危机，并未引发消费者的起诉和负面评价。然而大量品牌危机，尤其是信誉危机，容易说不清道不明，如某饮用水品牌的"标准门"事件：2013 年 3 月，多地消费者投诉其饮用水瓶中出现不明物，而该企业对此做出的回应却是把矛头转向了竞争对手，指责对方蓄意诬陷，而竞争对手也做出了否定的回应，双方各执一词，结果是不了了之，消费者还是不知真相。基于自我保护的机制，面对这种状况，大部分消费者"宁可信其有，不可信其无"，最终让企业很难为自己澄清和辩解。综上所述，品牌危机与产品伤害危机的区别就在于产生原因和判断标准两个方面。

---

⊖　现国家卫生健康委员会。

## 四、品牌危机与企业危机的区别

除了产品伤害危机之外，另一个与品牌危机有关的概念就是企业危机。对企业危机的界定，学者们众说纷纭，尚未形成统一的定义。有学者认为危机是"一个会引起潜在负面影响的具有不确定性的大事件，这种事件及其后果可能对组织及其员工、产品、服务、资产和声誉造成巨大的损害"。企业危机的成因大致可以分为内因和外因两大类。企业内部引发的危机，主要包括战略选择危机、运营管理危机、产品开发危机（新产品研发失败）、销售危机（品牌虚假宣传以及欺诈）和财务危机等；外因则由政治法律环境、宏观经济环境、社会文化环境、行业竞争、媒介导向、公众等要素组成。企业危机的相关研究主要集中在企业危机预警系统的建立、企业危机应对策略的选择以及危机后企业的恢复过程三个方向。

企业危机与品牌危机之间的区别在于：导致品牌危机的事件一定会是企业危机，但是企业危机却不一定是品牌危机造成的。比如，大型上市公司创始人的负面事件将影响资本市场的投入，使公司股价和市值遭受损失。

## 五、品牌危机与公共危机的区别

从现实状况来看，对于公共危机的界定也未严格区分。综合来看，公共危机就是一种突发的，对全社会的共同利益和安全产生严重威胁的危险境况或者紧急状态。由于诱发公共危机的原因是复杂多样的，加上不同学者研究的视角不尽相同，分类标准有很大差异。公共危机大体可以分为：灾害性危机事件，如地震、洪水、台风等；事故性危机事件，如重大安全和环境污染事件（毒奶粉危机、SARS等）；政治危机事件，如涉及国家主权领土安全等；经济危机事件，如金融危机、经济衰退；突发性社会安全事件，如战争、恐怖袭击等。

通过对公共危机类别的分析，可以发现，品牌危机与公共危机有两大区别。从影响范围来看，品牌危机涉及的往往是企业的利益相关者，而公共危机则会对整个社会群体产生危害。公共危机是威胁整个社会系统的一种危机，对社会政治、经济和公众心理的影响是巨大的，如"9·11"恐怖袭击、SARS、钓鱼岛事件等。从危害程度来看，公共危机会造成巨大的民生损害、经济损失和政治不稳定，引发政府的信任危机或生存危机；导致社会混乱，使社会公众产生恐惧心理和严重的不安全感；某些危机的影响还具有全球性和长期性。品牌危机的影响往往是始于企业的，若企业不能采取行之有效的策略，则可能对消费者的身心造成伤害，重则引发大规模的行业危机甚至社会危机，如乳品行业危机和汽车行业的产品质量问题等。

综上所述，通过对比品牌危机与产品伤害危机、企业危机和公共危机，可以界定品牌危机就是真实的或者虚假的品牌负面信息，这些信息会影响品牌形象，降低消费者对品牌的信任，最终对品牌造成伤害。

# 第二节　品牌危机处理原则

品牌经营者千万不要期望在品牌的成长路上永远风平浪静、一帆风顺。各种各样的品牌危机随时都有可能发生，只有不断强化危机管理意识、提升防范危机的能力和建立危机处理机制，切实做到"未雨绸缪"，才是品牌顺利发展的有力保障。一旦发生品牌危机，品牌经营者务必冷静面对，遵循迅速反应、统一口径、开诚布公、公平公正和补偿损失五大原则沉着应战，力争转危为机。

## 一、迅速反应

在危机处理中，速度通常是决定危机能否消除甚至转化为机遇的关键。对于危机认识不足或反应速度迟缓，猜测、传闻和谣言就会越来越多，结果必然是使消费者加深对品牌的负面印象，不利联想越多，越有危机升级的可能。因此，品牌经营者要迅速反应，将危机扼杀在摇篮之中，避免危机扩散或升级。品牌危机一旦发生，品牌经营者务必迅速行动，第一时间做出如下四大方面的应对措施。

### （一）成立危机处理机构

品牌危机处理必须要有相应的组织保障，诸如"×× 危机领导小组""×× 危机工作部"等，可根据实际情况而定。一般而言，危机处理机构由三大系统组成，即决策系统、信息系统和操作系统等。决策系统可由一名首席危机处理官和若干名危机处理官组成。首席危机处理官应该由品牌的高层管理者担任，最好是由品牌领袖直接担任，一方面他对品牌有全面的了解，另一方面他有决策的权威。危机处理官应经过一定的危机处理培训，具备在高度压力和信息不充分条件下做出科学决策的能力。

信息系统包括信息收集和整理等方面，应配有训练有素的信息收集人员，广泛收集各种信息情报，尤其是意见领袖们的看法，也包括向有关危机处理专家咨询以便获得相关的建议和意见，并对危机相关信息进行识别、分类和记录，供决策者使用。

操作系统主要负责具体的危机处理方案的实施，包括负责危机现场指挥、媒体的联络与协调、危机处理资源的保障等。

### （二）危机调查与评估

处理品牌危机时首先要找出危机的根源，在科学、全面调查的基础上找出危机发生的根本原因以及整个危机事件的真实情况。只有找到了危机的根源，才能为的放矢的解决对策提供依据。同时，全面评估危机事件对品牌的危害，不仅包括现实的危害影响，而且包括潜在的危害影响。通常把危机事件的等级划分为普通事件、重大事件和极端事件三大级别。在得出全面的危机评估之后，品牌最高管理层就要根据危机的级别制订相应的处理方案和主攻方向。在这里评估的准确性非常关键，错误地估计危机的危害程度可能会给品牌带来灾难性的后果。

### （三）制订危机处理方案

当危机发生时，品牌要根据已掌握的情况研究对策，制订危机处理方案，明确应该采取什么样的对策，通过什么样的程序进行有效处理，确定什么人在什么时间做什么事，这是危机处理的关键。所制订的方案必须细化、明确和可行：所谓细化，就是危机发生后组织采取的每个步骤和每个操作环节必须设计出来；所谓明确，就是方案用词精确，避免出现歧义，少用如马上、原则上、一般情况下等模棱两可的词，并把每项工作落实到个人；所谓可行，是指方案应具备可操作性。

### （四）建立信息传播渠道

在品牌危机事件发生后，建立畅通的信息传播渠道是解决危机的关键措施之一。危机发生使得品牌处在社会舆论与公众关注的焦点之上，社会公众迫切想知道危机的真相以及品牌处理危机的态度与措施；而且在信息沟通不对称的情况下，社会公众极容易产生误解、猜疑的情绪，从而加深危机对品牌的危害。在危机事件处理过程中，品牌只有建立畅通的信息传播渠道，才能澄清歪曲失实的流言报道，让公众了解事实真相。

品牌应通过各种信息渠道，如品牌网站、微博、网络社区、微信公众号等发布品牌官方信息，并与报纸、电视台、新闻网站等媒体合作，建立起高效的大众信息传播渠道，加强与新闻媒介、社会公众、政府部门的沟通。特别要密切保持与新闻媒介的沟通，因为它们在引导社会舆论方面发挥着重大作用。

## 二、统一口径

在平常时期，企业可以充分发扬民主作风，让员工表达不同的声音，但是在危机时刻，所有员工都要统一口径，表达一个声音，否则，外界就会觉得内部沟通不好，没有一种负责任的态度，事情只会越搞越糟，危机越弄越严重。因此，应指派专门的新闻发言人或新闻中心负责处理与媒体的关系，以统一口径回答有关新闻媒体以及公众的访问，以真诚的态度表达歉意以及处理危机的诚意；掌握舆论主导权，通过所建立的多种信息传播渠道让公众了解处理危机的进展情况以及所调查到的原因。为了有效地统一口径，以一个声音表达，危机处理领导机构应该根据实际情况明确以下三大事项。

### （一）危机定性

在初步掌握危机原因的基础之上，危机处理机构的决策系统应对该次危机事件进行定性，这实际上就决定了处理的基调和策略。例如，某品牌汽车在欧洲参展期间被欧洲一家大型检测机构评定为安全性最差，出现严重的品牌危机，决策层决定在舆论宣传中策略性地抛出"阴谋论"的定性，然后准备参加欧洲另外一家汽车安全检测机构的测试，以另外的权威测验证明这个"阴谋论"的成立。由于测试结果不错，该品牌危机得到妥善的处理。

### （二）处理态度

各品牌的经营者都有自己的看法和观点，因此必须通过研究协商达成一致的态度。

有效的处理态度通常应该是向有关的受害者以及广大公众表达歉意，真诚地表达愿意妥善处理的决心。

### （三）事情进展

随着时间的推移，事件会不断地发生新的变化，需要有新的对策和处理方案，因此，品牌危机处理机构的决策系统应该定期研究评价危机事件的发展现状以及处理方案，比如每6小时、12小时、24小时、3天、1周等在内部发布官方评估和对策。

通过确定以上三大项内容，内部就比较容易做到统一口径，以同一声音表达，就不会出现董事长这样表态，总经理那样表态，或者A说一个数字，B说另一个数字等混乱的状况，也不会出现到处都是"无可奉告"的情况，这样才能够有效满足公众和媒体了解事件内情的渴望。

## 三、开诚布公

为了有效地止住谣言传播，妥善处理危机，最好的办法就是开诚布公，与受众真诚沟通。坦诚地公布危机事件的真实情况，不仅可以澄清事实、消除误解、制止谣言，还可以让公众看到企业处理危机、解决问题的诚意。遇到暂时弄不清楚的问题企业应承诺尽快提供相关信息，而对于不能提供的信息则应诚恳地说明原因，取得对方的谅解，防止激怒新闻媒体。同时，在承担相关责任时也要以危机事件的真实情况为基础，对于自身的过失所造成的责任要主动而诚恳地承担，并采取相关的补救措施，以高姿态赢得受害者以及社会公众的谅解；而对于责任不在己方的事件，也应对受害者表示慰问和关切，并加强与各方的沟通，说明真实的原因，获得社会公众的理解和认同，从而最终维护品牌形象，减小危机事件对品牌的危害。当然，开诚布公也有一个时机选择的问题，根据危机公关传播迅速而准确的原则，开诚布公就有两大时间点可供选择：危机发生的第一时间和危机真相大白的时候。

## 四、公平公正

在品牌危机中，涉事主体比较多，如何才能做到公平公正呢？以全球市场产品召回为例，存在两种不同策略：一种是不同市场不同标准，即区别对待；另一种是不同市场相同标准，即一视同仁。这两种决策背后深层次的逻辑基础是什么呢？如图8-1所示，区别对待体现市场逻辑，以经济学科为主，讲究公平对等交易，关注"事"、聚焦"利"，体现市场效率（事）因"人"而异，内外有别。如此一来，相同条件下同等对待或者不同条件下不同对待，均可视为公平。

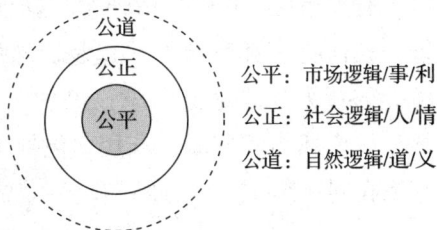

图 8-1　公平 – 公正 – 公道分析框架

公道：自然逻辑/道/义
公正：社会逻辑/人/情
公平：市场逻辑/事/利

　　公正主要体现社会逻辑，以社会学科为主，讲究以人为本，关注"人"、聚焦"情"，体现为人人平等，一视同仁。如此，不同条件下同等对待，按照市场逻辑，可视为不公平；但是，按照社会逻辑，它又是公平的。公平和公正实际上就是事和人、利和情之间的关系，无法分开。公道主要体现自然逻辑，以《道德经》思想为主，讲究道法自然，关注"道"、聚焦"义"，体现万物平等，"人"和"物"无差别。公道是无形的、"虚"的概念，俗话说，公道自在人心；而公平和公正都是"实"的概念。

　　因此，如果按照经济理性为主的市场逻辑，决策者将侧重权衡产品召回的经济利益，从自身（企业）视角考虑，"利"字当头，倾向于选择区别对待；而如果按照以人为本的社会逻辑，决策者将侧重权衡产品召回的社会影响，从他人（消费者）视角考虑，"义"字优先，倾向于选择一视同仁。

## 五、补偿损失

　　保护消费者的利益，补偿受害者的损失，是品牌危机处理的第一要义，因为品牌真正的价值就藏在受众的心里。只要是由于使用了本品牌的产品或服务而受到伤害，品牌经营者就应该在第一时间向社会公众公开道歉以示诚意，并且给予受害者相应的物质补偿。对于那些确实存在问题的产品，应该不惜一切代价迅速收回，并立即改进品牌的产品或服务，以表明企业解决危机的决心。

　　例如，1982年9月29日和30日，美国芝加哥地区有人离奇死亡，经调查证实有两位死者在死前都服用了泰诺，后来发现泰诺里有人放了毒。当时泰诺的市场占有率是37%，芝加哥警方、美国食品药品监督管理局（FDA）都发出通告，让消费者在原因未查明前不要服用泰诺，媒体也大篇幅地报道了这件事。生产泰诺的强生公司想把这个品牌的价值保留下来，专家认为这是不可能完成的任务，但是强生公司最后做到了，而且超乎想象，成功地转化了危机。它是怎样实现的呢？

　　中毒事件发生后，强生公司在很短的时间内收回了数百瓶药品，并花了50万美元向可能与此有关的对象及时发出信息，向消费者通告：支持暂时不要使用泰诺产品。次日，强生公司又宣布，消费者可以用购买的泰诺产品换购同类产品。为了向社会负责，强生公司还是将预警消息通过媒介发向全国，随后的调查表明，全国94%的消费者知道了有关情况。6周之后强生重新向市场投放了这种产品，并增加了抗污染的包装，即每一粒药物中都有额外的包装，然后大规模地向公众推广。公司CEO宣称这完全不是商业的行为，这是公司应该做的，是跟消费者的利益挂钩的行为。公司还以该事件为契机，变坏事为好事，利用"倡导无污染药品包装"赶走了竞争对手。结果它的市场占有率在同一年12月已经回升至24%，从事发前的37%到事发时的0%再到回升至24%，这是一个奇迹，根本的原因就在于品牌方能够做到保护消费者的利益，补偿受害者的损失。

# 第三节　品牌危机沟通体系

品牌危机是由于企业外部环境变化或企业品牌运营管理过程中的失误，而对企业品牌形象造成不良影响，并在很短的时间内波及社会公众，从而危及品牌甚至企业生存的危机状态。在企业经营过程中，品牌危机管理成为企业必修的一项重大课题。随着传播媒体的多样化及公众意识的不断提高，危机传播问题已成为危机管理的核心问题。因此，研究品牌危机信息传播规律，构建基于信息传播的品牌危机沟通体系，制定品牌危机沟通策略，对于化解品牌危机具有重要意义。

## 一、品牌危机信息传播分析

### （一）品牌危机信息传播模式

品牌危机信息通过各种符号对外传递，如文字、声音等，即危机的编码过程；经过编码的信息通过各种形式对外传播，如通过新闻发言人向媒体、消费者公布信息，即危机的通道；品牌消费者以及其他利益相关者通过各类媒体、语言、物理现象等消化吸收危机的相关信息，即危机的解码过程；在危机信息的传递过程中，信息在各个传播环节将受到各类因素的干扰，如信息失真、缺少信息传播渠道、理解失误、无关信息干扰等，都属于噪声。噪声将对品牌危机信息的传播起到负面影响；危机信息接收者在感知到危机信息后，将做出相应的反应。危机信息发送者在了解公众的反应后，将对危机信息的发送做出调整，通过这一反馈过程，能够使信息传播向趋好性转化。品牌危机信息传播模式如图 8-2 所示。

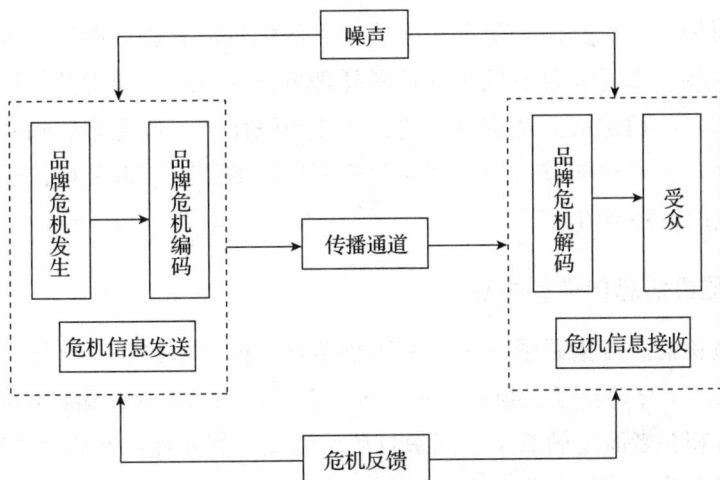

图 8-2　品牌危机信息传播模式

### （二）影响品牌危机信息传播的因素

**（1）危机事件本身的性质。**不同的危机信息在向外界的传播速度、公众受影响规模等方面有较大差异。例如，品牌危机相关商品是消费者强烈需要或消费者熟悉其形象的，能够造成社会及舆论轰动的事件，危机品牌知名度高和危机信息的公共性强的，具有很高的新闻价值的，造成严重人员伤亡或财产损失，对国家或区域带来严重声誉影响的危机事件易被公众和媒体所关注。而频繁发生、公共性不强的危机信息，难以引起公众关注。另外，危机事件本身对消费者等利益相关者产生的负向作用程度也是影响品牌危机信息传播的重要因素。

（2）**危机信息的编码与解码**。危机信息的编码是信息发布方对危机的描述与解释。在对危机信息进行编码的过程中，企业应统一信息传播的口径，对技术性、专业性较强的问题，在传播中应使用清晰、不产生歧义的语言，以避免出现猜忌和流言。危机解码是公众对危机信息进行解读的过程。在此过程中，消费者可能将接收到的信息加以扭曲使之合乎自己的倾向，导致消费者最终理解的信息与媒体或者企业发送者原创信息的不对称。同时，解码过程也受到信息受众的背景信息的影响。

（3）**危机信息传播通道**。通道是危机信息发送和危机信息接收之间的媒介物，如报纸、电视、互联网、空气、光等。危机发生现场，危机信息的传递通过物理编码进行。而危机信息在受众中的传播，主要采用的是人际传播、组织传播及大众传播方式，其传播媒介有报纸、电视、广播、互联网、电话等。随着信息技术的发展，互联网、P2P 等成为信息传播的主要方式，这些信息的传播媒介具有高度的即时性和信息的海量性。

（4）**噪声**。噪声是妨碍危机信息传播并能够造成信息失真的干扰因素，它存在于危机信息传播中的任一环节。如不准确的沟通语言、不合实际的举止、小道消息、谣言等，这些都属于噪声。噪声能够降低危机信息传递的有效性，使得危机信息发送与危机信息接收之间产生较大的差异。

（5）**危机反馈**。危机反馈是受众根据感知到的危机信息进行解码，表明自己对危机事件的态度或立场，以此来改变危机处理者处理危机的方式。通过危机反馈，公众可以对危机事件所揭示的信息或问题进行评论，形成舆论压力，以此来影响政府或危机处理者的决策。同时，企业也能够从公众面对危机所做出的反应获取相应的反馈信息，以此来改变危机沟通的策略或方式。

### （三）品牌危机信息传播的特点

（1）**品牌危机信息传播是混乱符号和不确定意义的共享过程**。传播通道、载体的混乱是危机传播的一个显著特征。企业与利益相关者对符号的选择、编码和解码都面临着困境。品牌与利益相关者既定的意义空间被打破，意义的真实性、准确性遭到质疑、误读、错解。另外，混乱的载体传递着不确定的内容，必然导致传播结构、传播系统的失调。

（2）**品牌危机信息传播是信息传播主体与客体非秩序化复杂互动的过程**。企业在常态下的传播强势可能不复存在，利益相关者的个体弱势也可能被利益损害下的愤慨和反抗所取代。各种舆论力量带来的重压，不断施加给危机企业。每一个体、每一群体都在主客体角色的转换中，从自身利益和立场出发，通过多种渠道传递多变的意义，形成了一个明显不同于常态的信息"传播场"。在这个"传播场"之中，常态的传播秩序、信息流动的走向、环境要素的作用机制都遭到冲击甚至抛弃。

（3）**品牌危机信息传播系统是一个失衡的信息系统，包含各种信息的碎片。** 在危机中，基于特定结构方式的常态传播系统失去平衡。结构和秩序的改变，使传播系统的内外能量输出受到干扰，甚至导致系统崩溃。传播系统的脆弱，是所有危机的一个基本特征，也是品牌危机管理所需解决的核心问题之一。

## 二、构建品牌危机沟通体系

所谓危机沟通是指以沟通为手段，通过与企业各利益相关者进行信息及情感的交流活动，以解决危机的过程。危机沟通是影响危机管理成功与否的主要因素。品牌管理的根本是人对人的沟通与互动。由品牌危机中信息传播的规律可知，无论是真实还是虚假信息，都具有人际传播与大众传播相结合的特点，传播速度很快，对于品牌危机的扩散、发展影响极大。必须建立有效的危机沟通体系，利用危机信息传播的规律，扬长避短，通过信息传递实现与各利益相关者的沟通，修正利益相关者对品牌的扭曲型理解，以达到品牌危机管理的目的。

### （一）品牌危机沟通框架

从利益相关者的角度来看，危机事件严重威胁着他们的利益。在混乱的局面中，他们有时需要企业直接出面澄清事情真相，有时又需要采取行动去维护自身利益。确切的信息是利益相关者决策和行动的基础，而信息来源这一角色无疑只有作为当事方的企业才能够胜任。危机情境是信息爆发时段中所产生的一切问题的信息集合，做好采集，并加以控制，使信息流沿着预定方向流动，将信息分析结果用于危机决策，使危机得到有效控制。基于品牌危机状态的复杂性，不同的利益相关者所需要的信息信号，以及对其职责和偏好的影响又是不同的。企业应在充分分析危机信息的基础上针对不同的利益相关者的沟通信息需求，采取相应的沟通策略。同时，品牌危机企业应注意危机沟通的反馈调节，根据沟通效果不断调节沟通策略，形成沟通循环，以达到沟通目的。品牌危机沟通框架如图 8-3 所示。

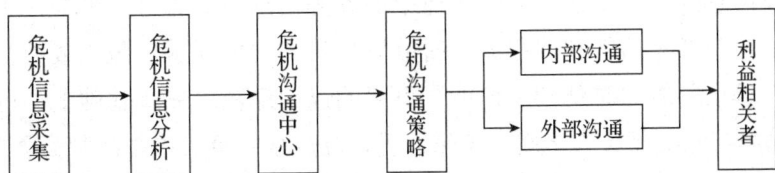

图 8-3　品牌危机沟通框架

### （二）企业内部品牌危机信息沟通

企业内部信息沟通是指在危机情境下，企业内部员工、部门之间的信息沟通。一方面，品牌管理虽然是高层管理者的责任，但员工是品牌对外沟通最重要的媒介。想要实现品牌危机时期对外沟通的一致性，首先需要从内部沟通开始，只有当企业的每一名员工都能对品牌危机形成一致性的认知，并最终融入全力支持品牌的文化氛围之中，成为品牌的忠实保护者和传播者，品牌才有可能以一致的形象被传播并被外界所理解和支持，从而有利于度过危机。另一方面，对内的品牌沟通是一种跨越职能、跨越部门、跨越级别的全面沟通，这种沟通势必要打破传统的企业内部沟通模式，创建旨在使所有员工都成为品牌的拥护者、忠实者和传播者的内部沟通模式。这种内部沟通，应通过保障信息交流系统公开，利用正式和非正式渠道发布真实且明确的信息，关注内部传言，利用标准格式发布信息等方法最大限度地降低不良小道信息的影响。总而言之，良好的沟通不仅能够给企业带来信息的顺畅流动，更能为组织的决策与执行力提供基本的保障。

### （三）企业外部品牌危机信息沟通

企业外部信息沟通，又称危机公关，是指在危机情境下，企业与外部利益相关者之间的信息互动，目的是向外部利益相关者披露企业应对品牌危机的态度以及采取的措施，维护品牌以及企业形象，同时，向有关部门和组织寻求精神上和物质上的支持，共同应对危机，渡过难关。当品牌危机发生时，处于危机中心的企业在利益相关者心中的合法地位和存在意义都会有明显的动摇；利益相关者同时也会质疑自身与企业之间长期以来形成的已经制度化的契约关系。处于危机情境下，企业面临着时间紧迫和媒体曝光强度攀升两项挑战，危机信息沟通往往由于利益相关者对企业的怀疑态度而变得更为困难。此外，利益相关者对自身涉嫌与不良企业相勾结的担心，也会大大降低危机企业获得外部舆论和资源支持的机会。鉴于危机公关具有相当大的不确定性和风险性，如果处理不当，企业可能会产生"多米诺骨牌"效应，使危机出现扩散式恶化。因此，企业应以正式信息沟通渠道为主，以非正式信息沟通渠道为辅，开展危机沟通，及时满足利益相关者和公众的信息需求与情感需求。

## 三、品牌危机沟通策略

品牌危机沟通的基本任务是根据危机信息传播的规律，采取管理策略，尽快阻止或减缓品牌负面信息的恶性传播，消除传播中的虚假信息或谣言等的影响，引导正确信息的传播，改变消费者等品牌利益相关者对品牌危机详情的误解，阻止或减少人、财、物的继续损害，阻止危机的蔓延和"传染"引起的连锁反应。在此基础上，可以通过深度沟通，恢复品牌与利益相关者之间的关系，重建品牌信誉度，增强品牌竞争力。

### （一）迅速将正确信息传递给利益相关者

危机事件刚爆发的时候，也是公众对信息的需求量最大的时候，如果企业在这时隐瞒事实，封锁消息，将引起新闻界和公众的猜疑与反感，各式流言就会成为主流渠道信息的代用品，进入非正式的传播渠道，更有可能给企业的处理带来麻烦，产生传播危机。

这时企业必须做到迅速开放信息渠道，将必要的信息公之于众，让公众及时了解到危机事态和企业正在尽职尽责地进行处理的情况。在第一时间主动与媒体沟通，争取沟通的主动权，主动寻求与作为信息传播载体的电视台、广播电台、报社、专业网站和门户网站等媒体的合作，通过新闻发布会等形式，想方设法提供能够满足媒体和公众需要的权威信息，这样，企业将成为危机信息的主要信息源。开放信息传播渠道并不是让企业危机事件及其处理情况的有关信息放任自流，而是要让它们有秩序地通过一定的信息传播渠道传播。由于媒体和公众对企业危机事件所持的态度不同，信息传播可能向着不利于企业危机处理、品牌形象恢复的方向发展，这就要求企业利用传播学中的议程设置机制，主动组织新闻稿件，通过媒体向公众传播企业处理危机事件的过程及相关情况的信息，引导整个事件关注焦点的发展。

## （二）遏制虚假信息传播

企业在进行谣言传播管理时，要消除谣言，首先要消除产生谣言的气候和土壤。进行辟谣要分析谣言传播的方向、造谣者的意图与背景、谣言的起因以及谣言造成的影响，在分析的基础上寻找阻止谣言流传的最佳方案。① 利用作为权威信息主要来源的大众媒介及时地澄清问题，尽可能地向公众提供最全面的信息，阻止谣言传播。② 尽可能向公众提供他们所关心问题的相关信息，并通过扩大信息量的方法来防止歧义产生，以消除他们对企业相关问题的神秘感，制止谣言进一步扩散。其次，从正面阐述真相，并在必要的情况下适时对公众做出必要的承诺。另外，对于网络谣言来说，企业应尽可能地与网站经营者商议而删除谣言帖子，降低网络传播速度，缩短传播持续时间。最后，企业还应明确的是传播媒体与司法的介入并不冲突，此刻司法的介入主要是追究造谣者的法律责任，防止他们再次成为谣言传播的源头，同时起到警告和威慑作用。事实证明，无论是采取对谣言不闻不问、视而不见的"鸵鸟"政策，还是采取任由事态发展的"等着瞧"政策，都会错过最佳处理时机。

## （三）劝服传播

沟通传播效果主要包括在传播发生过程中自然形成的传播过程效果，以及传播者按照自己的意图制作信息形成的劝服效果。品牌危机导致企业与利益相关者之间的契约关系扭曲，这就决定了品牌危机沟通必须超越"过程效果"，借由劝服手段达到契约修复、重建的目的。根据劝服传播理论，劝服传播需具备一些基本要素：劝服者、劝服对象、劝服内容、劝服渠道、劝服技巧、劝服节奏和情境。这些要素有机整合，就构成了一个可指导实践的劝服传播模式，如图 8-4 所示。

该模式中，品牌危机企业作为劝服者，一方面，通过整合前后各类劝服要素，创造条件对大众传播媒介、意见领袖进行劝服，以争取其同情理解和支持；另一方面，企业在条件允许时直接面对利益相关者进行劝服。该模式是基于不同形态劝服模式的整合。首先，大众传播媒介向品牌危机利益相关者发送正确信息，反映危机发展态势和企业的积极举措，从而影响危机沟通中的信息流走向，其特点是迅速将信息覆盖到广大利益相关者。其次，意见领袖对企业和媒介传递的信息进行加工，然后向利益相关者发送意见性信息，从而影响危机沟通中的影响流变化，其特点是通过人际互动影响利益相关者的态度和行为，可实现双向沟通。最后，品牌危机企业还可以通过一定渠道直接向利益相关者通报危机状况、阐明自身立场，从而同时影响危机沟通中的信息流和影响流。直接劝服可以确保信息传播的规范和有序。

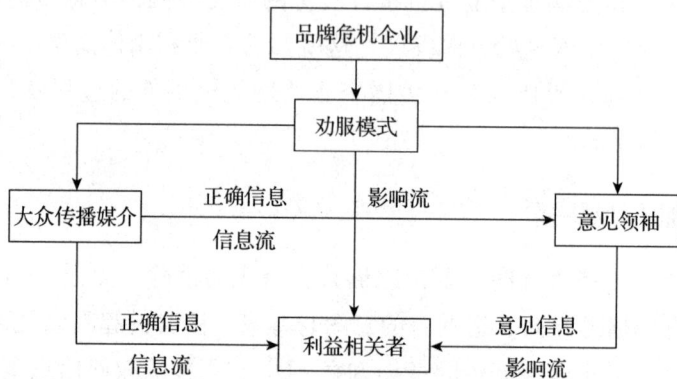

图 8-4 品牌危机劝服传播模式

总之，品牌的危机管理是一个复杂的系统工程，危机管理的核心问题是危机传播问题，只有把握品牌危机的信息传播规律，采取适宜的沟通方式和沟通策略，才能有效地化解品牌危机。

## 本章小结

品牌危机指的是由于企业外部环境的突变和品牌运营或营销管理的失常，而对品牌整体形象造成不良影响并在很短的时间内波及社会公众，使企业品牌乃至企业本身信誉大为减损，甚至危及企业生存的窘困状态。

品牌危机可分为主动性和被动性的品牌危机，核心要素和非核心要素的品牌危机，行业性和非行业性的品牌危机。从产生的原因和判断标准来看，品牌危机与产品伤害危机存在一定的差异。导致品牌危机的事件一定会是企业危机，但是企业危机不一定是品牌危机导致的。从影响范围和危害程度来看，品牌危机与公共危机存在一定的差异。

品牌危机一旦发生，经营者务必要冷静面对，遵循迅速反应、统一口径、开诚布公、公平公正和补偿损失五大原则沉着应战，力争转危为机。迅速反应包括成立危机处理机构、危机调查与评估、制订危机处理方案、建立信息传播渠道；统一口径包括危机定性、处理态度、事情进展；开诚布公主要指让公众看到企业处理危机、解决问题的诚意；公平侧重市场逻辑 / 事 / 利，公正侧重社会逻辑 / 人 / 情，公道侧重自然逻辑 / 道 / 义；最后是补偿损失。

品牌危机沟通的基本任务是根据危机信息传播的规律，采取管理策略，尽快阻止或减缓品牌负面信息的恶性传播，消除传播中的虚假信息或谣言等的影响，引导正确信息的传播，改变消费者等品牌利益相关者对品牌危机详情的误解，阻止或减少人、财、物的继续损害，阻止危机的蔓延和"传染"引起的连锁反应。

## 思考题

1. 简述品牌危机的定义及分类。

2. 试述品牌危机与产品损害危机、企业危机和公共危机的区别与联系。

3. 试述品牌危机沟通体系。

4. 简述品牌危机沟通策略。

## 案例分析

### 如何化"危"为"机"？品牌"舍得"行为研究

一直以来，品牌危机就是营销理论研究和实践关注的热点话题之一。尤其是近些年在移动互联网信息技术的影响下，品牌危机事件被不断放大，对企业声誉、行业信心、国家形象乃至整个社会的信任都造成了极大的负面影响。为此，学界围绕品牌危机的应对与管理展开了广泛深入的研究，分别从企业、媒体和专家三个视角提出多种应对策略。其中，从企业视角开展的应对研究最为丰富，探讨了否认、辩解、保持沉默、承认等多种方式。然而，这些结论大多是在西方理论背景的指导下得出的，并不能充分体现应对行为背后的本土文化意义和决策智慧，也无法深刻解释本土营销实践当中的现象和问题，以两则事例为证。

事例一：2015年5月17日—18日，一场突如其来的暴雨夹杂着冰雹袭击了长春。位于长春的一汽-大众奥迪停车场，估值为7 587.23万元至1.62亿元的200多辆新车被暴雨浸泡。5月21日，一汽-大众奥迪官方发表声明，证实暴雨导致283辆奥迪A6L浸泡受损，确保这些车辆不会进入销售渠道，并将283辆受损车底盘号全部公布。此举得到广大顾客称赞，认为厂商有担当，一名"奥迪粉"甚至感叹："这雨下得就像开水淋在心上，文艺的心情一下子沸腾了。"

事例二：2016年上半年及之前，因为存在安全隐患，宜家的产品抽屉柜在北美市场造成多名儿童死亡和受伤。2016年7月，宜家"夺命抽屉柜"事件在中国市场持续升温，由于宜家认为在中国销售的抽屉柜符合中国国家标准，故声明并不召回，而是免费给顾客提供约束装置，将柜体固定到墙上。此事引发媒体和广大顾客的强烈声讨，他们怒斥宜家极其傲慢——"中国顾客真的缺你那几颗钉子吗？"新浪财经调查显示，有58.1%的顾客不再信赖宜家。

两则事例中，无论是奥迪还是宜家，都采取了一定的补救措施，但为何导致了截然不同的社会反响？按照以往理论，两家企业危机处理的差异在于：一为担保，一为补救；一者主动，一者被动；一则归因于外（天灾），一则归因于内（人为）。然而，以往理论的解释相对烦琐，颇有隔靴搔痒之感，并不能透彻揭示两种品牌危机管理措施产生不同效果的本质原因。从中国文化的语境来看，上述两家企业的决策者在面临危机事件时所展现出的智慧、勇气和担当高下立判，其中关键在于他们对"舍"与"得"的理解和认识存在较大差异。具体而言，一汽大众在面对"天灾"的情况下，勇于承担责任，敢"舍"（公布被雨水浸泡而受损的车辆的底盘号），结果换来顾客的心理份额和市场份额。而宜家在面对"人为"的情况下，却推三阻四，不想"舍"（只免费给顾客提供约束装置，并不召回产品），结果不仅失去市场份额，还丧失了顾客的心理份额。

中国俗语有言："大舍大得，小舍小得，不舍不得。"在品牌危机情境下，企业能否通过"舍得"行为化"危"为"机"？究竟该如何界定"舍"和"得"？"舍"和"得"之间的过程和机制又是什么？如何强化或弱化"舍"和"得"之间的关系？与以往西方理论研究相比，"舍得"概念相对抽象，本土文化意义丰富，较难界定和应用于学术研究。然而，在坚持构建本土文化理论解决本土实践问题信念的指导下，我们尝试将"舍得"思想和文化意义应用于品牌危机管理当中。结论不仅对本土文化营销理论建构有重要的参考意义，还将对中国本土市场中品牌危机管理实践起到重要的指导作用。

在搜集整理有关"舍得"的句子（30个条目）和成语（35个条目）后，我们得出初步结论："舍"作为动词或一种行为，主要体现在放弃和给予两个方面；"舍"和"得"间的关系存在很大的不确定性，没有法律契约方面的基础和保障。接下来，我们邀请专业的学术团队对"舍得"进行多次充分讨论，最终梳理出"舍得"的内涵及特征。

其一，"舍得"主体："舍方"或"舍"可以是个体或集体的决策；"得"与"舍"对应，"得方"或"得"的对象也可以是个体或群体。

其二，"舍得"内容：比较广泛、复杂多样，可以是钱、物、信息、人甚至是生命等；"舍"和"得"的程度难以对等，且存在差异。"舍"的大多是"有（如钱、物、人等）"，"得"的不仅是"有（如经济绩效）"，更多是"无（如品牌声誉）"。

其三，"舍得"方向："舍"和"得"方向相反，"舍"向外，"得"向内；"舍"或"得"可以是单方面的意愿，也可以是双方互动。

其四，"舍得"对等关系，如图8-5a所示：大舍大得，小舍小得，不舍不得。这种对等关系在何种情况下才能成立？基于两个基本条件：一是"舍"的方式正确，顾客能够认同"舍"的行为；二是"舍"的对象怀有感恩互惠之心。若不具备这两条，"舍"和"得"的对等关系在一定时间内恐难实现对等。

其五，"舍得"时间关系，如图8-5b所示。在时间维度上，存在三种关系类型：一是"舍"未来得眼前；二是"舍"眼前得眼前，三是"舍"眼前得未来或既得眼前又得未来。其中的时间间隔可以较短，也可以较长，甚至长到无法有把握判断未来结果。

其六，舍得过程：大舍和大得之间更多体现的是以心换心的交换而非以物易物的交易，"换"来的往往能够打动、感动甚至征服人心，产生较高的情感和信任反应，得到心理份额，市场份额自然接踵而至。而小舍和小得之间更多体现的是交易，就事论事，"易"来的往往基于算计和得失间的衡量，产生的情感和信任反应平平，得到"市场"份额而少有心理份额。

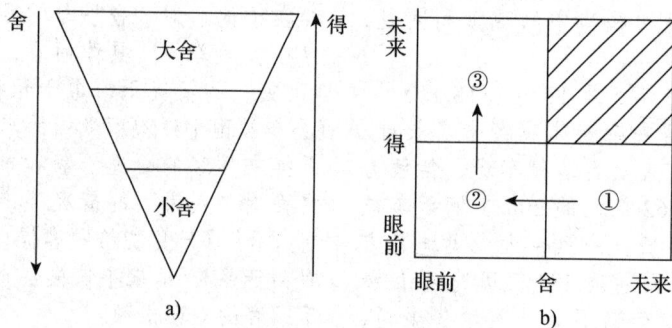

图8-5 危机情境下品牌的舍得

资料来源：王新刚，彭璐珞，周南. 企业品牌危机管理中的舍得行为研究 [J]. 经济管理，2018（11）：125-137. 详细讲解可参考本书配套慕课视频10.3，观看网址：https://www.icourse163.org/course/ZNUEDU-1003452001。

## 思考题

1. 你是如何理解大舍大得、小舍小得、不舍不得的？

2. "舍"和"得"与情商和智商该如何对应？大"舍"是否一定大"得"？为什么？

# 第九章　品牌延伸

## 【学习目标】

- 掌握品牌延伸的定义，熟悉品牌延伸的优点和缺点；
- 掌握品牌向上、向下和双向延伸的形式及适用的条件；
- 熟悉品牌大类延伸和线延伸的原则，掌握品牌延伸的影响因素；
- 掌握品牌延伸的决策程序以及品牌延伸的策略。

## 开篇案例

### 喜茶的亲儿子"喜小茶"为什么不行

2020年，喜茶低调推出了新品牌"喜小茶"，"喜小茶"官方微信公众号、微博都已经上线。微信公众号显示，喜小茶饮料工厂为喜茶旗下全新子品牌，账号主体为喜茶母公司——深圳美西西餐饮管理有限公司。关于喜茶和"喜小茶"的区别，官方是这样介绍的："在喜茶，我们希望用最高标准做出最好的茶饮；但是在喜小茶，我们致力于提供合适、刚好的茶品，在合格的标准上尽可能实惠。"通俗地说，喜茶定位高端，而喜小茶则是走性价比路线。

先说选址，目前该品牌尚未开业，仅有的一家门店位于深圳市福田区华强广场。这就意味着，喜小茶抛弃了喜茶围绕豪华商圈和高档购物中心的选址逻辑。不过，尽管华强电子世界不够高大上，但是在人流量上并不处于下风。

再说门店。与喜茶相比，喜小茶的门店面积更小，而且装修风格不洋气，既没有黑金店的庄重大气，也没有粉色店的浪漫温馨，不过，却给人十分接地气的感觉。

接着说产品。既然喜小茶冠以"饮料厂"的头衔，那么其产品种类势必非常丰富。从小程序可以看到，喜小茶上线的产品分为鲜奶茶、水果茶、咖啡、雪糕和纯茶五个系列。比如鲜奶茶，茶底由阿萨姆奶茶和鲜奶调制，配以红豆、芋圆、豆花和烧仙草；再如咖啡，除了拿铁、美式等经典款之外，还有香草和特制冰咖。由此能够感觉到，与喜茶所坚持的"灵感之茶"相比，喜小茶走的则是一条大众平民路线。

最后说定价。喜小茶的主力产品价格集中在11～16元，大致为喜茶价格的一半。其中，纯茶的定价仅为6元！也就是说，在价格上喜小茶与一点点、益禾堂、CoCo等品牌持平，甚至更低。然而，我们发现在喜茶推出喜小茶后，让人忍不住会产生一些疑问。

### 1. 喜小茶会拉低主品牌喜茶的"人设"吗

里斯战略定位咨询强调了新品牌独立的重要性："如果使用同一个品牌名，会让消费者认为二者仍然是同一种东西。"在网友反对的声音里，最多提到的也是相似的命名和标识。一方面，对喜茶主品牌没有认知的下沉市场消费者，首先记住的是喜小茶的小人标识，从而固化对喜小茶的形象——量多实惠，喜茶在赢得中低端粉丝时，却丧失了一部分潜在的消费者；另一方面，从开业现场来看，大多数消费者都是奔着"喜茶"这个品牌去的，虽然以低端的价格喝到喜茶的品质不切实际，但确实是很多非理性消费者的期望，当喜小茶的品质没有满足他们的期望值时，反而会影响消费者对喜茶主品牌的评价。除了命名和标识，喜小茶和喜茶类似的公众号视觉风格，看起来像批量生产的图片来源。喜小茶、喜茶官微品牌的价值很大程度上来源于用户对品牌的认知，消费者对喜茶与喜小茶的品牌认知混淆，长此以往，反而会反噬主品牌。

### 2. 不能炫耀的"喜小茶"大家还喝吗

目前，下沉市场的主力价格带在10～15元，喜小茶8～16元，对标的是一点点、古茗、益禾堂等处在相似价格区间的强势茶饮品牌，这难免让人有一种感觉，喜小茶＝低配的喜茶，并且增加消费时不断强化对喜小茶与喜茶认知的关联。一开始消费者可能抱着猎奇的心态去跟风尝试喜小茶，但是茶饮本来就有社交属性，无论是在一线还是在下沉市场。热度过后，喜茶还能为喜小茶背书吗？10元的奶茶大家是否还愿意发朋友圈主动传播也是个问题。

### 3. "饮料工厂"能成为下沉市场的"灵感之茶"吗

喜茶独一无二的"灵感之茶"定位让其脱颖而出，到下沉市场却把喜小茶定位成"饮料工厂"，自己是降维了，但能不能打击到其他品牌，真说不好。喜小茶借用了喜茶的品牌影响力，但无法做到与喜茶一样在目标市场上实现差异化。从下沉市场到一线，喜茶可以，从一线到下沉市场，喜小茶可能不行。

资料来源：首席营销官. 喜茶推出子品牌"喜小茶"，"双品牌战略"是否可行 [EB/OL]．（2020-04-02）[2022-12-30]. https://mp.weixin.qq.com/s/xC79q7dofOUlhGj87rFmOw.

# 第一节　品牌延伸概述

品牌延伸是企业品牌经营的重要策略之一，早在20世纪初就盛行于欧美发达国家，世界许多著名企业大多是靠品牌延伸实现快速扩张的。美国著名品牌学家艾·里斯曾说："若是撰述美国过去 10 年的营销史，最具有意义的趋势就是延伸品牌线。"据统计，在过去的 10 年中，美国新崛起的知名品牌，有 2/3 是靠品牌延伸成功的。然而品牌延伸是一把双刃剑，成功和失败的案例比比皆是，运用得当，品牌延伸就成了企业的"馅饼"，运用不当，品牌延伸就成了企业的"陷阱"。因此，探究品牌延伸对企业进行正确的决策以及最大限度地降低企业品牌经营风险具有十分重要的意义。

## 一、品牌延伸的定义

所谓品牌延伸就是指企业利用现有某个知名或具有市场影响力的成功品牌，推出新产品，扩大品牌所覆盖的产品集合或延伸产品线，尽快进入市场的整个品牌管理过程。品牌延伸是品牌发展的客观要求和必然结果，是品牌营销的策略和工具，是品牌防御性和进攻性的集中体现，是对品牌固有价值和消费者消费惯性的充分利用，是企业对整个品牌资产的战略性应用。品牌始于产品，又高于产品，是文化的象征，是价值的体现。品牌延伸之后，不同的产品共享成功品牌的"光环效应"，既有利于新产品营销，又能推动品牌发展。

品牌延伸既有企业内部的原因，也有外部原因。从企业内部来讲，强势品牌一般都有一定的经营规模和经济实力，有丰富的企业资源、畅通的营销渠道和较高的管理水平，为新产品开发提供了可能，也为品牌延伸提供了可能。从外部来讲，市场与消费是促使企业品牌延伸的主要原因，当主导产品进入成熟期或衰退期，市场饱和，消费需求增长缓慢，或者与对手竞争激烈，形成僵持状态，或者产品的生命周期缩短，需要更新换代。以上这些都会促使企业做出品牌延伸的决定。

在过去的几十年间，国外品牌延伸的例子不胜枚举。例如，可口可乐，上百年来只有一种饮料，现在也先后推出健怡可乐、无咖啡因可乐、儿童可乐等；法国名牌鳄鱼，从最早的衬衫延伸至 T 恤、儿童套装、网球拍、网球鞋、休闲鞋、运动包、太阳镜等。国内品牌延伸现象也尤为普遍。例如，著名的海尔品牌从冰箱延伸到冷柜、空调，再到洗衣机、电视机，现在已扩展到电脑、热水器、厨房电器等产品。食品饮料行业的品牌延伸也红红火火，最著名的当属娃哈哈，它从儿童营养液开始，不断延伸，有了果奶、AD 钙奶、纯净水、八宝粥、绿茶、红茶、营养快线、平安感冒液等。由此可见，品牌延伸已成为各行各业的大势所趋。

## 二、品牌延伸的利弊

品牌延伸是企业快速发展的有效途径，但它又是一把双刃剑，运用合理的话，它就是企业发展的加速器，反之则可能成为阻碍企业发展的绊脚石，甚至是企业经营的杀手，使企业面临倒闭的风险。因此，企业在进行品牌延伸时一定要考虑到延伸的两面性。

### （一）品牌延伸的益处

品牌延伸得当，对企业来说就是如虎添翼，能使企业的新产品在短时间内得到消费者的认可，市场份额在短时间内得到快速提升，从而加速企业的发展。品牌延伸对企业的有利之处主要体现在以下四个方面。

（1）**可以帮助延伸产品迅速得到认可**。企业在进行延伸时，特别是当主品牌进行延伸时，延伸品牌可以借助主品牌的影响力来提升自己，也就是把消费者对主品牌的一切印象和好感均转向延伸的品牌，这样可以避免消费者对新产品或新品牌产生防卫和不信任心理，降低消费者的风险感知，从而使延伸品牌在短时间内得到认可。例如，娃哈哈品牌从奶饮料延伸到纯净水，消费者在进行娃哈哈纯净水消费时，就不会因为陌生而拒绝购买。

（2）**可以丰富主品牌的内涵**。适当的品牌延伸能给消费者带来新鲜感，能向消费者传达主品牌的创新精神，提高主品牌的声誉。例如，海尔从洗衣机延伸到冰箱、空调、厨电等，让消费者感受到海尔在不失承诺，在不断创新，这不仅体现了海尔品牌的核心价值，还丰富了品牌的内涵。

（3）**可以加大和满足市场需求**。品牌延伸能使品牌的产品更加丰满和多元，能为消费者提供更多的选择。品牌延伸，从某个角度讲也是对市场进行细分，来满足不同目标消费者的需求。对于消费者而言，产品越丰富，品类越齐全，选择余地就越大，同时给消费者带来的便利性就越大。

（4）**可以减少企业的推广成本**。主品牌与延伸品牌和消费者之间的关系，对于延伸品牌而言就像老朋友介绍自己新的家人一样，作为老朋友的消费者自然就很容易接受主品牌的"家人"了，这是一个缩短信任培养时间的过程。对于企业来说，可以节省一笔庞大的广告费用和推广费用，无疑减少了企业营销成本。

### （二）品牌延伸的弊端

适当的品牌延伸对企业十分有利，不适当的品牌延伸对于企业而言就是一种风险。那么不当的品牌延伸对企业都有哪些风险呢？

（1）**模糊主品牌的定位**。由于主品牌定位（包括品牌的属性、个性、价值主张等）在消费者心目中已经形成了定论，那么在品牌延伸以后，消费者就会对主品牌产生新的认识，甚至是错误的认识，这就会模糊主品牌的定位，自然也会影响消费者购买决策。这样的错误延伸在我国企业中比较常见，甚至一些著名的品牌如娃哈哈、海尔等也不能例外。例如，娃哈哈原本是非常个性的儿童品牌定位，它曾错误地向老年产品"冰糖燕窝"以及"白酒""房地产"等领域延伸，这显然是一种不当的品牌延伸，不但模糊了原有的品牌定位，而且损害了主品牌的形象。

（2）**损害主品牌的形象**。品牌形象是品牌延伸的根基，但在品牌的垂直延伸过程中，如果由高端市场向低端市场延伸，会大大影响品牌的高端形象，由此失去高端市场。例如，派克钢笔曾经向低端市场延伸，1982 年美国派克公司新任总经理一上任，不把主要精力放在改进派克钢笔的款式、质量上，而是转向低价位的产品开发，争夺低档笔市场。最后低档笔没有市场，高档笔市场又大量被其他品牌占领，险些丧失其高端品牌的市场形象。

**（3）会让消费者产生排斥心理。** 品牌延伸要与原有产品的属性保持相关性或一致性，才能使消费者产生联想，最终认可和接受，带动整个企业产品的销售。但在实际的品牌延伸过程中，企业往往脱离了相关性和一致性的原则，导致消费者产生心理矛盾或心理冲突。例如，马应龙集团生产的痔疮膏，功效得到了消费者的认可。治疗痔疮的原理和治疗黑眼圈的原理上并没有太多区别，痔疮膏同样具有去眼袋的功效。但是马应龙集团推出的"马应龙眼霜"似乎总让人觉得有些隐隐的不适。道理大家都懂，但是把用来治痔疮的东西涂在眼睛周围的皮肤上，不是所有人都可以接受的。

**（4）产生"株连"效应。** 尤其是在单一品牌策略下的延伸，某个产品一旦出现问题，就会殃及所有的品牌产品，正所谓"城门失火，殃及池鱼"。因为众多产品共有一个品牌，那么其中某个产品出现问题，就会损害原品牌及其他产品的声誉，产生"株连"效应。例如，经纪公司旗下的不同风格的艺人可以看作一个大品牌下不同路线的子品牌，2018年某演员的绯闻事件，不仅严重打击了该演员的演艺生涯，更是影响其所归属的经纪公司，同时也影响了他参演的电视剧、电影和综艺节目的播出，可谓真正的"牵一发而动全身"。

总之，品牌延伸没有绝对的利与弊，对于企业而言关键在于怎么去做，选择采取什么样的延伸策略，只有正确延伸才能利大于弊。

## 三、品牌延伸的一般形式

据统计，在美国的某些消费品市场上开创一个新的品牌，费用为0.8亿～1.5亿美元。如此庞大的投入费用促使相当一部分企业使用已经具有市场信誉的品牌，借助它们的影响力推出新的产品，这就是品牌延伸的形式，具体而言有以下三种形式。

### （一）向上延伸

向上延伸主要是指企业在产品线上增加高档次产品生产线，使产品进入高档市场。该策略可以有效地提升品牌资产价值，改善品牌形象。一些知名品牌，特别是一些原来定位于中档的大众名牌，为了达到上述目的，不惜花费巨资，以向上延伸策略拓展市场。例如，小米手机给人的印象一般是性价比较高的千元手机，但是近年来小米集团也针对中高端手机市场推出了"小米9""小米8"等多款手机。除手机外，小米集团还推出了智能家电、笔记本电脑，力求打造"小米生态"。

### （二）向下延伸

这种延伸形式主要是指在产品线中增加一些较低档次的产品，利用高档名牌产品的声誉，吸引购买实力水平较低的顾客慕名购买这一品牌中的低档廉价产品。宝洁公司将这一策略运用得较为娴熟，在经过多年的中国市场培育和品牌形象打造之后，宝洁已经在中国市场深入人心，飘柔、潘婷、海飞丝等品牌，分别以区隔精准的功能定位和"高档"的品牌形象，赢得了良好的知名度和美誉度。随着中国洗涤日化行业竞争的不断加剧，当越来越多的国产品牌以更具优势的价位和铺天盖地的广告宣传纷纷抢占市场时，宝洁不得不改变策略，推出一系列"低价位"的产品，给竞争对手以有力的打击。由于策略适当，宝洁这一举措非但无损于它一贯的"高档"形象，反而给人"更具亲和力"的感觉，可谓一举多得。

虽然向下延伸的营销成本低廉且操作简单，但风险比向上延伸要大得多，最大的风险就是对已有品牌资产的影响。调查显示：消费者对品牌不利信息的接收，比对有利信息的接收要快得多。也就是说，向下延伸可能造成消费者对原有品牌高档定位的否定，这将严重伤害品牌资产，因为品牌低档化要比高档化更加容易。以"五粮液"品牌为例，该公司在推出"五粮醇""五粮春""五粮王"等廉价酒后，虽然其子品牌销售十分火爆，但对"五粮液"高档品牌形象造成了严重伤害，最后公司不得不舍弃这些低档品牌。

### （三）双向延伸

双向延伸主要指的是原定位于中档产品市场的企业取得了市场优势以后，采取向产品线的上下两个方向进行延伸，一方面增加高档产品，另一方面增加低档产品，从而扩大市场阵容。20 世纪 70 年代后期的钟表工业市场竞争中，日本精工采用的就是这种策略，当时正逐渐形成高精度、低价格的数字式手表的需求市场。精工以"脉冲星"为品牌推出了一系列低价表，从而向下渗透进入这一低档产品市场。同时，它向上渗透高价和豪华型手表市场，收购了瑞士一家公司，连续推出了一系列高档表，其中一种售价高达 5 000 美元的超薄型手表进入高档手表市场。

## 第二节　品牌延伸的原则

品牌专家卡普费雷尔（Kapferer）把品牌延伸分为相关延伸（持续延伸）和间断延伸，而美国营销学家凯文·凯勒把品牌延伸划分为大类延伸和线延伸，这两种对品牌延伸方式的划分所表达的意义基本一致。品牌延伸所采用的品牌被称为母品牌，所谓大类延伸（间断延伸）是指母品牌从原来的产品大类中进入另一个不同的大类；而线延伸（相关延伸）就是指用母品牌作为原产品大类中针对新细分市场开发新产品的品牌。因为品牌的线延伸与大类延伸存在着本质的区别，所以企业在做出两种不同的品牌延伸决策时需要遵循不同的延伸原则。

### 一、大类延伸的原则

#### （一）应着眼于品牌情感特征

一个恰当的品牌延伸机会应该着眼于品牌的情感特征而非物理或产品性能。依靠对品牌核心价值中情感因素的科学分析，任何一个强势品牌的核心价值元素（品质、创新、可靠、信任、服务）都可以顺利地延伸到其他类别的产品上，只要是这个产品与母品牌的产品具有一定关联性且在其他方面不存在明显的矛盾性。例如，卡特彼勒公司是一家生产工程机械和建筑设备的跨国企业，它授权彼格·史密斯公司生产卡特彼勒牌工作服，授权马特尔公司合作建立以工程机械和建筑设备为模具的玩具工厂，还授权另外一家制鞋公司生产卡特彼勒牌工作鞋，这几类跨越大类的品牌延伸都获得了成功。

### （二）应该以确保成功为原则

品牌大类延伸应该以确保成功为原则，因为不成功的品牌延伸会严重损害母品牌的形象。为了确保延伸是没有风险的，品牌延伸应尽量避开那些已经被强势品牌牢牢占据的细分市场，而应进入那些竞争对手相对弱小的市场或新兴市场。例如，小米集团推出的手机产品在市场上广受欢迎，但它推出的平板电脑表现却不尽如人意。截至2019年7月，在淘宝网的小米官方网店上，已经找不到单独的平板电脑分类。纵观中国的平板电脑市场，不仅有苹果、联想这样在个人电脑行业的领导品牌，更有华为这样的后起之秀，小米平板电脑显然还不能适应这种残酷的竞争。

### （三）母品牌必须是强势品牌

一个自身尚未成熟的品牌意味着它在消费者心目中还没有形成强烈的品牌意识和品牌联想，如果这个品牌此时贸然向其他领域延伸，就会令消费者感到困惑，就会极大地伤害刚刚建立起来的品牌定位。品牌延伸就像无线电波发射一样，需要一种由内向外辐射的能量，一个自身尚未成熟的品牌不具备这种能量或者能量不足以支撑品牌向外延伸，这样的品牌延伸不但不会成功，反而会拖累母品牌。

在国内，很多已经成熟的家电品牌曾尝试向手机通信领域延伸，但这种延伸大多难以取得专业厂家那样的成功。中国针对手机产业的旭日大数据调研机构对2017年全年以及2018年第一季度国产手机品牌全球出货量进行排名，家电品牌中只有TCL进入前10名，并且数据包含了阿尔卡特和黑莓的销量，其余的长虹、海尔和康佳等均排名靠后，并且份额不及1%，只能算是小众品牌。

这些家电品牌虽然在家电行业取得了相当的成就和市场份额，但离专业化的手机品牌还有相当一段距离，它们在通信领域中无论是核心技术研发能力、工业设计能力、服务能力、营销能力、品牌管理能力还是价值链整合能力都存在着这样或那样的问题。在这种情况下贸然向苹果、华为、小米这样的强势手机品牌占据的市场进行品牌延伸，其结果可想而知。

## 二、线延伸的原则

### （一）母品牌不应是某个品类产品的代名词

品牌进行线延伸时，其母品牌绝不能是某个品类产品代名词的品牌，否则这种延伸就会失败；如果某个品牌在客户心目中的地位已经强大到变成某个品类代名词的地步，那么这个品牌向其他品类延伸也会失败。例如，烟台荣昌制药在世界上首创的"贴肚脐，治痔疮"的方法及其产品"荣昌肛泰"曾经大获成功，荣昌制药这个品牌曾一度成为治疗痔疮的代名词。后来荣昌制药又向其他领域延伸，结果都未能像"荣昌肛泰"那样成功。同样，在人们心目中，IBM 是电脑的代名词，而施乐是复印机的代名词，当 IBM 试图向复印机领域延伸而施乐试图向电脑领域延伸时，它们都遭到了惨败。

### （二）不能脱离母品牌的核心价值

对某些成功品牌而言，品牌的核心价值已经牢牢地占据消费者的心灵，如果企业擅自去改变品牌的核心价值，就会引起消费者的迷惑甚至强烈不满，从而最终影响到品牌形象和品牌价值。例如，20 世纪 80 年代，百事可乐以"新一代的选择"的品牌定位向可口可乐发起了市场挑战。为了应对百事可乐的挑战，可口可乐做出了一个惊人的决定：放弃已经有 99 年历史的传统可乐配方，改变口味，推出新配方和新口味可口可乐。

采用新配方的可乐上市仅 4 小时就接到 650 个抗议电话。在上市后一个月，可口可乐公司每天就接到超过 5 000 个抗议电话，抗议信则如雪片般飞来。可口可乐公司不得不开辟了几十条热线来应付这些抱怨，有些顾客说传统配方可乐是美国的象征，可口可乐公司不应该擅自改变配方；有的顾客威胁说要改喝茶水，永远不喝可口可乐；在西雅图，一些可口可乐的忠实消费者组成了"美国老可口可乐饮者联盟"，展开全国的新可乐抵制运动……最有意思的是，在听说老可口可乐不再生产的消息后，传统配方可口可乐的价格一路攀升，而新可口可乐的销量则一路走低，远远低于推出时的预期。

后来的调查显示：一个月前在调查中还普遍认同新可口可乐口味的人数从 60% 下降到不足一半。面对公众愈演愈烈的抵制行为，可口可乐公司不得不停止新配方可乐的生产而恢复传统可乐配方。在消费者心中，可口可乐代表的已经不是单纯的饮料，而是一种自由、快乐的美国精神。

### （三）应以不让消费者产生负面联想为基本原则

代表着某个品类的品牌向另一个存在冲突或完全矛盾的领域延伸，往往会造成消费者品牌意识的混乱和负面联想，这种延伸大多以失败告终。例如，美国 Scott 公司曾经是美国卫生纸市场的领导品牌，后来它陆续把品牌延伸到面巾纸、餐巾纸等与卫生纸的使用场景完全相反的品类，这种延伸令消费者感到疑惑和不解。Scott 品牌的纸制品究竟是用来擦嘴的还是用来上厕所的？后来，怡敏牌卫生纸取代 Scott 成为美国卫生纸市场的领导品牌，Scott 品牌则滑落到第三位。当 Scott 公司意识到自己的错误时，它开始实施多品牌战略并相继推出了万岁牌面巾纸和棉柔品牌卫生纸，这两个品牌最终得到了消费者的认同。

## 三、品牌延伸的影响因素

企业品牌延伸能否成功，受到企业自身经营状况、市场环境和消费者认知等多方面的影响。但关键的影响因素有以下三个，这三个关键因素是企业试图进行品牌延伸决策时要重点考虑的问题。

### （一）现有品牌的强势度

品牌的强势度是品牌延伸的决定因素，一个没有强势度的品牌就没有延伸的必要。衡量品牌强势度的指标就是品牌资产，它主要包括品牌知名度、品质认知度、品牌联想度和品牌忠诚度四个方面，具体如下。

（1）**品牌知名度比较大**。品牌知名度是指品牌在消费者群体中的知晓熟悉程度。知名度是品牌资产的首要条件，没有知名度，就没有其他品牌资产要素。品牌知名度又可以分为深度和宽度：品牌知名度的深度是指见到或看到品牌时，该品牌被认出或回忆的可能性；宽度则是指消费者购买时想起品牌的可能性。因此从知名度的角度来看，品牌延伸实际上是延伸知名度中的深度而不是宽度，把品牌延伸到新产品领域后，消费者见到新产品时可以想起该品牌；宽度则只有延伸后经过传播及营销努力才可以实现。高知名度可以引发消费者的熟悉感和好感，体现品牌背后的实力，因此，品牌知名度越高，可转移的品牌资产就越大，品牌延伸也就越容易成功。

（2）**品质认知度比较好**。品质认知是指顾客对产品或服务的整体品质的感觉，是顾客的主观认识。品质认知度可以产生价值，是品牌的重要资产。在我国市场经济的初级阶段，市场上的产品质量仍是消费者最为关心的购买因素之一时，品质认知尤为重要。品质认知能够为顾客购买产品提供理由，特别在顾客采取"浅尝咨询式"购买决策时，由于顾客缺乏全面信息，往往依据自己心目中的品质认知来决定购买哪一个品牌的产品。品质还是差异性和定位的基础。已建立较好品质认知的品牌具有较强的延伸性。国外研究也表明质量出众的品牌的延伸成功率往往大于一般品质的品牌延伸。

（3）**品牌联想比较丰富**。品牌联想是指一提到某品牌名称，消费者头脑中出现的所有事物。比如，一提到麦当劳就联想到汉堡、金色拱门标识、儿童乐趣、干净高效等方方面面。美好的、丰富的品牌联想，意味着品牌被消费者接受、认可、喜欢以及在市场上具有差异力和竞争力等，能够增强消费者的购买信心，极大地丰富品牌的价值和品牌资产。品牌通过延伸后，可以在一定程度上把品牌联想转移到新产品上，创造延伸产品的联想。品牌联想有三个方面的评价指标，分别是品牌联想的强度、品牌联想的喜欢度和品牌联想的独特性。品牌联想的强度越大，受喜欢程度越高，越具有独特性，那么，它就越容易被顾客接受，品牌延伸也就越容易成功。

（4）**品牌忠诚度比较高**。品牌忠诚度是指消费者对品牌的满意度并坚持使用该品牌的程度。品牌忠诚度是测量消费者对所用品牌的依恋程度。品牌忠诚度反映了顾客对品牌情感的度量，是分析消费者品牌行为的指标。品牌忠诚度是品牌价值在产品使用方面的体现，维护并提升品牌忠诚度是企业经营和发展的法则，也是企业的终极目标。品牌忠诚可以创造营销价值，如降低吸引顾客的成本、产生贸易杠杆力等。消费者对品牌的忠诚度越高，说明品牌越有价值，消费者越容易产生爱屋及乌的心理，喜欢甚至忠诚于延伸品牌，因此品牌延伸越容易取得成功。

## （二）延伸产品与核心品牌的相关程度

研究表明，在核心产品与延伸产品存在相似性的条件下，消费者对延伸产品的评价与核心产品的总体质量呈正相关关系，即核心产品总体质量对延伸产品有波及作用。品牌延伸效果的好坏，取决于品牌原有形象与延伸产品形象之间的相关程度，相关程度高则延伸效果好。只要延伸产品与消费者心目中原品牌概念一致，消费者就可以接受。由此可见，恪守延伸产品与核心品牌的相似性是品牌延伸的基本要求。相似性又称关联性、相关性，是指延伸产品与核心品牌之间的某种共通性和匹配度。这种共通性并非单指产品方面，还包括非产品方面。比如，海尔、三菱这样延伸产品包罗万象的品牌，其延伸绝不只是遵循了产品特征上的相似性。

品牌延伸中的相似性可分为两类：与产品相关的属性或利益以及与产品无关的属性或利益。相似性并不只反映在与产品相关的联想上，而是可分为两类：产品特征相似性和品牌概念一致性（品牌形象相似性）。有人曾研究了 276 个品牌延伸的案例，总结出 7 种基本延伸类型：不同的形式；不同的口味、原料、成分；现有品牌的互补产品；品牌系列消费；利用专有技术；独一无二的利益、属性、特征；独一无二的品牌形象或声誉。

归纳起来，前六项是指与产品有关的相似性，最后一项是与产品本身无关的相似性。从这些研究成果中，可以得出品牌延伸管理与企业竞争力延伸主要有两条路线：连续延伸和间断延伸。连续延伸是凭借产品技术和资源上的相似性而进行的延伸，如佳能的照相机和复印机、李宁的运动服和运动鞋等；间断延伸则超出技术、资源等物理局限，遵循的是形象、价值等无形的，与产品本身无关的相似性，如雅马哈的摩托车和电子琴、卡特彼勒的掘土机和皮靴等。

## （三）延伸产品的市场竞争度

品牌延伸能否成功取决于多种因素综合作用的结果。除了上述两个关键因素外，延伸产品的市场环境与竞争度也是不可忽视的关键因素。所谓市场竞争度是指在同一个细分市场上各产品之间的竞争激烈程度。这里所说的市场竞争度是一个比较宽泛的概念，它主要包括延伸产品所处的市场状况和企业的营销能力两个方面。总的来说，延伸产品的市场竞争度比较低，那么品牌延伸就容易成功；反之，品牌延伸成功的难度就加大。

市场状况主要包括延伸产品的市场容量、市场竞争程度、产品生命周期的阶段等市场因素。市场容量大小是衡量品牌延伸是否成功的一个市场因素。一般来讲，市场容量大时，只要企业有实力，就有机会把一个品牌做大做强，因此宜用多品牌；而市场容量小时，采用独立品牌即使做成功了，也是没有效益的，因此适宜采用品牌延伸策略。

品牌延伸还与产品的生命周期和产品所处市场的竞争程度有关。研究表明：品牌延伸适宜在延伸产品的同类产品处于产品生命周期的早期进行，而不是在产品生命周期的成熟期进行。市场的竞争程度是影响品牌延伸效果的另一个市场因素，如果市场竞争不激烈，延伸就容易成功，反之就容易失败。

例如，娃哈哈能成功延伸到纯净水领域，其中一个主要原因是当时的市场还不成熟；而娃哈哈延伸到牛奶产品领域就不一样了，因为竞争对手如光明、伊利、蒙牛等国内著名牛奶品牌实力已非常强大了，市场竞争十分激烈。又如，格兰仕凭借在微波炉产品上构建的强势品牌进军空调市场，在格力、美的、海尔等大品牌面前，其延伸难度也非同一般。

品牌企业的营销能力也会影响品牌延伸的效果。品牌延伸至一个新的产品领域时，如果新产品所在的行业内存在大品牌，那么仅仅依靠品牌的知名度和核心价值的包容力是远远不够的，延伸难以成功，企业要在产品力、传播力和销售力等方面都得有所创新和突破。在产品力方面，应采取差异化策略，进行产品和概念创新，不要与竞争对手正面冲突，否则难以成功。在传播力方面，品牌延伸后要迅速提高延伸产品的品牌知名度。如果消费者购买时无法想到品牌，那么延伸产品就无法被消费者列入购买的候选名单。在销售力方面，要提高终端铺货率，不断强化终端的生动化。一个延伸产品品牌的知名度不高，在进入终端前往往不会被消费者列入候选名单。但是，如果通路做得畅通，铺货率很高，以终端陈列来吸引人们的注意力，那么消费者进入零售点后，就会注意到延伸产品的存在，加上是自己熟悉和认同的品牌，新产品就会有较高的选中率，品牌延伸就容易成功。

## 第三节　品牌延伸的决策程序与策略

品牌延伸可以加快新产品的定位，保证新产品投资决策的快捷、准确；有助于减少新产品的市场风险，提高整体品牌组合的投资效益。尽管品牌延伸过程中存在各种各样的陷阱，但只要企业按照科学规范的决策程序，选择正确的方向，采取得当的措施，就可以避开陷阱，达到预期目的。

### 一、品牌延伸的决策程序

品牌延伸是一种战略决策，事关企业的前途命运。因此，品牌延伸要综合考虑企业的各种要素、资源。品牌延伸过程主要包括三个步骤：确定品牌联想，识别相关产品，选择候选品牌名。

#### （一）确定品牌联想

这一阶段的任务是探测存在于公众头脑中与品牌有关的所有联想，包括名称、印象、个性、内心和隐藏的潜力等方面。企业可以采用定量和定性的方法确定品牌联想。

（1）**名称联系法**。名称联系法就是选定一组消费者，向他们询问，当下列品牌名称被提到时，在他们的脑海里首先想到的是什么。比如，当你看到或听到"可口可乐"时，首先想到的是味道好、价格低廉、包装上的红颜色、年轻活力等。

（2）使用印象法。使用印象法就是选定一组消费者，请他们使用某个品牌的产品，然后询问他们对该产品的印象。比如，当你喝过"六个核桃"，它留给你的印象是：价格适中、富有营养、口味独特、包装好、有益身体健康等。

通过上述两种方法，可以获得许多联想，整理汇总后将判断重点放在5～20种联想上，判断它们与品牌联系的力度，如果联系特别紧密，该联想就能为品牌延伸提供杠杆效用，品牌经营者就可将此作为品牌延伸的支撑点。

### （二）识别相关产品

在确定了核心品牌强有力的品牌联想之后，下一步就是识别哪些东西与这些品牌联想有着密切关系。例如，当消费者接触到活性乳酸奶时，他们要求的也许是价格适中、口感好、美容美颜、食用方便、时尚、少添加剂等；消费者对"伊利"的品牌联想是休闲、口感好、价格适中、生活化、绿色健康、包装好等。把二者结合起来，就可以知道伊利这一品牌可以向乳酸奶饮料品类延伸。另外，当消费者接触到低糖碳酸型饮料时，他们要求的也许是价格适中、口味独特、能解渴、少添加剂、低热量等；消费者对可口可乐最强劲有力的品牌联想是世界性饮料、配方神秘、口味独特、时尚、价格适中、能解渴等。把二者结合起来，就可以得知可口可乐这一品牌可向低糖碳酸型饮料品类延伸。

### （三）选择候选品牌名

在确定了延伸产品之后，紧接着要选择相应的品牌名称。选择延伸品牌名时，要从以下两点出发。

（1）延伸品牌的名称要使消费者感到舒服。如果核心品牌准备通过转移一种消费体验或消费者的品牌联想来帮助延伸，那么延伸品牌名就要比较容易使消费者感到愉快。例如，某品牌电视机给消费者的主要印象是品质优良，他们也会因此认为该品牌的冰箱具有同样的质量水准。如果消费者觉得延伸品牌的名称使他们感觉不舒服，他们就不希望原有品牌转移到新产品上。

（2）延伸品牌名称应当为延伸产品提供一些优势。这些优势主要来自消费者对延伸品牌名称的感觉和联想。由于核心品牌是成功的品牌，一般都能给消费者留下良好印象，而延伸品牌名应该是这种良好印象的延伸和加强，应该成为消费者购买延伸产品的重要原因。或者说，延伸品牌名相对于核心品牌而言，应当成为一种类似更优的质量、更高的文化附加值、更可靠的性能或拥有一定地位的品牌。

当品牌名有助于在一个混乱的市场上树立消费者的品牌意识或者促进产品销售时，品牌延伸就会在某个已成熟的产品市场上有更大的比较优势。在产品市场还不成熟时，品牌延伸将有较大风险。企业实施品牌延伸战略，一定要有长远眼光。品牌不可不延伸，但不能盲目延伸。通过上述三个步骤，企业可以将品牌延伸作为一个平面，划分为四个不同的区域：主延伸区、次延伸区、潜在延伸区和延伸禁区。主延伸区是品牌延伸的主要区域和最佳选择；次延伸区是品牌延伸的普通选择；潜在延伸区是理论上可以达到而尚不能实现的区域；延伸禁区是指会带来负面效应的区域，应该避开。

## 二、品牌延伸的策略

品牌延伸策略是将现有成功的品牌，用于新产品或修正过的产品的一种策略。

### （一）正确进行品牌定位

品牌定位对企业及其产品开拓市场具有十分重要的意义。在现代社会，同一市场上同一种类的产品日益增多，要使自己的产品在众多产品中得到顾客的认可，企业必须通过各种方式培养和塑造自身的产品特色，以符合顾客的欲望和需求。例如，娃哈哈营养液对成人和儿童都有益，但娃哈哈公司放弃了成人市场，把品牌定位聚焦在儿童身上，以广告语"喝了娃哈哈，吃饭就是香"来打动天下父母心，结果市场需求得到大幅扩大。品牌一旦定位，市场拓展、产品开发等方面都要与定位保持一致，以合力扩大市场覆盖面。实施品牌延伸，尽管可以向不同产品领域延伸，但延伸绝不能"天女散花""八方出击"，搞"无度延伸"，偏离产品定位。海尔从冰箱延伸到洗衣机、空调、电脑等产品领域，但始终没有偏离家电、信息产品这一定位。

### （二）切实提升品牌档次

实施品牌延伸的首要目的是利用已有品牌的声誉和影响，迅速将新产品推向市场。因此，提升现有品牌的档次、培育品牌带动力，是实施品牌延伸策略的关键。为达到此目标，首先要培养和形成企业的良好信誉。企业信誉包括多重内容，无论是什么类型的企业，支付信誉都排在首位，这是企业投融资和正常业务得以开展以及业务扩大的基础。对于企业而言，产品质量信誉、售后服务信誉、交货信誉对品牌的影响较大。其次，在为客户提供产品的同时提供多方面的服务。服务质量是品牌档次提升的催化剂。服务概念的外延很广，不仅包括产品销售的服务，而且包括投融资信息及市场信息、用户意见反馈处理等多种综合性服务。最后，在经营和管理活动中融入企业形象的塑造：企业在某一个经营领域长期居主导地位，形成独具影响的经营特色；企业在管理上达到很高的水平，形成自己的管理特点；企业在社会公益活动中树立起服务和回报社会的形象。

### （三）科学选择品牌延伸领域

实践证明，品牌延伸能否取得成功，取决于以下几个条件：第一，是否有技术创新能力，是否具备品牌延伸成功的技术基础和人才保障；第二，企业在管理、营销方面是否具备条件和能力；第三，是否有比较充足的资本承受品牌延伸时带来的资金压力。这些条件基本具备的话，实施品牌延伸策略才有成功的可能。如果某一项不具备，其他几项则需要特别强，具备很强的互补性，否则盲目实施品牌延伸，反而会"株连"其他产品，那么就完全失去了品牌延伸的意义。我国一些企业实施品牌延伸没有取得成功，归根结底就在于这些企业没能科学地进行品牌评价，盲目进入自身并不熟悉的领域。

### （四）实行主副品牌策略

在主品牌不变的前提下，为延伸的新产品增加副品牌，是规避延伸风险的有效手段之一。这样可以使各种产品在消费者心目中有一个整体的概念，又在各种产品之间形成一定的比较距离，使产品在统一中保持差异性。例如，海尔集团在品牌延伸时，为各型号的冰箱、洗衣机分别取一个优美动听的副品牌，如小神童、统帅和紫精灵等。还有格力集团开发的领御、领衔等系列空调，也是如此。实施主副品牌策略，在广告宣传中必须以主品牌为重点，副品牌居于从属地位。例如，海尔"大神童"洗衣机，副品牌"小神童"传神地表达了该洗衣机智能洗衣、操作便捷、全自动的特点和优势，但消费者对海尔"大神童"洗衣机的认可、购买，则主要是基于对海尔的信赖，如果在广告宣传上以"小神童"为主进行宣传，要打动消费者的心是比较困难的。

许多企业热衷于实施品牌延伸策略。然而，如果企业草率决策、盲目延伸，则会削弱现有的品牌认知和品牌联想，或者会产生负面的品牌联想而破坏最初的品牌定位。这种错误的品牌延伸会使品牌资产的价值下降或者贬值，它会对企业已有的经营优势造成一种战略性的损坏。要想使已取得成功的品牌实现可持续发展，利用品牌延伸拓展品牌发展空间，就必须科学、谨慎地对待品牌延伸。

## 本章小结

所谓品牌延伸就是指企业利用现有某个知名或具有市场影响力的成功品牌，推出新产品，扩大品牌所覆盖的产品集合或延伸产品线，尽快进入市场的整个品牌管理过程。品牌延伸的益处有：可以帮助延伸产品迅速得到认可；可以丰富主品牌的内涵；可以加大和满足市场需求；可以减少企业的推广成本。品牌延伸的弊端有：模糊主品牌的定位；损害主品牌的形象；会让消费者产生排斥心理；产生"株连"效应。

品牌延伸的具体形式包括向上延伸、向下延伸、双向延伸。品牌延伸的原则分为大类延伸原则和线延伸原则。大类延伸原则包括应着眼于品牌的情感特征；应该以确保成功为原则；母品牌必须是强势品牌。线延伸原则包括母品牌绝不应是某个品类产品的代名词；不脱离母品牌的核心价值；应以不让消费者产生负面联想为基本原则。

企业品牌延伸能否成功，受到企业自身经营状况、市场环境和消费者认知等多方面的影响。但关键的影响因素包括现有品牌的强势度、延伸产品与核心品牌的相关程度、延伸产品的市场竞争度。品牌延伸是一种战略决策，事关企业的前途命运。因此，品牌延伸要综合考虑企业的各种要素、各种资源。品牌延伸过程主要包括三个步骤：确定品牌联想，识别相关产品，选择候选品牌名。品牌延伸的策略包括正确进行品牌定位、切实提升品牌档次、科学选择品牌延伸领域、实行主副品牌策略。

## 思考题

1. 品牌延伸的定义及利弊是什么？
2. 简述品牌延伸的一般形式。
3. 简述品牌延伸的大类原则和线原则。
4. 试述品牌延伸的决策程序和品牌延伸的策略。

## 案例分析

### 品牌延伸视角下一家旅游企业的尴尬

旅游行业的整体产品包括吃、住、行、游、购、娱，但现实中，旅游企业往往只掌握景点资源，而不拥有其他环节的资源，由此造成旅游行业自身存在很大的特殊性，主要体现为两点：一是信息的不对称，景点不动，是游客在动；二是单次购买，而非重复购买。正是这两个原因造成了旅游行业机会主义行为的出现。

接下来，我们分析旅游企业通常所面临的尴尬处境。一般旅游企业在当地都只掌管着景区或景点的资源，而住宿、餐饮等很少是自己的。旅游专业的人都知道旅游整体产品包括吃、住、行、游、购、娱六个环节，如图 9-1 所示，而旅游企业只掌控"游"这一个环节，其他环节暂时没有掌控。这六个环节内在也有一定的逻辑关系，哪个环节最重要呢？显然，是"游"这个环节，如果没有"游"，就没有其他几个环节。但是"游"这个环节的利润大，还是其他几个环节的利润大呢？大家可以算一算。到一个景区玩，收门票两三百元，你心疼不心疼？不少人会说心疼。但要说吃顿饭，喝瓶酒，或者住一晚，花上好几百甚至上千元的时候，也许你会觉得正常。为什么呢？这是因为人的心理账户在作怪。所以，一个景区如果来的游客多，那么每个环节都赚钱，而且除了"游"，其他几个环节赚的还相对多一些。因为景区建设中在"游"上的投入成本一般都不低，不管是人工建设的现代科技类景点，还是大山里面的景点。但如果一个景区如果来的游客少，那么每个环节都不赚钱，这个时候会发生什么呢？就是这些外围的环节，包括当地政府可能也会将责任归咎于"游"，也就是旅游企业，肯定会说都是某某企业没有把游客吸引过来。

看到了吧，旅游企业的处境是不是很尴尬？而且其他几个环节出现机会主义行为的时候，旅游企业还拿它们没办法。比如，旅游企业的销售人员在外地组织了一个 50 人参加的团，结果给酒店打电话订房的时候，酒店说只能提供 30 人的房间，另外 20 人得找其他酒店。旅行团的人一听肯定不干，大家都希望能够住在一起，结果这个团就流失了。还有的游客对景区餐饮或者交通的体验不好，也打电话到旅游企业投诉，或许这根本就跟旅游企业没什么关系，因为这是饭店和交通的问题，但游客不知道啊，他们不管三七二十一，见到景区有投诉电话就打过去了。当遇到这些问题的时候，如果你是旅游企业的管理者，你会怎么办？很多人说进行品牌延伸，向吃、住、行、购、娱几个环节延伸，建宾馆，建饭店，买断景区周边的线路经营权，建购物中心和游乐场，等等。

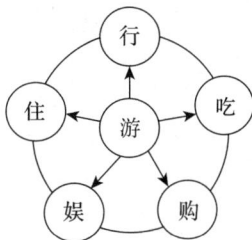

图 9-1 旅游整体产品

这样的方向大致是对的，但在操作上还要仔细斟酌。首先，向其他几个环节延伸，进行产业链的升级，不仅需要钱，而且需要地，更需要人。这些不是说找到就能找到的资源。另外，企业进行品牌延伸之后做什么呢？有没有想过？我给的答案是，把门票的价格逐渐降低，直至为零。大家可以想象那个火爆的情景，据我了解，国内很少有景区或景点门票是免费的。杭州的西湖景区就做得很好，不收门票，但可以从吃、住、行、购、娱其他几个环节赚钱，前提是这个时候景区已经掌控了其他几个环节。国内的景区还很少有旅游企业掌控其他几个环节的，大多数都只是拥有旅游景点资源。这样做就会大大提高旅游的交易感知效用，也就是说，以前门票是一个人两三百元，现在免费，跟参照点相比，游客会觉得自己好像赚了两三百元一样。

接下来大家要思考的是，在品牌延伸之

后，也降低了门票价格，直至为零，这个时候新的问题就会出来了：半年的生意怎么办？因为有很多景区，尤其是山水大类的景区，经常存在淡旺季，淡季从当年的 11 月到次年的 4 月，旺季从当年的 4 月到 10 月。旺季的时候好说，可淡季的时候呢？企业在做品牌延伸的时候，摊子铺得那么大，半年没有生意的话，该怎么办呢？对各个环节的维护管理费用也是很高的。

资料来源：https://www.icourse163.org/course/ZNUEDU-1003452001，节选自本书配套品牌管理慕课视频 11.1。

## 思考题

1. 从营销 4P 的视角，分析旅游行业的特殊性。
2. 如果你是旅游企业的决策者，面对淡旺季会如何解决供需不均衡的问题？

# 第十章 品牌系统

## 【学习目标】

- 掌握品牌系统的定义和内容，了解品牌系统的目标；
- 掌握品牌体系关系谱下的四种不同策略；
- 掌握品牌体系结构所包含的内容，掌握品牌体系的价值基础；
- 熟悉单一品牌策略的定义、分类、优缺点及适用条件；
- 熟悉主副品牌策略的定义、优缺点及适用条件；
- 熟悉多品牌策略的定义、优缺点及适用条件。

## 开篇案例

### 韩都衣舍多品牌"广撒网"的背后

一封来自米兰时装周的邀请函，一个走向国际秀场的"小目标"，一股全球时装界的亚洲快时尚清流——韩都衣舍，在成为互联网服饰品牌第一股后，在意大利米兰引发了中国电商界与时尚界的又一场轰动：走进米兰时装周。韩都衣舍是一家定位于"快时尚"的电子商务服装企业，成立于2008年，并逐步发展成为一家拥有几十个品牌、淘宝销售额及粉丝数第一的互联网快时尚服装企业。公司近年来积极实施多品牌策略，主要品牌由最初单一的女装向男装、童装及相关服饰、配饰延伸，致力于发展成为拥有多个品牌、涵盖多种风格的互联网快时尚服装企业。从韩风起家，到如今延伸出东方风、欧美风，涵盖女装、男装、童装、老年装等数十个品牌的韩都衣舍，其多品牌战略可谓"声势浩大"。针对互联网商业模式下创始人赵迎光的"广撒网"策略，很多人质疑：他到底是怎样"折腾"的呢？

### 1. 信息系统赋能企业运作

韩都衣舍自 2010 年组建独立的信息技术团队以来，从初期的依靠外部购买行业软件，逐步发展到依据企业业务需求，自主开发并不断完善了柔性供应链系统、仓储物流系统、客服系统等 IT 系统，并在此基础上建立起涵盖完整产品生命周期的"业务运营支撑系统"（BOSS）。其中，订单管理系统（OMS）的订单处理速度最高可达 15 000 单／分钟，配合仓储管理系统（WMS），保证了消费者网购订单得以快速准确处理；供应链管理系统（SCM）以及韩都电商下一代业务支撑系统（HNB），为公司施行小组制、柔性供应链提供了有力的技术支撑。

### 2. 小组制提升管理效率

韩都衣舍独创了类阿米巴的组织形式——"以产品小组为核心的单品全程运营体系"。产品小组由 3～5 名核心成员组成，每名成员职责明确，分别负责产品的设计研发、营销策划以及采购仓储。产品小组是企业内最小的核心业务单位，拥有完整的自主权，组织形式灵活，人员选择自由搭配，负责产品从研发设计到生产销售过程中的非标准化业务。小组通过制度实现"责、权、利"三者的统一，员工责任归属明确，对自己小组的产品从款式研发到促销策略拥有完整的自主权，利润收入完全与销售业绩及库存等数据挂钩，提高了员工的主观能动性，降低了企业的库存风险。

### 3. 柔性供应链提升核心竞争力

随着韩都衣舍的发展壮大，从 2013 年开始，韩都衣舍基于四个维度开展了柔性供应链改造计划：一是继续开发完善供应链的软件系统及硬件基础设施，利用公司自主研发的供应链管理系统，配合消费者数据的采集、挖掘应用，打造了独具优势的"韩都智"柔性供应链，以提高企业管理的精准度和及时性；二是建立了以优质资源原产地为基础供应链战略布局；三是与产地的"生产代理商"联手，将生产过程中的各个流程重新梳理，重组企业组织架构，进行模块化生产流程再造；四是对供应商提供升级培训，提高供应商的管理水平，从而提高了整个供应链生产流程中的协作水平，进而提高了产品品质。通过对供应链的升级改造，韩都衣舍"少量、多批次、多款式"的柔性供应链体系日渐成熟，对市场保持了及时、敏捷的响应速度，提高了公司的库存周转率，大大提升了企业的核心竞争力。

韩都衣舍自成立以来，始终不忘初心，深耕互联网，坚持实施差异化品牌传播策略，通过小组制、兼并移植、建设品牌孵化平台等途径，创立了 28 个成功的子品牌，并与 50 多个优秀品牌达成战略合作关系。它不忘初心的坚持品牌裂变之路、卓越的创新和运营能力、包容的鼓励内部创业氛围以及建设互联网品牌生态系统的魄力，为开展数字化转型的企业做出了很好的示范。

资料来源：丁龙昌，魏冉.以韩都衣舍"平台＋个人"组织创新为例，看人力资本重组 [EB/OL].（2019-05-17）[2022-12-30]. https://www.sohu.com/a/314622838_100292772.

# 第一节 品牌系统概述

对于多品牌经营的集团化企业来说，品牌系统的建立已成为它参与现代市场竞争的重要方式之一，众多学者也对此展开了研究。正如硬币的两面一样，学者们的结论也存在着分歧和冲突。有些学者认为：由不同品牌组成的品牌系统对公司产生的作用比渠道网点要大，并且能够阻止竞争对手的进入。相反的观点是：渠道网点或广告宣传等要比品牌的数量更有用。同样，有学者认为：对不同的市场进行细分，品牌越多，越能够产生规模经济和范围经济；对于细分市场来说，公司品牌系统当中的子品牌应该相互补充，在消费者大脑当中形成一种强势的品牌定位，产生协同效应。而不同的研究，得出的结论是品牌数量太多会对主品牌起到稀释的作用。那么，品牌系统究竟该如何组合才能提高协同效应，同时降低稀释作用？这需要企业掌握品牌系统的基础知识。

## 一、品牌系统内涵

### （一）品牌系统的定义

由于消费者不断求新求异的需求和市场竞争的不断升级，企业需要通过不断增加新的品牌构建品牌系统，以满足消费者的需求和提高企业的竞争力。品牌系统是指不同品牌的组合，它具体规定了各品牌的作用、各品牌之间的关系以及不同产品的市场环境，例如，联合利华和欧莱雅都有一个多品牌的组合系统，每个品牌都有对应的细分市场。在每一个细分市场上，不同品牌的市场运作方式也许不同，有多种（有时完全不同的）产品和渠道，需要对它们进行团队式的管理，从而使它们相互补充，产生协同效应，避免相互牵制。而产生协同效应的程度（大小）取决于是否有一套清晰合理的品牌系统。

### （二）品牌系统的内容

（1）**品牌体系**。公司可以通过品牌体系的重组实现品牌组合管控，例如，将某些主品牌降格为副品牌，将某些背书品牌升格为联合品牌，甚至取消某些二级企业的公司品牌。公司通过改变品牌体系能够影响下属单位的品牌资产，从而影响在产品市场上的驱动作用。

（2）**品牌范围**。公司可以通过品牌范围的重组实现品牌组合管控，例如，让某些品牌扩充自己的经营范围以增加品牌价值，限制某些品牌的产品类别的边界以控制品牌资产，甚至可以将品牌从旧的领域重新定位到新的领域，完全改变品牌识别。公司通过改变品牌范围能够调整下属单位的经营方向，从而影响到对未来的定义。

（3）**组合结构**。公司可以通过品牌组合结构的重组实现品牌组合管控，例如，在品牌分组中可以改变分组逻辑，在品牌等级树中可以改变等级，在品牌网中可以改变网格位置。公司通过改变品牌组合结构能够调整下属单位品牌之间的关系，从而朝良性的方向发展。

（4）**品牌地位**。公司可以通过品牌地位的重组实现品牌组合管控，例如，不再将某些品牌定位于"战略性品牌"，因而减小对它的资源配置和政策倾斜力度，同样地，可以将某些品牌定位于"银弹品牌"，将管理权限移交给相应的主品牌，当然也能将某些品牌定位于"金牛品牌"，要求它们更多地向集团总部输送资源。公司通过改变品牌地位能够调整下属单位在品牌组合中扮演的角色，从而影响其资源的获得比重。

（5）**品牌图形**。公司可以通过品牌图形的重组实现品牌组合管控，例如，强化某些品牌的视觉展示，同时削弱某些品牌的视觉展示以达到改变品牌驱动力的作用。公司通过改变品牌图形能够调整下属单位品牌在市场环境中的暴露度，从而影响其品牌力量。

### （三）品牌系统的目标

（1）**建立强势品牌**。好的品牌系统战略能够帮助企业拥有更多的强势品牌，这些强势品牌在它们涉及的领域能够建立强有力的地位，它们的品牌价值主张能够与目标顾客产生共鸣，能够与竞争者形成差异，也能够形成持续稳固的竞争优势。

（2）**配置品牌资源**。好的品牌系统战略能够帮助企业更加高效合理地进行品牌建设和配置管理资源，组合内部各个品牌相互合作以支持整体的品牌战略，通过将从金牛品牌上获取的资源投入到战略性品牌和银弹品牌当中，为企业未来的发展打下坚实的基础。同时由于确立了品牌资源属于集团所有成员，此时应该站在全局的角度进行调度，实现管控就较为容易。

（3）**协调品牌系统**。好的品牌系统战略能够帮助企业进行跨领域的协调，企业可以将相对较少的主品牌应用在尽可能多的事业环境中以实现管控的目的，这样还能够增加这些主品牌的能见度，进一步扩充和强化其品牌识别，通过成本的分摊、工作的样板化提高品牌绩效。

（4）**平衡品牌资产**。好的品牌系统战略能够帮助企业更加有力地平衡品牌资产，单纯地把品牌组合的重心放在某一个强势品牌上是有风险的，企业应谋求建立更多样化的品牌资产，充分发掘、培育和利用品牌组合中那些有发展潜质的品牌，让品牌组合资产更加均衡，从建设强势品牌走向建设强势品牌组合。

（5）**指导未来发展**。好的品牌系统战略能够帮助企业更加有能力去引领未来，指导企业建立一个有很大发展潜力的主品牌以匹配未来发展的机会。这样的品牌系统不仅可以通过战术性品牌延伸将品牌横向延伸到其他的机会领域，以及将品牌纵向延伸到更有吸引力的细分市场，而且可以通过战略性品牌延伸去建立广域品牌平台，为企业战略提供连贯性和框架结构。

## 二、品牌体系关系谱

目前，理论界对品牌体系研究最具代表性的是品牌体系关系谱，如图 10-1 所示。品牌体系关系谱包括四个基本策略：品牌化组合、亚品牌、托权品牌、多品牌组合。

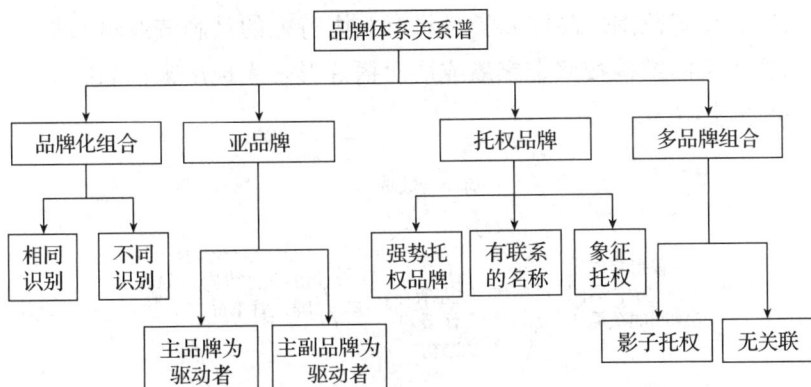

图 10-1 品牌体系关系谱

资料来源：艾克，乔瑟米赛勒.品牌领导：管理品牌资产 塑造强势品牌 [M].曾晶，译.北京：新华出版社，2001.

每种策略在品牌体系关系谱上的定位，反映了在策略的执行中以及最终在顾客的头脑中品牌（如主品牌与亚品牌，托权品牌和受托品牌）被分离的程度。最大的分离出现在关系谱右端的多品牌组合当中，可以看出各个品牌各自为政，如宝洁和通用电气（GE）。向左移是托权品牌和受托品牌的关系，但品牌仍隔离得很开。再向左移，主品牌和亚品牌的关系就比较受限制，亚品牌可以改善和扩大主品牌但不能太脱离主品牌，如娃哈哈集团的营养快线、爽歪歪、AD 钙奶等，这些亚品牌可以创造出使主品牌更独特、更具吸引力的联想物。在最左端的品牌化组合当中，主品牌是驱动者，而描述性的亚品牌几乎不起任何驱动作用，如海尔集团的海尔冰箱、海尔洗衣机、海尔空调、海尔电视机等。海尔代表的是产品和服务的品质、追求卓越和创新的精神，而描述性的标志则指明了具体的产品和服务，如"海尔冰箱"指的就是海尔集团提供的冰箱。

## 三、品牌体系结构

品牌体系结构是各品牌进行整体运作，达到协调、清晰和平衡目的的工具。通过设计明晰、内涵丰富的品牌识别和制定品牌创建规划来构建强大的品牌系统，毫无疑问是极其重要的。如果把品牌视为推动企业独立的发动机，将导致市场的混乱和效率低下，而具有战略眼光的品牌领导者在对品牌团队目标进行优化的同时，也要优化每个品牌的目标。

学者研究结果表明：品牌体系结构由五个方面决定——品牌组合结构（品牌范围）、品牌组合数量、品牌组合作用（组合当中不同品牌间的关系）、品牌组合角色（具体市场的结构，如副品牌或背书品牌）和品牌组合图形（标识的色彩和尺寸），如图 10-2 所示。

（1）**品牌组合结构**。它具体是指品牌体系的模式，这个模式描述了各品牌间的相互关系，说明了品牌体系结构的逻辑是什么，该逻辑是否促进了品牌间的协调和平衡，是否使企业品牌运营更有方向、更有次序。通常通过三种方法对这些问题进行讨论：品牌归类、品牌层次和品牌范围。品牌归类是将有共同特征的品牌按逻辑归集起来；品牌层次则可以将品牌体系的结构按照金字塔或层次树等形式表现出来；品牌范围主要指品牌跨市场和延伸的最大范围。

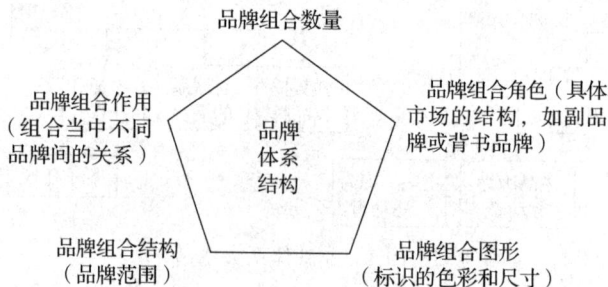

图 10-2　品牌体系结构的五个维度

（2）**品牌组合数量**。它是品牌体系结构的一个基本参数，必须要从系统化的框架来考虑是否添加或删减品牌，必须由具备组合眼光的人或团队来决定批准，因为有时增加品牌能加强整个品牌体系，而有时增加品牌会削弱整个品牌体系。每个品牌都需要分享品牌创建时使用的资源，如果品牌过多，会导致市场混乱，解决的办法就是建立品牌体系。

（3）**品牌组合作用**。它为人们更系统地考察品牌体系提供了一个工具，主要是考察体系内各品牌间的关系以及各品牌在整个体系当中的角色和承担的任务，可以按照价位区间划分，也可以按照亚品牌承担的角色任务划分。如可将体系中的品牌划分为战略性品牌、关键品牌、金牛品牌、旗舰品牌、一般品牌等，它们的作用并不相互排斥，一个品牌可以同时是关键品牌和金牛品牌。

（4）**品牌组合角色**。通常情况下，产品市场环境中品牌的角色是指几个品牌结合起来可以描述某个产品市场环境中的托权品牌的特征。例如，安装了"北极星"定位系统的"别克君威"是一个具体的受托品牌，其中"别克"是起基本驱动作用的主品牌，"君威"是亚品牌，"北极星"则发挥了品牌基本元素的作用。

（5）**品牌组合图形**。它是运用在跨品牌和商场环境下的视觉标识的模式。通常最明显的中心品牌图是能在各种环境和品牌扮演各种角色时通用的商标；基本的标识元素、颜色、布局和字体都可以反映一个品牌所处的环境及其与其他品牌的关系。

## 四、构建品牌体系的价值基础

以往的研究显示，构建清晰、合理、内容丰富的品牌体系需要注意三个方面的问题：范围——细分市场的数量和品牌的数量；竞争——品牌体系当中各品牌的定位是否相似，是否拥有同样的消费者，品牌间是否存在相互竞争；定位——消费者对各品牌质量和价格的感知。那么，在构建品牌体系的过程中，如何解决上述三个方面的问题呢？库马尔在其著作《营销思变：七种创新为营销再造辉煌》中，通过详细阐述"3V 价值模型"（见图 10-3）的内涵及其应用给出了答案。3V 价值模型的基本含义是：价值顾客（valued customer）——我们正在或将要为谁服务？价值主张（valued proposition）——我们能够为外部的价值顾客提供什么，即价值主张是什么？价值网络（valued network）——我们怎样创造价值并将价值传递给外部的价值顾客？

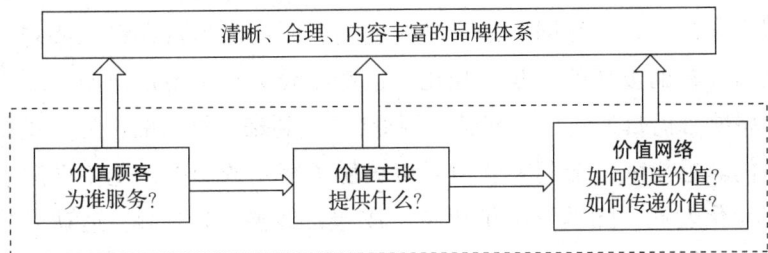

图 10-3 构建品牌体系的价值基础

资料来源：库马尔.营销思变：七种创新为营销再造辉煌 [M].李维安，张世云，译.北京：商务印书馆，2006.

为此，企业构建品牌体系可以从 3V 价值模型中受到启发，有效增加一个针对目标市场的品牌，其流程是：首先细分市场，寻找与识别价值客户，开发新的产品并增加新的品牌，提出与之相适应的价值主张，然后构建低成本、高效率的价值网络，创造并传递价值。按照库马尔的 3V 价值模型构建品牌体系，可以实现在不断增加新品牌的同时，不会产生品牌间的相互竞争，可以实现品牌间清晰的识别和定位，还可以实现消费者对品牌质量和价格的良好感知。

# 第二节 单一品牌策略

随着市场环境的变化以及企业的发展，在具备了一定的外界条件和自身条件后，企业必然会不断地开发新产品。这些新产品与企业已有的产品可能属于同一类别，也可能属于不同的系列，此时企业就可能面临品牌系统策略的决策——是选择单一品牌策略、主副品牌策略还是多品牌策略。不同的品牌系统策略决策取决于企业当时面临的市场环境以及企业内部的各种条件。

## 一、单一品牌策略的定义

所谓"单一品牌策略"，就是说企业生产和经营的几种不同产品统一使用一个品牌名称。在我国，采用单一品牌策略的典型代表有联想集团、李宁公司、TCL集团有限公司等：联想集团的所有产品都统一使用"Lenovo"品牌；李宁公司生产的产品包括服装、运动装备等，全部的产品都使用"李宁"这个品牌，其标识总是一面飘动的红旗；TCL集团有限公司生产的电视、空调、冰箱以及其他配件也一律使用"TCL"这个品牌。

## 二、单一品牌策略的分类

单一品牌策略就是多种产品使用同一品牌。按单一的程度的不同，此策略可以继续细分为产品线品牌策略、范围品牌策略、伞形品牌策略。

### （一）产品线品牌策略

产品线品牌策略是一种局部的单一品牌策略，主要是指同一条产品线上的许多产品项目共同使用一个品牌。虽然同一条产品线上的不同产品项目存在一些差异，但是与这些产品项目之间存在的极高的关联性相比，这些差异又是微不足道的，所以同一条产品线上的不同产品项目仍归为同一种产品。例如，"金利来，男人的世界"正是产品线品牌策略的一个实例。近年来，金利来公司对市场做了翔实的调查，逐年推出了新的男士用品，逐步向多元化发展，陆续推出了皮带、皮包、钱夹、T恤衫、运动套装、毛衣、西装、裤子、领结、领带夹、钥匙链、皮鞋等男士服装和饰品，这些男士系列用品在高收入男性中备受青睐。

金利来公司及众多化妆品公司之所以采用这种品牌策略，在于这种品牌策略具有这些公司所需要的优点。首先，产品线品牌策略有利于创建统一的品牌形象，提高品牌在目标市场的知名度，增强品牌的销售影响力。其次，公司可根据目标顾客的多方面需要推出系列产品，易于产品线的延伸。同一产品线的产品的特征具有相似性，功能具有统一性，进行品牌延伸时一般不会掉进品牌淡化或心理冲突的陷阱里。相反，同一产品线使用同一品牌时，往往还会让消费者产生协调的感觉，这种感觉在消费者购买化妆品时显得尤为重要，因为大多数人认为化妆品配套使用不会产生不良反应或效果更好。最后，产品线品牌策略可节约促销费用，因为多种产品使用同一品牌有利于集中营销资源，取得品牌规模效益。

尽管产品线品牌策略具有独特的优点，但实行这种品牌策略仍存在一些制约因素。比如，产品线总是有限的，因而限制了已有品牌运用的范围，使品牌不能发挥出最大的潜在价值。公司只能开发与已有产品相近或相关的产品，而有重大创新的新产品若被冠以原有品牌，则难以让消费者接受，这样会影响公司的创新步伐。此外，不同产品使用同一个品牌，若其中一种产品出问题，其他产品的销售也会受到不良影响。

### （二）范围品牌策略

范围品牌策略是一种局部范围内的单一品牌决策，但其范围比产品线品牌策略要大一些。这种品牌策略是企业对具有同等质量或同等档次的不同商品使用统一品牌。这种不同的产品是跨越产品线的。例如，一个制药企业，它有多条药品生产线，生产不同功效、适用不同人群的药品，但是这些不同的药品都采用同一品牌。其他如日用品、食品等也可以实施范围品牌策略。

实施范围品牌策略的优点有：首先，避免了信息传播泛滥，众多产品使用同一品牌和品牌创意，有利于在消费者心目中建立统一的品牌意识和品牌形象；其次，集中进行统一的品牌宣传，大大降低新产品上市费用；最后，有利于树立该品牌稳定的质量形象，不会产生质量错位的现象。但这种策略也存在一定的问题：随着产品数量的增多，品牌的透明度会受到影响，人们不知品牌具体代表什么，品牌覆盖产品范围越广，这个问题越严重；由于所有产品使用统一的主题，各种产品的具体特点反映不出来，个性不够鲜明。

### （三）伞形品牌策略

伞形品牌策略是一种完全的单一品牌策略，企业生产的所有产品均使用一个品牌，而这些产品的目标市场和市场定位可能都不一样，产品宣传的创意和组织活动分别单独进行。例如，飞利浦公司生产的音响、电视、灯泡、计算机、电动剃须刀、小家电产品等均使用 Philips 品牌；佳能公司生产的照相机、传真机、打印机、复印机也使用同一品牌 Canon；雅马哈公司生产的摩托车、钢琴、电子琴都以 Yamaha 品牌销售。这种品牌策略的最大优点是可以充分发挥单一品牌的作用，特别是名牌的效应，有利于产品向不同市场扩张。

首先，跨国公司在向国外扩张时经常使用这种策略，利用已有的品牌知名度打开市场，节约进入市场的费用和时间，这一点在当今信息爆炸、传播媒体成本飞涨的时代显得更为重要。其次，这种策略允许企业集中使用资源，加强核心品牌的主导地位。最后，具体产品的宣传，可根据市场定位和产品特点进行，因而由基层组织开展促销有较大的自由度和针对性。实施这种策略的问题主要在于，实施过程中容易忽视产品宣传。人们往往会认为，有强大的品牌作为后盾，只要挂上名牌，产品销售不成问题，产品特色的具体宣传得不到足够的人力和财力资源支持。事实上，名牌的影响力像橡皮筋一样，拉得越长，力量越弱，因此会随着运用范围的扩大而下降。

另外，品牌在同一档次产品中的横向延伸一般问题不大，但向不同产品档次的纵向延伸较为困难，因为纵向延伸意味着品牌要囊括不同质量和水平的产品。例如，凯迪拉克是通用汽车公司的看家品牌，该公司为应对激烈的市场竞争，于 20 世纪 80 年代推出了凯迪拉克品牌的经济型车 Cadillac Cimarron，结果使凯迪拉克品牌传统的豪华车的象征意义发生动摇，直接影响到其高档车的销售。既然消费者花购买"雪佛兰"的价钱就能买到凯迪拉克，不是说明凯迪拉克不值钱了吗？

## 三、单一品牌策略的适用条件

企业在运用单一品牌策略时，要着重考虑以下几点。

（1）进行准确的品牌定位并界定品牌使用范围，使定位一次涵盖现在与未来。一般来说，品牌定位的最大范围便是第一次使用这一品牌的商品所属的行业；如果企业想跨行业经营，则应考虑选择多品牌策略。在品牌适用弹性限度内进行品牌延伸时，也必须对延伸产品与原品牌的适应性进行分析，特别是跨行业产品的品牌延伸，更应考虑到延伸产品与原产品品牌的适应性问题，要做到延伸产品不能稀释原品牌的定位。

（2）对于企业推出的新产品，应在各同类产品中具有相当强的实力。为避免"株连"风险，新产品的质量必须是同行中的佼佼者，如果新产品的质量还不成熟，加工工艺尚需进一步改进，这时实施单一品牌策略就很危险。这样的新产品宣传覆盖面越广，销售越多，就表示在销售短期增加的同时，更多的消费者会对产品产生不满，从而让更多的消费者迅速地远离这一品牌。

（3）企业在使用单一品牌策略推出新产品时，必须考虑新推出的产品与该企业已有的成功品牌之间的关联度。单一品牌策略实质是采用品牌延伸的方式推出新产品，要想让新产品被市场接受，让原有品牌的产品与新产品之间保持关联度相当重要。

| 文中引例 |

## 雀巢公司的单一品牌策略

19世纪中叶，瑞士的一个学者型食品技术人员亨利·内斯特尔发明了一种育儿用的乳制品，即把果糖和营养剂加入奶粉中，是当时很优秀的育儿食品，但产量也很少，内斯特尔仍主要从事科学研究工作。1865年，一位朋友告诉内斯特尔，婴儿喝了他的奶粉健康地成长起来，他研制的奶粉改变了婴儿不喝牛奶的习惯，为母亲们排了忧，解了难。听到这一消息后，内斯特尔在1886年创立了以他的名字Nestlé命名的育儿奶粉公司，并以"鸟巢"图案为品牌图形。因为英文雀巢（nestle）与他的名字为同一词根，所以中文一并译为"雀巢"，实际上，"nestle"的含义是"舒适地安顿下来"和"依偎"；而雀巢图案自然会使人们联想到慈爱的母亲哺育婴儿的情景。因此，"雀巢"育儿奶粉问世后一直畅销不衰。

1905年，雀巢育儿奶粉公司与美国人创办的另一家食品公司合并，取名为雀巢英瑞炼乳公司；1948年为另一家瑞士公司购进，改为现名"雀巢食品公司"。20世纪初，公司开始实行多样化生产，并在世界各地收购并建立企业，成为世界规模最大的食品制造商，其分支机构开设在美国、日本、德国等几十个国家，已有上千工厂、商号，总部主营速溶咖啡，销售额达57.9亿美元。其他主要产品为炼乳、奶粉、婴儿食品、乳酪、巧克力制品、糖果、速饮茶。

1991年，美国兰德公司的调查结果显示，雀巢咖啡这一品牌被列为世界十大名牌之一，其品牌价值被确定为115.49亿美元；1994年为103.4亿美元，1996年为105.27亿美元。雀巢咖啡的生产厂家是世界最大的食品公司，也是瑞士最大的企业。雀巢食品公司的名牌商标也被称为"世界速溶咖啡著名品牌"。从总体看来，似乎"雀巢"品牌唾手可得，并没有费多大力气。

可见，"轻而易举"得来的"雀巢"品牌不但有丰富的内涵，而且完全符合品牌定位的基本要求。首先，"雀巢"作为品牌名称显著性就很强，虽然这一词根很一般，但往往是人们所熟悉的事物才能加深人们的印象，能产生很多联想，从而才贴近生活，贴近消费者。其次，一般中体现出与众不同。人人都知道的"雀巢"，却只有内斯特尔使用在产品上，成了世界上独一无二的公司代名词，树立和壮大了公司形象，从而就变成不一般了。最后，"雀巢"名称与雀巢

图形的紧密结合，这在西方品牌史上也是少见的。两者紧密结合，可以使人们见图形而知名称，见名称而知图形，公司名称和产品名称同时印刻在人们的记忆中，是名副其实的组合品牌。这种公司起名与品牌命名一体化的发展思路值得我国企业学习借鉴。

资料来源：管理咨询网，《雀巢——全体工业界的典范》，引用时有改动。

# 第三节　主副品牌策略

采用主副品牌策略的原因有两个：首先，形象定位是抽象的标志性品牌，难以表达具体的标志性功能信息，因此很多企业选择以标志性品牌为主、标志性的功能品牌为辅的策略来解决这一矛盾；其次，单一品牌策略经常会由于一项产品的失败而导致整个品牌的损毁。为了防止此类风险，有些企业按照产品的不同特点采用补充说明的形式另行表达，这也是采用主副品牌策略的主要原因。

## 一、主副品牌策略的定义

所谓主副品牌策略是指企业在进行品牌延伸时，对延伸产品赋予主品牌的同时，增加使用一个副品牌的做法。主副品牌策略是用涵盖企业若干产品或全部产品的品牌作为主品牌，借其品牌之势，同时，给各个产品设计不同的副品牌，以副品牌来突出不同品牌的个性。副品牌指的是生产多种产品的企业，在给其所有产品冠以统一名称的同时，再根据各种产品的不同特性给它们取的一个恰如其分的名字。打个通俗的比方，主副品牌就像写作中标题和副标题的关系，如"美菱－雅典娜""格力－风采""海尔－大神童""美的－极酷"等都是主副品牌的例子，这种副品牌往往能起到画龙点睛的关键作用。

## 二、主副品牌策略的优缺点

### （一）主副品牌策略的优点

副品牌的作用主要是用来修饰主品牌。采用主副品牌策略的好处主要有三点。

（1）**可以在同一时间，从整体上对公司或家族品牌的联想和态度加以利用。**副品牌产品可以有效地利用已经取得成功的主品牌的社会影响力，以较低的营销成本迅速进入市场，打开局面，从而降低了新产品上市的风险和压力，最大限度地发挥企业品牌资产的优势。同时，主副品牌策略在企业品牌系统及所有相关的品牌联想之间建立了更加紧

密的联系。

**（2）可以为产品创造具体的品牌个性。** 每个品牌都有它标志性的产品特点，都是属性、利益、价值、文化、个性和用户的无形组合；而副品牌更加直观、形象地表达产品的特点和个性，让消费者一看就能联想到更具体的产品特点和个性形象，如"格力－蜂鸟"空调，其主要特点就是小巧、精致、省电。

**（3）可以节省营销费用。** 采用主副品牌策略后，广告宣传的重心仍是主品牌，副品牌从不单独对外宣传，都是依附于主品牌联合进行广告活动，所以企业可以把主品牌的宣传预算用在主副品牌的共同宣传上。这样，副品牌就能在节省宣传成本的同时尽享主品牌的影响力。

### （二）主副品牌策略的缺点

虽然主副品牌策略为企业的品牌系统管理带来诸多好处，但它也存在一些缺点。

**（1）副品牌适用面比较窄。** 副品牌由于要直接表现产品特点，要与某一具体产品相对应，大多会选择内涵丰富的宣传语，因此适用面比较窄。过于细分的市场使副品牌在取得足够高的产品份额方面困难较大。因此，选择有利可图的目标市场在实施主副品牌策略中十分重要。

**（2）副品牌可能失败并影响主品牌的形象。** 采用主副品牌策略，就将副品牌与企业品牌系统中所有的品牌联系起来了，企业的风险随之增大。所谓"一荣俱荣，一损俱损"，如果企业品牌系统中的某个副品牌出现了问题，就有可能使主品牌和其他同样采用主副品牌策略的品牌的形象受损。

**（3）成功的副品牌也可能淡化企业主品牌的形象。** 副品牌与主品牌的品牌联想不一致甚至相互冲突，都会改变消费者对企业主品牌或者其他副品牌的印象。

## 三、主副品牌策略的实施风险

### （一）垂直延伸风险

主副品牌策略作为品牌延伸的一种具体形式，其实施风险必然也包含品牌延伸的各种风险，其中最为常见的就是垂直延伸风险。所谓垂直延伸就是指品牌在既有品牌范围内扩充品牌线，是在本行业间的上下延伸。

对于一个采取主副品牌策略的品牌而言，不论从高（档）到低（档）的延伸还是从低（档）到高（档）的延伸，都面临着很大的问题。如果用低档品牌推出高档产品，消费者心中会对产品品质存有疑虑，产品推广必将异常艰难。同样，如果用高档品牌推出低档产品，通过超越消费者细分市场、分销渠道或价格点来延伸品牌组合也绝非易事。这样的延伸不仅可能没有扩展品牌的吸引力和提高自己的形象，反而连累了品牌组合的其余部分。

### （二）水平延伸风险

与垂直延伸风险类似，水平延伸风险也是实施主副品牌策略中经常出现的风险。水平延伸，即产品线的延伸，是指在不同品牌范围内进行品牌线或产品线的延伸，母品牌或企业跨越不同的行业，覆盖不同的品类。品牌的水平延伸可以利用品牌的声誉和影响力等资产，整合企业资金、技术、渠道等资源，进行相关或不相关品类的拓展。然而，如果不能实施好这一进攻性策略，则品牌会面临许多潜在危险，如使消费者产生心理冲突、隐性成本增加、品牌形象削弱以及与分销商和零售商的关系出现麻烦等。

采取主副品牌策略进行水平延伸，企业在覆盖不同的品类、跨越不同的行业时同样会面临很多风险。企业进行相关产品延伸时，主副品牌策略使用不当的话，就会扰乱产品在消费者心目中的定位。例如，雪佛兰将生产线扩展到卡车、赛车领域后，消费者心目中的"雪佛兰是美国家庭轿车"的定位模糊了。企业在跨行业延伸时，不顾核心品牌的定位和"兼容性"，容易使消费者产生心理冲突。例如，马应龙集团从生产痔疮膏延伸到生产眼霜，不是所有消费者都可以接受的。

### （三）协同管理风险

企业采取副品牌进行品牌延伸虽然没有增加品牌的数量，但增加了很多副品牌产品，由此企业就面临一个副品牌协同管理的问题。当产品属于同一大类时，在市场上的重要程度接近，公司需要对产品进行严格的品质、市场以及目标顾客的定位，做到不让顾客对这些副品牌产生差不多的感觉，这就对品牌定位和管理提出了很高要求。实施主副品牌策略可以激发企业内部竞争，保持活力。但是，如果各个副品牌之间的竞争关系得不到很好的协调，就会造成"诸侯混战"的局面，不仅违背了企业初衷，还会给企业造成很大损失。

在实际品牌管理中，很多公司借鉴宝洁公司的经验，采用品牌经理制，为一个品牌安排一名经理全权负责。这种方法在很多国际大公司实施后证明是有效的，但任何制度都是一体两面的，许多副品牌的品牌经理的任期是有限的，这就导致他们采取造成短期繁荣的做法，过分依赖于快速销售增长刺激的战术，通过品牌延伸、促销手段使得销售短期内不错，却无法为品牌建立长期的品牌美誉度和品牌忠诚度，缺乏品牌策略的战略规划、协同效应和积极的营销管理，长期来看会损害品牌的资产价值。

### （四）过度使用风险

采用主副品牌进行品牌延伸时，会带来多样化的产品，结果使消费者眼花缭乱，不清楚哪一款才是真正适合自己的，从而感到困惑和挫折。《简化营销》的作者史蒂文·克里斯托尔和彼得·西利认为，"人类并不希望选择商品的空间无限膨胀"。那些消费者认为使他们生活变得更复杂而不是简单的品牌，有可能导致他们的反感，结果就是消费者更忠诚于简化的品牌，且会重复购买它们。另外，当消费者认为企业的品牌延伸不合适时，还会质疑品牌的整体性和品牌能力。

使用副品牌绝不是越多越好，如果企业希望自己更专业，就要尽量把路走得窄一点，避免副品牌滥用的问题。企业不能一味追求产品数量的增加，而应倾力培植核心产品，如果能把几个产品做强做大、做深做透，就胜过几十个没有影响力的产品。

## 四、主副品牌策略的适用条件

主副品牌策略作为品牌延伸的一种常用方式，其实施条件必然要满足品牌延伸的基本条件。并非所有的品牌延伸都可以采用主副品牌策略，这就为品牌延伸的实施提出了更为严格的条件。一般而言，主副品牌策略的实施必须满足以下条件。

### （一）对企业所属行业和产品的要求

采用主副品牌策略进行品牌延伸的目的在于使企业已有资源或企业可以调动的社会资源获得更大的效益和更高的效率。所以，企业在实施主副品牌延伸时就要考虑所在的行业和产品、计划延伸的行业和产品等方面的特点。如果产品容易进行市场细分，且它的消费群在价格定位、使用用途等方面存在明显差别，那么就适合采用主副品牌策略。如果行业的产品价值低，最好是需要不断重复购买的那一类；如果价值高，最好是科技含量较高的那一类。

例如，餐具、文具、床上用品等产品不仅价值低，而且由于较长时间才需更换，即购买频率较低，使用副品牌策略难以收回成本，没有必要进行副品牌推广。而日化用品、饮料和食品虽然价值低，但是购买频率很高，推出副品牌是可能收回成本的。高级灯具、家具、大型家居、装饰用品等产品虽然价值高，但由于科技含量低，人们在购买时主要考虑的是相对价格和外观，看得见、摸得着，品牌本身对购买所产生的影响较小。而对于家电、通信设备和计算机，人们注重的是技术，而技术是看不见、摸不着的，这就需要通过品牌来做保证。此时，品牌对购买的影响是非常大的，副品牌策略可以适用。

### （二）对产品相关性的要求

品牌延伸的相关研究认为：品牌延伸时要考虑新产品的特点和风格，注意原品牌产品和产品之间的关联性。原品牌产品与新产品之间相关联时，品牌延伸就容易取得成功。这种关联性包括：其一，原品牌产品特征或性能与新产品之间的相似性，即消费者头脑中原品牌知识与新产品认同的相关联程度，如互补性的产品关联；其二，新产品与原品牌产品在品牌概念、意义和联想上的一致性。原品牌产品与新产品的关联性越高，新产品被认为包容于原品牌意义和联想之中，新产品就越容易成功。因此，实施主副品牌策略的重要前提是必须保证品牌原有产品与新的副品牌产品在产品性能、特征以及品牌意义和联想等方面具有很高的关联性。

### （三）对主品牌的要求

（1）**主品牌须是强势的**。强势品牌会使人们在心目中形成对产品的固定知识结构和思维定式，如提到"奔驰"就会想到成功人士，提到"保时捷"则会想到时尚、昂贵。实施主副品牌策略的目的就是借助已有品牌的声誉和影响迅速推出新产品。主副品牌产品虽然同属一个产品，但在市场影响力、对品牌的重要性上有明显差别。主品牌为副品牌提供担保，副品牌借助主品牌的声誉，犹如"借船出海"，可见主品牌对副品牌的影响力。这就犹如我们向银行申请贷款需要找一位经济实力很强的第三方担保一样，如果担保人经济实力非常强，银行就会非常放心地贷款给我们，甚至在贷款额度上还有讨价还价的可能。同样，强势的主品牌会增强新的副品牌产品的说服力和可信度。

（2）**主品牌是抽象的。**当提到该品牌时，脑海里浮现的不是具体产品而是一种看待事情和生活的理念，有着丰富的内涵和外延。这就要求主品牌的定位要足够宽，主品牌内涵要足够广，才能具备延伸的空间。认知心理学研究表明：抽象概念的联想一般比具体概念的联想更丰富。这一原理运用到副品牌策略上的含义就是，抽象的概念意义比具体产品的特征联想更容易，即品牌意义联想越丰富，品质信誉越高，副品牌应用的宽度就越大，在市场上成功的可能性也就越大，所以副品牌策略中主品牌概念形象是十分重要的方面。例如，意大利默洛尼卫生洁具有限公司的阿里斯顿品牌，其厨卫产品涉及大部分电器，但它只在中国重点发展电热水器业务。就是因为它进入中国市场后，一直以"全球热水器专家"自居，把品牌内涵定位得太过单一和狭隘，造成了人们认知和联想上的障碍。阿里斯顿品牌在中国定位如此，如果在中国又重点发展了其他业务，一定会伤害本来清晰的品牌内涵以及电热水器业务。也就是说，如果把品牌内涵定位得太初级，将会阻碍公司的发展。

### （四）对人才和管理的要求

人力资源和管理经验是企业发展的支柱，人才是决定和实施品牌发展的动力。没有优秀的人才不可能有良好的品牌延伸，公司品牌管理人员素质的高低直接决定了品牌延伸战略实施的效果。另外，人才需要展示自己才能的舞台，企业提供的管理制度和管理体制就是这个舞台，一个企业管理的优劣也是促进或制约人才发挥才能的重要方面。主副品牌策略的实施对企业的管理水平提出了很高的要求，不仅包括对品牌的管理，而且包括对企业人力资源、销售资源的统筹和协调。

实施主副品牌延伸不是一劳永逸的，要协调好主副品牌之间及副品牌之间的关系，使之发挥出协同效应；要随时关注品牌延伸的发展动向，进行"剔除"管理，随时判断副品牌延伸效果，对无法快速、方便地赢利的副品牌产品，应及时停止资源投入，将它们剔除出企业产品线，对产品品牌资源进行重新调整，真正发挥主副品牌策略的优势。

## 第四节　多品牌策略

随着消费需求的日趋多样化、差异化、个性化，大众消费时代进入"分众时代"，单一品牌策略往往不能很好地满足有着多样化需求的消费者，这就为多品牌策略的运用提供了广阔的舞台。多品牌策略就是给每一种产品冠以一个品牌名称，或是给每一类产品冠以一个品牌名称。例如，欧莱雅公司的药妆有薇姿、理肤泉、修丽可等品牌，通用汽车公司有凯迪拉克、别克、雪佛兰、宝骏等品牌，福建达利食品公司有达利园、可比克、好吃点等品牌。

## 一、多品牌策略的优缺点

### （一）多品牌策略的优点

多品牌策略在实践中屡见不鲜，它常被一些卓越的厂商运用得炉火纯青，因为其优点是单一品牌策略无法企及的。多品牌策略的优点主要有以下几个。

**（1）多品牌策略具有较强的灵活性。**没有一种产品是十全十美的，也没有一个市场是无懈可击的。浩瀚的市场海洋为企业提供了许多平等竞争的机会，关键在于企业能否及时抓住机遇，在市场上抢占一席之地。见缝插针就是多品牌灵活性的一种具体表现。例如，宝洁公司从洗发水的功能出发，及时地在中国市场上推出了不同功能和不同品牌的洗发水，为满足不同目标市场上消费者的不同需求，多个品牌沿着各自的路走入市场，各个都有响亮的牌子，各种特殊的用途可供消费者"各取所需"，共同提高了企业产品的市场占有率，使产品迅速覆盖了中国的大江南北。

**（2）多品牌策略能充分适应市场的差异性。**消费者的需求千差万别、复杂多样，不同的地区有不同的风俗习惯，不同的时期有不同的审美观念，不同的人有不同的爱好和追求，等等。而企业实施多品牌策略，就可以在品种、款式、规格、档次和性能上满足差异化的需求。例如，上述的宝洁公司在洗发水业务上就是运用了多品牌策略，充分适应了不同市场的差异性。

**（3）多品牌策略有利于提高产品的市场占有率。**多品牌策略最大的优点便是通过给每一个品牌进行准确定位，有效地占领各个细分市场。如果企业原先的单一目标顾客范围较窄，难以满足扩大市场份额的需要，此时可以考虑推出不同档次的品牌，采取不同的价格，形成不同的品牌形象，以抓住不同偏好的消费者。

### （二）多品牌策略的缺点

**（1）品牌管理的难度较高。**对企业来说，多品牌比单一品牌的管理难度要高得多，因为各品牌之间要实施严格的市场区分，针对不同的市场和消费者，塑造鲜明的个性，且这些个性还要足以吸引消费者。企业实施多品牌策略的最终目的是用不同的品牌去占领不同的细分市场，形成产品线的整合力，对外占领竞争者的市场，如果盲目地学习实施多品牌策略成功的企业，贸然采用此策略的话，失败的概率会很大。

**（2）增加了成本。**实施多品牌策略虽然分散了资源的风险，但随着竞争难度的加大和消费者的挑剔心理增强，推广一个新品牌需要花费相当大的成本。而对于缺乏实力的企业来说，品牌产品销售额不足以覆盖它成功推广和生存所需的费用，当然很难实施多品牌策略，就像经济条件有限的情况下抚养一个孩子的成本要比抚养三个孩子的成本小得多。这时不如"将所有的鸡蛋放在一个篮子里"，先集中资源，采用聚焦策略推广一个强势品牌。

**（3）可能引起同一企业的各品牌之间的竞争。**这可能导致在已有品牌的重压下，新品牌迟迟"抬不起头来"，或者新品牌出尽风头，导致已有品牌没落，这些都是企业不愿意看到的。

## 二、多品牌策略的适用条件

多品牌策略具有单一品牌策略缺少的优势，但它并不能"包治百病"，无所不能，而是有其适用条件和范围的。在准备采用多品牌策略时，企业应注意如下几点。

### （一）行业特征

一般而言，那些消费者更注重个性化的产品适合采用多品牌策略，如生活用品、食品、服饰等日用消费品，而家用电器等耐用消费品适合采用单一品牌策略，如松下、TCL、美菱、LG、海尔等。无论洗衣机、电视、空调、冰箱均采用同一品牌，这是因为耐用消费品的产品技术、品质等共性化形象对消费者来说更为重要，而其个性化形象相对来说已退居其次。

### （二）竞争状况

对同种产品实施多品牌策略应特别注意品牌的目标市场是否有足够大的市场容量。在激烈的市场竞争格局下，许多成熟市场已被分割成碎片，在这个时候企业过多推出多品牌，势必造成市场上各品牌之间的恶性竞争，达不到最初预想的效果。

### （三）企业自身能力

对企业来说，多品牌比单一品牌的管理难度要高得多，因此，从某种意义上说，实施多品牌策略是企业实力的象征。企业的资金实力、对多品牌的市场驾驭能力是实施多品牌策略的重要条件，中小企业一般无力经营多品牌。从企业营销实践来看，实施多品牌策略的企业中无论是宝洁还是五粮液、联合利华，皆是实力雄厚的企业。

### （四）消费者感知

企业在实施多品牌策略时，各个品牌之间的差异要具有可识别性。可识别性是指各个品牌之间的差异能够被消费者比较容易地感知。当品牌做出定位时，这种定位的设计就应该是消费者能够轻易感知的，因为产品是卖给消费者的，只有消费者可以识别出各品牌的差异，才能更好地在这些品牌中做出选择。如果多品牌中各个品牌的定位让消费者无法识别或识别时感到费力，那么这样的多品牌策略是没有意义的。

总之，采用多品牌策略可以为企业争得更多的货架空间，也可以用新产品来截获"品牌转换者"，以保持顾客对企业产品的忠诚，使企业的美誉度不必维系在一个品牌的成败上，分散企业的经营风险。应该说，多品牌策略适应了时代的需要，为企业的发展提供了更新的思路。

## 本章小结

品牌系统是指不同品牌的组合，它具体规定了各品牌的作用、各品牌之间的关系以及不同产品的市场环境。在每一个细分市场上，不同品牌的市场运作方式可能存在不同，有多种（有时完全不同的）产品和渠道，需要对它们进行团队式的管理，从而使它们相互补充，产生协同效应，避免相互牵制。

品牌体系关系谱包括四个基本策略：品牌化组合、亚品牌、托权品牌、多品牌组合。每种策略在品牌体系关系谱上的定位，反映了在策略的执行中以及最终在顾客的头脑中品牌（如主品牌与亚品牌，托权品牌和受托品牌）被分离的程度。品牌体系结构由五个方面决定：品牌组合结构、品牌组合数量、品牌组合作用、品牌组合角色和品牌组合图形。

所谓单一品牌策略就是说企业生产和经营的几种不同产品统一使用一个品牌名称，可以继续细分为产品线品牌策略、范围品牌策略、伞形品牌策略。企业在运用单一品牌策略时，要进行准确的品牌定位并界定品牌使用范围，使定位一次涵盖现在与未来；对于企业推出的新产品，应在各同类产品中具有相当强的实力；推出新产品时，必须考虑新推出的产品与该企业已有的成功的品牌之间的关联度。

所谓主副品牌策略是指企业在进行品牌延伸时，对延伸产品赋予主品牌的同时，增加使用一个副品牌的做法。优点包括：可以在同一时间，从整体上对公司或家族品牌的联想和态度加以利用；可以为产品创造具体的品牌个性；可以节省营销费用。缺点包括：副品牌适用面比较窄；副品牌可能失败并影响主品牌的形象；成功的副品牌也可能淡化企业主品牌的形象。

多品牌策略就是给每一种产品冠以一个品牌名称，或是给每一类产品冠以一个品牌名称。优点包括：具有较强的灵活性；能充分适应市场的差异性；有利于提高产品的市场占有率。缺点包括：品牌管理的难度较高；增加了成本；可能引起同一企业的各品牌之间的竞争。

## 思考题

1. 简述品牌系统的内涵。
2. 简述品牌体系关系谱当中不同策略的定义。
3. 简述品牌体系结构的内涵。

4. 试述单一品牌、主副品牌和多品牌策略的优缺点及适用条件。

## 观察思考

### 国家品牌和区域品牌厚德才能载物

从国家层面来看，国家品牌就是主品牌，而不同行业数一数二的企业品牌就是副品牌。主品牌大于副品牌，也就是包含副品牌，两者相互影响。在全球经济的竞争与合作环境下，经济产业领域的竞争成为各个国家之间竞争的重要领域，而产业形象则成为国家形象的重要组成部分和重要支撑。正如日本前首相中曾根康弘曾经讲过的："在国际交往中，索尼就是我的左脸，丰田就是我的右脸。"从这一点来看，对于中国国家品牌系统来说，如华为、联想、海尔、阿里巴巴、百度、腾讯等每一个走出去的企业品牌，在国际化的进程中，就起到了子品牌的作用，它们在国际市场上做得好，就会对母品牌即中国国家品牌形象的塑造起到很好的推动作用。

除了企业之外，每个中国人也都是一个子品牌，就像我们到国外旅游的时候，言谈举止符合他国当地的文化习俗和行为规范，那就会在当地人心目中塑造中国国家品牌形象。因为中国的每个企业、每个人都是中国国家品牌形象的构成要素。当然，中国国家品牌形象好了，也会对中国每个走出去的企业和国民有很大的帮助。

接下来讲讲区域品牌。中国不乏区域特色品牌，如云南普洱、沙县小吃、兰州拉面、武汉周黑鸭等。但是，也有些区域特色品牌做不大，这里的意思是区域品牌很响亮，但是很少有企业能够成为区域品牌的龙头，都是些小门店、小品牌。区域品牌就是主品牌，而区域下面的小企业和小品牌就是副品牌。这个逻辑大家要仔细想想，看能不能明白和理解。

区域品牌做不大、做不强的原因何在呢？

笔者认为,有以下三个原因。

其一,区域品牌的归属权不清晰。区域品牌是属于大家的,没有一个明确的归属权,大家都在用,是属于政府的、属于行业的还是属于某个企业的,说不清楚。有的人经营区域品牌时正直善良,有的人经营区域品牌时投机钻营,这个时候,区域品牌形象就有好有坏,没法统一朝着一个方向发展。

其二,区域品牌在产品层面没有一套明确的识别系统。笔者所说的这套识别系统,主要是企业用来让消费者识别本品牌区分其他品牌的。另外,就是这套识别系统能够体现产品的正宗性,你生产普洱,他也生产普洱,谁的更正宗?为什么呢?比如,在消费者眼里,来自云南普洱市的普洱茶最正宗,可消费者怎么知道这是来自普洱市的呢,又怎么知道这是普洱市最正宗的普洱茶呢?有不少人肯定要说了,我们有一套技术标准,也有一套制作的规范,可问题是消费者不知道,如何让消费者进行准确的识别太重要了。

其三,区域品牌的供应商散、乱、小,而渠道上的分销商也散、乱、小,这就造成供产销当中两头非常难控制。大家在产品、服务、价格等各方面的同质化非常严重,在消费者眼里,没有太大的区别。这就是红海,区域品牌下各商家门店相互搏杀,最后没有一家能够走出来。

上述问题该怎么解决呢?笔者认为,第一步,在区域品牌下,对一些有潜力的企业进行引导,使它形成差异化,跳出红海,成为区域品牌的龙头企业,起到很好的示范和带头作用。就像武汉的鸭脖子,之前有很多叫法,如"九九鸭脖""绝味鸭脖"等,但后来"周黑鸭"就凸显出来了,它的差异化就是产品颜色稍重,看起来有点黑,所以叫周黑鸭,这是从产品属性层面与别的鸭脖品牌区别开来,其次定价稍高,这就跳出了红海,不跟其他产品杀价,从而脱颖而出。加上它只做直营不做加盟,对渠道进行了很好的控制,所以才有了今天的市场地位。这一点值得其他区域品牌学习。第二步,为体现产品的正宗性而设计一套识别系统,而这套识别系统不容易被模仿,更重要的是这套识别系统主要是给消费者看的,得让他们看得懂。周黑鸭就有一套品牌识别系统,而且受法律保护。如果没有这套系统,就很容易引起"山寨"行为,以致把市场做乱了。区域品牌可以采用不同的产品包装标记,来识别和控制产品的去向。这也是一种解决问题的办法。第三步,从"进"口和"出"口两个方面进行把关,"进"口方面,供应商在往市场上供货的时候,一定要严格把关,仔细筛选,不能让货物以次充好流入市场;"出"口方面,终端的分销商,或者说是门店,可以利用现代信息科技手段,比如,消费者在购买时,可以直接在手机上查这个销售点是不是某个区域品牌正宗产品的授权专卖点。笔者认为,如果能够遵循这三个步骤,区域特色品牌的建设应该会好一些。

资料来源:https://www.icourse163.org/course/ZNUEDU-1003452001,节选自本书配套品牌管理慕课视频 12.2。

**思考题**

1. 如何建设区域品牌?
2. 如何治理区域品牌建设过程中的机会主义行为?

# 第十一章　品牌关系

【学习目标】

- 了解品牌关系产生的背景，掌握品牌关系狭义、广义以及动态的定义；
- 理解品牌关系的存在性，熟悉不同理论指导下品牌关系的分类；
- 掌握品牌关系形成的六个阶段，明晰品牌关系的影响因素；
- 掌握品牌关系质量的维度及结构方面的内容；
- 理解品牌关系管理与传统品牌管理的区别；
- 了解品牌关系管理的内容，掌握品牌关系管理的实施手段。

📖 开篇案例

### 蔚来汽车：一切皆与你有关

蔚来已来（Blue Sky Coming）是蔚来汽车对美好未来和清朗天空的愿景，也是公司自创立伊始一直秉持的初心。作为全球化的智能电动汽车品牌，蔚来致力于通过提供高性能的智能电动汽车与极致的用户体验，为用户创造愉悦的生活方式。发展新能源汽车是我国从汽车大国迈向汽车强国的必由之路，是应对气候变化、推动绿色发展的战略举措。自该战略启动以来，从电动车是否环保到多条技术路线博弈，从政策支持力度到燃油车退出进度，新能源汽车发展饱受争议。汽车行业正迎来变革，不只影响了产品与技术，更深刻改变了用户对产品的使用方式和全程体验。蔚来希望给用户一个愿意拥有一辆车的理由，"最终，一切皆与你有关"正是蔚来期望与消费者形成的联系。与传统车企不同的是，蔚来是拥有互联网思维、注重用户体验的造车新势力，不仅手握有汽车领域的丰富经验，还有互联网相关经验。在众多模式比拼中，蔚来汽车的营销脱颖而出。

### 1. 注重用户体验

蔚来汽车定位为一家"用户企业"，其品牌营销商业模式是建立在极致的用户体验上的。蔚来汽车营销是用线上用户社区来进行线上用户推广、社区建设、产品销售和车主服务的重要入口。蔚来汽车会针对用户在 debug 系统上发布的预约试驾、发布消息以及发表对产品的意见等信息进行处理，甚至会把用户建议直接发到体验经理群里，然后通知相关负责人。李斌等高管也会经常在社区和用户互动。蔚来汽车根据用户体验旅程的不同触点，营造了极致的（毫不夸张）用户体验。没有一个公司的价值观可以覆盖研发、制造和服务三个环节。蔚来汽车营销从根本上改变了一个品牌和用户之间的关系，因此，蔚来中心（NIO House）接待用户的人次、频次要远远高于传统 4S 店。蔚来汽车营销重点致力于"用户服务"环节，做好这一点就能维系好与消费者之间的关系，那么自然也就能存活下来。

### 2. 深耕会员体系

蔚来首任车主自动享有终身免费质保、终身免费道路救援和终身免费车联网服务这三项终身免费权益。除此以外，2018 年 2 月，蔚来汽车推出了会员服务套餐——"能量无忧"（NIO Power）和"服务无忧"（NIO Service）。除了会员服务套餐和悦享会员构成的变现体系，以及蔚来积分和蔚来值构成的用户成长体系之外，蔚来还有一个顶级车主俱乐部——EPCLUB。为了让更多的用户享受 EPCLUB 的极致服务和体验，自 2020 年起，EPCLUB 增设了季度体验会员。季度体验会员由每个季度蔚来值增长最快的前 10 位用户构成，区别于年度会员，体验会员可参与 EPCLUB 单次活动。

### 3. 平衡用户体验与成本

线上以用户为中心的蔚来 App，线下超豪华的蔚来中心和蔚来日（NIO Day），虽然增强了蔚来与用户之间的黏性，但也导致销售管理费增加。随着资金链的日益紧张，最终蔚来汽车品牌营销改变了"唯用户体验"的运营方式。首先是降低成本，蔚来中心新增数量减少，通过更多更小的蔚来空间（NIO Space）开拓市场，ES6 的试驾场地也从外滩搬到了专业赛车场；其次是调整用户服务支出。在与用户沟通后，蔚来汽车上线"服务无忧"2.0 版本，根据不同车型、购买频次和出险频次进行阶梯式定价，并根据定价提供对应服务，使服务亏损由每年每单用户4 000 多元控制到 1 000 元左右。最大化满足 95% 用户的日常需求，而不像以往追求 100% 的用户满意。通过管理优化，在两三年时间内，不考虑蔚来自己的员工成本，用户服务做到盈亏平衡。

资料来源：非常差异.蔚来汽车如何营销[EB/OL].（2021-08-09）[2022-12-30]. https://www.xhangdao.com/news/content-461-d6.html.

# 第一节　品牌关系概述

作为一种新的营销范式，关系营销自提出以来就一直受到营销学术界和实务界的重视。最初，关系营销属于服务营销和工业品营销的范畴，主要指顾客与服务或工业品供应商的关系。20 世纪 90 年代以来，这一概念被运用到品牌和产品的层面，形成了品牌理论研究的新领域——品牌关系（品牌与消费者关系）。品牌关系最早源于实践，由 Research International 市场研究公司提出。与品牌个性、品牌形象等单向概念不同，品牌关系是一个双向互动的概念，包括消费者对品牌的态度和行为，以及品牌对消费者的态度和行为两个方面。这一新的概念将品牌关系类比成人际关系，认为品牌也像人一样会对消费者产生态度和行为。因此，关系理论应该朝品牌的层面发展，品牌是关系伙伴方，会与消费者形成人与人一样的关系。

## 一、品牌关系产生的背景

品牌关系理论的产生背景可以归纳为以下两点。

### （一）顾客对品牌需求层次提高

品牌不只是一个简单的标志符号，它具有更复杂的内涵。科特勒认为，一个品牌具有六层含义，即属性、利益、价值、文化、个性和使用者。根据马斯洛的需要层次理论，人的需要层次具有递进性，对品牌的需求亦如此。随着品牌竞争的加剧，顾客对品牌的需求不再局限于属性、利益层次，还追求品牌所特有的价值、文化和个性，追求品牌的情感内涵。同样，企业对品牌的发展也应定位在更高层次，在昆德（Kunde）设计的品牌精神模型中，品牌的发展被划分为产品、品牌概念、公司理念、品牌文化和品牌精神五个阶段，其中品牌文化和品牌精神是品牌发展的最高阶段，即"品牌天堂"阶段。

### （二）企业的经营理念发生转变

交易营销视角下，企业认为在供需价值链所提供的价值一定的条件下，消费者获得的价值越高意味着企业得到的价值越低。但关系营销将重点放在企业和消费者整个供应链体系的价值的提高上，而不是一定数量价值的不同比例分割。企业不再将消费者视为价值争夺的对立面，而是通过与消费者建立一种相互信任、依赖的合作关系来提升价值，共同获利。这要求企业以"共赢"观念而非"零和博弈"观念来处理企业和消费者之间的关系。

## 二、品牌关系的定义

品牌关系是关系营销在品牌层面的应用，也是品牌研究的最新阶段。西方学者在研究中对品牌关系的定义有不同的表述，根据侧重点的不同，有广义的品牌关系、狭义的品牌关系以及动态的品牌关系之分。

### （一）广义的品牌关系

从广义角度看，品牌关系扩大到不同品牌与不同消费者之间的相互作用。假如市场上有互相竞争的品牌 A（对应消费者 1）与品牌 B（对应消费者 2），狭义品牌关系模型只关注品牌 A 与消费者 1、品牌 B 与消费者 2 之间的关系，而广义品牌关系模型还注重研究以下主体之间的关系：品牌 A 与品牌 B 之间；品牌 A 与消费者 2 之间；品牌 B 与消费者 1 之间；消费者 1 与消费者 2 之间；等等。因此，广义品牌关系模型不仅考虑品牌与消费者之间的互动，同时还考虑品牌与品牌、消费者与消费者之间的互动关系，这为研究品牌生态系统内品牌间的博弈与共生现象、品牌社区内消费者间的互动奠定了理论基础。本章旨在介绍品牌与消费者之间关系的建立和维护，这里的品牌关系是指品牌与消费者这两个主体之间的关联状态，反映了消费者在心理上与品牌的距离。

### （二）狭义的品牌关系

狭义的品牌关系是指消费者对品牌的态度和品牌对消费者态度之间的相互作用。这种互动体现在两方面：一方面，品牌通过定位战略形成品牌个性展示在消费者面前，此时品牌为客观品牌；另一方面，消费者对品牌个性会形成自己的态度，即消费者如何看待品牌，称为主观品牌。因此，狭义的品牌关系，即主观品牌和客观品牌之间的相互作用。狭义品牌关系模型揭示了基于企业视角与基于消费者视角的品牌之间差异性的存在，突出了品牌的两面性（主观性与客观性）。通过该模型可以认识到，企业要想塑造理想的品牌关系，必须达到主观品牌与客观品牌的统一。

### （三）动态的品牌关系

在品牌关系模型中，品牌与消费者之间的关系被划分为六个阶段，即注意、了解、共生、相伴、分裂和复合。该模型以消费者与品牌的接触过程为线索，表述了在不同阶段消费者与品牌之间的关系状态，突出了品牌关系发展的逻辑流程。品牌关系经"注意—了解"的认识过程，通过消费者和品牌之间的接触，消费者了解了品牌个性，若消费者愿意与品牌继续增进情感，就能达到"共生""相伴"状态，即品牌成为消费者生活中的一部分。但消费者和品牌之间的沟通也可能失败，出现"分裂"状态，这主要基于两方面原因：第一，品牌个性与消费者认知发生冲突，以致在"了解"阶段出现认知"分裂"；第二，在"相伴"或"共生"阶段，由于公司危机对品牌形象造成严重损害，消费者不愿继续保持原有的品牌情感。品牌关系出现"分裂"时，公司若积极采取危机管理策略，主动修复品牌关系，则品牌关系可以"复合"，重新回到"相伴"或"共生"状态。

## 三、品牌关系的存在性

有学者创造性地将人际关系的研究范式引入品牌关系研究中，认为"品牌是关系的主动参与方"。一些学者对此提出了质疑，认为人际关系理论能否适用于品牌关系研究还值得商榷，因为品牌毕竟只是物。因此，代表人类情感的爱、承诺、亲密、相互依赖等词不能用来描述品牌关系，而消费者也并未意识到他们与品牌之间类似于人际的关系，或许这一概念的提出只是满足学术研究的需要。有学者在研究食品存储室品牌时指出，品牌的选择完全是出于家居生活的需要，即品牌的选择是不经意的。这一观点否定了关于"品牌是关系的主动参与方"的观点。研究还指出，很多消费者购买了品牌产品，但并未形成品牌关系质量当中的一些维度（如爱与激情等）。

不过，更多的学者支持"品牌是关系的主动参与方"观点。有学者通过市场调查研究了口腔保健品、金融、零售、电器等行业的品牌关系形态，也有学者通过深度访谈挖掘了112个蕴含关系形象的品牌故事。结果发现：女性比男性更容易把品牌作为关系的主动参与方。也有学者认为品牌关系嵌入社会文化环境中，能在消费者与消费者之间的关系网络中体现出来，通过转换视角，构建了品牌对消费者的态度和行为的测试量表。

品牌关系存在性争论的关键在于品牌能否比拟成人而作为关系的主动参与方。多数学者认为品牌关系是存在的，并把万物有灵论作为品牌关系存在的理论基础，而品牌个性就是万物有灵论在品牌上的体现。客观地讲，品牌对消费者的态度和行为是消费者主观感知到的，这种感知并不困难，因为品牌本身就是消费者在与产品、企业、服务、广告、定价和渠道形象等要素互动过程中形成的综合感知，并不单单指名称或标志。

## 四、品牌关系的分类

现有的品牌关系分类有四个视角：互动论、角色论、交换论和强度论。互动论关注的核心问题是"品牌关系表现出怎样的互动特征"，其内涵是不同的互动将产生不同的关系状态；角色论关注的核心问题是"品牌关系是在什么角色的关系方之间建立起来的"，其内涵是不同角色将导致不同类型的关系；交换论关注的核心问题是"品牌关系是建立在什么交换基础之上的"，其内涵是关系交换基础决定了关系形态；强度论关注的核心问题是"品牌关系的强度和等级如何"。

### （一）互动论

具体来看，互动论有三个研究视角：产品类别视角、具体品牌视角、消费群体视角。

（1）**产品类别视角**。有学者通过与老、中、青三类女性深度访谈，分析整理了15种较有代表性的品牌关系形态：包办的婚姻、普通朋友、方便的婚姻、忠实伙伴、最佳友谊、分场合的友谊、亲缘、回避、童年友谊、求爱、依赖、短期尝试、敌对、秘密关系和奴役关系。中国台湾学者的研究没有区分产品的具体类别，一些成果包括吴真玮提出的朋友关系、从属关系、伙伴关系、利益结合关系、敌意关系；张立品提出的品牌感性利益交换关系、品牌承诺关系、品牌依恋关系；胡政源提出的认识关系、朋友关系、竞争关系、伙伴关系。产品类别视角研究的最大优点是成果完备性高，对于各产品类别都适用。不过与国外学者相比，中国台湾学者的研究还不够精细，而完备性高的成果大多是西方文化的产物，在中国文化背景下不一定全部适宜。

（2）**具体品牌视角**。有学者利用品牌关系坐标分析图研究了口腔保健品、金融、零售、电器等多个行业的品牌关系。在一个公共事业品牌的研究中，该学者发现了六种品牌关系：崇拜、敬而远之、胁迫、合作伙伴、服务和懈怠渎职。也有学者研究了消费者与六种汽车品牌之间的品牌关系，分别为一般朋友、好朋友、热恋情人、承诺伙伴、奴役关系与敌意关系。与产品类别的品牌关系分类研究相比，以具体品牌作为研究对象使得研究结论更具实践意义，但同时也令研究结论缺乏类推性和普及性。

（3）**消费群体视角**。有学者通过与若干50岁左右的美国女性深度访谈，区分出五种生活主题——舒适、身份地位和安全、欧式生活方式、组织与控制以及满足挑战需要，认为消费者生活主题的差异反映了品牌关系分类。目前，多数品牌关系研究均以各年龄段的女性为访谈对象，研究对象范围较小；也有学者开展以儿童为访谈对象的研究对此进行了弥补，对三名美国儿童（一女两男）进行的深度访谈和小组讨论发现，儿童与品牌之间存在以下几种关系：初恋、真爱、包办的婚姻、私下仰慕的关系、好朋友、游戏伙伴、老朋友、一般的相识关系、一次性的关系和敌视。这些人的研究成果对于特定的目标市场所消费的产品（如食品、玩具）有很好的营销实践意义，但由于样本量及样本范围的局限性，关系分类可能不完备，推广性受限。

## （二）角色论

戴维·阿克认为品牌个性所暗示的角色使"品牌—消费者关系"的发展更清晰。他的研究直接建立在詹妮弗·阿克的品牌个性维度基础上，而不是研究关系的互动。他用人际关系中的角色关系形象地描绘了以下几种品牌关系：纯真的品牌个性所形成的品牌关系就像家庭成员之间一样和睦；刺激的品牌个性所形成的品牌关系就像共度周末夜晚的朋友之间一样愉快；称职的品牌个性所形成的品牌关系就像是与老师、商业领袖之间的关系；教养的品牌个性所形成的品牌关系就像是和有权势的上司或是有钱的亲戚之间的关系；强壮的品牌个性所形成的品牌关系就像和喜爱户外运动的朋友之间的关系。叶香麟也采取了类似的研究思路，借鉴魏斯（Weiss）的社会关系理论提出了品牌与消费者的关系，包括夫妻与亲人、密友与朋友、同事与同学、咨询顾问等。角色论的价值在于为创建理想品牌关系形态提供了操作路径，即先塑造适当的品牌个性角色，但现有研究是否已包括所有的品牌关系角色还值得商榷。

## （三）交换论

阿加沃尔（Aggarwal）依据社会交换理论，将品牌关系分成了两大类：交易关系和社交关系。交易关系是一种等量价值的交换，主要表现在陌生人之间或商人之间；社交关系则是一种价值不等的交换，主要表现为家族关系、浪漫关系和友谊。两类关系的差异在于建立关系的交换物不同，交易关系交换的是等价，社交关系交换的是情感。交换论指明了品牌关系创建的基础，为理解品牌关系的分类提供了理论依据。不过，直接套用交换论的两种关系类型来划分品牌关系使得结论略显粗糙，必须在两种关系的基础上做进一步研究方可指导营销实践。

### （四）强度论

有学者利用人际关系理论，根据忠诚程度将品牌关系分为品牌试用、品牌喜好、多品牌忠诚、品牌忠诚、品牌沉溺。这一观点实际上是关系动态阶段论，但忽视了前面提出的品牌分裂和复合，因此并不全面。另一种强度论根据关系维度来进行划分，提出了描述品牌关系的七对维度，分别是自愿与被迫、积极与消极、深入与肤浅、长期与短期、公开与私下、正式与非正式、对等与不对等。后来又有学者增加了两项，即主导与附属、友好与敌意。这九对维度实际上从九个方面描述了品牌关系的强度，每一对代表一种关系。不过九对维度可能还不完备，如直接与间接的关系就没有包括在内。

# 第二节　品牌关系形成

从动态的视角看，消费者与品牌之间的关系如同人际关系一样，其发展是一个渐进的过程。品牌动态金字塔模型显示：品牌与消费者关系的动态发展具有金字塔形层级关系，包括存在、相关、功能、优点和联结。该模型围绕的一条主线是产品从功能到情感对消费者需求的满足过程。品牌关系五阶段论认为，品牌关系的形成包括认知、认同、关系、族群和拥护阶段，其主线是消费者与品牌的接触过程。该模型不只涉及消费者与品牌的关系，还涉及消费者与其他消费者的交流。品牌关系动态模型是六阶段论，即包括注意、了解、共生、相伴、分裂和复合六个阶段。这一模型将品牌关系形成过程比拟成人际关系的形成过程，用人际关系术语来描述品牌关系。此外，该模型还指出关系会由于种种原因而破裂，又会因为补救而复合，因此更加客观和全面。综上所述，关于品牌关系形成阶段的划分，六阶段论的观点已较成熟，今后需要深入探讨的问题是，如何通过量化来界定各个阶段，以及不同阶段有哪些因素在起主导作用。

## 一、品牌关系形成阶段

### （一）注意阶段

有学者指出，注意阶段是消费者意识到品牌存在的阶段。然而，随着信息科技的发展，市场中大多数消费者有接触到品牌的可能，这种接触使得消费者能够意识到品牌的存在，包括仅仅知道品牌的名称或标识，以及进一步了解品牌的特性（包括产品用途、外形等）。那些仅仅知道品牌名称或标识的消费者，与人际关系中仅知道他人的名字类似，两者之间并没有建立关系的迹象和明确意图。相比之下，那些同时了解品牌特性的消费者，在潜意识中将品牌归入自己的选择列表中，在下次需要购买此类产品时，该品牌自动成为备选项。所以，可以说品牌关系的注意阶段，是从消费者意识到品牌的存在开始，到品牌进入消费者的选择名单中的心理过程。

在品牌关系的注意阶段，消费者对品牌的了解可能来自企业的品牌传播行为，也有可能来自其他消费者的口传和使用经验，品牌与消费者之间的直接接触较少。尽管企业的部分品牌展示和试用活动（如雀巢咖啡和奶粉在新品上市时都有赠饮活动）能使消费者直接体验产品，但受到数量和空间的限制，大部分消费者仍然缺乏对品牌的体验经验，品牌感知较少，容易受到外界因素（包括企业的促销和正面口传等）的影响而选择尝试品牌，这也是注意阶段的特点所在。

### （二）了解阶段

了解阶段关系到双方吸引力的大小，对消费者是否选择品牌有十分重要的影响。对企业而言，品牌关系的了解阶段是至关重要的，消费者尝试品牌产品便发生在这一阶段。对消费者来说，企业大量的广告和促销，除了吸引他们购买之外，也提高了品牌的感知价值。通过品牌体验与期望的比较，消费者会对品牌形成一定的感知和评价，尽管这种感知来自少数的几次品牌尝试，但评价的结果直接影响到后期关系的发展，当期望大于获得的价值时，关系会下降甚至破裂。

可见，关系发展的了解阶段是消费者尝试品牌、形成品牌感知的过程，也是对品牌的一次考验。正如巴里（Berry）在研究中指出的，企业的品牌传播行为及顾客沟通手段对于品牌产品的新顾客可能是有效果的，但如果消费者已经经历了服务，则以经验为基础的信念可能是较有力的。企业的品牌展示并不能挽救低劣的服务，如果顾客的经历与广告信息不相符合，那么顾客会相信他们的经历而非广告，品牌关系也因此受到影响。在了解阶段，如果顾客的期望得到满足，则关系双方将建立一定的相互信任，心理上逐渐认同了企业所传播的品牌特性和品牌形象，因此愿意承诺将来形成长期关系。

### （三）共生阶段

共生阶段是品牌关系逐渐成熟，并保持稳定状态的过程。在这一阶段，消费者形成了较高的品牌忠诚度，这也是品牌关系能够维持稳定发展的关键。在对初次尝试品牌感到满意之后，消费者与品牌之间的接触变得频繁，双方对对方提供的价值满意度逐步提高。在消费者看来，随着品牌形象与品牌个性得到高度认同，品牌开始成为最合适的关系伙伴。关系发展到一定程度，关系双方的吸引力越来越大，情感上的联系也更加密切。消费者已经形成了较高的品牌忠诚度，会通过一系列的行为（如重复购买、正面口传、参与品牌更新等）来维持与品牌的关系。例如，大众甲壳虫汽车的消费者以热衷于给他们的爱车起名而著称，车主们与车说话，还充满爱意地抚摸它们。许多网站上发布了消费者与他们最钟爱的品牌间的爱情故事。在这些网站上，消费者交流着他们与品牌的亲密体验。

高度的品牌忠诚在共生关系稳定的同时，也使得消费者能够不假思索，甚至不计成本地对关系进行投资，这种投资包括金钱、时间和牺牲其他兴趣等。消费者的这些成本投入，在一定程度上影响了消费者退出一段关系的能力，成为消费者的退出障碍的一部分，这也是品牌关系能够共生的原因之一。共生阶段的特点表现在：消费者对品牌高度忠诚，品牌关系具有排他性；双方都做了大量有形和无形的投入以维持关系的稳定；品牌与消费者的互动越来越频繁。

### （四）相伴阶段

相伴阶段是品牌关系发展过程中关系水平逆转的阶段。对于企业而言，各种各样的失误行为总是不可避免的，品牌失误在给消费者带来伤害和不满意感知的同时，也让双方的关系发生退化。品牌关系的下降，主要表现为关系双方亲密程度和依赖程度的下降，相互作用逐渐变少。事实上，关系的退化并不总是发生在这一阶段，在任何一个阶段关系都可能退化，有些关系可能永远越不过注意阶段，有些关系可能在了解阶段退化。与之不同的是，有些关系经过注意阶段、了解阶段而进入共生阶段，并在共生阶段停留较长时间后才开始退化。引起关系退化的可能原因很多，如一方或双方的社会需求得不到满足；一方的失误行为，导致双方关系趋于紧张；发现了更适合的关系伙伴；需求发生变化；等等。在相伴阶段，关系双方的互动越来越少，一方或双方正在考虑结束关系甚至物色候选关系伙伴。

### （五）分裂阶段

对关系分裂的界定，学术界至今还没有一致的观点，有学者将关系分裂定义为"消费者关于现存关系的保持或退出决定的过程，这个过程的结果是消费者停止与相关公司的所有交易行为"。在商业领域中，关系分裂被定义为"一个消费者停止光顾一个特定的供应商的经济现象"。有学者根据对人际关系断裂的界定（在人际关系领域，断裂不仅仅是一个决定，更要把它看作一个过程），将品牌关系分裂视为一个过程，指出品牌关系分裂是关系暂时或永远的不存在。从实践来看，分裂阶段是品牌与消费者关系消亡的过程，分裂的结果主要表现为消费者不再光顾和购买企业的产品，双方的交易行为终止。

事实上，关系的下降与分裂都是关系恶化的表现，是关系恶化产生的两种不同的结果。在影响品牌关系发展的恶性事件发生之后，伤害方可能会采取行动挽救关系，如果双方能够通过协调消除这一事件的影响，那么品牌关系能够恢复至伤害前的亲密程度，一般称为"关系复合"。或者双方和好，但是关系亲密程度受到一定的影响，即关系下降。伤害事件在这两种情况下并没有直接导致关系分裂，只有当恶性事件带来的负面反应无法消除时，品牌关系才会最终分裂。

可见，关系发展的分裂阶段并不总是发生在相伴阶段之后。关系的分裂可能是逐渐发生的，是关系下降从量变到质变的结果，也有可能是突然发生的，一言不合就将引致关系的分裂，那么品牌关系的分裂就有可能出现在品牌关系发展的任何阶段。品牌关系的分裂过程具有六个主要特征：关系之间的问题是逐渐或突然产生的；单方或双方想要离开这段关系；使用直接或间接的行动来结束关系；利用快速的或拖延的方式来进行关系结束的协商；有无关系补救的意图；关系终止的最终结果（转换或补救）。

### （六）复合阶段

在前面几个阶段的基础上，有学者开创性地提出了品牌关系复合的概念，认为品牌关系在经历了分裂阶段后，还存在修复的可能，并将修复视为品牌关系发展的第六阶段，才揭开了品牌关系复合研究的序幕。

品牌关系的复合阶段是指与那些已经退出关系的顾客重新建立关系的过程。在复合阶段，企业经过努力，可以挽回流失的顾客，减少企业的损失。但是，并不是所有品牌关系的破裂都是值得修复的，任何品牌都会有一定的顾客流失，对企业而言，有些关系的终止并非企业愿意的，消费者转移带来了很多不利影响，直接表现为企业利润的损失，消费者负面口传对品牌的冲击等，只有那些对品牌仍然有利的品牌关系，才会进入复合阶段，开始下一个品牌关系的循环，而这需要企业对关系修复带来的价值和成本进行评估。

与关系的注意阶段相同的是，复合阶段的品牌关系主体并没有改变，仍然是品牌与原有消费者之间的联系，但是，由于品牌关系的复合阶段是建立在初次品牌关系的基础之上的，因此现阶段关系的建立，既受到了原有品牌关系（包括关系质量、分裂的原因等）的影响，也受到现实关系发展的因素的影响。

## 二、品牌关系的影响因素

### （一）消费情境

个性化网站和网上社群并没有对品牌关系质量产生重要的影响。不过相比之下，当消费者上网经验较多时，个性化网站比网上社群更能形成强品牌关系；反之，上网经验较少时，网上社群比个性化网站更能形成强品牌关系。例如，短信和彩信两种移动增值服务对品牌满意度、直接关系投入（消费者对关系的投入）、间接关系投入（品牌对关系的投入）和主要移动通信服务的使用产生正向作用，而与备选服务的品质呈负相关关系；店内音乐如果与品牌形象不符，消费者可能会根据店内音乐而感知到不真实的品牌形象，从而使品牌关系受到影响。消费情境分为物理氛围、社会氛围、时间、任务和购前状态等五种，现有文献仅仅探讨了部分物理氛围对品牌关系的影响，还存在很大的研究空间。

### （二）品牌体验

感官体验、思考体验、行动体验和关联体验对品牌关系均产生显著的正面影响，而情感体验则不产生显著的影响。个人体验和共享体验会影响品牌联想、品牌个性、品牌态度、品牌形象，最终形成品牌关系。现有文献一般认为，自我认同、品牌个性、消费情境和品牌体验是品牌关系的影响因素。事实上，可能还存在其他影响因素，如消费价值、品类个性、关系意愿、品牌社群等。另外，这些影响因素之间可能存在一定的逻辑关系，这也需要进行实证检验。

### （三）品牌个性

在一般情况下，纯真的品牌个性比具有刺激性的品牌个性更容易形成长期品牌关系；如果发生了品牌侵害消费者利益的情况，基于纯真品牌个性的品牌关系会受到更大的影响。可见，不同品牌个性维度对品牌关系强度的影响是不一样的。消费者对品牌个性的感知会影响他们对品牌关系伙伴的想象程度，品牌吸引力是两者关系的调节因素，由此可以看出品牌关系的形成路径是从品牌个性到品牌关系伙伴。不管消费者是否认知或是认同品牌个性，他们都有可能与品牌形成工具型关系（基于优惠）；品牌个性认同度与情感型品牌关系（基于情感）并无显著的直接联系，品牌个性认知度是两者的中介变量。

### （四）自我认同

不同参照组的个体与品牌所形成的联结是不同的，个体使用品牌是为了自我证实，而渴望成为群体成员则是为了自我提升；为了强化品牌与消费者自我概念的关系，建议采用讲述品牌故事的方式对品牌赋予内涵；消费者与公司品牌的关系源自他们对公司形象的认同，这种认同有助于消费者界定自我。

根据另外一些文献，品牌个性与品牌关系可能互为因果，与品牌形成朋友关系、从属关系以及伙伴关系的消费者，在品牌个性认知度上显著高于属于利益结合关系与敌意关系的消费者，品牌的长期使用者对于品牌个性魅力的信赖程度要显著高于其他类型的使用者或非使用者。使用者比非使用者更容易描述品牌个性，而且是正面的描述。这说明品牌个性能促进品牌关系的形成，而品牌关系又会发挥调节作用，并影响消费者对品牌个性的看法。

## 三、品牌关系质量

品牌关系质量是借鉴服务营销中的关系质量概念提出的新术语，可以用来衡量品牌关系的稳定性和持续性等健康状况。相关的研究集中在品牌关系质量维度和品牌关系质量维度结构两个方面。

### （一）品牌关系质量维度研究

这方面的有些研究理论性较强，如借用"爱情三因素理论"提出了消费者与消费客体的关系由亲密、渴望和承诺构成的观点。成功的品牌关系都有信任和满意两个因素，其中，信任受风险、可信度和亲密性的影响，而满意是主动性和支持性的函数。品牌资产五星模型由品牌知名度、品质认知度、品牌联想、品牌忠诚度和其他专有品牌资产构成，实际上也描述了消费者与品牌关系的质量。有学者从深度访谈获得的大量品牌故事中提炼出品牌关系质量的六个维度，它们是爱与激情、自我联结、相互依赖、个人承诺、亲密感情、品牌的伴侣品质。在品牌关系质量六个维度的基础上，国内学者何佳讯利用高阶因子分析法提出了二阶三因子：象征价值、信任－承诺、亲密情感。

有些研究实务性较强，如南非 Markinor 市场研究公司为" Markinor 年度顶级品牌大调查"开发了专利工具"品牌关系分值"，该工具由知名度、信任度、忠诚度三个指标汇总而成。也有学者提出了评价品牌关系的八个指标：知名度、可信度、一致性、接触点、回应度、热忱心、亲和力和喜爱度。国内学者周志民则独辟蹊径，将品牌关系质量维度分为狭义品牌关系质量维度（消费者与品牌的关系）和广义品牌关系质量维度（消费者与企业、产品、符号、消费者的关系），其中狭义的品牌关系质量维度包括认知、情感、意动，广义的品牌关系质量维度包括承诺/相关度、归属/关注度、熟悉/了解度、信任/尊重度、联想/再认度。

品牌关系质量是评估品牌关系健康状况的核心观念。现有的品牌关系质量维度并不统一，一方面说明研究视角存在差异，另一方面说明现有文献中维度的全面性还存在不足。由文献归纳来看，亲密、信任、依赖、满意、承诺等变量作为品牌关系质量维度的提及率较高，建议在今后相关研究中运用。品牌关系质量维度多数与关系质量维度极为相似，建议从品牌作为关系主动参与方的角度重新考量这些维度，如信任除了指消费者对品牌的信任，还指品牌对消费者的信任。不过，这一建议在现有的研究当中体现得还不够，导致多数研究成果无法体现品牌关系质量中品牌视角的新意。

### （二）品牌关系质量维度结构研究

这方面的有些研究探讨了品牌关系质量各维度的逻辑关系。有学者认为依附类型会对品牌关系中的满意度产生影响。他们研究了逃避和焦虑这两个依附维度与满意度的关系，结果显示，焦虑型依附和逃避型依附都与满意度呈负相关，而焦虑和逃避的互动对于满意度的负向影响将超过各自对满意度的负向影响。也有学者把品牌关系看成承诺，认为承诺由个人联结和功能联结组成。个人联结由信任决定，而功能联结由满意决定，满意又会影响信任。还有学者将信任视为品牌关系质量的核心变量，认为信任由可信度、真诚和善意三个维度构成。信任正向影响承诺，而承诺又正向影响对暂时缺陷的容忍程度。维度结构研究是品牌关系质量研究的深化，但目前选取的维度还不够多，如亲密、自我表达等较少纳入研究模型。另外，尽管品牌关系的构念是双向的，但仍很少有研究者从品牌对消费者的影响角度来思考品牌关系质量的结构，从而无法凸显品牌关系中"品牌"这一关系主动参与方。

## 第三节　品牌关系管理

品牌关系管理是指企业努力建立、维持和增强其产品品牌与其顾客之间的关系，并且通过长期互动的接触和对承诺的履行来持续增强这种关系的一种管理方法。传统品牌管理的出发点或指导思想在于提供产品、吸引和争取顾客、每次交易的价值最大化以及提升品牌资产。可见，品牌与顾客之间的关系实质是一种短期的交易关系。

### 一、与传统品牌管理的区别

品牌关系管理是指一种活动或努力，通过这种活动或努力，建立、维持和增强品牌与其顾客之间的关系，并且通过互动的、个性化的、长期的、以增加价值为目的的接触、交流与沟通，以及对承诺的履行，来持续地增强这种关系。品牌关系管理与传统品牌管理的区别主要表现在五个方面。①传统品牌管理的核心是交易，企业通过与顾客发生交易活动从中获利，以交易为导向；品牌关系管理的核心是关系，企业从顾客与其品牌的良好关系中获利，以关系为导向。②传统的品牌管理强调如何争夺新顾客和获得更多的顾客；品牌关系管理则更为强调以更少的成本留住顾客或保持顾客。③传统的品牌管理强调大传播、大交流、促销和分销渠道；品牌关系管理强调顾客价值和顾客资产。④传统品牌管理的指导思想是大规模营销；品牌关系管理的指导思想是一对一营销和大规模定制营销。⑤传统的品牌管理强调有限的顾客参与和适度的顾客联系；品牌关系管理强调高度的顾客参与和紧密的顾客联系。

此外，传统的品牌管理强调高市场份额，认为高市场份额代表高品牌忠诚度。但是真正的品牌忠诚是一个远比市场份额复杂的概念，因为品牌忠诚还包括顾客的偏爱和态度，品牌关系管理则着重强调顾客占有率和范围经济。顾客占有率是指企业赢得一个顾客终身购买物品的百分比，测度的是同一顾客是否持续购买；范围经济是指同一顾客向同一企业购买相关零配件、其他产品和新产品而给企业创造的利润。传统的品牌管理考虑的是使每一笔交易的价值最大化，品牌关系管理则考虑与顾客保持长期关系所带来的收益和贡献，即通过使顾客满意并同顾客建立关系，开发顾客的终身价值。许多营销者已经认识到，他们与顾客之间并不是一次交易，而是要留住顾客一辈子。通过与顾客建立更紧密的关系，可以获得更多的收益，因而他们不再考虑每次交易的价值最大化，而是通过建立顾客关系和令顾客满意来使顾客终身价值最大化。

## 二、品牌关系管理的核心内容

传统的品牌管理以产品和交易为中心，强调品牌资产，特别是在20世纪90年代，品牌资产处于营销的中心地位；品牌关系管理以顾客为中心，强调顾客资产。品牌资产强调产品销售、吸引顾客以及与顾客进行交易；顾客资产强调顾客超过产品，强调关系超过交易，强调保持顾客超过吸引顾客。这里需要说明的是，品牌资产依然具有营销上的现实意义，只是品牌资产的提法在当今的市场环境下已不够确切与完善。所谓顾客资产，是指最有价值的顾客在其生命周期内给企业带来的价值增值能力。顾客资产由三个要素组成，即价值资产、品牌资产和关系资产。

价值资产是顾客依据其感觉对品牌效用或品牌品质做出的客观估计。影响价值资产的三个要素是质量、价格和便捷性。企业提升价值资产的方法包括提高和维持高的产品质量标准，制定合理的价格，提高顾客获得产品和服务的便捷性。高质量能够达到或超过顾客对产品和服务的期望，同时保证产品使用价值的实现。合理的价格能使顾客产生物有所值甚至物超所值的感觉。便捷性的功效在于减少顾客的时间成本、精神成本、搜寻成本、体力成本与决策成本。"便捷性"的例子，如航空公司通过延伸其服务，使顾客在任何时候、任何地方、以任何方式都能购得航空公司的机票。

品牌资产是由品牌形象所驱动的资产，是顾客对品牌的主观的、模糊的评估。影响品牌资产的三个要素是品牌知名度、顾客对品牌的态度和企业伦理。品牌知名度可以通过广告媒体运动、现有顾客的口碑传播等途径来提高。顾客对品牌的态度包括品牌能够与顾客创造紧密关系或建立情感纽带的所有方面，通过媒体交流和直销等途径可得到促进。企业伦理包括影响顾客对企业看法的所有具体的企业行为，如企业政策、雇员关系等。当今，许多企业通过参与社会公益事业、员工参与决策等途径来提升品牌资产。

关系资产是将顾客与品牌连在一起的桥梁，是顾客的品牌体验价值。提升关系资产的途径包括顾客忠诚计划、特别的认知和对待、亲和力计划、社团建设计划、知识建设计划等。顾客忠诚计划包括企业用有形的利益对顾客的具体行为进行回报的行为或行动，如企业向忠诚的年轻顾客赠送玩具。特别的认知和对待是指企业用无形的利益对顾客的具体行为进行回报的行为，如让顾客加入企业的某个俱乐部，授予忠诚顾客本企业的"荣誉员工"称号。亲和力计划是指寻求创造品牌与顾客之间的深厚感情，并将这种感情与顾客生命中的重要事件联系起来，如在顾客的结婚纪念日，以特别优惠价为他们提供产品或服务。社团建设计划是指通过让顾客加入某个社团，来巩固与增强顾客和企业或品牌之间的关系，如企业可以建立一个网站，通过这个网站建立若干虚拟社团，让顾客在虚拟社团内进行沟通与交流。知识建设计划是指通过创造更多、更丰富的顾客知识来阻止顾客与竞争对手再建立关系，如食品店密切跟踪顾客的食物和饮料偏好，并做到随时为顾客提供他们所偏爱的食物和饮料，这样顾客就不太可能再花费精力到其他食品店去选购食物和饮料。

## 三、品牌关系管理的实施

为了有效地实施品牌关系管理，企业应做好以下几方面的工作。

### （一）选择最有价值顾客

企业品牌关系管理的对象并不是所有可能的顾客，而是最有价值顾客，因为来自企业的经验证明，企业利润的绝大多数来自最有价值的那 20% 的顾客。企业在与顾客建立关系之前，应进行潜在的成本与利益的衡量对比分析，并在潜在关系对象中确定真正的有利可图者。建立、维持和发展顾客关系，势必牵涉大量投资，若企业从这种关系中获得的利益不能弥补投资并获取合理利润，则建立关系是不明智的。因此，企业不应与所有对象都建立长期关系，即使在建立关系的对象中，也应有层次的差别。对顾客进行选择和区别的标准是顾客终身价值（顾客在其生命周期内为企业提供的价值总额的折现值），比照这个标准，企业就可以有效地确定关系对象和关系层次。只与最有价值顾客建立关系，企业稀缺的营销资源才会得到最有效的配置和利用。当营销资源只配置在一部分顾客身上时，就能够明显地提高收益和利润。

### （二）建立和管理顾客数据库

通过建立和管理比较完全的顾客数据库，企业可以更深刻地理解顾客的期望、态度和行为，从而可以更好地为顾客提供服务，增加顾客的价值。顾客数据库包含的信息有：顾客的年龄、职业、婚姻状况、收入，顾客的期望、偏好和行为方式，顾客的投诉、服务咨询，顾客所处的地理位置，顾客所在的细分市场，顾客购买产品的频率、种类和数量，顾客最后一次购买的时间和地点，顾客如何购买产品，等等。获取顾客资料的途径有：营销部门，顾客服务部门，电话、互联网、邮件、传真、营销人员等营销媒介和渠道，零售商及其他商业伙伴，等等。建立和管理顾客数据库本身只是一种手段，而不是目的，企业的目的是将顾客资料转变为有效的营销决策支持信息（如有助于识别高价值顾客群的信息）和顾客知识，进而转化为竞争优势。数据库信息要不断地更新，这样企业才能随时掌握随时间变化而变化的顾客期望、态度和行为，同时开展顾客流失原因的调查。

### （三）建立彼此学习的关系

企业必须与它们最有价值的顾客建立彼此学习的关系，唯有这样，才能保持并增强品牌力量，才能获得、保持和发展最有价值顾客。学习关系表现为：顾客说出他们的需要，企业根据顾客的需要定制产品、服务或相关信息。顾客信息数据库以及企业和顾客间的相互作用是建立学习关系的关键。通过向顾客学习，并对顾客知识做出恰当的反应，企业就为顾客设置了品牌转移的障碍。这是因为，顾客在说明其需要时已经投入了时间和精力，假如再从其他企业获得同样的产品或者服务，就必须再次建立关系，这就使得顾客在获得的产品或服务价值不变的情况下，增加了品牌转换成本。企业的呼叫中心或服务中心是企业向顾客学习的重要媒介，所以，企业应该允许顾客在任何时候，以各种途径（如电话、电子邮件、传真等）进入其呼叫中心或服务中心。

### （四）认真对待最有价值顾客

品牌关系管理是以顾客为中心的品牌管理方法，其实质是由过去的交易范式向关系范式的转变，可见企业要实行品牌关系管理，就必须认真对待最有价值顾客。认真对待最有价值顾客的方法有很多，这里只举例说明两种。

（1）保留一些非营利的产品和服务。为了满足最有价值顾客的需要，一些非营利的产品和服务还得保留，这会使顾客产生无缝隙的品牌体验，从而有利于保持最有价值顾客。例如，有家食品店继续生产一些不赢利的食品，目的就是留住可能因停止生产那些不赢利食品而离去的某些最有价值顾客（如食品品尝家）。这些最有价值顾客在购买不赢利食品的同时，还会购买赢利性高的食品，因而企业的总体赢利水平还是比较高的。更进一步说，无缝隙的品牌体验所带来的品牌忠诚，会使那些被挽留住的最有价值顾客持续地购买下去，并且可能降低他们对盈利性高食品的价格敏感性。

（2）给予最有价值顾客特别的对待。特别的对待诸如折扣，在货源紧张时优先供应，等等。特别的对待会使顾客产生亲密、被重视以及与众不同的感觉，进而提高其品牌忠诚度。

除了上述工作之外，品牌关系管理的其他工作还包括：重构企业的组织结构，过去组织结构的设计以职能为基础，实施品牌关系管理时，组织结构的设计则要以顾客为基础，建立以顾客和顾客关系为导向的企业文化，建立包含顾客保持率、顾客终身价值等指标内容的员工奖励制度；加强企业间的合作，如实行供应链管理，目的是向顾客提供最大的价值；等等。

## 本章小结

从广义角度看，品牌关系扩大到不同品牌与不同消费者之间的相互作用。狭义的品牌关系是指消费者对品牌的态度和品牌对消费者态度之间的相互作用。从动态的角度看，品牌与消费者之间的关系被分为六个阶段，即注意、了解、共生、相伴、分裂和复合。

品牌关系分类有四个视角：互动论、角色论、交换论和强度论。互动论关注的核心问题是品牌关系表现出怎样的互动特征；角色论关注的核心问题是品牌关系是在什么角色的关系方之间建立起来的；交换论关注的核心问题是品牌关系是建立在什么交换基础之上的；强度论关注的核心问题是品牌关系的强度和等级如何。

品牌关系的影响因素包括消费情境、品牌体验、品牌个性、自我认同。狭义的品牌关系质量维度包括认知、情感、意动，广义的品牌

关系质量维度包括承诺/相关度、归属/关注度、熟悉/了解度、信任/尊重度、联想/再认度。

品牌关系管理以关系为导向，传统品牌管理以交易为导向；品牌关系管理强调以更少成本留住顾客或保持顾客，传统品牌管理强调如何争夺新顾客和获得更多的顾客；品牌关系管理强调顾客价值和顾客资产，传统品牌管理强调大传播、大交流、促销和分销渠道等。

品牌关系管理以顾客为中心，强调顾客资产。品牌资产强调产品销售、吸引顾客和与顾客进行交易；顾客资产强调顾客超过产品，强调关系超过交易，强调保持顾客超过吸引顾客。为了有效地实施品牌关系管理，企业应选择最有价值顾客，建立和管理顾客数据库，建立彼此学习的关系，认真对待最有价值顾客。

## 思考题

1. 简述狭义和广义的品牌关系定义。
2. 试述动态的品牌关系阶段及特征。
3. 从互动论、角色论、交换论和强度论的视

角简述品牌关系的分类。
4. 简述品牌关系质量的维度。
5. 如何对品牌关系进行管理？

## 案例分析

### 差序格局视角下的品牌关系解读

品牌是物，背后或代表的是人。因此，品牌关系理论的基础依然是人际关系。接下来，笔者将介绍社会学家费孝通老先生在《乡土中国》一书引入的差序格局（如图11-1所

示）。中国人的关系可以分为家人关系、熟人关系和陌生人关系，他说中国人的关系像一块石头丢到池塘里面，荡起一圈圈的涟漪一样。后来，黄光国、翟学伟、杨中芳、杨宜

音等老师不断丰富了中国人的关系分类。如果大家感兴趣，可以去看"博雅系列丛书"，以及几位老师的著作。在人际交往和品牌关系的互动过程中，对不同的关系类型，我们应该采取不同的关系规范进行互动。比如，家人关系规范的核心是需求法则，就是说一家人之间，只要有需要，就可以从这个家庭里面获取资源，而且有时候是不计代价的给予。就像你回家吃个馒头，你爸妈不会向你要钱吧。

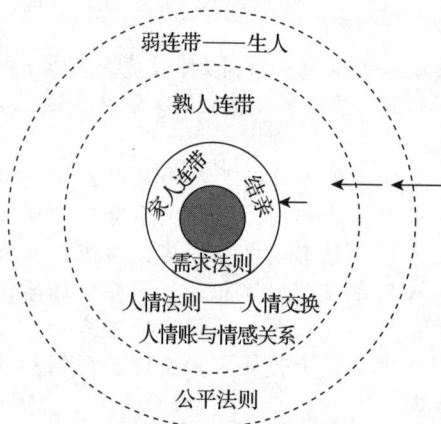

图11-1　差序格局

以此为基础，向外延伸第二层就是熟人关系，互动规范的核心是人情法则，如社会上看到的红白喜事，人们相互之间送红包，有的地方叫"送人情"，就是你今天帮我一个事儿，过段时间我帮你一个事儿。所以有人说"欠人情"，就是这个意思。再向外延伸第三层就是陌生人关系，互动规范的核心是公平法则。陌生人就是你不认识我，我也不认识你，然后我们之间发生了一些业务上的关系，那就公事公办了。比如，有一次笔者到车管所去更换驾驶证，窗口排了很多人，需要等一段时间，这个时候旁边有个人，正是笔者买车的4S店的员工，在车管所驻点专门帮忙为客户办事儿的。于是笔者向他说明了自己的情况，结果他说，您把驾照和材料给我，我来给您递进去。后来，当然顺利地办完了。细想一下，他长期在车管所驻点办事儿，跟工作人员已经成了熟人，而笔者跟工作人员还是陌生人的关系，这就是区别所在。这么看来"关系"似乎提高了办事的效率，但要提醒大家的是"关系"也有它不利的一面，就是很容易让人陷入人情的困境。因此，为了保持关系的长久，人与人之间保持适当的距离是非常有必要的。

接下来大家要思考的是，这三层关系的背后是什么？也就是说，这些关系规范是如何形成的？这就不得不再次提到《乡土中国》，因为中国社会几千年来的农耕文化影响了人们的思维和关系规范的建立，而且根深蒂固。因为在农耕文化背景下，人们都是靠种地吃饭，而土地又不能流动，所以种地的人，流动的可能性不大，流动的频率也不高，这种情况下，人们的关系相对稳定，都是长期导向的思维模式，逐渐就形成了熟人社会，这种情况下人情就起到了排斥机会主义行为的作用。当然，还有游牧文化和海洋文化，它们也会对人们的思维模式产生很大的影响，而且与农耕文化有区别，大家多阅读一些相关的书籍和多观察一些实践活动，就会总结出很多的心得。

社会发展到今天，早已经不再是纯粹的农耕生活方式了，因为人们离开土地依然可以生活，人们有工作，有工资，而且科技的发展让交通也越来越便利，人们流动的频率逐步增大。在这种情况下，人们的关系变得不那么稳定，偏向于短期导向的思维模式。所以，有的时候，人们会发现身边的陌生人会越来越多，而这些陌生人一打交道，很多都会进入熟人的圈子，但这些熟人与以往农耕文化下的熟人相比，关系相对还是浅了一点，或者说远了一点。这个时候，社会的运行和维护需要法律来排斥机会主义行为的出现。至于目前的生活方式，还有人际、群际或阶层的结构都处在一个变化的过程当中，还不是非常明朗，所以学界现在还难以给出一些清晰的界定，或大家一致认可的理论。

再接下来，人们要思考的是，关系的远近或者说好坏该如何衡量，在西方这个叫"关系质量"。西方人通过一些问项来测量人们之间的关系质量，主要从信任、满意和承诺三个方面测量。有的问题是正着问，比如，当我有难的时候，您愿意借给我多少钱？有的问题是反着问，比如，如果我不在了，您会有多难过，或者有多想念我？笔者认为测量关系远近或好坏，有两个很重要的因素，一个是情，另一个是利。品牌关系也一样，情有深浅，利分多少。如果大家把情有深浅和利分多少组合成四种情景，就会发现，做生意，品牌与客户之间有四种情况（如图11-2所示），①情浅利少。这个象限的客户还在外缘，要判断是留还是走。②情深利少。对这个象限的客户要深挖需求，增加交易的机会和频次。③情浅利多。所谓"谈钱伤感情"，对这个象限的客户更多的是要加深情感，因为钱是冰冷的，人是温暖的。④情深利多。哪一种是人们希望的呢？当然是第四种，人们希望前面三种情况的客户都能转化为第四种。情是做人，利是做事。所以，品牌关系的管理就是分类之后的情而利。情而利既可以是品牌关系的分类，也可以是品牌关系互动的手段、方式或润滑剂。情而利是相容的还是相斥的？

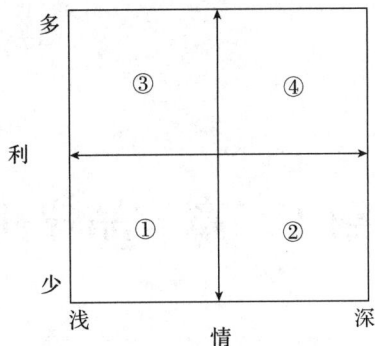

图 11-2 关系的分类

资料来源：https://www.icourse163.org/course/ZNUEDU-1003452001，节选自本书配套品牌管理慕课视频 13.2。

**思考题**

1. 作为品牌经理，该如何建立品牌与消费者间的关系？
2. 作为品牌经理，该如何维系与管理品牌和消费者间的关系？

# 第十二章 品牌社群

【学习目标】

- 了解品牌社群的起源，掌握品牌社群的定义，熟悉品牌社群的特征；
- 掌握品牌社群的三角关系、焦点消费者和利益相关者等结构模型；
- 理解品牌社群对参与成员及企业的价值和作用；
- 掌握品牌社群存在的理论基础和形成机理；
- 理解品牌社群建设的影响因素以及品牌社群对企业的营销启示。

📖 开篇案例

## 小红书：年轻人的兴趣部落

2013 年 6 月，小红书在上海诞生了，觉察到用户海淘购物的需求，小红书于 2014 年 10 月将自营福利社正式上线。从社区起家的小红书也顺势加入电商的队伍中，在小红书启动电商模式的 5 个月时间里，销售额就超过了 2 亿元。社群在当下已经渗透到人们生活的方方面面，而基于社交平台的社群打破了时间和空间的限制，使更多的人聚集在同一场域，复杂的人际关系也展现了社群这一集体巨大的传播活力和能量，小红书最大的价值正是在于为年轻人构建了一个共同的兴趣部落。

### 1. 明确自身定位

根据艾瑞咨询提供的数据（2018），小红书的用户主要分布在浙江、广州、上海等发达地区，女性占比达到86.3%，使用人群年龄在25～35岁之间的占比为61.77%。所以小红书的服务对象主要为发达地区的年轻女性。而发达地区年轻女性在购物和分享欲上富有热情，对新事物有好奇心，同时具有一定的购买能力。用户打开小红书之后就能看见美妆、发型、护肤、学习等各种符合用户品位的内容。小红书的标识主要以红色为主，以简约的"小红书"中文字体为标志，展现年轻人的活力与对时尚的追求。小红书定位于"年轻人的美好生活分享社区"，针对年轻女性用户的定位，也造就了小红书社群内较高的活跃度与订单转化率。

### 2. 刺激社群用户传播动力

社群3.0时代以人为核心，人都有社交互动的需求，都有自我展示和得到别人认可的需求。每次用户发布的笔记都会生成分享图片或复制链接，供用户分享给站内好友、微信好友以及发朋友圈等，用户主页可以设置置顶笔记，这样可以展示分享者的日常和人格魅力。另外，小红书根据名称谐音把用户称为"红薯宝宝"，分为十个不同成长等级的角色，搭建了一个形象成长体系，构成了不同等级成员之间的身份差别。其中，包括尿布薯、奶瓶薯、困困薯等，每个等级有不同的升级任务，要完成相应的任务才能升级。比如，要成为尿布薯必须点赞、收藏、评论各一次并且发布一篇笔记。小红书的这种等级构建形成了身份上的差异，提高了红薯宝宝们的参与感和优越感，等级越高优越感越强。

### 3. 以有影响力用户为中心节点

那些具有较大影响力和话语权的意见领袖用户通过与中心节点建立连接，往往可以产生引爆社群的强大能量。小红书首先邀请本身具有话题的名人入驻平台，并在小红书上分享美妆、穿搭、好物等来吸引粉丝，粉丝在小红书上能够窥见更多关于自己所崇拜之人的日常生活。这些名人本身就拥有很多粉丝，通过入驻小红书可以将名人的粉丝顺势转化为小红书自己的用户。当然中心节点并不仅仅只有名人，普通用户借助孵化平台，进行长时间的账号运作和名气积累也能向外辐射影响力，成为某一领域的有影响力用户，他们在分享日常的同时，还会借助粉丝的力量来传播社会正能量、呼吁群众关注社会热点话题，从对困难人士的帮助到走失儿童的寻找，从对流浪动物的救治到对生态环境的保护，小红书的创始人瞿芳曾说：小红书致力于打造一个健康、优质、可持续发展的互联网平台，自觉承担企业社会责任，帮助更多人看见和追求美好生活的可能，守护清朗向上的网络空间。

### 4. 口碑传播扩大影响效应

没有什么能够比真实用户的口碑更能提高转化率，真实性是小红书赢得良好口碑的重要因素。依靠口碑传播能够以更少的成本获得更大的效益，小红书上的分享是用户自己制作的，最终都要回归到现实生活中，在这里用户既是分享者也是消费者，小红书必须保证整体氛围的真实性。小红书整个社区就是一个巨大的口碑库，一旦某个品牌或商品获得好的口碑，依据互联网强大的交互性，客户数量会以指数级的态势增长，最终达到病毒式的营销效果。依托互联网技术，口碑传播的路径已经非常丰富，当社群内部的口碑传播形成了一种合力之后，这种口碑力量就可以对外扩散，充分发挥互联网交互性、去中心化的威力。

资料来源：人人都是产品经理. 小红书：用户运营策略分析报告 [EB/OL].（2021-04-21）[2022-12-30]. http://www.woshipm.com/operate/4478240.html.

# 第一节　品牌社群概述

"我们发现，建立品牌社群，将顾客聚集在一起并且为顾客与公司之间建立一种联系，确实能够带来切身的价值，顾客有机会互相交流他们的经验、意见和想法。"美国德保罗大学教授阿尔·穆尼兹和美国天普大学教授赫普·斯乔在研究了数百个品牌社群的例子后，得出这样的结论：越来越多的公司正在打造或支持围绕公司产品的使用而形成的品牌社群，因而将品牌忠诚度这一理念提升到了一个新的高度。品牌社群往往都能进一步提高顾客的品牌忠诚度，并在顾客和公司之间建立起长期的紧密关系。打造品牌社群，被视为一种投资，而不是花销！

## 一、品牌社群的起源

品牌社群是社群的一种新形式，它不同于传统意义上的社群，而是以某一品牌为中心建立的一组社群关系。"社群"（community，目前在我国还有"社区""共同体"等译法）一词源于拉丁语，意思是共同的东西或亲密的伙伴关系，它是 19 世纪末 20 世纪初社会学中描述人与人之间关系的一个非常重要的概念。传统的观点认为：社群由一定的社会关系、共同生活的人群、一定的地域和特有的文化这几个基本要素构成，并且其成员对所属社群具有情感和心理上的认同感。简言之，社群是以人们之间的相互关系和情感联结为标志、以地域为界限而形成的社会网络关系。

19 世纪末，大众媒体的发展使得社群不再受地理位置的限制。科技的发展使现代社会中的社群与以前不同，吸引了大量学者对新社群的定义和内涵进行拓展研究。社群内涵变化的最大特点，是形成社群的基本因素从地域范围转移到了成员间的情感需求上。有学者认为：当代社群大多是假想的社群，即由于大众媒体的发展，社群成员可以通过假想的方式对其他成员产生好感。尽管社群的概念随社会的发展而不断发展，但其主要特征还是由共同意识、共同的仪式和传统、责任感三方面组成。另外，随着现代化商业的发展，品牌产品开始取代无商标产品，消费者个人主义开始盛行，消费者日益增长的物质和精神需要使现代社会打破了传统社群的界限。在这种情况下，品牌产品必然成为此次人类意识转变过程中的普遍象征，将人们以新的社群方式联系起来。

## 二、品牌社群的定义

1974 年，美国史学家布尔斯廷通过对美国历史的研究，提出了消费社群的概念。自此在美国工业革命后的新兴消费文化中，社群的意义开始从原来地域上聚集在一起的人与人之间的关系，转变为与使用某一产品或品牌相关的更为微妙的人与人之间的联系。

随后，学术界在对类似消费现象的研究中，提出了诸多相似概念，如社会团体、消费亚文化、新部落、生活方式社群、消费文化、品牌社群、品牌崇拜、反品牌社群等。尤其在品牌社群概念提出以后，品牌社群的作用开始受到实务界和学术界的广泛关注，品牌社群逐渐成为营销学界一个新的研究领域。

在现代社会中，人们不只把居住于同地区的邻居视为社群，也把消费相同商品的其他消费者当成利益共享、同担风险，并关心共同的利益与信息的社群伙伴，这就是消费社群的概念。消费社群是一种无形的新型社群，借由人们的消费模式及所消费的产品而被创造且保留下来。

以消费社群为基础，品牌社群定义为：以使用相同品牌产品的人们的结构社会关系为基础，由特殊的、非地缘关系的联系组成的群体。将品牌社群视为一种现象，则它的成立并不一定是企业营销策略的结果。就算企业不介入，活跃的品牌支持者也会群聚，集结成一个品牌社群，并且彼此联系沟通分享信息。

从社会心理学角度对品牌社群成员的表现进行分析，研究者认为，品牌社群是对某个品牌或某种良好的社会认知（如环保）具有共同热情的消费者群体，其成员通过共同行动来实现集体目标或表达共同的情感和承诺。实际上，这是在强调某个品牌的消费者群体所表现出来的情感和行为。还有学者从广义的角度研究认为，品牌社群是以核心消费者为中心的关系网，除了品牌关系外，还有其他一些关系，他们认为一切与品牌有关的利益相关者（包括员工、消费者、股东、供应商、战略伙伴等）围绕品牌关系构成了品牌社群。

本书将品牌社群定义为"建立在使用某一品牌的消费者间的一整套社会关系基础上的，一种专门化的、非地理意义上的社群"。品牌社群已突破了传统社群意义上的地理区域界限，是以消费者对品牌的情感利益为联系纽带。在品牌社群内，消费者基于对某一品牌的特殊感情，认为这种品牌所宣扬的体验价值、形象价值与他们自身所拥有的人生观、价值观相契合，从而产生心理上的共鸣。在表现形式上，为了强化对品牌的归属感，社群内的消费者会组织起来（自发或由品牌拥有者发起），通过组织内部认可的仪式，形成对品牌标识图腾般的崇拜和忠诚。从品牌社群的起源来看，它是消费社群的一种延伸。

## 三、品牌社群的特征

### （一）共同意识

共同意识主要是指社群成员彼此间所感到的一种固有联系，以区别于社群外其他人的一种集体意识。它是社群成员在对待事物中所表现出来的共同意识，是对所共同拥有物的共识，这要比共同的态度或表面上的一致性更强烈。共同意识中还包括成员资格的"合法性"和抵制竞争品牌的品牌忠诚。

### （二）共同的仪式和传统

仪式和传统是一个重要的社会过程。品牌、品牌社群的意义通过仪式和传统得以复制和传递，社群所共有的历史、文化和意识得到了传承。品牌社群中的仪式和传统，包括庆祝品牌历史的活动，共享成员与品牌之间的故事（如成员的经历和体验等）。通过这种庆祝活动和分享，品牌的意义也得到了交流和传递，社群成员能够更深刻地感知品牌意义，建构自我对品牌的认同。

### （三）责任感

责任感是对整个社群或其社群成员负有的一种责任或义务。责任感没有必要太大，它反映在日常琐碎的事务上。例如，社群成员之间的相互致意、问题探讨、经验交流和相互帮助；社群成员吸纳新成员和维持老成员；等等。而且当社群遇到威胁时，这种精神上的责任感就会激发集体的行动。

此外，品牌社群还具有类宗教性的特征，即品牌崇拜，由此可以更好地理解消费者对钟情品牌的极度热爱，甚至是信仰。人们认为这比自我分享更有意义，更具力量并且非同一般。在有共同信仰的社群成员中，当社群成员将自我喜好完全奉献给某一品牌时，就会体现出消费的宗教性。

## 四、品牌社群的结构模型

### （一）三角关系模型

品牌社群是一个关系集合，根据不同的学者对其中参与方的界定不一，形成了不同的结构模型。在整理许多学者的研究成果后发现，消费者重视自身与品牌，以及自身与其他消费者的关系，因此有学者在传统的"消费者—品牌"关系中加入其他消费者，形成品牌社群三角关系模型（如图 12-1 所示），强调的是以品牌为中心的消费者之间的关系。此模型表明了消费者因品牌而联结在一起的意义，同时也表明消费者之间的关系在品牌创建中的重要作用。但是，该模型也有一些缺陷，比如，品牌社群中有的成员是竞争对手的消费者，他们也会对本品牌的消费者产生影响，同时对于品牌社群的形成机理、消费者之间如何互动没有进行深入的研究。

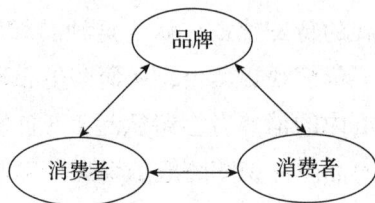

图 12-1　三角关系模型

### （二）焦点消费者模型

后来有学者在对品牌社群三角模式研究的基础上，将品牌社群的概念进一步拓展，提出"焦点消费者"的概念，认为品牌社群是以消费者为中心形成的四对主体之间的关系，即消费者与品牌、消费者与产品、消费者与营销者、消费者与消费者（如图 12-2 所示）。

该模型的重要特征是突出了焦点消费者在品牌社

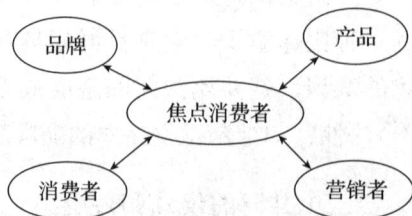

图 12-2　焦点消费者模型

群中的联结作用，并强调消费者对品牌的全方位体验。尽管这一模型更加全面，但是同样存在一些缺陷，即并未解释顾客认同品牌社群的动机，以及在加入品牌社群后如何进一步形成品牌忠诚意愿和行为等问题。

### （三）利益相关者关系模型

在品牌社群三角关系模型及焦点消费者模型的基础上，有学者提出了一个更加复杂的模型，在他们的模型中，所有与品牌有关的利益相关者（包括员工、消费者、股东、供应商、战略伙伴等）与品牌的关系共同组成了品牌社群。该模型虽然强调了利益相关者对品牌创建的意义，但是由于涉及面太广，其中的各种关系很难在一项研究中同时得到考虑，所以该模型在品牌社群的实证研究上受到了很大制约。同时，该模型强化了品牌的核心位置，却淡化了品牌社群中消费者在品牌创建过程中的重要作用（如图12-3所示）。

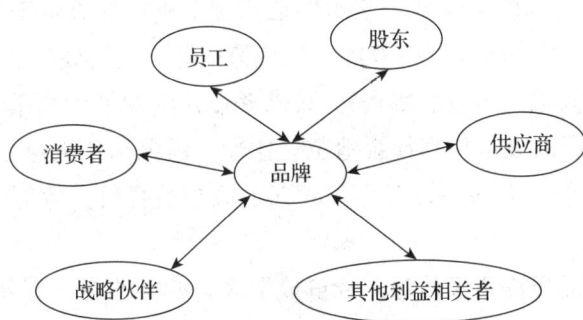

图 12-3　利益相关者关系模型

## 五、品牌社群的价值

### （一）对成员的价值

顾客为什么要加入和光顾品牌社群？这是一个关乎品牌社群生命力的问题。

（1）**品牌社群降低了成员的购买成本。**许多顾客光顾品牌社群的首要目的都是买到更便宜的东西。品牌社群从三个方面为顾客降低了购买成本：通过加入客户俱乐部成为一名正式会员，顾客能够享受到会员价、消费积分、抽奖和其他促销优惠；社群成员大量交流产品价格，增加了价格信息的对称性，减少了因盲目购买而导致的价格损失；成员们组织起来进行团购，以大批量采购的形式来增加价格谈判的筹码，目前这种团购形式在汽车、装修、建材、家电、家具等诸多行业盛行。

（2）**品牌社群带给成员归属感。**"社会人"的属性促使人们总是寻求组织依靠，以求心灵慰藉，即马斯洛所说的"爱与归属的需要"。品牌社群就是人们在消费领域的感情依附体，这种归属感有两个生成机制。①类别化，即各成员消费的是同一品牌，比如，两个比亚迪车友碰面时，他们之间或多或少会产生一定的亲切感，特别是与其他汽车品牌车友在一起时，这种感觉更强烈。这种亲切感在其他很多领域都很常见，如同学、同事、同乡、同胞等，都有着与生俱来的族群感。②关系化，即成员之间进行友好互动，在品牌社群里面，大量成员拥有共同的价值认同和兴趣爱好，例如，一些车友会经常组织自驾游，一些驴友团自行组织徒步行，一些楼盘业主组队参加足球、羽毛球对抗赛等活动。这些活动加深了成员之间的关系，增强了成员的归属感。

（3）**品牌社群赋予成员一种个性**。当顾客选择一个个性鲜明的品牌时，其背后原因往往是顾客个性与品牌个性产生了共鸣。按照社会心理学理论，品牌是顾客延伸的自我，看到品牌就像看到自我。美国著名营销学者卢瑟·贝克教授所说的"我消费什么，我就是什么"，森马（Semir）休闲服的广告语"穿 Semir（什么）就是 Semir（什么）"就是这一理论的反映。品牌社群则对成员个性化的身份进行了直接的诠释，作为某一品牌社群的成员，自然会带有该品牌的鲜明个性。比如，小米品牌社群的"发烧友"身份就带有小米新潮、狂热、创新的品牌个性。

（4）**品牌社群提高了成员的社会地位**。随着中国经济社会发展的日新月异，作为一名中国人的自豪感会比以前更强烈。学术界把这种由集体评价带来的成员自尊称为"集体自尊"。这一集体自尊感同样可能来自一个品牌社群。当所处行业属于高消费（如高尔夫）或品牌自身定位高端（如路易威登），又或者在社群中处于高端会员等级（如白金会员）时，品牌社群将帮助成员抬高社会地位。比如，观澜高尔夫球会的会员身份，清华、北大等名校的校友身份，万科"万客会"的五星级会员身份，等等，都为自己在社交中增色不少。

（5）**品牌社群为成员提供了信息**。社群成员来自四面八方，有着不同的背景和经历，因此很容易实现信息"人无我有，互通有无"。对于那些问询者，便捷获取信息的价值自然是吸引他们光顾的重要原因；对于那些解答者，这种免费热心答疑的利他主义行为是源于自我价值实现和成就感的动机。随着交往的深入，社群信息会从单纯的产品信息扩展成包罗万象的生活信息，由于交流发生在成员之间，而非企业的广告传播，因此信息是中立和客观的。优势麦肯公司一项名为"我们何时开始信任陌生人"的全球最新调研发现，在虚拟的网络空间，人们对于素未谋面的陌生人和亲近朋友的信任度是相等的，网络社群中每个人都拥有影响别人的能力。

### （二）对企业的价值

品牌社群不仅对成员，对企业来说也有重要价值。

（1）**品牌社群是自然形成的细分群体**。企业面临的一大营销难题是如何在复杂的人群中接近目标市场以开展传播。不能准确靠近目标群体，企业的传播成本将会像美国百货商店之父约翰·沃纳梅克所说的，"我知道我的广告费浪费了一半，但不知浪费的是哪一半"。物以类聚，人以群分，作为一个有着共同兴趣和爱好的集合体，品牌社群集结了众多类似的顾客，如万科地产开设的万客会就设有财经科技、情感生活、旅游见闻、影音时尚、健身美体、美食名厨、以车会友等会员圈子。尽管如此，由于人们对公司的广告邮件信任度不高，因此企业只有真心诚意地为他们提供价值而不是广告骚扰，才能有效地传播信息。

（2）**品牌社群帮助传播正面的品牌形象**。传统上认为，人们只会在互联网上抱怨，优势麦肯公司的调查数据显示这是错误的观念。其实许多网民很愿意跟别人分享自己或朋友的正面消费体验，这种自我表达的动机源于别人的认同和自我价值实现。比如，一些车友会将自驾的游记连同照片发到网上，让人在欣赏游记的过程中也对其爱车产生好感；一些明星粉丝团则会大量收集明星的照片和报道，与其他粉丝分享。在这一信息传播过程中，发帖者无形之中成了经纪公司在网络上的免费推销员。

（3）**反品牌社群是顾客意见反馈通道**。有研究表明，只有不足 5% 的不满意顾客会向公司投诉，其他人则通过向朋友倾诉来发泄不满。这对企业来说不是好事，因为投诉可以通过事后补救来解决，而不满的情绪扩散了往往难以控制。当人们聚集在一起口诛笔伐某一品牌的时候，反品牌社群便形成了。这对企业来说倒是一个好消息。因为不满的顾客聚在一起，就相当于将顾客不满的意见进行了汇总，企业可以很轻松便捷地了解到顾客为何不满、顾客对产品有何要求等，之后根据顾客需求信息重新开发或调整产品。需要注意的是，反品牌社群当中提出的问题应当尽早解决，不然扩散后的负面影响将对企业非常不利。

# 第二节　品牌社群的形成

要研究品牌社群是如何形成的，首先需要回答三个本质问题：顾客为什么要加入品牌社群？顾客对品牌社群的态度是如何形成的？顾客如何促进品牌社群的长期发展？第一个问题与顾客让渡价值理论有关，第二个问题与顾客满意度理论有关，第三个问题与顾客忠诚度理论有关。将三个理论综合在一起，就可以解释品牌社群的形成与发展。

## 一、理论基础

### （一）顾客让渡价值理论

科特勒提出顾客让渡价值的概念，用以解释顾客购买决策的依据。他认为，顾客购买某产品时获得了一系列的利益（包括功能利益、形象利益、服务利益、人员利益），同时也要支付一定的成本（包括货币成本、时间成本、体力成本、精力成本），二者之间的差值就是顾客让渡价值。顾客之所以购买某产品，是因为该产品给予顾客的让渡价值大于零，产品的让渡价值越大，被选择的可能性就越大。顾客让渡价值理论被用来解释品牌社群的形成过程，因为在决定加入品牌社群成为会员之前，顾客会对品牌社群所带来的利益与成本之间的差值进行衡量。

### （二）顾客满意度理论

顾客加入品牌社群后，能否继续配合与支持品牌社群的发展，取决于顾客对让渡价值的满意程度。西方学者曾提出"顾客消费经历比较模型""顾客需要满足程度模型"等顾客满意度理论，但被广泛接受的是"期望－实绩模型"。顾客满意度是指顾客将消费前对产品的期望值与消费后对产品的评估值对比后，所形成的愉悦或不快的心理状态。可见，决定顾客是否满意的关键是期望值与评估值的对比，评估值大于期望值表示顾客满意。

### （三）顾客忠诚度理论

顾客忠诚度是 20 世纪 90 年代以来西方营销学界研究的热点问题，主要代表人物有格里芬（Griffin）、赖克哈尔德（Reichheld）等。这些学者指出，一个忠诚的顾客通常表现出以下显著行为：重复购买行为，推荐他人购买，对竞争者价格和促销产生免疫力，交叉购买，等等。从一定意义上讲，考察品牌社群经营模式是否成功，不是看有多少顾客加入了品牌社群计划，而是看有多少顾客持续支持品牌社群发展，从这点来看，顾客忠诚度理论可以运用到品牌社群运作模型分析中。

## 二、形成机理

品牌社群形成机理模型（如图 12-4 所示）是一个逻辑型流程模型，描述了品牌社群的形成与发展过程。该模型以上述的三个营销理论为逻辑主线，由相关变量及其相互关系构造而成。以下对该模型的三个关键节点进行解释。

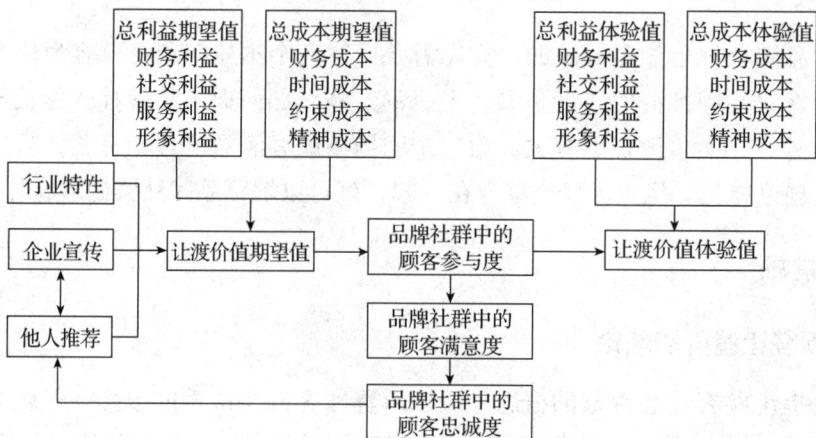

图 12-4　品牌社群形成机理模型

### （一）品牌社群中的顾客参与度

顾客之所以愿意加入品牌社群成为会员，是因为他们期待品牌社群能为他们带来一定的让渡价值。这些让渡价值是非会员无法享受到的，因此是品牌社群的吸引力之所在。关于品牌社群所带来的价值，有以下两个重要的问题需要进一步分析。

#### 1. 让渡价值构成

通过分析万科万客会、羽西贵宾会等品牌社群的案例，可以发现，品牌社群带来的总利益包括财务利益、社交利益、服务利益、形象利益，总成本包括财务成本、时间成本、约束成本、精神成本。其中，财务利益是指会员获得的折扣、返利等优惠；社交利益是指从与公司及其他会员沟通中获得的满足感和归属感；服务利益是指及时获得最新产品和促销信息以及企业提供的其他个性化附加服务；形象利益是指会员身份提高了顾客的品位和地位。财务成本是指为获得会员资格而缴纳的会费或消费定额；时间成本是指会员为参加品牌社群活动而花费的时间；约束成本是指积分奖励规则对会员消费其他公司品牌的限制；精神成本是指会员由于提供了私人信息而受到的骚扰。

实证研究表明，确实存在四种品牌社群利益，而四种品牌社群成本还需进一步验证。品牌社群是否有吸引力就取决于品牌社群总利益与总成本的对比，每位顾客在加入品牌社群之前都或多或少会在心里对此进行衡量。需要指出的是，此处的总利益和总成本只是顾客加入品牌社群之前的心理认知和期望，不是加入之后的实际感受。

**2. 让渡价值途径**

以下三个途径会影响顾客对品牌社群让渡价值的期望。

（1）**行业特性**。顾客会对不同行业的品牌社群产生不同的利益和成本期望。例如，高尔夫球会的会员希望能有一个与社会精英阶层交流的平台，当然这需要支付一大笔费用；零售店的会员希望能享受更多的折扣和及时获得新产品信息，但同时也可能受到很多垃圾邮件的干扰；书友会的会员希望书城能提供更多的新书信息和开设更多的知识讲座，但价值不高的讲座又会耽误许多时间；等等。

（2）**企业宣传**。企业常常印制一些精美的小册子、宣传单或者制作一个精美的网站，介绍会员权利和义务，如积分规则、交流活动等。这些宣传是影响顾客价值期望形成的关键来源。

（3）**他人推荐**。这是一些偶然性的非商业来源，如顾客可能会受到朋友或媒体对某品牌的评价的影响，之后对该品牌社群形成一种先入为主的看法。这些看法与企业宣传一致，将极大巩固顾客对价值的期望；与企业宣传不一致，则大大降低顾客对价值的期望，甚至决定不参加该品牌社群。所以在顾客看来，企业宣传与他人推荐之间有一个对比过程。

**（二）品牌社群中的顾客满意度**

吸引顾客加入只是品牌社群经营的开始，使其规模不断扩大且长期经营下去才是企业运作品牌社群的目的，而必要前提是让这些已成为会员的顾客感到满意。根据 Oliver 的理论，会员对品牌社群的满意度由价值的体验值与期望值的对比程度决定，所对比的具体内容包括决定品牌社群让渡价值的四种利益和四种成本。显然，顾客满意的条件是体验值高于期望值。体验值的形成来源于顾客在日常购买、消费和会员活动中对品牌社群这种形式的体验，从而产生对四种利益和四种成本的评价。相对于期望值而言，体验值的形成是长期的结果，是从顾客角度对企业品牌社群经营状况的反映，因此对满意度的影响更大。

**（三）品牌社群中的顾客忠诚度**

要让顾客会员一直配合社群计划和活动，支持品牌社群的发展，首先必须提高顾客对品牌社群的满意度。因为顾客满意度是顾客忠诚度的必备前提，只有满意的顾客才会对企业忠诚。从一定意义上讲，满意度是一种手段和途径，真正的目的是使会员对品牌社群产生忠诚度。忠诚度才能确保品牌社群中的会员对企业产生稳固和更大的贡献。结合格里芬提出的顾客忠诚的行为表现可知，对品牌社群的忠诚体现在以下方面：持续购买该品牌的产品，经常参加会员活动，推荐亲友加入品牌社群，不加入竞争企业的品牌社群，能对品牌的发展提出合理化建议，等等。这些具体的忠诚行为给品牌社群的忠诚度培养提出了努力的方向。其中，向亲友推荐是促进品牌社群发展的重要因素。在许多品牌社群的壮大过程中，口碑推荐都起到了积极的作用。口碑推荐又形成了下一位准会员对品牌社群的价值期望。

## 三、影响因素

### （一）品牌体验

消费者通过参与品牌社群的活动和感受品牌本身的独特魅力，能够获得某种品牌体验，这种体验能够促进品牌社群的发展。一些学者研究了参与式体验对品牌社群的影响。如通过对吉普和哈雷戴维森这两个品牌社群的研究发现，消费者在参加品牌社群聚会后会形成与品牌、品牌营销者及其他的品牌拥有者之间更正面的关系，并且会促进品牌社群整体质量的提高。可见参与度的提高可以改善品牌社群质量。研究消费者在品牌社群中的独特体验对其品牌态度的影响发现，当消费者的独特体验使期望的高价值得到满足时，他对品牌营销活动往往会采取积极态度，并会加强与品牌社群的联系。另一些文献则主要探讨了心理感受对品牌社群的影响。如营销者声称要放弃的品牌 Apple Newton，以它为核心形成的品牌社群满足了消费者共同的宗教观和人类的宗教依附需求。这可以说是品牌社群所带来的精神层面的体验。Carlson（2005）发现社群心理感觉对消费者品牌承诺和社群承诺具有正面影响，这些承诺会对消费者选择品牌、传播正面的品牌口碑、参与品牌活动和共享品牌历史产生调节作用。

### （二）社会认同

品牌社群有利于消费者表达自我，以强化或改变形象识别。消费者可以向两类对象表达自我：一类是社群成员，另一类是非社群成员或社会。有些学者着力研究消费者向社群成员表达自我的问题，如 Shang 等（2006）发现论坛中"灌水员"的行为动机和结果与"潜水员"不同，灌水员通过积极发言来获得心理满足，赢得其他成员的认同。对食品品牌 Nutella 的网上虚拟品牌社群展开的研究表明，消费者为了满足自我表达需要，会在其他消费者面前进行与品牌相关的仪式或标志等方面的展示。

有学者研究揭示了形成品牌社群的新路径。他们运用诠释主义方法研究某一品牌是如何发展成男同性恋群体所认同的"正统品牌"的，其结论是品牌在群体互动行为中的出现会增强社群成员对该品牌的认同感，而品牌也会因此带有该社群的特征含义。这一研究表明可以先有一个亚文化群体，然后再导入一个品牌并将它发展为"正统品牌"，而不一定要利用一个品牌来发展一个社群。还有一些学者关注消费者向非社群成员表达自我的问题。他们采用网页内容分析法探讨了品牌社群中个人形象与社群成员整体形象之间的关系，通过对五个品牌社群的研究，发现两者之间存在四种关系，即包含在社群形象中的个人形象，表现出正统性和权威性的超级社群成员形象，作为个人形象组成部分的社群成员形象以及多品牌社群成员形象。

消费者形象的社会认同度会影响他们对品牌社群的偏爱度，同时社会对品牌社群认同度高也会促使社群成员对品牌个性中的能力和热情维度呈现更高程度的偏爱，此类偏爱的形成会增强消费者对竞争品牌的抵制，因而能够提高消费者的品牌忠诚度。有学者提出了一个基于消费者行为计划、社交意图与社会认同三方面（包括成员自我认同、情感承诺和成员重要性）的品牌社群模型，并且认为消费者的社会认同度越高，参与社群的意图就越明显。

尽管品牌个性强的社群能彰显成员的形象，但过强的品牌个性对品牌社群而言未必是好事。有人通过对具有强烈独特性的品牌悍马（Hummer）的研究认为，品牌独特性过强有可能引发社会对该品牌的责备，从而导致对社群基础有效性和社会接受程度的质疑。

### （三）信息价值

信息价值是指消费者通过成为品牌社群成员能够获得非成员无法获得的信息。一些文献探讨了品牌社群带给成员的信息价值。有学者通过对福特 Bronco、萨博（Saab）和 Apple Macintosh 三个品牌社群数十位成员进行的深度访谈，发现品牌社群作为一种消费者代理形式，可以使消费者的意见得到重视，为消费者提供信息，并为社群成员提供广泛的社交利益。也有学者通过对专业健康护理品牌康乐保（Coloplast）的网上调查发现，品牌社群为公司和用户建立联系提供了可能，再加上专业用户对与产品相关的信息交换有强烈的兴趣，因此在 B2B 关系下可以利用网上品牌社群来促进品牌建设。

上述两项研究成果表明，品牌社群在企业与顾客之间充当了互动沟通的桥梁。有些文献则着力研究消费者与消费者之间的信息沟通。例如，有学者通过分析苹果电脑品牌社群成员在网上论坛中的行为发现，论坛中"潜水员"进入论坛的主要目的是获取产品功能、性能等方面的信息，这些信息更多是由积极的消费者"灌水员"提供的。一般来说，品牌社群的存在对品牌有支持作用，但也会存在因对品牌反感而形成的消费者群体（也有人将其命名为"反品牌社群"，如 1985 年抵制新可口可乐上市的美国民众团体）。对一些反对麦当劳、沃尔玛等品牌的消费者的调查表明，消费者之所以会结成反品牌社群，是为了对品牌形成共同的道德约束，并在网上为社群成员提供信息和支持，帮助他们实现共同的目标、处理消费难题和采取一定的行动。

### （四）种族或文化差异

消费者由于受不同国家或种族文化的影响，对品牌社群的态度也会有所不同。有学者研究了民族中心主义对品牌社群的影响，以居住在美国的印度人为研究对象，得到的结论是：消费者的种族主义感觉越强烈，就越忠诚于尊重他们种族意识的品牌，同时消费者对种族传统的自豪程度、自我评价和阶层认同都会影响他们对品牌社群的态度和参与度。也有学者比较了全球性品牌 Warhammer 在法国和美国所形成的品牌社群，结果发现同一品牌在不同地理区域有可能形成不同的品牌社群，因为品牌存在跨文化差异。

## 四、品牌社群的建设

### （一）提高品牌社群顾客的让渡价值

由模型可知，让渡价值是吸引和保留顾客会员的决定性因素，任何一个品牌社群都应当把让渡价值的承诺和履行放在首位。从构成来看，要提高品牌社群的让渡价值必须从两个大的方面来抓：

一是提高四种品牌社群利益，具体包括为会员提供诱人的折扣优惠，提供条件和平台让会员与其他会员交流，及时传递最新的产品和促销信息，为会员提供一些个性化的附加服务，提高品牌的知名度和档次以使会员感受到身份殊荣等。

二是降低四种品牌社群成本，具体包括会费及其他名目收费的合理化，举办有趣的活动让会员觉得值得投入时间，放宽积分消费的规则给予会员更多的消费选择自由，以会员许可的方式来联系会员，等等。笔者对羽西贵宾会、万科万客会等网站内容进行了分析，发现国内品牌社群所宣传的几乎都是各种利益，成本方面很少涉及，这是一个很大的纰漏，因为影响会员参与和支持品牌社群的关键因素是顾客让渡价值，即利益与成本之差。

### （二）充分利用口碑效应来发展品牌社群

行业特性不同，顾客会对该行业中的品牌社群的利益和成本产生不同的先验认知。如果企业宣传没有达到顾客的行业认知水平，那么顾客不会对品牌社群产生很大的兴趣。所以，深入研究行业特性是企业管理者在创建品牌社群之前需要完成的首要任务。关于品牌社群，顾客往往是从亲朋好友那里获得相关信息的。这些口碑宣传的作用胜过广告。因此，企业应当充分做好口碑营销，利用口碑效应来吸引普通顾客入会。最常见的方式是老会员介绍新会员入会，双方都可获得一定的优惠和奖励，这已在房地产等行业被广泛采用。当然，企业必须修炼内功，为口碑传播创造有价值的素材，如举办丰富多彩的社群活动、提供体贴入微的社群服务等。

### （三）企业应当履行甚至超越对会员的承诺

从模型来看，顾客满意度是顾客忠诚度的基础，出现品牌社群会员流失或不配合现象的本质原因是顾客对品牌社群不满意。因此，每年企业都应当定期或不定期地安排顾客满意度调查活动，倾听会员对品牌社群的意见，及时发现问题以便调整。体验值越高于期望值，顾客对品牌社群的满意度就越高。因此，要想提高顾客满意度，就应当加大体验值与期望值之间的差距。具体来说可从两个方面来实施：尽量增加体验值，努力在品牌社群经营模式上创新，以增加四种利益和降低四种成本，使顾客感知到的让渡价值提高；适当降低期望值，在做品牌社群宣传时，不要只考虑到如何吸引更多顾客成为会员，还要确保这些承诺能够兑现。浮夸型的宣传会使企业陷入困境，而保守型的宣传会使得承诺更容易履行，甚至给会员带来惊喜。

### （四）应当挑选会员成为品牌社群的忠诚者

研究发现：仅仅将顾客维系率提高5%，公司就能够将平均顾客终身价值增加25%~85%（取决于不同行业）。因此，建设品牌社群的最终目的应当是培养一群品牌忠诚者，以保证企业拥有稳定和大量的现金流。对于企业而言，品牌社群的经营需要付出较大的成本，如折扣损失、活动费用、办刊费用、广告费用等，所以只有提高会员服务的针对性才能提高这些成本的贡献率。企业必须意识到，一定的会员流失率不可避免甚至是必要的，但重要的会员必须尽量挽留。管理重要会员的准则是帕累托的"80/20法则"。对于这些为企业带来高额贡献的会员，企业应当给予更多的回报以稳固他们的忠诚，而贡献率不高的会员可以不必支付太多的成本去维系。例如，万科万客会就根据会员对企业的贡献设立了会员等级，其中贡献最大者为五星级会员，他们享受了许多低等级会员没有的待遇，如参加"文化游""风情节"等。

## 本章小结

品牌社群是指建立在使用某一品牌的消费者间的一整套社会关系基础上的，一种专门化的、非地理意义上的社群。品牌社群已突破了传统社群意义上的地理区域界限，是以消费者对品牌的情感利益为联系纽带。尽管社群概念随社会的发展而不断发展，但其主要特征还是由共同意识、共同的仪式和传统、责任感三方面组成。

品牌社群三角关系模型强调的是以品牌为中心的消费者之间的关系。焦点消费者概念提出者认为，品牌社群是以消费者为中心形成的四对主体之间的关系，即消费者与品牌、消费者与产品、消费者与营销者、消费者与消费者。利益相关者关系模型提出者认为，所有与品牌有关的利益相关者（包括员工、消费者、股东、供应商、战略伙伴等）与品牌的关系共同组成了品牌社群。

对参与成员来说，品牌社群降低了成员的购买成本，为成员提供了信息，带给成员归属感，提高了成员的社会地位，赋予成员一种个性。对企业来说，品牌社群是自然形成的细分群体，品牌社群帮助传播正面的品牌形象，反品牌社群是顾客意见反馈通道。

要研究品牌社群是如何形成的，首先需要回答三个本质问题：顾客为什么要加入品牌社群？顾客对品牌社群的态度是如何形成的？顾客如何促进品牌社群的长期发展？第一个问题与顾客让渡价值理论有关，第二个问题与顾客满意度理论有关，第三个问题与顾客忠诚度理论有关。将三个理论综合在一起，就可以解释品牌社群的形成与发展。

影响品牌社群形成及稳定的因素包括品牌体验、社会认同、信息价值、种族或文化差异。根据品牌社群的理论基础和形成机理，企业应当提高品牌社群顾客的让渡价值，充分利用口碑效应来发展品牌社群，履行甚至超越对会员的承诺，挑选会员成为品牌社群的忠诚者。

## 思考题

1. 什么是品牌社群？请举例说明。

2. 简述品牌社群的不同结构模型及特征。

3. 品牌社群对参与成员和企业的价值分别是什么？

4. 试述品牌社群的理论基础和形成机理。

## 案例分析

### 美团买菜尝试爆品拉私域

美团买菜做私域的方法与其他品牌做私域的方法并不一样。大部分企业沉淀私域是在交易后，而美团买菜选择在交易前。美团买菜在首页"猜你喜欢"界面下设计了一个麻薯尝鲜入口，点击进入活动之后，看完产品介绍，就会看到"进群领专享券"的企业微信二维码，同时还配有宣传语"扫码进群，参与免费试吃活动，更多粉丝群专享福利等你来"。扫码进群后，官方运营人员会发送标准欢迎语，同时发放社群专属优惠福利——"麻薯直降券"。

从2018年美团就开始尝试社交了，当时，美团推出闪购平台，同年上架微信小程序"好货拼团"；2020年，美团推出"美团团节社"平台，主打本地团购特惠秒杀服务，聚合不同种类的商品优惠活动信息，再以文章的形式，通过当地的团节社微信公众号推送给本地用户，让用户购买。随后，美团推出"商家群聊"功能，商家可以主动开启群聊功能，用户在该商家店铺内购物后，才会收到邀请入群的通知。美团官方曾表示，群聊仅限于店铺、订单或营销问题的讨论，商家可以设置群聊名称、群公告。后来，美团又开始内测外卖社交功能"饭小圈"，开通该功能的用户可以将自己的外卖订单作为动态进行分享，也可以看到好友分享的外卖订单，并对该订单进行点赞和评论，还可以点击"跟着吃"跳转下单。

可以看得到的是，美团从未停下尝试社交功能的脚步。但业内人士评价称，"在用户数量、规模比较大的情况下，如何经营好社群还没有一个成熟的方法论，当下更多是依据社群做调研、优惠券发放等活动，意义并不实际，感觉美团还处在尝试阶段"。从财报数据来看，美团买菜所在的新零售业务亏损也在不断增长。2021年二季度，包括新零售业务（如美团优选、美团闪购、美团买菜）、B2B餐饮供应链业务、共享骑行业务等在内的美团新业务及其他部分经营亏损较上年同期增长533%。美团创始人王兴解释说，这是由于美团持续扩大新业务的投资，特别是新零售业务的投资。据了解，为了提高新零售业务的运转效率和服务质量，美团不断调整前置仓密度和容量，完善冷链物流设施、即时配送服务和次日达物流网络；在确保产品的供给时效和质量的同时，同样增加了新业务的营业成本。

美团买菜并不是第一个做社群的生鲜平台，每日优鲜和叮咚买菜在这方面早有布局。每日优鲜的社群由官方客服通过二维码发起，社群同样由平台官方人员运营。跟美团买菜一样，除去用户进群，群内是没有任何活动、菜品上新等内容的。跟美团买菜不一样，每日优鲜的群内是不允许用户发送互助消息的。当某用户在群内发送互助消息时，会收到官方回复："如果有互助需要，可以在群内直接回复'互助'，邀请您进互助群。"而叮咚买菜的社群，则是由配送人员送货时邀请用户加入。叮咚买菜社群由门店负责人建立和运营。叮咚买菜会根据用户所在的地区设置相应的门店，门店由官方负责人运营。

某业内人士表示，社群的确可以在用户运营方面发挥一定的作用，提高订单效率。他认为，当下零售转向了"三种形式"共存的时代，即到店零售、到家零售、社群零售，同时这三种形式在逐步走向融合。社群模式在社区团购中已经被验证，而在生鲜平台其实也有迹可循，百果园就是一个典型案例。百果园通过微信生态构建用户会员管理体系，目前已经拥有上万个社群，覆盖数百万名会员。据了解，百果园每个门店会有 2～3 个社群，一个社群有 400～500 人。门店负责人利用优惠券、一元购、积分换物等福利引导用户注册会员并加入社群。

百果科技前首席营销官（CMO）沈欣曾在公开场合分享过这样一段话，"私域也正基于精细化营销在不断进化，无论是产品力还是营销力都是为私域流量服务的。此外，做私域意味着要和消费者发生互动，而这种互动是需要有传播功底和经验的，如果一味只是把会员拉进来而不做互动是没有用的。"

资料来源：汇运营. 美团买菜的私域流量运营技巧 [EB/OL].（20221-06-21）[2022-12-30]. http://www.huiyunying.com/729.html.

**思考题**

1. 美团买菜可以从哪些方面来平衡新零售业务的亏损？
2. 将会员拉进社群后应如何有效运营？

# 第十三章　品牌国际化

【学习目标】

- 掌握品牌国际化的定义，了解品牌国际化的优势及风险；
- 熟悉品牌国际化的影响因素，掌握国际市场的类型及其特征；
- 掌握品牌国际化的不同战略选择模式；
- 深刻认识中国品牌国际化所面临的挑战及品牌国际化的前提；
- 掌握中国品牌国际化不同的成功模式。

## 开篇案例

### 华为品牌从"走出去"转变为"走进去"

2021 年 6 月 2 日晚，华为鸿蒙操作系统 Harmony OS 2 正式发布，意味着在美国的苹果系统、安卓系统之外，中国自主研发的手机操作系统成功突围。华为制胜的秘诀是什么？是 20 多年来持续坚持品牌国际化战略：以国际社会普遍认可的价值观和方式，用全球的资源做全球的生意。华为自 1996 年正式实施品牌国际化战略以来，在这 20 多年中一路摸着石头过河，留下了很多可以借鉴的宝贵经验。

品牌国际化分为三个层次：一是做到产品和市场国际化，即成功地把产品销往海外市场；二是做到资源配置国际化，即利用全球的资源做全球的生意；三是做到文化输出国际化，即在文化传播上保持民族特性的同时，形成普遍的文化包容性和文化认同，从"走出去"转变为"走进去"。华为的品牌国际化历程，正是将这三个层次分为四个阶段。

**第一阶段：艰难求生，奠定品牌发展基础。** 1987 年，华为成立伊始，当时的中国电信设备市场因为自主产品和品牌很少，几乎被跨国公司瓜分殆尽，华为只能在这些跨国公司的夹缝中艰难求生。此时的华为只是某企业模拟交换机的代理商，没有自己的产品、技术，更谈不上品牌，但已经开始将微薄的利润投入产品研发当中，为以后的品牌国际化战略模式打下坚实的基础。

**第二阶段：市场扩张，成功销往海外市场。**1995 年，华为开始了拓展海外市场的艰苦旅程，起点就是非洲和亚洲的一些发展中国家和地区。经历了 6 年的拼搏，华为在海外市场才真正有了气色。2001 年，华为的产品已经进入了非洲和亚洲的十几个国家和地区，年销售额超过 3 亿美元，华为的品牌也在这些国家和地区逐步叫响。

**第三阶段：步步为营，整合布局全球资源。**1998 年，华为进入莫斯科，开始了俄罗斯市场的开拓。但 1998 年到 2000 年，华为几乎一无所获，只在 2000 年获得一笔仅仅 38 美元的合同。直到 2001 年，华为才与俄罗斯国家电信部门签署了上千万美元的 GSM 设备供应合同，2002 年底，华为又取得了 3 797 千米的超长距离国家光传输干线的订单。到 2003 年，华为在东欧和南欧国家的销售额超过 3 亿美元，位居东欧和南欧市场国际大型设备供应商的前列。相继打开东欧和南欧市场后，华为开始向西欧、北美挺进，并逐渐在全球市场站稳了脚跟。这一阶段，华为采取的战略就是"农村包围城市"。

**第四阶段：因地制宜，开始输出品牌文化。**2015 年 1 月 4 日，华为推出一则名为《芭蕾脚》的平面广告：画面中一只脚穿着优雅的芭蕾舞鞋，显得光鲜亮丽；另一只脚却赤裸地立着，满是伤痕。优雅与丑陋形成了鲜明的对比，给人强烈的视觉冲击。这则平面广告，没有展示华为的任何产品，只在左上角加上了华为品牌标识，并打出了广告语：我们的人生，痛，并快乐着。这体现的是华为的价值观，华为品牌背后的精神支撑；同时，也是华为与受众关于人生价值观的一次对话。"我们的人生，痛，并快乐着"也引发了在这个世界中辛劳奔波的人们的共鸣。

华为 20 多年的品牌国际化之路，可以为有志于走向世界的中国品牌提供借鉴。华为在品牌国际化历程中的求生之道和忧患意识无疑为大家上了最好的一课，不管是国家、企业还是个人，只有未雨绸缪，居安思危，提升格局，放眼未来，才能永远立于不败之地。

资料来源：王永．星星之火，可以燎原：华为品牌国际化战略分析 [EB/OL]．（2021-06-03）[2022-12-30]. https://mp.weixin.qq.com/s/iiMlXFI8C994SyKdP3Vztw.

# 第一节　品牌国际化概述

中国企业进入 21 世纪之后，和所有国际品牌一样，面临的是同一个更加国际化和商业化的市场。它们在 21 世纪必须要具备良好的成长条件，利用科技成果的共同分享、资本的国际化，摒弃原有的、滞后的经营模式和公司体制，使企业在创造品牌资源组合和成果利用上实现国际化，方能在短时间内赶上国外品牌或保持同步发展。

## 一、品牌国际化定义

迄今为止，理论界关于品牌国际化的定义尚无定论。品牌国际化概念本身是针对地域问题而提出来的。当一个企业用相同的品牌进入一个对本企业来说全新的市场，创建企业的用户资源，让品牌在全球范围内与不同区域市场消费者发生良性的互动关系，就是品牌国际化。因此，品牌国际化的目的就是要在本土以外的市场建立品牌的强势地位。简单地说，品牌国际化就是品牌的跨国营销。

复旦大学教授苏勇等对品牌国际化的内涵做了进一步的研究，从六个方面诠释了品牌国际化。他们认为：品牌国际化是一个隐含时间与空间的动态营销和品牌输出的过程，该过程将企业的品牌推向国际市场并期望达到广泛认可和企业特定的利益，对品牌国际化的时间、空间、动态营销、品牌输出、广泛认可、特定的利益等六个方面进行了详细的阐述。

上述概念的描述虽然不尽相同，但是没有本质上的差别。以相同的品牌进入国际市场为前提，并不包含企业采用不同的品牌进行国际化，如 TCL 采用多品牌国际化的战略成功实践经验。因此，上述概念并不能很好地概括品牌国际化的含义。

为此，笔者认为：品牌国际化是企业在进行跨国生产经营的活动中推出国际化的品牌，并占领世界市场的过程，即企业在全球性的营销活动中，树立自己定位的品牌形象，达到一个全球化的目标。企业不仅要利用本国的资源条件和市场，还必须利用国外的资源和市场，进行跨国经营，即在国外投资、生产、组织和策划国际市场营销活动。本概念的最大特点是品牌国际化不仅包括单一品牌国际化，而且扩展到多品牌国际化的范围。

## 二、品牌国际化的优势

世界著名品牌专家凯勒对品牌国际化的问题做过卓有成效的研究。他认为，品牌国际化具备六个方面的优势。

### （一）实现规模经济

从供应方面看，品牌国际化能继续产生大量生产和大量流通的规模效应，降低成本，提高生产效率。经验曲线告诉人们，随着累计产量的增加，生产制造成本会有所下降。品牌的全球化能促进产品的生产和销售，能带来生产和流通的规模经济，促进企业持续稳定地发展。

### （二）有效降低成本

实现品牌国际化，可以在包装、广告等方面开展统一活动。如果在各国实施统一的品牌商标化行动，其经营成本降低的潜力更大。实施全球品牌商标战略是分散经营成本最有效的手段，如可口可乐、麦当劳、索尼等企业各自在全球各地实施统一的广告宣传。可口可乐通过全球化的广告宣传，二十多年里节省了 9 000 万美元的成本。

### （三）扩大影响范围

全球性品牌向世界各地传达一种信息：它们的产品或服务是信得过的。品牌产品在全球范围内有忠诚的顾客群。品牌产品能在全球范围内畅销，这本身说明该品牌具有强大的技术能力或专业能力，其产品受到广大用户的欢迎。顾客在世界各地都能选购这样的品牌，说明该品牌具有很高的质量，能给顾客带来便利。

### （四）保持品牌形象

实施国际化战略的品牌，由于顾客流动性的增加，顾客能在其他国家看到该品牌的形象。各种不同媒体进行同一品牌的宣传，能反映该品牌相同的价值和形象，保持品牌的一贯性。顾客不管在哪里，都能选购反映自己个性或嗜好的产品或服务。

### （五）统一品牌活动

由于营销者对产品属性、生产方法、原材料、供应商、市场调查、价格定位等都非常熟悉，并且对该品牌的促销方式也有详细记录，因此在品牌国际化过程中，就能最大限度地利用公司的资源，迅速在全球展开品牌活动。

### （六）迅速传播知识

品牌国际化能增强组织的竞争力。在一个国家产生一个好的构想或建议，能迅速广泛地被吸取或利用。无论是在企业的研发、生产制造方面，还是在全球范围内汲取新知识，并不断改进，都有助于提高企业的整体竞争力。

## 三、品牌国际化的风险

一般来说，不是企业自己要选择国际化，而是市场竞争的驱使。是否实施品牌国际化，往往取决于是否存在对企业至关重要的战略机会。这些机会包括：新市场具有一定的规模和吸引力，原产地市场日趋饱和，可以取代竞争对手，获得规模经济效应，保持现有的利润，赢得知名度以及推动创新，等等。Interbrand 公司注意到，许多公司热衷于地域性市场的扩张。但是这种扩张往往是基于财务预测结果，而将市场、文化、买方行为以及品牌忠诚度和其他一些因素都置之不顾，这必然会给品牌向外部市场的扩张带来很多风险。这些风险包括：错误地假定品牌在不同的市场所传递的含义是一样的，造成了信息的混乱；对品牌及其管理过度标准化、简单化，忽视了不同市场间的差异；运用了错误的传播渠道，造成不必要的开销和无效传播；低估了在市场上从认识、尝试到使用品牌所需要的投资和时间；没有投资建立内部的品牌阵线，以确保本地的员工理解品牌价值和利益，使他们愿意而且能够对外始终如一地传播与分享这些价值和利益；未能根据当地市场的特点及时调整执行策略；等等。

## 四、品牌国际化的影响因素

品牌国际化会受到各种因素的影响与制约，因此分析品牌国际化的影响因素，利用对品牌国际化发展有利的因素，规避不利因素，有助于品牌更好地实现国际化发展。品牌国际化的影响因素主要有政治法律环境、经济环境、文化环境、人口环境、竞争对手和营销渠道（如图 13-1 所示），这里仅介绍前四种因素。

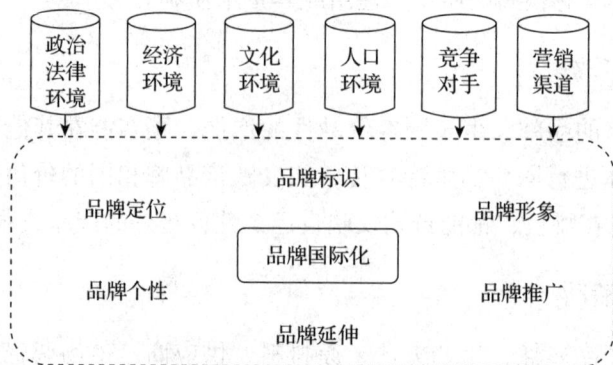

图 13-1　品牌国际化影响因素

### （一）政治法律环境

东道国政府对企业、竞争、利润的态度，对企业活动的限制和鼓励，政府办事的效率等，都会对国际化经营产生直接或间接的影响。法律环境是政治环境的子环境，企业想要顺利实施国际化战略就必须熟悉目标市场的法律环境，其中需要注意的是贸易壁垒和反垄断政策。贸易壁垒指的是国家对进出口物品采取直接或间接的管理措施，加以控制或限制，以保持国际贸易平衡的国家政策，最常见的手段是进口许可证和进口配额限制。垄断体现为大型公司占据市场主要份额并控制市场的行为，这会带来一定的社会问题，各个国家都出台了相应的措施来反对垄断与不公平竞争。

### （二）经济环境

实施国际化战略的品牌，首先必须了解目标国的经济发展状况、所处的经济发展阶段以及市场的需求和供给情况，研究和把握目标国的经济发展水平、经济运行制度、经济基础等，其中最重要的是经济发展水平。按经济发展水平大体可以把世界各国分为原始农业型、原料输出型、工业发展型、工业发达型，这四种类型的国家分别有不同的需求特点。品牌国际化的基础应该是明确目标国的经济发展状况，其次是经济特征，这主要指的是收入因素，收入会直接影响购买力和市场容量。

### （三）文化环境

目标国家的国民素质、受教育水平、宗教信仰、风俗传统在很大程度上决定了品牌能否成功扎根目标国。不同的地区、国家、民族有不同的文化信仰，品牌在进行国际化之前要对文化因素给予高度重视。例如，在女性卫生产品行业中，尽管卫生棉已经风靡全球，但是受传统习俗的影响，经过很长时间的消费者教育，印度女性才逐渐对卫生棉放下戒备心；无独有偶，在发达国家流行的卫生棉条，进入中国市场后也曾遭遇滑铁卢。

### （四）人口环境因素

人口数量作为市场规模的标志之一，最准确地反映在大众消费品市场方面。人口的性别和年龄是市场细分的主要影响因素，最终也对品牌实现国际化产生了影响。例如，随着发达国家人口出生率的下降和社会老龄化的扩大，母婴用品、儿童用品等行业必然面临严峻的考验，但是社会福利、保险、保健、娱乐等行业却有增长的潜力。因此，企业在进入目标国的时候，就要充分考虑相关的人口环境因素，趋利避害。

| 文中引例 |

### 传音手机的非洲传奇

中国手机品牌在非洲市场占据 40% 的份额，基本是靠一家叫传音的中国手机制造公司的一己之力打下的。传音手机品牌国际化的特色有以下三个。

第一是产品设计本土化。和苹果、三星这些大牌在非洲坚持走国际化、标准化的路线不同，传音把为非洲人民"私家定制"的个性化做到了极致。简单来讲，就是紧贴非洲市场的消费需求，做最接非洲地气的手机。用传音内部的话讲，即"glocal"——global（全球化）与 local（本地化）的结合，就是既要迎合手机市场的全球大趋势，同时又要有针对性地贴近当地需求。

第二是营销策略的全域化。简单来讲，就是铺天盖地打广告，全方位渗透，全渠道推广，大面积影响。例如，传音针对旗下主打的低端功能手机 Tecno，就采用了一种非常独特的营销方式——涂墙，其实就类似于中国流行多年的"墙体广告"。从机场道路到贫民窟，只要有墙的地方，就少不了传音手机的涂墙广告，甚至因为传音公司的涂墙运动，竟然拉动油漆生产成为非洲的一个热门行业。

第三是售后服务的网络化。传音是第一家在非洲本地建设售后服务网络的外国手机企业。几年来，传音耗资数亿元人民币，在非洲建立了 86 个世界级售后服务中心和超过 1 000 个售后维修收集点，目前已经建成非洲最大的用户服务网络。

资料来源：段战江.传音手机的非洲传奇 [EB/OL].（2018-12-25）[2022-12-30]. https://www.sohu.com/a/284331175_114837.

## 第二节 品牌国际化战略模式选择

中国品牌要进行国际化首先应考虑的问题是进入什么国家和地区，为了做出正确的选择，必须对当前世界经济的格局有一个基本认识。本书认为目前世界市场可以分为三个层次：第一个层次是以欧、美、日为代表的发达国家市场；第二个层次是以东欧、南非、印度尼西亚等为代表的中等发达国家市场；第三个层次是以印度、越南等为代表的不发达国家市场。三个不同层次的国家和地区市场各有特点（如表 13-1 所示）。

表 13-1    国际市场类型及其特征

| 市 场 类 型 | 有 利 因 素 | 不 利 因 素 |
|---|---|---|
| 发达国家市场 | 1. 游戏规则明确<br>2. 市场规模大<br>3. 消费成熟 | 1. 国际强势品牌多，历史悠久<br>2. 质量要求高<br>3. 顾客忠诚度高 |
| 中等发达国家市场 | 1. 市场规模大<br>2. 顾客忠诚度不高<br>3. 质量要求中等 | 1. 国际强势品牌已经进入，占有相当稳固的地位<br>2. 有社会、政治、经济风险 |
| 不发达国家市场 | 1. 质量要求低<br>2. 市场竞争度较低<br>3. 品牌投资不多 | 1. 游戏规则不够明朗<br>2. 市场规模有限<br>3. 政治、社会、经济风险较高 |

## 一、国际市场的类型分析

发达国家的市场进入门槛最高，主要表现在三个方面。①跨国公司和国际性品牌多，实力强，而且已占有很稳固的地位，一些当地的知名跨国公司经营了几十年乃至上百年，地位十分稳固。如家用电器行业，欧洲有西门子、伊莱克斯、飞利浦等；日本有松下、索尼、日立、东芝等；美国有 GE、惠普等。②消费需求和消费心态比较成熟，消费者大都已有偏爱的品牌，需求也得到了较好的满足。③无论消费者还是政府管理部门，对产品质量的要求也是最高的。因此，中国品牌要想在发达国家市场占有一席之地，难度自然极大，所幸它们的市场容量也很大。

首先，中等发达国家市场基本上没有本土的跨国公司和国际性品牌，跨国公司品牌也大都是外来品牌，就这一点而言，这种市场的消费者忠诚度不如发达国家高；其次，中等发达国家的消费者和政府对产品的要求不如发达国家高，消费者更加关注品牌产品的性价比。但就目前状况看，这些国家都或多或少存在一些社会的、经济的或政治方面的问题。因此，中国品牌进入这些国家的难度虽非最大，但长期发展有一定的隐患。当然其中的一些国家如巴西、印度尼西亚、南非等国，总体上看还是不错的，市场规模也较大。

对不发达国家市场而言，中国品牌的进入门槛是最低的，但也有一些问题。这个市场的特点如下：一是消费者的消费能力和需求水平与我国相似，因而在技术能力上不成问题，产品质量完全能够达到他们的要求；二是在有潜力的市场，跨国公司可能早已进入，这一点与中等发达国家相似，如在越南市场，日本品牌深入人心，极受偏爱，中国品牌进入面临一定的障碍；三是本土品牌的竞争和政府政策对民族工业的保护，对中国品牌的进入造成不利的影响；四是不发达国家必然有不发达的内在根源，如文化、宗教、政治等诸多原因，这对中国品牌适应当地需要也产生了一定的影响，而且由于经济不发达，市场规模有限。

综上所述，中国品牌进入发达国家市场难度最大，但成功后的收益也是最大的。而不发达国家进入最容易，成本最低，但未来收益也是最有限的，而且存在一些不确定的其他风险。

## 二、战略模式选择

品牌国际化要求建立国际性信誉。这比产品进入某个市场销售更艰难、更复杂，是一项长期性的工作。建立品牌的国际性信誉，首先必须要用自己的品牌去闯国际市场，然后是应该率先从哪一个（类）市场开始。目前，TCL选了先易后难的模式，海尔走了先难后易的创国际性品牌之路，海信则介于两者之间，选择了中间路线，先进入了中等发达国家的市场。三者都取得了成功，但最成功的当推海尔。海尔已真正建立起国际性的信誉。这是否足以证明先难后易模式更可取呢？下面就这三种不同模式做深入分析。

### （一）先易后难模式

先易后难创国际性品牌的方式是逐级上移：先进入不发达国家，然后进入中等发达国家，最后才进入发达国家，是大目标小步走，类似于"农村包围城市"。这种模式的优点是市场容易进入，甚至还有一些优惠政策：不发达国家经济水平较低，因而公司进入该市场建立品牌形象和品牌信誉的投资比较少，时间也短一些。先易后难模式可以为公司在国际市场上建立品牌信誉和品牌形象提供直接且丰富的操作经验，同时需要付出的代价较低，因而更加可行。再者，先易后难模式可以在较短时间内见效（如TCL在越南），有助于增强公司创国际性品牌的信心和决心。总之，先易后难模式在公司财力有限、经验不足、信心不强时，不失为一种可取之策。

但先易后难模式也存在固有的不足。最大的不足是在不发达国家市场建立的信誉和形象，基本上无法扩散到其他国家。如TCL在越南的成功，并不能使新加坡、马来西亚、泰国等国市场的消费者认可和接受TCL，要想进入这些国家的市场并建立起信誉，还得从头做起。换言之，越南市场上的品牌信誉不能有效传播到其他国家，就像中国国内的知名品牌信誉无法有效传播到越南、印度一样。因此，先易后难模式需要拾级而上，必须至少经过三级跳，且每次都得从零开始做起。从建立品牌信誉和形象角度讲，唯一的好处是有了成功经验，在操作时更加从容，更加熟悉和熟练，从而可以提高进入更发达的国家市场的成功率。从建立国际性品牌的高标准看，至少需要经过从品牌不认识到认识—从认识到熟悉—从熟悉到信任的过程。这个过程必将是十分耗时费力的，品牌最终能否成功也未可知。

### （二）先难后易模式

先难后易模式是先集中力量主攻发达国家市场，然后再转向相对容易的其他国家和地区市场。这类似于俄国十月革命时，中心城市一举拿下，然后向全国扩散。这种模式的优点非常显著，只要攻下发达国家市场，在它们那里树立起品牌信誉和形象，那就意味着品牌经受了世界上最严格的考验，它就是国际性品牌。此时再挥师转向中等发达国家或不发达国家市场，就势如破竹，很快就会被全球市场所接受。在主攻发达国家市场时，尤以美国市场特别重要，在美国市场的成功对在欧洲、日本市场的成功极有帮助。先难后易模式，实质就是占领市场竞争制高点的品牌国际化策略，一旦成功即成为强势品牌，此时品牌就可以借势把产品推向世界各地。海尔产品迅速覆盖全球，是先难后易模式的最好写照。

用先难后易模式创造国际性品牌是日本企业的拿手好戏，如索尼、松下、丰田等都采用了这一模式。但这种模式的见效时间是比较漫长的，有点类似于铁棒磨成针或水滴石穿。每次攻一点，每次都看不出有什么效果，但经年累月后，效果越来越显著，让人忽然意识到时，品牌的信誉和地位已经确立。海尔在美国花了整整十年时间，从产品出口做起，方有今日地位。因此，先难后易创品牌，一要有耐心，二要有韧力，三要有信心。再者，先难后易需要大投入，毕竟发达国家，广告费用、人力成本、经营费用都高。因此，要在发达国家树一个品牌，投入少则千万美元，多则上亿美元甚至更多。这也是我国品牌在国际化过程中轻易不敢选择先难后易模式的重要原因。

### （三）中间路线模式

中间路线模式试图取先易后难和先难后易两种模式各自的优点，同时想避开它们的缺点。中间路线模式确实有其内在的优越性，采用这种模式创国际性品牌需要三个步骤。第一步，先进入中等发达国家市场，目标有四个：一是积累在异国他乡建立品牌信誉和形象的经验；二是积累由中等发达国家市场向周边不发达国家扩散品牌信誉和形象的经验；三是积累更多的资本和营销经验；四是增强信心。因此，对有实力但又不够强大的企业，这确实是一条可取之路。第一步目标实现后，再走第二步，即转向发达国家市场。由于企业积累了丰富的市场运作经验，增强了信心，因而在发达国家树立起品牌的时间会短一些，需要投入的资源也会有所节省，不会像直接攻发达国家市场那样需要很长的时间，不大会对信心带来严峻的考验。这一步成功以后，第三步再向其他国家和地区市场扩散就是十分自然的事情了。

因此，笔者认为中间道路不失为中国品牌国际化可借鉴之路。我国企业品牌的国际化之路是不平坦的，前有发达国家跨国公司阻挡，后有这些跨国公司在我们国内的竞争。在当前 WTO 新形势下，中国的品牌必须走出去，别无选择。我们的分析表明，任何一条道路、一种模式，都有其独特的优点和明显的不足，每个企业应根据自身情况选择最适合自己的模式，不可盲目照搬。

## 三、品牌国际化的进入策略

品牌国际化的进入策略主要分为三种：地理拓展、品牌兼并和品牌联合。

### （一）地理拓展

地理拓展指的是企业在目标市场建立新企业或新工厂，形成新的经营单位，重构新的生产能力。以新建企业的方式进行对外直接投资的成本通常比品牌兼并低，因为可以实时控制新建企业的规模，也能够根据市场的渗透能力有效地扩张生产设施。同时，东道国出于扩大就业规模的考虑，往往积极鼓励企业采取新建企业的方式进入本国市场。

中小企业由于缺乏充裕的资金，在品牌国际化时多选择以地理拓展的方式进入市场；大型企业在缺乏合适的并购对象时，也可以采取这种方式进入市场。

### （二）品牌兼并

并购是指企业通过购买其他企业的股权，取得该企业的所有权和经营管理权，把该企业直接纳入自己的经营组织系统的行为。并购企业为品牌进行国际化提供了一条现成的进入途径，不仅有实体机构的支持，还有供应商、分销商、消费者等利益相关者的资源可以利用。随着经济全球化的不断发展，品牌兼并已经成为全球国外投资最主要的方式。

持续的并购战略能够使企业在某一行业或市场上占据主导地位。2019 年 3 月，迪士尼以 713 亿美元正式完成对 21 世纪福克斯的收购。如今的迪士尼，就像是拥有了所有宝石的"灭霸"，打个响指就让好莱坞的制片厂思考会儿人生。纵观迪士尼发展史，在它从单一的动画公司发展至如今传媒巨头的过程中，"收购"扮演了功不可没的角色。收购美国广播公司（ABC），使迪士尼拥有了传播渠道，有助于优质内容得到更广泛的传播；收购福克斯家庭频道，令迪士尼在传媒业的地位得到了进一步的巩固；收购皮克斯动画，使迪士尼增加了顶级 IP 如玩具总动员、海底总动员、超人总动员。持续的并购战略使迪士尼成了全球传媒巨头。

### （三）品牌联合

品牌联合主要是指在维持两个或更多原有品牌特性的条件下，将这些品牌的优势结合而创造一个新的产品或服务。品牌联合战略是指两个或更多品牌相互联合，相互借势，使品牌本身的各种资源因素达到有效的整合，从而创造双赢的营销局面的战略。品牌联合可以提高企业投入 - 产出效益，降低进入新市场的风险，借合作方品牌的知名度增加新的消费群，促进技术的共同进步。品牌联合的风险在于合作对象选择得不合适的话，会影响联合的动机或导致利益冲突，合作一方丧失了其品牌特征的独有性等。

在实施品牌国际化的过程中，采取品牌联合的方式是近来常见的一个现象，主要形式包括合资经营和特许经营。合资经营是指两个以上不同国籍的企业共同投资设立企业展开经营，通过这种方式可以加强现有业务，将现有产品投放新的市场，导入外国产品，开发新的业务，以及迅速传播企业品牌形象，加快品牌国际化的步伐。特许经营是指当事人一方将品牌、技术秘诀或其他无形资产转让给另一方，由后者按合同规定利用这一品牌或技术秘诀生产和销售相关产品。当事人通过这种方式进入目标市场国，以实现企业的品牌国际化。特许经营有以下三个优点：扩大企业品牌的影响力；降低成本；提高品牌的抗风险能力。

## 第三节　中国品牌国际化

在国际化战略中，品牌的国际化是国内企业绕不过去的坎儿。在市场全球化的今天，

"中国制造"（Made in China）的商品分布在世界各地，对世界经济做出了巨大贡献，但也一度被认为是价格低廉和质量粗糙的代名词。实际上我们正在被各种各样的国际化品牌包围着，它们代表着统一的品质、全球化的服务和不断的技术创新。从某种意义上讲，品牌就是对商品价值的一种承诺。在国内企业日益全球化的今天，国际化品牌的塑造已迫在眉睫。目前不少企业正在摸索尝试，希望能够找到一条对自己企业来说更为有效的路径，在此过程中也面临一些挑战。

# 一、面临的挑战

## （一）较难满足高成熟度的市场环境对品牌差异化的要求

目前中国品牌国际化大都以欧美的发达国家市场为目标。与中国高速发展的市场不同，欧美国家的绝大多数市场已经进入成熟期，总体增长要比中国缓慢。在这样的市场中，要求新进入的品牌为消费者提供真正有差异化的价值，而有差异化的产品或者服务则是构成品牌价值的来源，也是企业获取消费者的根本所在。提供差异化和创新的产品不仅要求企业敏锐地发现客户的潜在需求，还要求在产品开发和创新方面进行相应的投入。但是，中国一些企业曾经由于"重市场、轻研发"，一定程度上是技术追随者，而非行业标准制定者，有限的技术和产品创新大多集中在非核心环节，对市场和行业发展的影响力相对有限。面对这种困难，中国企业要想在理性价值方面进行差异化，在技术和产品的差异化等方面超过现有对手必然要付出更多的努力。另外，国外市场调研公司认为，与早期日、韩品牌进入欧美市场的情况相似，"中国制造"商品廉价、质量不高，为中国品牌提供来自国家层面的价值支撑的动力还不足。

## （二）在中国形成的品牌价值复制到发达国家市场的难度大

在研究中国品牌的国际化道路的时候，或许对中国品牌在中国的发展现状进行剖析会很有意义。新闻报道中经常出现：中国品牌在许多市场中打败了外国品牌，取代外国品牌占据市场主导地位。由此看来，一个合乎逻辑的推论是：如果在中国市场能够打败外国品牌，应该也有机会在外国市场打败外国品牌。但真的这么简单吗？2004年罗兰·贝格公司经过调查认为，中国一些年轻消费者以及高收入的消费者相对钟情于国际品牌。部分消费者认为，如果在全部条件相近似的情况下（如相同价格、质量、款式、技术等），他们倾向于选择国际品牌的产品。同时，国际品牌让一些消费者感觉到品质优良、性能卓越，更加有身份感。由此可见，中国的一些品牌虽然已经具备了很高的知名度，形成了市场份额方面的主导地位，但要成为真正意义上的强势品牌，仍需形成清晰的、可持续的品牌价值定位。换言之，中国品牌未来可持续发展的难度较大。

国内一些企业尽管在品牌方面进行了大量的投资，但往往是形成了响亮的品牌口号或精美的广告宣传，品牌的形象仍然相对模糊，没有形成鲜明的品牌个性。究其原因，首先，品牌的塑造缺乏来自消费者体验层面的支撑，品牌口号与消费者的实际体验关联度不高，最终导致一些企业的品牌价值流于空泛。其次，在国内的部分行业中，中国企业大多是凭借价格、渠道和服务等优势占据较强的市场地位，但在已经非常成熟的主流产品市场，在需求挖掘或引导消费需求的前沿领域则处于劣势。在竞争更加激烈的国际市场上，是否可以挖掘消费者的潜在需求，从而开发出新的产品或者开拓新的细分市场是企业生存的关键。在这一点上，以中国的一些企业还处于不利的地位。再次，过分追求价格战、企图以低价获取市场份额的做法将导致企业陷入恶性循环：低价格和低利润导致企业研发资本不足，研发投入的不足又导致产品缺乏竞争力，从而更加依赖于价格战。此外，价格是品牌塑造的撒手锏，对价格战的依赖将带来品牌的大幅度贬值，价格战与高端品牌永远无法共存。因此，中国企业应避免陷入这样的恶性循环，打造强势品牌将困难重难。

中国企业在品牌塑造的时候，其核心诉求点仍然集中于较为基础的元素，突出产品优良的品质、可靠的质量或高水平的服务。而欧美一些发达国家市场由于长期的发展和充分的竞争，已经超越了简单地以品质或服务取胜的阶段，可靠的品质保证早已经成为企业参与竞争的前提。对品质的追求使中国企业与国际品牌站在同样的起跑线上，却还需满足国际市场的差异化要求。服务也由于价值链的不断细分早已经成为独立的领域，不再简单依附于产品的销售。服务在欧美发达国家市场中普遍是有偿的，像海尔在国内所采取的高品质无偿服务的方式在国外市场将会面临很大的成本压力，尤其在中国产品利润空间本就不大的情况下更是难以为继，因此差异化的服务优势是难以简单复制的，渠道等优势更加无从谈起。另外，像联想、海尔这样的国内高端品牌，尽管在国内市场取得成功的差异化优势，在技术、创新等方面得到了国内消费者的认可，形成了自身品牌的价值，在国外市场，由于缺乏形成同样价值的条件，将使这些价值难以简单复制或者移植到其他市场中。

### （三）缺乏有效的战略性品牌管理

哈佛教授西奥多·莱维特（Theodore Levitt）在其著名文章《营销短视症》中指出，营销不能局限于传播和沟通本身，公司必须基于市场，只有市场营销能制造和增长需求。而这也正是中国企业目前需要加强的。从消费者感知品牌价值的过程来看，品牌塑造的工作开始于产品设计环节并贯穿企业各项管理活动。品牌建设不再是孤立的市场营销手段，而是多部门、多层次的任务。

著名的品牌管理大师、加州大学伯克利分校的市场营销教授戴维·阿克认为，当CEO执行官不想聘用品牌官的时候，CEO就应当负起责任。品牌必须成为商业战略的核心，阿克认为："CEO必须明白他的品牌是战略资源；他必须不断地开发品牌。"罗兰·贝格公司对中外电子及高科技企业调查后认为，外国企业对品牌资产的重视程度高于中国企业。由于在这些方面存在差距，中国企业在推动品牌国际化方面势必遭遇很大的困难。

## 二、中国品牌国际化的前提

目前中国的名牌企业，在国内市场已具备在规模、效益和品牌上的竞争力，它们在国内市场上不断发展壮大，借着其品牌的吸引力，为其进行跨国经营奠定了良好的经济基础。国内市场国际化，使得一批像海尔、长虹和康佳这样的企业集团迅速成长，它们都已制定了下一步的发展目标，即必须在5～10年内，开拓国际市场，创立世界名牌。中国的企业要真正成为世界上的强者，产品生产的经营活动走向世界市场已是必然趋势。而产品走向世界的关键在于提升产品形象，提高品牌知名度，培养顾客对品牌的忠诚度和提高品牌美誉度。实现品牌全球化的前提应包括以下内容。

**首先，确定跨国经营目标。**中国有一部分企业已树立了进军世界500强的长远目标。例如，长虹的理想是做中国人，创世界品牌；长虹的战略思想是，领先中国电子行业，赶超世界一流系统；以创世界品牌为战略目标，通过技术开发、市场开拓、科学管理、股份制改造，使资本运营和工业的主营指标每年以50%的速度递增。又如，科龙集团的发展战略是在跨国经营中成为"世界级制冷企业"；海尔集团的发展目标是在21世纪进入世界500强。特别值得一提的是创维集团，2000年7—9月，分别有四家国际风险投资基金注资创维，取得了创维集团17%的股份。这种产权国际化为创维更好地发展国际化战略带来活力。

**其次，拥有大公司的经济实力。**公司的经济实力体现在有形资产和无形资产上。现在评价一个企业的竞争力不只应分析其有形的资金能力，更应分析其无形资产的价值，其中品牌价值是企业实施品牌国际化的有效保证。有的国际性跨国公司，其品牌价值超过了其有形资产的部分。在Interbrand 2022全球品牌价值的排行榜上，苹果公司以4 822.15亿美元名列榜首，多元化经营成功的迪士尼公司以503.25亿美元排名第八。

**再次，产品品牌在国内外已有一定的信誉基础。**无论是在国内市场还是在国际市场销售产品，质量和服务水平都是其品牌成功营销的保证。所以企业要继续巩固和发展自己的品牌形象，不断提高产品质量和服务水平，当然，在全球市场营销应有一定的适应性，并且海外投资初具规模。中国彩电业企业为绕过高关税壁垒和降低运输成本，选择在当地设立工厂及分销网络，如康佳在印度和墨西哥设立了合资公司生产和销售彩电；创维在土耳其、马来西亚和墨西哥开设了生产基地；长虹在俄罗斯建立了工厂；海尔集团在美国建立海尔工业园。它们在海外市场的投资生产，加快了我国生产型企业的跨国经营步伐。

**最后，有众多的营销网络渠道或设立一定的分销机构。**随着企业海外经营活动步伐的加快，扩大营销网络是必不可少的重要环节。如何在当地设立营销网络渠道？提供满意的服务是品牌形象完善的前提。

## 三、品牌国际化成功的模式

### （一）单一自主品牌国际化的海尔模式

海尔集团创始人张瑞敏认为：收购一个世界名牌或者一个区域性名牌，对海尔来说会节省一点力气，但是最终导致的结果是什么？那就是海尔所支付的收购费用中基本上都是无形资产，很少是有形的，最后海尔还是在做别人的品牌，根本无法树立自己的品牌。海尔集团开拓国际市场采取三个 1/3 战略：1/3 国内生产、国内销售；1/3 国内生产、海外销售；1/3 海外生产、海外销售。在国际市场上，海尔品牌的各类家电产品在全球 200 多个国家和地区销售，海外营销网点超过 23 万个，海尔已经完成了品牌随产品或服务向国际市场输出的全球化品牌战略阶段。海尔实现了当地设计、生产、销售三位一体的本土化经营模式。

自 1990 年开始，海尔坚持"先难后易"的出口战略，走出国门创名牌。海尔先瞄准发达国家市场——美国，经过十余年的不懈努力，2000 年 3 月在美国南卡罗来纳州建成的海尔工业园正式投产，并将设计中心落户洛杉矶，营销中心落户纽约，在美国形成了设计、生产、销售三位一体的本土化经营模式，通过当地融资、融智和融文化，创出了本土化的美国名牌。目前海尔集团在全球建立了 10 大研发中心，在海外建成了 33 个工业园、133 个制造中心。海尔的产品，以 50 多个大门类、9 000 多个规格品种、20 000 多种基本功能模块打破地域的限制，技术人员、经销商和消费者可以在这个个性化平台上，根据当地的消费习惯和风格，设计出有针对性地满足当地消费者需求的产品，为实现"全球定制"提供了可能。由此可见，海尔集团经过十余年的品牌国际化历程，已经从品牌产品出口的初级阶段，发展到了直接海外投资的中级阶段。海尔品牌国际化是典型的单一自主品牌国际化模式。

### （二）购并国际知名品牌、强化本民族品牌的联想模式

2004 年 12 月 8 日，联想用 12.5 亿美元收购 IBM 全部个人电脑（PC）业务，购并后的新联想年销售额超过 120 亿美元，在中国市场份额达 1/3，全球市场份额达 9%，仅次于戴尔的 16.7% 和惠普的 16.2%，成为全球第三大个人电脑厂商。联想可以充分利用 IBM 先进的技术支持、管理资源和经验、销售队伍、遍及全球 160 多个国家和地区的庞大分销网络，以及在 150 多个国家和地区中开展业务的客户资源，这些资源是 IBM 这个"蓝色巨人"多年的经验积累，联想通过并购迅速得到了。而且更重要的是，并购 IBM 全球 PC 部使联想品牌提高了国际声誉，从国内品牌"升级"为走向全球的品牌，其象征意义已超过了实际的利润所得，可见此次并购的品牌国际化传播效应不可小觑。然而，联想通过并购行动扩大了全球知名度，而要获得全球的认知度、美誉度，今后的路仍然很漫长。

为此，联想在实施品牌国际化方面迈出的第一步，是更新了品牌标识，以"Lenovo"替代原有的英文标识"Legend"。其中"Le"取自原先的 Legend，承继"传奇"之意，"novo"代表创新，整个名称的寓意为"创新的联想"。新标识的特性及内涵是：诚信、创新、优质专业服务。2004 年 3 月，联想与国际奥委会签约成为 2008 年北京奥运会的赞助商。2006 年，利用都灵冬奥会的契机联想实施了品牌的单飞计划——"去 IBM 化"。在冬奥会的四个电视转播中心从来没有提及 IBM，唯一的联系是 IBM 标识仍然放在联想的 ThinkPad 笔记本电脑上，都灵街头的户外或公交车上，Lenovo 的字样分外显眼。Lenovo 品牌独立运动的思路非常明确，在全球市场上，联想品牌推广计划在加速。综上

分析，可以发现联想品牌国际化的发展思路是明确的，通过并购迅速得到 IBM 个人电脑的全球业务，实现短时期的过渡后，在全球范围内力推本民族联想品牌。

### （三）"独自行走"与"结伴行走"、多品牌进入国际市场的 TCL 模式

曾有人撰文形象地比喻 TCL 品牌国际化的两种不同方式，称为"独自行走"与"结伴行走"。所谓独自行走，主要是指在国际化过程中实施独立的品牌策略。所谓结伴行走，主要是指以合作的方式与其他企业一起进行国际市场的开发和经营。TCL 在新兴市场上坚持"独自行走"策略，推广 TCL 自有品牌，新兴市场覆盖了包含东南亚、南亚、东欧、中东、非洲、大洋洲、拉丁美洲等市场，成长较快、最具市场增长潜力的 150 多个发展中国家。1999 年，TCL 首先进军越南，成立越南分公司，历经一年半就实现赢利，TCL 彩电曾在越南、新加坡、菲律宾、印度尼西亚等多个国家进入当地市场前三名，成为当地最有影响力的中国彩电品牌。2003 年 4 月，TCL 进入了印度市场，成立了 TCL 印度公司。2004 年 TCL 在俄罗斯销售彩电 80 多万台。经过几年的积累，TCL 在新兴市场基本实现了本地化的管理：产品的本地化制造，日趋成熟的销售网络和客户资源，并形成了稳定的供应链资源。截至 2004 年，TCL 彩电在新兴市场国家和地区，成立正式的海外运营机构 14 个，到 2005 年年底，填补 TCL 彩电在新兴市场的空白国家，海外运营机构增设到 20 个，基本完成在新兴市场的战略布局。

TCL 在国际化大市场上坚持"结伴行走"的品牌国际化策略。早在 2002 年，TCL 完成了对德国老牌家电企业施耐德的收购，继而在美国收购了 GO-VIDEO。但是 TCL 在海外的第一次资本运作进行得并不顺利，至今也没有取得预期的效果。2004 年 7 月，TCL 顶着巨大的压力收购法国著名的汤姆逊公司（THOMSON）的电视机业务，成立 TTE 新公司，TCL 控股 67%，THOMSON 持股 33%。依据双方合作协议：TCL、THOMSON、RCA 品牌（THOMSON 在美国使用的子品牌）归新公司所有，THOMSON 在欧洲市场占有 8% 的份额，而 RCA 在美国市场的占有率也达到了 12%。其中 RCA 是爱迪生创办的公司，世界上第一台电视机就是 RCA 生产的。TCL 自从并购 THOMSON 之后，在北美销售彩电是以 RCA 品牌为主，在欧洲以 THOMSON 品牌为主，这两个品牌在欧美市场都被评为 A 级品牌。综上分析，TCL 的品牌国际化的发展轨迹是清晰的，在国内或新兴市场使用 TCL、乐华品牌，在欧美市场通过并购当地有影响力的品牌实现本土化经营。这种多品牌国际化营销的模式是我国企业的一种有益的尝试。

品牌国际化是一个过程而不是一个行动。品牌的国际化实际上是一个系统工程，不仅需要企业有强大的实力（经济实力、技术实力、管理实力和文化实力等）做后盾，还需要一个良好的品牌国际化经营战略，并且能够坚持不懈地得到有效实施，才能在国际市场上获得品牌权益和长期收益。综观全球国际化品牌，没有一个是一蹴而就的，而是几年、几十年甚至上百年长期积累的结果，可口可乐这个世界顶级品牌上百年的历史就是一个证明。即使在新兴的 IT 行业，像微软、戴尔、英特尔等世界级公司，也是具有几十年的历史，更不用说惠普、IBM 了。

## 本章小结

品牌国际化是企业在进行跨国生产经营的活动中推出国际化的品牌，并占领世界市场的过程，即企业在全球性的营销活动中，树立自己定位的品牌形象，达到一个全球化的目标。企业不仅要利用本国的资源条件和市场，还必须利用国外的资源和市场，进行跨国经营，即在国外投资、生产、组织和策划国际市场营销活动。

品牌国际化具备六个方面的优势：实现规模经济，有效降低成本，扩大影响范围，保持品牌形象，统一品牌活动，迅速传播知识。品牌国际化的风险包括：错误地假定品牌在不同的市场所传递的含义是一样的，造成了信息的混乱；对品牌及其管理过度标准化、简单化，忽视了不同市场间的差异；等等。品牌国际化的影响因素主要有政治法律环境、经济环境、文化环境、人口环境、竞争对手和营销渠道。

国际市场类型分为三个层次：以欧、美、日为代表的发达国家市场；以东欧、南非、印度尼西亚等为代表的中等发达国家市场；以印度、越南等为代表的不发达国家市场。建立品牌的国际性信誉，应该率先从哪一个（类）市场开始？海尔走了先难后易的创国际性品牌之路，TCL选了先易后难的策略，海信则介于两者之间，选择了中间路线，先进入了中等发达国家的市场。

中国品牌国际化面临以下几个挑战：较难满足高成熟度的市场环境对品牌差异化的要求，在中国形成的品牌价值复制到发达国家市场的难度大，缺乏有效的战略性品牌管理。品牌国际化成功的模式有：单一自主品牌国际化的海尔模式，购并国际知名品牌、强化本民族品牌的联想模式，"独自行走"与"结伴行走"、多品牌进入国际市场的TCL模式。

## 思考题

1. 简述品牌国际化的定义及优势、风险。
2. 简述国际市场不同类型的特征。
3. 试述品牌国际化的不同战略选择模式及适用条件。
4. 试述中国品牌国际化所面临的挑战及成功模式。

## 案例分析

### 麦当劳和肯德基品牌背后的秘密

多年前，笔者看了一本书，名叫《永不言败：我挑战了麦当劳》。这本书的内容让我对麦当劳和肯德基这样的西方快餐品牌产生了浓厚的兴趣，心中留下疑惑：为何这么多年，中餐馆不能走向世界，做成国际化品牌？虽然，今天的海底捞火锅已经走向国际，但那是标准化的产品，并非笔者内心的中餐（传统的炒菜，而非快餐和火锅等标准化的产品）。前几年，笔者的朋友曾说，20世纪初80年代，他去美国留学时，第一站是旧金山，吃饭的时候，见到一家麦当劳，旁边是一家中餐馆。30多年过去了，麦当劳已经遍布全球，而那家中餐馆已经不在了。听到这些，笔者心中多年的疑惑有增无减。最近几年，笔者有幸与餐饮企业结缘，慢慢认识到中餐馆经营的复杂性和多样性，难度超出想象。那为何麦当劳和肯德基可以成功呢？答案如图13-2所示。

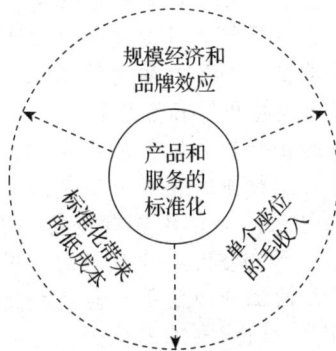

图 13-2 西方快餐品牌背后的秘密

首先是产品和服务的标准化。就这一点，足以让门店经营一切尽在掌握。标准化背后隐藏的是可计划，正是因为标准化，西方快餐店从原材料的采购、库存，到产品的生产制作，再到门店面积的选择和设计以及销售的预测等，都变得可以计划。标准化的产品可以采用机器来完成生产，这样就大大降低了人为不稳定因素的影响和人工的管理成本。如此看来，西方快餐店要比中餐馆的经营简单清楚很多。并且，它们的产品很少，主打汉堡和可乐，再就是鸡肉卷、鸡翅、鸡腿等，但是它们的产品组合有很多，可以给顾客搭配好不同的组合。反观中餐馆，因为产品差异化，无法仅通过机器操作完成，由人工制作就大大增加了产品和服务质量的不稳定性，同时也增加了人员的管理成本。中餐馆的产品非常多，每个单品都有可能需要很多食材，造成物流采购、生产制作等每个环节都存在复杂性和多样性，阻碍了品牌的成长与扩张。在外就餐时，笔者喜欢看门店里的菜谱，研究门店的产品结构，笔者发现：不少中餐馆的菜品包罗万象，鸡、鸭、鱼、羊、牛肉等都做，有的甚至"东""西"都有。所谓"多则惑，少则明"，产品多，则品牌定位模糊，不易形成差异化竞争优势。

其次是标准化带来的低成本。在产品和服务标准化的基础上，门店可以很快地复制扩张，这样在与上游的供应商谈判时，就拥有一定的主动权和定价权。由于汉堡、鸡肉卷和小食（鸡块、鸡翅等）等产品的标准化，西方快餐店不用像中餐那样需要采购和使用各种各样的器皿，而是使用塑料盘子、纸包或纸质的盒子。这样的设计从整个流程上就节省了大量的成本，比如：顾客可以自己动手取餐，省去了传菜员的岗位，大大减少了服务员的数量，也不再雇用洗碗工，减去了各种器皿的损耗和折旧等费用。反观中餐馆，因为产品的多样性和服务的个性化，雇用了大量的员工，行业的普遍做法是除了发工资还要包吃包住，同时还要对他们进行管理，稍有不慎，可能会出现员工间的纠纷，或者是各种意外的工伤事故等。与此相比，肯德基和麦当劳的门店员工就很少，并且部分岗位还招聘小时工，大大降低了人工成本。

再次是单个座位的毛收入。笔者曾经在多个课堂上让学生对比中餐馆和西方快餐店的单个座位的毛收入，结果令大家惊叹不已。中餐馆一天两顿饭，每顿饭3小时，一般真正营业的时间就是6小时左右。以武汉市的消费水平，按照人均100元来算（大众消费），每顿饭翻两次台位，每个座位一天也就是400元的收入。而肯德基和麦当劳呢？一天24小时营业（火车站），有的营业到晚上10点钟。按照人均消费40元，半个小时翻一次台位，每天按8小时的真正营业时间来算，每个座位一天就是640元的收入。这还不算它们的外卖收入，并且上一点也分析了肯德基和麦当劳的成本要比中餐馆低很多。由此可见，中餐馆的设备和人员利用率相对太低了。可这一切能改变吗？不那么容易改变，因为消费者头脑中的刻板印象是中餐就是中午和晚上去吃，其他时间不会去。而肯德基和麦当劳不一样，它们是快餐，什么时候都可以去吃。这也是有的中餐馆开始往休闲餐厅或标准化（如火锅、焖锅等）方向经营的重要原因之一。一些中餐馆希望可以通过延长营业时间来提高设备和人员的利用率。

最后是规模经济和品牌效应。麦当劳和肯德基通过不断地扩张门店，不断地壮大自己，来提高自己在整个供产销链条中的话语权，使用信息化和科技手段尽可能地减少人为因素的影响，由此会减少很多管理上的问题，让门店管理变得更简单、易操作，这样有利于增加对众多门店运营管理控制的稳定性。如此就不会像中餐馆那样过多依赖人工，以致很难扩张开店。另外，西方快餐门店多了之后，可以在全国、全世界范围内打广告，增加品牌效应，而中餐馆在没有众多门店的情况下，没办法打广告，只能靠口碑传播，虽然现在有了自媒体，会比以前好些，但依然不能跟肯德基和麦当劳在全国范围内打广告相提并论。企业一旦具备了规模经济和品牌效应，竞争对手往往很难追赶。

大家可以试想，肯德基和麦当劳进入中国很多年，对一些中餐馆的利润造成了冲击，中餐馆的经营赢利难度越来越大，但麦当劳和肯德基依然存在赢利空间。这值得中国餐饮企业深思。如果中餐馆也像西方快餐店那样走标准化的道路，那最后只能会失去"自己", 成为"异己"。如何才能做成自己的特色呢? 笔者认为,"天上的鸟不要羡慕水中的鱼, 水中的鱼也不要羡慕天上的鸟。走自己的路, 成为自己才是最好的选择"。由此可见, 中餐馆要想实现国际化, 走向世界, 前面的路还很长。

**思考题**

1. 麦当劳和肯德基国际化背后本质的文化思维模式是什么?
2. 中国民族品牌该如何国际化? 中国文化本质的思维模式是什么?

# 第十四章　虚拟品牌

【学习目标】

- 掌握网络品牌的定义；
- 掌握网络品牌建设途径和推广；
- 理解平台品牌经营模式及边际收益的问题；
- 理解数字化品牌的定义及数字化品牌要素。

## 开篇案例

### 海创汇：全球创业者的加速器平台

2020年6月初，时任国务院总理李克强考察海尔、考察海创汇时谈道："海纳百川，因其下也。把各方面智慧都汇集起来创新，这就是海创汇。"这句话既包含总理对海尔和海创汇的认可，也是总理对海创汇深深的期许。如今，这句话烙印在每位海创汇人的心里，激励着他们在"双创"阶段不断探索，稳步向前。

海创汇总经理刘长文告诉记者，海创汇作为海尔集团五大创新平台之一，在大企业"制造产品"到"孵化创客"的转型道路上，通过整合激活全社会的创新资源，帮助中小企业成长。"我们面向的不仅是企业内部小微，更是面向社会，面向全球，助力实现'大众创业、万众创新'"。海创汇到底是一个什么样的平台？"有别于传统孵化器，海创汇是一个全球创业者的加速器平台。"总经理刘长文告诉记者，其核心是把海尔这样的大企业资源开放给中小企业，给它们赋能，使它们快速成长，减少失败。

据了解，依托海尔集团的品牌和资源，海创汇正成为吸引创业资源的磁石，共汇聚了 3 大类 9 小项 29 种创业服务资源，涵盖了研发、设计、生产、供应链、渠道、创投等全产业链条，可以根据创业项目不同的发展阶段、不同产业、不同需求精准赋能。海创汇将这样的孵化总结为"有根创业"。

如今，海创汇平台承载了 4 000 余个创业项目的梦想，它们以百家争鸣的姿态形成了一个覆盖全球的"海创汇云"。与此同时，通过在全球布局的 40 个创业基地，形成了"海创汇＋"的创业社群生态圈，在这个生态圈内，不仅有海创汇本身，更有多种外部资源共同为创客提供支持。

此外，"加速营"打造了"产业＋导师＋资本"的精准加速模式，根据创业项目不同的发展阶段精准加速；而"海创汇基金"则强调"生态投资"的概念，聚焦医疗大健康、物联网、TMT（科技、媒体和通信）、海尔产业链等相关领域进行投资布局，不是单纯的资金投资，而是在资本之外对创业项目进行全流程赋能。

刘长文介绍，助推"双创"，海尔海创汇分三个层次推进。

第一个层次，打破科层制，把企业变成创业平台，让员工变身创业者。从海尔内部创业来看，已经拥有 68 个创业项目，其中两个已经上市，总估值达 600 亿元。雷神科技，就是一个内部孵化的典型案例。3 个年轻人在海尔平台上创立小微公司，从最初的电竞硬件拓展到现在的电竞生态，5 年来，雷神科技已成长为国内电竞硬件第一品牌。如今，雷神科技年营业收入达 21 亿元，创业团队也从最初的 3 人发展到了 160 多人。

第二个层次，把大企业资源开放给全球创业者帮助创业者快速跨越"死亡谷"，提高创业成功率。于是，在海创汇平台上，全球第一家商用无人机管理平台——云世纪去年完成新一轮融资，实现营业收入 100% 增长，同时完成青岛市无人机产业园规划；崂山区的悟空医疗成为国内马拉松赛事应急救援保障排名第一的服务商；同在崂山区的海泰新光，实现超高清荧光内窥镜全球第一，已于 2020 年 4 月申报科创板上市。

第三个层次，助力全球创业者开创中国市场，赋能中国企业实施全球化发展。刘长文表示，作为一个全球平台，海创汇已在全球 11 个国家建立了加速器平台：一方面，吸引全球创业者到中国创业，帮助它们在中国找市场，利用平台的供应链资源提升竞争力，降低成本；另一方面，帮助中国企业实施全球化，利用海尔在全球的资源促进企业发展。

业内人士评价，这样的大企业"双创"模式，不仅为市场主体的创新提供动力、化解创业风险，还孵化出一个个创新创业的成果，创造出大量的就业岗位，以创业带动就业。这对经济发展面对前所未有的挑战，迫切需要保民生就业、保市场主体的当前，更具意义。

资料来源：搜狐网 . 海创汇：打造全球创业者的梦工厂 [EB/OL].（2020-08-07）[2022-12-30]. https://www.sohu.com/a/411994637_100109894.

# 第一节  网络品牌概述

根据国际商标协会的调查，在网络品牌使用过程中，有 1/3 的使用者会因为网络上的品牌形象而改变对原有品牌形象的印象；有 50% 的网上购物者会受网络品牌的影响，进而在离线后也购买该品牌的产品；网络品牌差的企业，年销售量的损失平均为 22%。这说明品牌是无形价值的保证形式，在网上购物品牌更为重要。那么，究竟什么是网络品牌，又该如何建设网络品牌呢？

## 一、网络品牌定义

广义的网络品牌是指一个企业、个人或者组织在网络上建立的一切产品或者服务在消费者心目中所树立的美好形象。狭义的网络品牌是指所有消费者对某一特定网站认知的总和，是网站提供并由网络受众受用的节目（栏目）、服务以及感受的总和。它包括两个方面的含义：一是通过互联网手段建立起来的品牌，二是互联网对网下既有品牌的影响。两者对品牌建设及推广方式的侧重点有所不同，但目标是一致的，都是为了企业整体形象的塑造和提升。

从组成要素来看，网络品牌主要包括：①网络域名，如 .com、.cn、.net 等网站实名；②企业具体的网站，如天猫、百度、京东等；③网页级别值，它是谷歌对网页重要性的评估，是谷歌用来衡量一个网站好坏的唯一标准，网页级别值越高说明该网页越受欢迎，如谷歌把自己网站的网页级别值定到 10，这说明它的网站是非常受欢迎的，也可以说这个网站非常重要；④关于企业软文和相关信息，如企业简介、广告语的宣传、新闻等。

## 二、网络品牌建设途径

### （一）企业网站

建立自己的企业网站，这是现在企业普遍采取的手段。企业网站的建设对于网络品牌的塑造起着其他途径不可替代的作用，具体如下。

（1）**树立企业在科技信息时代的完美形象。**传统及移动互联网的特点就是可以跨越时空，正常情况下，网站无时无刻不在工作。通过企业的网站，用户可以跨越时空了解企业，利用多媒体技术，企业可以向用户展示产品、技术、经营理念、企业文化、企业形象，树立现代企业形象，提升企业无形资产价值。

（2）**丰富营销手段，扩大销售渠道。**企业网站可以满足一部分客户网上查询与采购的需要，抓住网络商机。企业可以通过网站开展电子营销，将它作为传统营销的补充；

也可以拓展新的空间，增加销售渠道，接触更大的消费群体，获得更多新的顾客，扩大市场；还可以减少环节和人员，节约费用，降低成本，有利于提高营销效率。

**（3）加强客户沟通，宣传企业产品。** 企业可以通过网站建立与客户沟通的便捷渠道，全面展示企业的所有产品。网络科技足以令产品与品牌形象更加立体地呈现在用户面前，就算企业仅仅把网站当成电子宣传册来使用，也较传统的宣传模式更加多姿多彩，更加易于发布与传播，更加经济与环保。

**（4）利于掌握用户需求，提高服务质量。** 利用企业网站，通过电子沟通方式，开展在线服务，是传统沟通方式所无法比拟的，在线服务利于企业更加及时准确地掌握用户的需求，网站的交互式特性使得被动提供和主动获得统一起来，帮助企业提高售前、售中、售后的全过程和全方位的服务质量。

### （二）网络社区

网络社区就是指包括论坛、贴吧、群组讨论、在线聊天、交友、个人空间、无线增值服务等形式在内的网上交流空间，同一主题的网络社区集中了具有共同兴趣的访问者。网络社区之所以可以作为品牌塑造的基地，主要是因为它可以与访问者直接沟通，容易得到访问者的信任，可以了解客户对产品或服务的意见。访问者很可能通过交流成为真正的客户，因为人们更愿意从了解的商店或公司购买产品。另外，它是一种实时的、参与性的沟通方式，为参加讨论或聊天，人们愿意重复访问网站，因为那里是与志趣相投者聚会的场所，除了相互介绍各自的观点之外，一些有争议的问题也可以在此进行讨论。

网络社区还有助于进行在线调查。无论是进行市场调研，还是对某些热点问题进行调查，在线调查都是一种高效廉价的手段。在主页或相关网页设置一个在线调查表是通常的做法，然而对多数访问者来说，由于占用额外的时间，大都不愿参与调查，即使提供某种奖励措施，参与的人数可能也不多。如果充分利用论坛和聊天室的功能，主动、热情地邀请访问者或会员参与调查，参与者的比例一定会大幅增加。同时，通过收集用户的留言也可以了解到一些关于产品和服务的反馈意见。

### （三）微博、微信

#### 1. 微博

使用微博推动品牌建设，首先，要了解微博平台，了解微博中用户属性的特点。从用户习惯来看，92%的微博月度用户来自移动，高黏性用户是主流。在用户兴趣方面，微博用户有着广泛的兴趣，主要集中在流行娱乐领域，如明星、体育、动画、情感、股票也是微博用户的主要兴趣标签。其次，匹配用户。了解了微博的用户属性后，品牌应该自己做定位，构建品牌用户画像，明确目标受众所处的年龄阶段，然后匹配微博的用户。再次，输出内容。用户的特点是喜欢制作自己喜欢的内容，在做好用户定位后，根据用户使用微博的精确时间，来控制发布时间。最后，选择分销渠道。在选择分销渠道时，建议使用广泛收集的方法，微博热门话题和其他营销工具，可以带来巨大的流量，将准确的内容推送给准确的规模用户，会取得良好的转换效果。

### 2. 微信

用微信建设和传播品牌可以从以下几个方面着手。

（1）理念体系。企业做微信营销或传播，一定要思考以下问题：我的微信公众号要传递什么样的品牌理念和核心价值，表达什么样的诉求，凸显何种定位，彰显什么样的社会责任和公众形象。这些都是品牌理念体系的范畴。

（2）架构体系。企业做微信传播，一定要展现一个清晰的品牌架构。大多企业为多元化集团企业，分子公司多，产品或服务品牌多元。如果没有经过系统规划，任由分子公司或品牌各自开展微信品牌建设的话，不仅难以形成合力而产生相互助推的协同效应，更有可能出现矛盾，混淆公众的认知。

（3）内容体系。有了上述理念，下一步就是仅仅围绕定位和价值进行微信公众号内容的创作和设计。为了让内容更有条理，建议企业在内容传播时要做成系列或者主题。比如，中粮我买网的订阅号，会有"小买力荐""小买趣闻""小买微活动""我买团"等一系列主题内容。

（4）传播体系。企业微信营销的传播体系最关键的两点如下：一个是渠道，另一个是标签活动。渠道不能单纯地利用微信一种方式，需要微信和其他传播渠道相互借力，互动互通地进行传播。微信传播方式操作起来很简单，当微信公众号有了一些精华内容后，再开始全面铺开传播。所谓标签活动，就是做出影响力，让人提到活动就会联想到你的微信。

### （四）网络广告

一般来说，网络广告就是运用专业的广告横幅、文本链接、多媒体的方法，在移动互联网上刊登或发布广告，通过各种媒介平台传递到用户的一种高科技广告运作方式。严格来说，网络广告是指广告主利用一些受众密集或有特征的网站摆放商业信息，并设置链接到某目的网页的过程。网民在浏览网页时所看到的有各种各样静态的图标或者动态的文字和图片，设计精美，色彩绚丽，具有强烈的视觉冲击力，很能吸引浏览者去点击观看，从而达到设计者宣传网页或广告信息的目的，这样的内容可以说就是网络广告。

### （五）搜索引擎

作为常用的网络营销工具之一，搜索引擎常被用作网站品牌建设和产品促销的主要手段，让用户在多个主要搜索引擎利用相关关键词进行检索时，可以方便地获得企业的信息。其基本方法包括：尽可能增加网页被搜索引擎收录的数量；通过网站优化设计提高网页在搜索引擎检索结果中的效果（包括重要关键词检索的排名位置和标题、摘要信息对用户的吸引力等），获得比竞争者更有利的地位；利用关键词竞价广告提高网站在搜索引擎的可见度；利用搜索引擎固定位置排名方式进行品牌宣传；多品牌、多产品系列的分散化网络品牌策略；等等。这些方法实质都是为了增加网站在搜索引擎的可见度，因此如何提高网站在搜索引擎的可见度成为提升网络品牌的必由之路。

除了上述几种建设网络品牌的途径之外，还有多种对建设网络品牌有效的方法，如发布企业新闻，以企业为背景的成功案例，建设微博平台和微信公众号，等等。与网下的企业品牌建设一样，网络品牌不是一蹴而就的事情，重要的是充分认识网络品牌的价值，并在各种有效的网络营销活动中兼顾网络品牌的推广。

## 三、网络品牌推广

### （一）IP 打造

知识财产（intellectual property）是成为 IP 的基础，这里特别强调是基础，而不是全部。知识财产是一个"心智创造"的术语，包括音乐、文学和其他艺术作品，发现与发明，以及一切倾注了作者心智的语词、短语、符号和设计等被法律赋予独享权利的"知识财产"。也就是说，"知识财产"潜藏了成为 IP 的能量，这种能量没有引爆出来之前就还不算真正意义上的 IP。

品牌与 IP 是两个概念，但也有密切关联。对品牌来讲，IP 是品牌打造的一种新的工具或者说方法论，当品牌为自身塑造鲜明的人格，通过内容与用户持续进行有价值的互动，并且赢得越来越多用户的喜爱和追捧，这时候品牌就变成了 IP，也就是说，不是所有品牌都是 IP，但品牌可以打造成为 IP，IP 是品牌进化的高级阶段。

定位是建立品牌 IP 的起点，也是后续环节的指引。定位准确与否，将从根本上决定 IP 的命运，好的定位是 IP 成功的一半。人格可以说是品牌 IP 的内核、核心 DNA，也是 IP 内容创造与互动的源泉。IP 人格打造最关键的一点是自带感染力，自带话题和势能。

以上两点完成，也就意味着品牌 IP 初步塑造成功，但最终到底能不能成为 IP，还要看接下来的运营。运营的关键是内容创造和用户互动。围绕 IP 人格和形象创造内容，进行传播，吸引粉丝互动，与粉丝共创内容，玩到一起，形成营销闭环。通过持续的 IP 运营，粉丝得到持续积累和裂变，品牌资产实现持续增值，最终将演变为超级 IP。

### （二）直播带货

眼下及未来，品牌想做营销，必须懂直播。各大平台对于直播的申请门槛不高，处于拉新的阶段。以淘宝直播为例，只要品牌商家所销售的品类不在限制类目范围内，且过往经营状况良好，通常都能够顺利申请下来；而达人和消费者也能通过相关资质审核和考试成为主播。

但选取匹配的直播平台、使用合适的直播方式，对品牌直播的最终效果更加重要。在目前的平台中，淘宝、快手更具有带货性质，如果与合适的主播合作，可以快速实现带货转化；而京东和拼多多也开始发力直播业务，尤其是 2019 年底开始发力的拼多多直播，与下沉市场村播和农产特产品类，更加匹配。

从品牌的直播营销手段来看，以淘宝直播平台为例，目前有四种主流的方式（见表 14-1）：主播带货、PGC（professional generated content，专业生产内容）栏目、自建直播团队、直播代运营。可以发现，前几年的直播营销方式主要集中在寻找主播带货、参与 PGC 栏目方面，自从疫情让直播营销彻底破圈之后，越来越多的品牌开始自建直播团队，同时，各类营销服务公司也开始增加直播代运营业务。预计在未来，品牌方对新媒体直播人才的需求会大幅提升，而直播代运营产业链也会逐渐完善。

表 14-1　直播营销方式的比较分析

| 直播营销方式 | 优　势 | 劣　势 | 建议方法 |
| --- | --- | --- | --- |
| 主播带货 | 见效快、带货快 | 成本高、投放风险 | 用"1-9-90"金字塔投放法则 |
| PGC 栏目 | 内容引流、流量优质 | 需要专业内容人才 | 进行精细化内容创作 |
| 自建直播团队 | 品牌自控、风险低 | 主播的管理和培训 | 引入品牌直播管理体系 |
| 直播代运营 | 成本低、更省力 | 可控性差、过分关注 ROI | 寻找优质代运营合作方 |

资料来源：搜狐网．一篇文章看懂品牌直播带货 [EB/OL]．（2020-03-11）[2022-12-30]. https://www.sohu.com/a/379313788_100161821.

### （三）社交裂变

社交裂变是一种利益驱动的商业模式或营销模式，通过人与人之间的社交促进产品的传播与销售，通俗一点来说就是：一传十，十传百。社交裂变的核心点之一在于如何激励用户从而形成裂变。目前大多成功案例给出的答案是"社交裂变＋利益捆绑"，将现实奖励（如价格优惠、现金回馈或能兑换现金的积分等）这些直接利益输出作为激励手段。

拼多多在裂变活动方面做得很成功，"砍一刀"成了大家对于拼多多拼团砍价活动的印象，但是用类似的套路去做活动，收获的却不对等，这是为什么呢？从现在拼多多上线的活动来看，拼多多的所有裂变活动都是围绕着产品的商业价值和用户价值的统一来开展的；而在裂变的过程中，除了获取注册用户流量外，还会设置各种浏览商品、免单、下单返红包等活动，以促进用户的订单转化。拼多多的策略，就是只要用户在它的产品上花足够多的时间，它就有办法将用户首单破冰转化，然后逐渐培养用户的习惯，提升用户的 ARPU（每用户平均收入）值。

裂变就是不断进行分裂，从而一传十，十传百。微信裂变呈现的趋势是伞状传播，多个传播节点同时进行传播，将人群逐渐扩大，形成网状。这种裂变模式更有利于传播好玩、有趣又有用的活动或内容。

拼多多的很多裂变活动是基于现金、优惠券、食物这些奖励去设计活动的，且现金这种普适性的奖励非常多，但是为什么很多人复制拼多多的活动最终失败了呢？拼多多之所以设计奖励这种活动，是因为拼多多用户人群的普遍性，普遍网购，拼多多这一系列连贯的奖励动作让用户上瘾，爱上逛拼多多，只要逛就很容易转化。但是大部分的产品不具备普适性，目标用户没有拼多多那样广泛，很难实现用户留存和转化。

## 第二节　平台品牌概述

互联网平台改变了世界，颠覆了巨头。2021 年，在全球十大市值公司排行榜中，分别有苹果、微软、Alphabet、亚马逊、Facebook 等平台公司取代了传统的金融、零售公司。两家中国的基础性平台公司——腾讯和阿里巴巴也进入了前十名。可见，平台的时代已经全面到来，科技全面颠覆了我们的世界，然而很少有人能完全解释其中的奥妙。

## 一、平台品牌经营模式

平台模式能够"赢者通吃"。Interbrand 每年都会评选"全球最佳品牌"，而苹果、谷歌和亚马逊的品牌价值是近几年增长最快的。在最好的 31 家公司中，有 13 家是平台企业，都有自己的生态系统，而另一些互联网企业则受平台企业的制约。这只是商业趋势的一隅。放眼世界，平台企业都是占优的。这种形式的企业的优势在十年内的发展趋势是平稳上升的，而且越来越显著，甚至挤占诸如能源、金融等传统企业的领先位置。

为什么会发生这样的现象？最重要的就是网络效应，即大家都比较熟悉的麦特卡尔夫定律（Metcalfe's Law，网络价值同网络用户数量的平方成正比，即 $N$ 个连接能创造 $N$ 的平方量级的效益）。例如，Uber 就联结了大量的司机和搭车者，形成了一个正反馈循环：想要打车的人越多，就会吸引越多的司机加入 Uber；司机越多，打车的人就越多。传统的经济理论是讲供需平衡，而当用户效用随着其他用户的加入而增加时，网络效应就会凸显。当然，这也可能形成垄断型企业，因为所有的用户都加入其中，造成"赢者通吃"的局面。

这里通过爱彼迎（Airbnb）的成长案例，介绍平台是如何通过网络效应，快速撬动传统市场并改写产业规则的。2007 年 10 月，一条互联网新闻推送瞄准了那些为工业产品做外观设计的设计师：他们设计的产品小到咖啡机，大到大型喷气式客机。这条推送为用户提供了一个不同寻常的住宿选择，专门面向那些即将参加两个工业设计协会组织的活动的专家。这两个协会分别是：国际工业设计协会（ICSID）和美国工业设计师协会（IDSA）。

如果你正准备参加下周在旧金山举行的 ICSID/IDSA 国际会议 / 连接 2007 的活动，并且还没有预订住宿，那么可以考虑一下"睡衣社交"（networking in your jam-jams）。除了酒店，为了在城市里找到能支付得起的住宿方式，想象你住在一个工业设计师同行的家中，在气垫床上打盹儿后醒来，与房东一边吃着果酱馅饼、喝着橙汁，一边聊着当天即将举行的活动。"睡衣社交"是由两个新生代设计师布莱恩·切斯基和乔·吉比亚创想的点子，他们搬到旧金山但发现已经无法支付房租了。因为手头拮据，他们马上决定通过给参会者提供气垫床和旅游向导服务来赚钱。切斯基和吉比亚获得了三个周末的房客，赚了 1 000 美元，这些钱足以支付他们下个月的房租。他们这一次随意的空间共享经历，即将掀起一场世界最大产业的变革。

切斯基和吉比亚招募了第三位合伙人内森·布莱卡斯亚克，帮助他们将平价租房生意做成一项长期业务。当然，出租他们在旧金山的阁楼的收益并不令人满意，所以他们设计了一个网站，可以让任何人、在任何时候，都可以向旅行者出租闲置的沙发床或者客房。作为交换，这家公司，也就是现在的爱彼迎，会从租金收入中抽取一小部分佣金。这三个合伙人开始关注一些令酒店经常售罄的活动，这一举措令他们在 2008 年举行的奥斯汀西南音乐节上大获成功。但是他们很快发现了美国国内，甚至全世界的旅行者对当地居民提供的友好、实惠住宿的需求。

截至 2020 年 9 月，爱彼迎已是一家遍布 220 多个国家和地区的"独角兽"公司，管理从公寓、普通住宅、豪华别墅到城堡等，超过 700 万套房源，服务超过 400 万名房东。在上市前最近的一轮融资中，该公司估值达到 350 亿美元，同期只有极少的几家世界最大的连锁酒店的估值能超过这个数字。不到 10 年的时间里，在从未拥有一套自己的酒店房源的情况下，爱彼迎赢得了传统酒店行业越来越多的顾客。这是一场戏剧性的、令人始料未及的变革。然而，爱彼迎仅仅是颠覆传统市场的一系列行业巨变中的一员。

中国的零售业巨头阿里巴巴，仅旗下一个入口"淘宝网"就管理着超过 10 亿种不同的商品，被《经济学人》称作"全世界最大的集市"，却没有一件商品库存是自己的。有着超过 15 亿活跃用户查看新闻、照片、听歌和看视频，Facebook 在 2015 年获得了约 140 亿美元广告收入，成为世界最大的传媒公司，却从来没有任何一篇自己撰写的内容。

一个传统行业在短短的几个月里是如何被一个市场挑战者颠覆的？这些异军突起的公司不曾拥有传统定义的企业生存的必要资源，更不用说市场支配力。为什么一个又一个行业的变革在今天发生？答案是平台品牌的力量。一个新兴商业模式利用科技链接起生态系统中互动的人、机构和资源，创造意想不到的价值并进行价值交换。Uber、爱彼迎、阿里巴巴和 Facebook 只是变革性平台的四个例子，还有一长串的例子，包括亚马逊、YouTube、eBay、维基百科、苹果、Upwork、Twitter、KAYAK、Instagram、Pinterest 等。每个都专注于某一个独特的行业和市场，并且每个都利用平台的力量改变了全球经济的一部分。

平台是一个听起来简单，但是具有变革性的概念，它彻底地、大范围地改变了商业、经济和社会。实际上，只要任意一个行业中，信息是重要的组成部分，那么这个行业就是平台变革的候选者。这里就包括一些产品本身是信息（如教育和媒体）的企业，也包括任何能获得顾客需求、价格变动情况、供需情况和市场趋势的企业，这些几乎涉及各行各业。

## 二、平台品牌边际收益递增

在当下的经济环境中，传统企业是边际收益递减的，而网络企业是边际收益递增的。这是一个非常重要的趋势，也是现在的互联网企业都发展得非常快的原因。任何市场只要存在网络效应，那么企业的注意力聚焦点就必须得从内部转移到公司外部，因为外面的世界更大，外边的用户更多，人力资源、创新体系、研发中心以及战略部门等都必须要将自己的关注点从企业内部转移到企业外部。对于网络效应，比起在企业内部进行评价，不如由企业外部来评价更加客观有效。所以，平台企业要有 API 战略，要使第三方可以加入进来，使用一部分资源，同时也创造价值。例如，亚马逊制定了很多的规则，确保亚马逊的团队和业务单元与其他团队共享数据及信息。

小的网络如果不形成生态，在具有更大的网络效应的平台面前是非常脆弱的，会被大的生态吸纳。经济中的新驱动力和变革的含义，可以追溯到产品的选择本身。过去是用户独自识别产品的用户价值，并和自己的需求、偏好进行匹配，自己到零售店中去发现、比较不同产品，然后敲定自己喜欢或想要的产品，没有形成网络效应。比如，苹果iTunes偶然地成为内容出售方和内容使用方交易的中介，于是就出现了现金流和数据流的冲击，那么平台要做的就是做好双方数据的匹配。在做匹配的过程中，平台就能够复制功能并吸纳邻近的市场。让人极其惊讶的一个案例，是庞大的电子产品制造商索尼的各个业务单元内部不能共享信息和交流，而其中一些业务单元却可以和苹果合作，并与"自家人"竞争。

结果是，诸如诺基亚、索尼的PlayStation、微软等在和具有更大网络效应的平台——苹果、安卓竞争时就处于下风。诺基亚、索尼都前景暗淡，走在下行通道里，不容乐观，微软也有些积重难返。平台本身是需要开放的，如果不开放，就产生不了比较好的网络效应。但是开放的同时也要非常谨慎，对平台进行一些相关的监管，两者需要达到一种非常微妙的平衡，否则这个生态系统就变得不可预测。设计产品和生态圈的一个差异，是要让用户为其他用户创造价值，这才会为平台创造价值。如果一个用户在百度或谷歌上搜索信息，为其他用户的搜索有效性、体验做出贡献，就会形成一个正反馈循环。例如，如果海尔的互联网平台上一些用户表达的家电体验数据能改善其他家庭的体验，就具有了网络效应，海尔就有其他可能的机会。

## 三、平台品牌创造用户价值

如果没有用户参与，不管是渐进式创新还是突破式创新，可能都没有太大的意义。如果企业只关注用户需要什么产品特性，只能进行渐进式创新和产品内的迭代。100多年前，当你问用户需要什么代步工具时，用户只会告诉你想要一匹更快的马，而不是要一辆汽车。基于渐进式创新，能实现突破式创新吗？平台是极具创新性的商业模式，这种模式属于"颠覆式创新之父"克里斯坦森所说的颠覆式创新。渐进式创新有一个非常大的问题，是它只从技术角度出发，而不是从和用户交互、迭代的角度出发。本质上，它还是一个封闭式的、关起门来自己研发技术的模式。

现在，平台模式都是一种开放式创新，在和用户交互的过程当中，不断地迭代，并把各种资源都整合进来。迭代过程是一个试错的过程，重要的是用户要参与，如果没有用户参与，不管是渐进式还是突破式创新，可能都没有太大的意义。在开放与创新之间实现平衡，是一门比较较难把握的艺术。乔布斯喜欢把"开放与封闭的窘境"看作一种"分散"与"整合"的选择，这巧妙地暗示了他对封闭、控制性强的系统的偏爱。这是有一定道理的：系统越开放也就越碎片化。一个开放的系统也使创造者更难获得盈利，其知识产权更难得到控制。但是，"开放"却更有利于创新。

开放与封闭之间的平衡是很难把握的。选择错误的开放程度，后果会很严重。苹果的系统是半开放性质的，一直维持高增长的势头；安卓从 2008 年起步，到 2013 年市场份额变得极其大，但因为安卓过于开放，所以被外界资源侵占自己的份额。过于开放，就非常难以管理，所以现在谷歌试图适度收敛，以抵御外界其他资源的侵蚀，保住自己的市场份额。比如，它要求用户必须在谷歌上建立个人账户，否则一些重要功能就没有办法使用。又如，阿里巴巴早期封闭过一段时间，为了保护内部的搜索引擎，它拒绝了诸如百度等对阿里信息的检索，这保证了它在早期没有被扼杀。

## 四、平台品牌战略

平台生态系统中成员承担的角色既可以是积累式的，也可以是消耗式的。举例来说，消费者和生产者可以通过互换角色，为平台带来价值。用户今天可以乘坐 Uber，明天转身成为 Uber 的司机；旅行者今晚可以用爱彼迎预订房间，下一晚还可以当平台上的房东。如果平台的提供者能够控制所提供内容与消费者之间的互动，就可以在依赖平台拥有者基础设施的同时，从拥有者身上获取价值。所以平台公司必须在自己的生态系统内，不停鼓励积累式的活动，同时监控那些可能成为消耗式的活动。

平台的关键战略目标，是用好的前端设计吸引理想的参与者，激发正确的互动，也就是所谓的核心互动，引起越来越大的网络效应。有的管理者经常处理不好这一点，他们把太多注意力放在错的互动类型上，总是着重强调网络效应的重要性，直觉上似乎是先把网络效应做大，但平台的底线应是先确保参与者的互动有价值，然后再关注体量。

平台需要决定对消费者和生产者的开放度。开放的结构允许参与者使用平台的资源（如应用程序开发人员的工具），并创造新的价值来源。开放式治理允许平台拥有者以外的人改变交易规则，并奖励平台上的内容分享者。不管谁制定了规则，公平的奖励体系才是关键。一个运行良好的平台能追踪生态系统成员的活动，这可以增强网络效应，如内容分享和重复访问。Facebook 通过观察每日活跃用户与每月活跃用户的比率，判断提升参与度工作的效果。用户和生产者的需求不匹配会削弱网络效应。谷歌一直都在关注用户的点击和阅读活动，并调整搜索结果满足用户需求的方式。

网络效应是平台实现用户高速增长的关键，积极的溢出效应有助于平台快速增加互动的体量。以打车平台 Uber 为例，对乘客和司机来说，一次行程完成的价值很高，是令双方都满意的核心互动。随着平台参与者数量的上涨，Uber 给双边市场提供的价值也水涨船高。消费者能更轻易地打到 Uber 的车，而司机也更容易找到乘客。溢出效应还进一步提高了 Uber 对参与者的价值：乘客与司机之间的互动数据——司机和乘客的评分，提高了平台对其他用户的价值。

工业经济的引擎一直是供给侧的规模效应。传统企业的高固定成本和低边际成本意味着，销量高于竞争对手的公司，其运营平均成本会低于对手。运营成本低，公司就可以降低价格，推动销量上涨，使得价格更低，从而形成了成就垄断企业的良性反馈循环。互联网经济背后的驱动力与之相反，是需求侧的规模效应，又被称为"网络效应"。在互联网经济中，"体量"高于对手的公司在每次交易中都提供平均高于对手的价值。这是因为网络越大，供应和需求越匹配，用于寻找匹配的数据也越充足。规模越大，产生的价值越高，而价值高能吸引到更多参与者，从而创造更多价值，即形成另一个成就垄断企业的良性反馈循环。网络效应成就了阿里巴巴，其电子商务交易量占中国电子商务交易总量的 75%；谷歌在移动操作系统中所占市场份额为 82%，移动搜索市场份额占 94%；Facebook 是在全球占主导地位的社交平台。今天，传统企业已经处于发展的两难境地，突破迫在眉睫：传统企业必须学习平台世界中的战略新规则，转换平台思维模式，才能成为平台时代的赢家。

# 第三节　数字化品牌概述

在今天的智能商业时代，"数字化"这个词，大多数人并不陌生，但实际上，许多人对它的概念表现出的更多是困惑，不明白到底什么是数字化。业界总提及数字化转型，但大家真正理解什么是数字化吗？人们所说的数字化品牌又是什么？

## 一、数字化

关于数字化的定义，有以及几种描述：①"数字化"是指将任何连续变化的输入，如图画的线条或声音信号转化为一串分离的单元，并在计算机中用 0 和 1 表示；②"数字化"的基本过程就是将许多复杂多变的信息转变为可以度量的数字、数据，再以这些数字、数据建立起适当的数字化模型，把它们转变为一系列二进制代码，引入计算机内部，进行统一处理；③"数字化"是指使用 0 和 1 两位数字编码来表达和传输一切信息的一种综合性技术，即将电话、电报、数据、图像等各种信息都变成数字信号，在同一种综合业务中进行传输，再通过接收器使其复原，可以无限地复原，而质量不会受到任何损害。

看完上述解释，也许有人还是不明白，举个通俗点的例子：我们经营一家小面馆，生意很好，好到什么程度呢？"好，很好"只是形容，但不够直观精准。如果用某些指标来描述呢？每天有 500 个客人，收入 5 000 元，月流水 15 万元……这就是数字化。这些数据可以存储在计算机中，形成报表供经营者查看和分析，这就是小面馆的数字化。如果再把每天进店的客人姓名、年龄、爱好、频率、消费金额等也记录下来，存储在计算机中，这就是客户信息的数字化。综上，所谓数字化，其实就是以计算机和软件为核心的数字技术，涉及统计、计算、存储、传输、交互等。

## 二、数字化品牌

我们已从上文理解了数字化的含义。品牌是指公司的名称、产品或服务的商标，以及其他可以有别于竞争对手的标识、广告等构成公司独特市场形象的无形资产。企业转型必然离不开品牌形象的转变，而这种通过数字化转变，让品牌与消费者的沟通方式发生改变的结果即是形成数字化品牌。数字化品牌（digital brand）是通过数字媒体进行品牌表达的形式，也包括通过数字媒体进行品牌建立、维护和扩大的过程，简略地说，就是品牌的数字媒体表现形式。数字化品牌所做的承诺并不局限于互联网，而媒体的互动能力，使数字化品牌更容易传达它们的承诺。

从品牌的数字价值（DB 总值）、传播度、参与度、好感度、心智占有率等方面分析，数字化品牌微博平台排行榜 TOP10 如表 14-2 所示。

表 14-2　数字化品牌微博平台排行榜 TOP10

| 排名 | 品牌名称 | 行业 | DB 总值 | 传播度 | 参与度 | 好感度（行业内） | 心智占有率 |
|---|---|---|---|---|---|---|---|
| 1 | 天猫 | 互联网 | 4 958 635 878 | 100.00% | 65.16% | 90.91% | 16.09% |
| 2 | 腾讯 | 互联网 | 3 299 354 664 | 82.13% | 43.49% | 71.07% | 10.71% |
| 3 | Apple | 手机 / 计算机 / AI 芯片 / 自动驾驶 | 2 670 073 646 | 84.63% | 53.62% | 77.42% | 26.82% |
| 4 | 爱奇艺 | 互联网 | 2 610 221 890 | 62.93% | 41.54% | 87.11% | 8.47% |
| 5 | 腾讯视频 | 互联网 | 2 354 327 713 | 45.94% | 21.71% | 85.19% | 7.64% |
| 6 | 优酷 | 互联网 | 2 188 332 473 | 58.03% | 42.59% | 87.67% | 7.10% |
| 7 | 淘宝 | 互联网 | 2 101 738 165 | 79.58% | 72.32% | 45.89% | 6.82% |
| 8 | 迪奥 | 化妆品 | 1 781 524 292 | 63.01% | 26.36% | 88.29% | 9.53% |
| 9 | 华为 | 手机 / IT 制造 / 计算机 / AI 芯片 | 1 757 793 372 | 53.78% | 31.72% | 74.78% | 67.34% |
| 10 | 香奈儿 | 化妆品 | 1 704 855 376 | 34.63% | 15.76% | 89.72% | 8.18% |

数字化品牌的建设，可以让企业更能呼应情景环境，具有相当强的帮助品牌获得成功的能力。大家熟知的可口可乐品牌，相比于产品创新，更热衷于通过数字化多媒体方式，以年轻群体为目标，将自己融入主流文化之中。肯德基入驻天猫，邀请《奇葩说》辩手直播，都是品牌数字化的重要决策。当实体企业面临越来越多的竞争时，品牌建设从传统直线式广告向沉浸式数字多媒体转变，通过当下人们所喜爱的沟通和消费方式，提升了消费者的体验和忠诚度。在数字体验经济时代，品牌不再是一个静止的符号，或者一成不变的宣传，而需要整体的、沉浸式的体验。当社会环境向在线化、数字化、智能化发展，企业数字化转型变成唯一的生存道路，建立合适的数字化品牌，是新形势下企业必须也一定要做的战略规划。

## 三、数字化品牌要素

### （一）数字化品牌是一种忠诚，所以，网站"黏性"比点击率更重要

当网站吹嘘自己惊人的用户、订户、点击率和页面浏览量增长量时，互联网的发展看起来越来越像一场竞赛。但在当前拥挤的互联网市场上，仅仅吸引上网者的眼球是不够的，重要的是要让尽量多的眼球长时间"黏"在自己的网站上。

网站"黏性"是未来保证品牌最重要的条件。因此，当某网站的 CEO 向你吹嘘他的

网页浏览量时，你应该追问一个广告商人、风险投资者和投资银行家都会关心的问题：该网站的"黏性"是多少？网络忠诚意味着让用户有足够的理由回访你的网站。这种忠诚首先要从信任开始，一旦你得到这种信任，你就赢得了开拓市场的无限商机。在网上，你可以同客户建立一对一的个性化联系，甚至得到他们的允许开展直销。

### （二）数字化品牌是一种形象，重要的是公司名称，而不是".com"

公司在所有与消费者进行沟通的过程中所体现出来的形象，构成了网络品牌的重要内容。据统计，有25%的成年美国人对于圣诞节期间到处充斥的".com"广告，在没有特殊刺激的情况下记忆率仅有1%。可见，大笔的媒体广告费白花了。

为什么会这样？其实是一个品牌问题。确实，那些广告都设计得很有趣，让人们觉得很有创意，但是，它们体现品牌要表达的本质内容了吗？大多数情况是：没有。而更糟的是，几乎所有人只记得名字中的".com"的部分，而不是品牌本身的名字。所以，疯狂的所谓".com"广告对树立"互联网"这个品牌卓有成效，而对树立公司的品牌成效甚微。因此，希望人们不要再把什么都和网络扯到一起以示自己的前卫。InfoSpace毫不犹豫地将其官方名称InfoSpace .com中的".com"去掉了，为什么？正如一位分析家指出的，该公司的品牌是InfoSpace，而".com"只是一个后缀。去掉".com"看上去是件小事，但它意义重大。这不仅是把".com"从名字中去掉，更主要的是把注意力转移到公司实际的品牌上来。

### （三）数字化品牌是一种承诺，所以，服务比产品更重要

网络企业应如何来建立、管理数字化品牌？网站的第一个目标应该是：选择一个与众不同的价值观作为自己的核心承诺来吸引目标顾客。公司与顾客的任何接触点——站点的外观，服务人员接电话的态度，包裹寄送的速度，回馈的便捷性，站点的易浏览性，技术故障的排除，高附加值的服务，对用户的友善度……所有这些都是品牌的表现形式。就像企业门口前台人员的问候一样，它和公司的标识都是"品牌"的重要部分。所以一个站点提供的产品和服务，以及公司在整个沟通过程中所体现的特色与品质，决定了一个品牌的真正价值，而这不是广告所能敲定的。

### （四）数字化品牌是消费者导向的，所以，个性化比大众化更重要

企业如何对待消费者，也许永远没有精准的答案，永远有更好的对待消费者的态度。以前没有这样做的原因，也许是技术条件不成熟，一旦技术条件成熟，先行者自然就得到一种全新的力量，这种力量很快就会变成一种品牌，落后者就会面临被淘汰的命运。

### （五）数字化品牌是一种沟通，所以，互动比单向更重要

研究证明，与顾客建立互动性的沟通关系是企业成功的关键。互联网对于企业营销有巨大价值，其原因之一就在于，如果正确地运用互联网的互动特性，就可以使企业与顾客在沟通过程中建立起更紧密的关系。

### （六）数字化品牌依附着的是网络企业，所以，虚拟比实体更重要

虚拟网络企业拥有无限的可能性：用户无限、创造性无限、国界无限。以 eBay 这家经营网络购物业务的公司为例，它没有任何库存，一切作业外包，也不花任何营销费用，成本如此精简，甚至一切商品均以成本价出售，立志成为全球最便宜的网上商店。这种经营模式以及背后所隐藏的竞争实力，是传统实体企业无法想象的。

## 四、数字化品牌要求

### （一）看企业是否拥有充足的资源

资源包括人员、设备、技术或现金等有形资产，还有程式设计、网页设计、资讯、商誉等无形资产。拥有取之不尽、用之不竭的资源，是网络企业永续经营的最基本条件，但若只靠资源，要在如此诡谲多变的环境中脱颖而出，是绝对不够的。

### （二）看企业是否能够满足消费者的需求

现在是一个以消费者为导向的时代，不再是卖方提供什么，买方就买什么，而是买方要什么，卖方就提供什么。因此，企业经营就需以消费者需求为发力点，才能吸引顾客上网，从而在网站上产生消费行为。

### （三）是否善用计算机和网络特性

计算机和网络的主要特性是指计算机可以存储大量的资料；而网络可以让资讯快速地流通，网络上的信息可跨越国界，使用者可以在网络上化身为任何他想成为的人物。网络的想象力对造成人们的视听及想法前所未有的冲击。商业网站要经营得与众不同，必须好好研究网络的特性，根据自己的定位，将特性发挥至极大化。商业网站无法提供给消费者独一无二的商品，就无法立足于社会。

### （四）应注意核心能力

根据哈默尔和普拉哈拉德的定义，所谓核心能力，是指不论是否经过事先处理、组织，企业所拥有的特殊才能。这种能力无法轻易被模仿，而企业也因拥有这项能力所包含的专业与知识而卓然出众，并掌握一定的竞争力，在市场上占有独特的优势。而核心能力的重点，在于能够决定一个企业能做什么，不能做什么，因为知道不做什么，才能免去不必要的浪费。

### （五）看企业是否不断创新

在网络的世界中，没有一套放之四海而皆准的法则，也没有参考范例，很多想法及观点，在以前或许不可能，但在今日或未来并不代表不可能，而且很有可能是企业成功的关键。值得注意的是，今日成功的经验并不意味着未来将会适用。因此，企业绝不能因眼前的成功而沾沾自喜，必须不断创新，挑战自己。最好的企业经常是颠覆者，愿意义无反顾、毫无眷恋地把自己一手建立起来的东西，彻底摧毁重建。

### （六）是否制定了良好的营销策略

有一个好产品，无良好的营销策略加以支援，也是枉然，因此举凡网站的名称、网址、促销活动等，都是营销策略中不可或缺的一环。除此之外，在营销的世界中，品质好的产品不一定畅销，但是一旦产品先被客户认定是好的，通常都会有较高的市场占有率，因此如何让消费者认定你是好的，也是一项不得不去注意的课题。

### （七）是否找到了正确的获利模式

安迪·格鲁夫（Andy Grove）说，如同哥伦布发现新大陆，网络的一切都充满着新奇、刺激及无限可能性。虽然现今一些商业网站在经营上仍处于亏损状态，但从长远的眼光来看，它仍是一块大金矿，而如何在经营上找到正确的获利模式，是一门大学问。

只有考察网络企业是否符合上述七项要求，才能在对品牌要素和营销模式进行有效整合的过程中，决定是否可以形成强势的数字化品牌。

## 本章小结

广义的网络品牌是指一个企业、个人或者组织在网络上建立的一切产品或者服务在消费者心目中所树立的美好形象。狭义的网络品牌是指所有消费者对某一特定网站认知的总和，是网站提供并由网络受众受用的节目（栏目）、服务以及感受的总和。网络品牌建设涵盖企业网站、网络社区、微博微信、网络广告、搜索引擎。网络品牌推广包括IP打造、直播带货、社交裂变。

平台是一个听起来简单，却具有变革性的概念，它彻底地、大范围地改变了商业、经济和社会。平台品牌经营模式能够通过网络效应实现"赢者通吃"。在当下的经济环境中，传统企业是边际收益递减的，而网络企业是边际收益递增的。小的网络如果不形成生态，在具有更大的网络效应的平台面前是非常脆弱的，会被大的生态吸纳。平台模式都是一种开放式创新，在和用户交互的过程当中，不断地迭代，并把各种资源都整合进来。迭代过程是一个试错的过程，重要的是用户要参与。

数字化品牌是通过数字媒体进行品牌表达的形式，也包括通过数字媒体进行品牌建立、维护和扩大的过程，简略地说，就是品牌的数字媒体表现形式。数字化品牌所做的承诺并不局限于互联网，而媒体的互动能力，使数字化品牌更容易传达它们的承诺。数字化品牌是一种忠诚，所以，网站"黏性"比点击率更重要。数字化品牌是一种形象，重要的是公司名称，而不是".com"。数字化品牌是一种承诺，所以，服务比产品更重要。数字化品牌是消费者导向的，所以，个性化比大众化更重要。数字化品牌是一种沟通，所以，互动比单向更重要。数字化品牌依附着的是网络企业，所以，虚拟比实体更重要。

## 思考题

1.简述网络品牌的定义及建设途径。

2.试述平台品牌经营模式及其价值共创的逻辑。

3.简述数字化及数字化品牌的定义。

4.试述数字化品牌要素和要求。

## 案例分析

# Keep：打造线上运动健身平台

Quest Mobile 发布的《2021 运动健康人群洞察报告》显示，截至 2021 年 2 月，已有超过 7.8 亿用户参与在线健身。在奥运赛事的加持及全民健身的政策号召下，回看 2021 年，大众愈发重视运动健康，而线上运动也俨然成为后疫情时代更多人的选择。不少品牌已经意识到，加速渗透至日常生活中的运动健身，不仅触达愈加广阔的人群，也正演变为整个社会的长期趋势，埋藏着亟待挖掘的市场机会。

在这一背景下，坐拥 3 亿用户的 Keep，从曾经的健身工具类 App，快速成长为覆盖全方位生活场景的运动健身头部平台。通过推动运动日常化，Keep 深入影响着用户的生活方式与消费习惯，也为品牌打开了一片能够精准链接运动健康人群的营销场域。经过近年来对平台资产的沉淀与拓展，如今，Keep 已不局限于流量广告等传统形式，正向更多维度的营销模式全面发展。Keep 已构建起了一套区别于其他平台、兼具独特性与专业性的泛运动营销语言，显示出不断增长的多元化营销价值。

### 聚焦家庭健身场景

早在 2020 年初，Keep 就提出要围绕家庭健身用户的"吃穿用练"需求提供一站式解决方案。随即，行业玩家纷纷跟进，家庭健身成为各家发力重点。为了实现这样的解决方案，Keep 在"智能硬件＋内容"的服务模式基础上，布局了覆盖用户吃穿用练所有运动相关需求的多条业务线，且各条业务线之间形成协同与交叉。这样的布局让 Keep 从硬件到内容、从免费课程到定制化，甚至从训练到饮食等，提供无死角服务。对家庭运动的全部需求和场景的覆盖，也让 Keep 有别于其他竞争者，成为家庭健身场景下运动解决方案的热选。

### 向达人开放直播力

猫叔慢跑、Derek 大骏乃至 Jessie 这样的健身圈头部达人纷纷出现在 Keep 直播间，这样的操作并不仅仅是明星流量加持下，实现用户体验和数据提升的诉求，更凸显了这一运动科技公司更大的野心：输出直播能力、内容创作能力，乃至更多基础设施资源。Keep 正在一步步成为智能运动科技的开放平台。如今，随着 Keep 直播业务的成熟和直播能力的对外开放，Keep 从单一运动 App 向平台化公司进化的迹象已十分明显：设立"K-star 计划"吸引达人入驻，推出重磅资源支持达人完成内容创作并变现，引入 MCN 机制和经纪约制度打造明星教练……现在，Keep 将直播力向达人开放更是印证了这一发展方向。

### 共创定制化内容，以体验圈定用户

一直以来，丰富、专业而细分的健身课程练就了 Keep 的核心竞争力，令平台收获了大量忠实的运动用户。而在营销层面，Keep 也充分运用这一坚实的内容力，为众多品牌搭建起一座与目标用户深度沟通的桥梁。作为运动装备行业的佼佼者，国际知名运动品牌安德玛（Under Armour，以下简称 UA）进入中国已有十年，如何将国内更多的运动人群留存为品牌粉丝，成为品牌亟须解决的命题之一，也促成了 UA 与 Keep 的首次强强联手。这既是一次运动消费品与健身平台的跨界合作，也成为一个运动服饰品牌与健身课程结合的营销范例。

基于对国内运动市场的长期关注，Keep 观察到部分健身用户已跨越了"减脂塑形"的基本需求，转向更高标准的训练诉求。在这一背景下，Keep 以回归运动本质的"让身体更强大"为宗旨，结合 UA 独家的运动潜能开发系统，携手打造了"Nature Flow"课程系列 IP。这一 IP 不仅在课程中融合国际前沿训练元素，带给用户富有挑战性的全新运动感受，还同步开展多场"UA 潜能激发 14 天直播计划"，让用户在长期的详尽指导下，深度感知品牌的高端调性与专业服务。Keep 还为品牌配置了完善的用户服务体系，通过积分制、游戏等互动模式，激发运动热情，将精准吸引的用户转化为品牌的消费群体。

Keep 携手 UA 打造的课程体系，不仅为消费者提供了产品之外的内容增量价值和更多的产品使用场景，也让 Keep 的用户在日常训练的同时，因选择 UA 的课程而能够进一步了解 UA 的产品功能和品牌理念。而对于 Keep，课程服务体系为品牌强势增值之外，也为平台用户提供了多元的内容与新鲜的运动体验。可以说，这是一场实现了双向奔赴的最为理想的合作。

不止于运动强相关品牌，Keep 与宠物食品品牌冠能的跨界合作，则突破性地开启了"人宠共健康"的全新运动场景。双方共创的"人宠互动健身课程"，让用户与宠物能在运动场景中增进互动，一同获得更良好的健康状态，并在过程中传达科学营养搭配科学运动的理念，吸引用户"种草"品牌产品。

对于想要走近运动群体的品牌而言，Keep 拥有更具确定性的垂直沟通机会，是实现精准营销的最佳土壤。而 Keep 也通过不断强化自身的数据优势，探索更为多样的用户沟通形式，为品牌提供运动健康领域的一站式营销解决方案。此外，从 Keep 的品牌合作中还可以发现，随着多维度营销模式的成熟，Keep 从运动健身的营销场景延伸到更广阔的健康生活场景，不只是运动强相关行业品牌，汽车、美妆、宠物等更多关涉生活不同方面的品牌，都能够在 Keep 跨入运动健康的阵地，抓住品牌价值增长的新机遇。

资料来源：水母. 品牌在 Keep"狂奔"[EB/OL].（2021-12-23）[2022-12-30]. https://socialbeta.com/t/campaign-keep-2021-12.

**思考题**

1. 在 Keep 的做法中，哪些值得平台品牌借鉴？为什么？
2. 除了上述做法，Keep 还能如何利用平台用户的运动数据建设自身品牌？

# 第十五章　品牌责任

【学习目标】

- 掌握企业社会责任的内涵及定义;
- 熟悉企业社会责任的影响、战略导向以及战术策略;
- 熟悉相关理论与企业社会责任之间的关系;
- 掌握品牌道德与富贵、品牌道德与能力之间的关系,以及品牌道德发展阶段。

## 开篇案例

### 鸿星尔克涌泉相报背后的情怀与格局

2021 年 7 月 20 日,河南遭特大暴雨袭击,导致人员伤亡和数以亿计的财产损失。全国人民自发捐款捐物,帮助河南重建家园。7 月 22 日,鸿星尔克捐赠 5 000 万元物资驰援河南。中纪委网站评论指出,鸿星尔克"自己家底不厚,却向灾区捐赠大笔物资,并且在宣传上舍不得花钱,官方微博连会员都没有买。这种强烈的反差,感动了无数网友"。鸿星尔克这一举动彰显了强烈的社会责任感,一时间备受国人青睐。

鸿星尔克（ERKE）创立于2000年，创始人是吴荣照，发展至今已成为集研发、生产、销售为一体的中国大型运动服饰企业。多年来，在与安踏、李宁、特步等同行企业的激烈竞争中，鸿星尔克渐落下风，遭遇库存积压、门店关闭、市场份额下滑等困难，被迫将市场瞄准三四线县市，实行"做强县级、做优地级"的品牌战略。选择"下沉"的鸿星尔克异常低调，与安踏等企业的差距越来越大。即便如此，鸿星尔克也始终没有忽视对社会责任的履行，在国家遭遇地震、疫情、旱涝灾害等危难之际倾囊相助，在扶贫助残方面更是毫不吝啬。鸿星尔克甚至在净利润为负的情况下，依然坚定地践行企业社会责任，传递助残助弱、回馈社会的价值观，为国货品牌树立起行善的优良榜样。

鸿星尔克之所以引起网民情绪高涨，主要有以下几个原因：其一，河南水灾引起全社会广泛关注，陆续引发企业和明星的捐赠热潮。网络媒体上传播正能量的舆论占据热榜，积极支援的企业往往受网民追捧。其二，鸿星尔克的发展并不理想，2020年仍处在亏损当中，净利润为负2.2亿元，2021年第一季度又亏损6 000多万元。鸿星尔克似乎"自身难保"，甚至被认为是"快要破产的企业"，而正在这种艰难情况下的鸿星尔克捐助额高达5 000万元，几乎与安踏并驾齐驱。这种行为大有"舍小家为大家"的奉献精神，深深触动了广大网民的家国情怀，引起了广泛共鸣与共情。其三，鸿星尔克的捐赠行为极为低调，没有借机宣传，没有刻意营销，默默做慈善而不博眼球，网民在钦佩之余甚至萌生心酸、意难平的情绪。其四，当事件在微博持续发酵之后，鸿星尔克始终保持谦卑的态度，创始人提出不要"神化"鸿星尔克，提醒网民理性消费，还希望对同行不要造成困扰。正是这份赤子之心与胸怀格局，使网民的情绪集中爆发。

在家国情怀、公益事业和"爆梗"不断的加持下，鸿星尔克迅速成为新的"国货之光"。在2021年中国最具价值品牌500强榜单上，鸿星尔克的品牌价值跃居运动品牌第二位，品牌价值达到400.65亿元，仅次于安踏（507.93亿元），力压李宁（327.12亿元）。鸿星尔克的发展窘况与对社会责任的担当形成明显的反差，这种反差在网民情绪的渲染下被无限放大，让一度淡出大众视野的鸿星尔克品牌迅速成为焦点，品牌的认知度、美誉度极大提升，消费者对品牌的偏好度、认同度、忠诚度也骤然攀升，使得品牌所产生的附加价值达到高峰。由此看来，企业承担社会责任有利于提升品牌价值。企业履行基本的社会责任，既是时代对企业等市场主体的要求，也是市场经济发展成熟进入新阶段的表现，是法治国家进入新阶段的表现，更是未来国家市场管理的一个重点，这对促进国家经济发展具有重要意义。

资料来源：腾讯网．鸿星尔克向河南捐款及后续事件舆情观察[EB/OL]．（2021-08-02）[2022-12-30]．https://new. qq.com/rain/ a/20210802A03JIL00.

# 第一节　企业社会责任

本章的品牌责任指的是企业社会责任，"企业"是从法律视角的表达，强调主体基于在市场中的合法性而履行社会责任；"品牌"是从营销视角的表达，强调主体基于提高在消费者心目中的形象而履行社会责任。无论何种动机和表达，最终的落脚点还是社会责任。多年来，由于业界实践和学界研究中普遍采用的是企业社会责任，因此，本章以下内容均采用"企业社会责任"（corporate social responsibility，以下简称 CSR）的表达。

　　不同领域的专家学者对 CSR 进行了长期的研究，他们从不同的方面取得了丰硕而又显著的成就，并闪烁着智慧的光芒。在此基础上，本节首先介绍 CSR 及其行为的定义和内涵，然后对以往学者对在社会责任行为实施方面的争议进行梳理，最后从战略导向和战术策略两个层面对 CSR 研究成果予以评价分析。战略层面主要从资源基础导向、利益相关者导向和社会问题导向三个方面进行分析；战术层面主要从以往学者对 CSR 研究过程中自变量、中介变量、因变量和调节变量进行系统梳理和评价分析。

## 一、企业社会责任及其行为

　　学术界普遍认为，现代 CSR 的研究真正开始于 1953 年鲍恩（Bowen）发表《商人的社会责任》之后。当年，鲍恩率团队考察美国企业后，认为制订计划、执行政策或者依据社会目标和价值采取行动，这些都是商人的义务，是他们必须履行的；并且商人应该从更广泛的视角对他们经营行为的后果负责，而不只是单纯地考虑他们的财务报表当中的利润表。以此为基础，20 世纪 60 年代，学者们对 CSR 产生了极大的研究兴趣。有学者认为：企业高层领导的经营管理决策至少要超出他们的直接经济利益，并提出与社会权力对等的社会责任等观念。换句话说，就是企业对社会的影响越大，就应该承担越多的社会责任。之后，有学者给出了更加明确清晰的定义，认为 CSR 不仅仅指应该承担经济与法律方面的义务和责任，还应该超出这些范围对社会问题承担部分责任，言外之意就是企业家应该认识到企业和社会间的紧密联系，希望企业群体在追逐利润的时候，不要忘记企业的行为不仅影响到具体的利益相关者，还可能影响到整个社会系统。

　　随后，学者们在前人研究的基础上，根据不同的理论从不同的视角对 CSR 进行了定义，代表性的观点有：CSR 也指企业亲社会行为的努力或者企业社会绩效，其定义为，管理者的义务不仅是保护和改善企业的利益，还包括整个社会的福利。根据利益相关者理论，CSR 内涵是指企业在创造利润、对企业负责的同时，还要承担对员工、对消费者、对社区和环境的社会责任。美国社会责任监控机构对 600 多家企业履行社会责任的统计显示，其内涵主要包括六个方面：社区支持、多样性（种族、家庭等方面）、员工支持、环境支持、海外责任（血汗工厂、人权等方面）、产品安全。其中学术界普遍认可的还是卡罗尔（Carroll，1979）按照社会义务—社会责任—社会响应的逻辑所提出的 CSR 金字塔层级模型（见图 15-1），包括经济、法律、伦理和慈善四个方面的责任。经济责任主要包括企业在每股利润最大化原则下运作，追求尽可能多的利润，保持竞争优势，保持较高的运作效率，最后成功的企业是能够获得持续利润的企业。

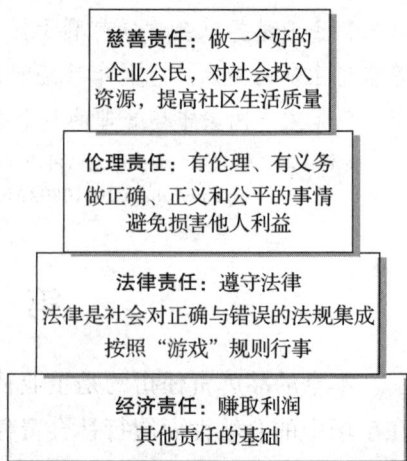

慈善责任：做一个好的企业公民，对社会投入资源，提高社区生活质量

伦理责任：有伦理、有义务做正确、正义和公平的事情避免损害他人利益

法律责任：遵守法律法律是社会对正确与错误的法规集成按照"游戏"规则行事

经济责任：赚取利润其他责任的基础

图 15-1　CSR 金字塔层级模型

法律责任主要包括在法律规定和政府期望下运作，遵守联邦政府、州政府和地方政府的法规，并且所提供的产品与服务至少满足最低的法律要求等。伦理责任主要包括，企业运作与社会道德观念和伦理规范期望要一致，认可与尊重被社会所接受的新道德标准，防止为完成企业目标而在伦理标准上做出让步。慈善责任主要包括企业运作与社会的博爱和慈善期望相一致，资助私人和公共教育机构，企业的管理者和员工在社区内自愿参加慈善活动，旨在提高社区生活质量。

## 二、企业社会责任行为争议

关于企业是否应当承担社会责任的争议，在 20 世纪 30 年代，以美国哥伦比亚大学的伯尔（Berle）和美国哈佛大学的多德（Dodd）两位教授为首的团队就引发了著名的"哈佛论战"。以伯尔为首的一方代表了传统古典经济学的观点，认为：企业管理者只需对股东的利益负责，因为他们仅仅是股东权益的受托人。此观点与弗里德曼的看法不谋而合，即企业若是提供市场产品之外的"社会产品——企业社会责任"，将会大大削弱市场机制的基础。他们还从成本 – 收益的视角，结合利益相关者理论进行了深入的分析，发现无论企业何时将资源用于承担"社会责任"，都是在增加运行成本，而这些成本转嫁给任何一个利益相关者都是不合适的。支持这一观点的还有著名经济学家哈耶克，他认为任何偏离利润最大化目标的行为都是危险的，都有可能危及企业的生存与发展。

而与之对应的多德一方，他们对以伯尔为首的团队提出了强烈的反对，认为：企业既要获取利润，还要服务社会，因为企业不仅仅只对股东负责，还应该对员工、消费者以及更加广大的公众负责。而之后大批的经济管理学家，如德鲁克、安德鲁斯、格里芬等人均发表观点支持企业应当履行社会责任。德鲁克认为：企业的目的必须在企业之外，但一定是在社会之内的，因为企业不能脱离社会，它们只是整个社会的一种器官。格里芬认为：企业应当在追求利润最大化的同时，对保护和增加整个社会的福利也应该承担责任。

为了让某一方的观点更具有说服力，学者们开始致力于 CSR 行为与财务绩效间关系的研究。但是由于样本的选取不同、行业特性的不同以及所使用研究方法的不同，得出的研究结果也有很大的差异。归纳起来主要有三种情况：第一种情况是 CSR 与财务绩效之间存在正向关系，也就是说在大多数情况下，企业履行社会责任将会获得财务绩效的增加；第二种情况认为 CSR 与财务绩效之间存在负向关系；第三种情况认为 CSR 与财务绩效之间不相关。由此可见，CSR 对财务绩效的影响效果还不是很清晰。

有学者对此做过统计，在 1972—1992 年间，关于 CSR 与财务绩效间关系的 21 个研究当中，有 12 个研究结果为正相关关系，有 1 个研究结果为负相关关系，有 8 个为无相关关系（见图 15-2）。为此，罗（Luo）和巴塔查里亚（Bhattacharya, 2009）通过研究企业社会绩效、研发和广告投入以及风险类型之间的关系，对上述争议做了进一步的解释。结果显示：较高的企业社会绩效会降低企业非系统风险，但是为了追求较高的企业社会绩效，与广告投入较低的企业相比，投入广告较高的企业将会面临更高的非系统风险。

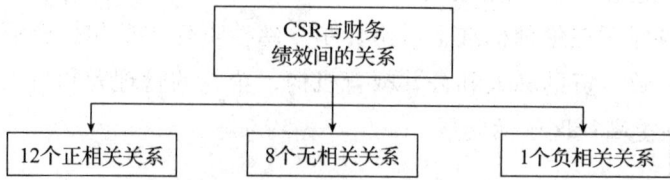

图 15-2　CSR 与财务绩效间的关系

## 三、战略层面 CSR 行为导向

关于这一点，以往学者的研究主要从三个方面出发：资源基础导向、利益相关者导向和社会问题导向。资源基础导向侧重于对 CSR 的资源输入，主要研究 CSR 战略与企业所拥有资源数量间的关系，研究表明：小型企业和大型企业在制定 CSR 战略及实施方面有着同样积极的态度和行为，而中型企业在这方面要显著低于小型企业和大型企业。

利益相关者导向侧重于研究如何通过 CSR 的输出来平衡股东、员工、消费者、公众及供应商等之间的关系，研究表明：CSR 的理想水平不仅取决于内部的资源，也取决于外部利益相关者的条件，在理想水平情况下，CSR 与企业的财务绩效是呈中立关系的。

社会问题导向侧重于研究如何通过 CSR 的输出来选择并解决社会问题，而在此过程中主要受社会需要与公司需要的匹配、社会需要的严重性、高层领导的兴趣、社会行动的公共关系价值、政府的压力五个方面因素的影响。

随后有学者将资源基础导向（CSR 输入）与利益相关者导向（CSR 输出）相结合，从资源基础理论视角逐一探讨了不同群体对 CSR 输出的需求，如员工方面包括福利待遇、职业规划、安全健康等，消费者方面包括产品安全、顾客抱怨等，公众方面包括环境保护、资源节约、社会投资等。也有学者将资源基础导向（CSR 输入）和社会问题导向（CSR 输出）相结合，研究分析了在 CSR 与企业战略融合的过程中，如何根据企业自身的资源来选择并解决社会问题，以此输出 CSR。

## 四、战术层面 CSR 行为策略

从总体来看，CSR 行为可分为正面的和负面的。正面的 CSR 行为包括 CSR 本身、CSR 信息、CSR 不同层面的行为以及捐时间和捐钱；负面的 CSR 行为研究包括道德相关和能力相关、绩效相关和价值相关、可辩解产品伤害和不可辩解产品伤害。

具体来讲，正面的 CSR 行为研究最多的依然是经济责任行为、环境责任行为、消费者责任行为、员工责任行为、法律责任行为和慈善责任行为。由于消费者无法直观地看到 CSR 行为，因此，CSR 行为的信息也会影响消费者的购买意愿。在消费者对

CSR 行为信息反应的过程中，企业相关特征和消费者个体因素均起着重要的调节作用。其中，在 CSR 信息对消费者评价的影响过程中，消费者对企业的认同起着显著的中介作用。

　　研究还发现，在某些情况下（如言行不一等），CSR 行为还有可能降低消费者对产品的购买意向。也就是当企业社会责任承诺紧跟其行为时，会得到消费者的积极评价；反之，将得到消费者的消极评价。另外，就是 CSR 行为可分为捐钱和捐时间，一个指企业直接捐赠金钱给需要帮助的人；另一个指企业的员工在社会上做义工或志愿者。与捐钱相比，捐时间更能够让人们感觉到对方的努力和付出，进而对企业的评价也更高。

## 五、绩效层面 CSR 行为结果

　　从财务绩效的视角来看，CSR 的影响结果是模棱两可的，由于样本、行业及研究方法的不同，在帕瓦（Pava）和克劳斯（Krausz）对 1972—1992 年的 21 个研究进行归纳总结之后，发现所得出的结果存在较大的差异：12 个认为两者是正相关关系，1 个认为两者是负相关关系，8 个认为两者无相关关系。为此，罗和巴塔查里亚（2006）以顾客满意为中介变量，以公司能力为调节变量，研究了 CSR 对市场价值（托宾 $q$ 值和股票回报）的影响。结果发现：顾客满意部分中介于 CSR 与市场价值，而公司能力（创新和产品质量）调节了 CSR 对财务绩效的影响。鉴于股票市场机制的不同，国内也有学者以上市企业为样本，分别以截面数据和面板数据为依据，研究了 CSR 与财务绩效之间的关系。研究结果均认为：短期／长期来看，CSR 行为对财务绩效的影响为负／正。

　　从社会绩效的视角来看，以往的研究主要集中于消费者对 CSR 的支持和认同。在此基础上，森（Sen）和巴塔查里亚（2001）把消费者对 CSR 的支持划分为两种：外在支持，它研究消费者的购买意愿和购买忠诚等；内在支持，它研究消费者意识、态度以及消费者对公司所采取的 CSR 行为归因。比较而言，国内外学者侧重于研究消费者的外在支持。例如，CSR 行为能够带来积极的购后产出和顾客忠诚，也能够激发消费者的情感依恋。从公司层面来看，较高的 CSR 行为会使消费者对企业评价更高，从而带来对产品的较高评价，也会增加消费者对公司的认同、公司的品牌资产以及产品延伸的评价。

# 第二节　相关理论与 CSR 行为

　　关于国内外相关文献回顾，本节拟按照如下思路（见图 15-3）进行梳理和评价分析：首先，针对以往学者关于 CSR 行为导向的研究，按照市场导向的逻辑，从消费者对 CSR 行为及其规范的需求和 CSR 行为群体竞争两个方面进行评价分析；其次，以社会规范理论为基础，从个体角色、群体互动以及社会期望三个层面，对 CSR 与 CSR 行为的定义和内涵进行评价分析；再次，以拟剧论为基础，从 CSR 行为前台沟通与展示的视角，对以往学者关于 CSR 行为沟通策略进行评价分析；最后，以社会比较理论为基础，从同化和对比效应着手，对以往学者关于 CSR 行为的比较研究进行评价分析。

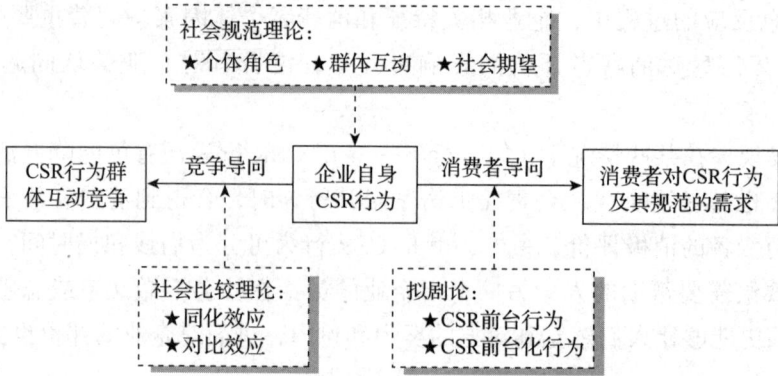

图 15-3　相关理论与 CSR 行为

# 一、市场导向逻辑下的 CSR 行为

关于市场导向的定义，学者们至今未能达成共识。具有代表性的观点有：市场导向是对营销观念的执行；具有市场导向的企业会关注顾客、市场调研和产品开发。其特征包括：关注顾客、协同市场营销、关注利润。不难看出，之前的研究忽视了企业间的竞争。为此，调查研究 140 家事业部之后，奈沃（Narver）和斯莱特（Slater，1990）认为：从外部视角来看，市场导向主要包括消费者导向和竞争导向。前者是指企业要持续地提供超价值的产品或服务来满足消费者的需求；后者是指企业在掌握当前或潜在竞争对手短期的优劣势与长期的能力和战略选择的基础上，提供差异化和针对性的产品或服务以满足消费者的需求。

市场导向的逻辑同样适用于 CSR 行为，如果把 CSR 行为视为一种公共产品，那么，企业同样需要关注消费者对 CSR 行为的需求导向和其他企业 CSR 行为的竞争导向。

# 二、社会规范理论与 CSR 行为

## （一）社会规范相关研究

关于社会规范，不同学科领域有着不同的定义。社会学家认为，社会规范是历史形成的或固定的行为及活动的标准；行为学家认为，社会规范是指一个社会所有成员共有的行为规范和标准，规范可以内化为个人意识，从而约束人的行为；心理学家认为，社会规范是组成社会群体的成员可接受或不可接受行为的各项文化价值标准。实际上，CSR 行为规范应该从三个层面来讲：社会层面主要是指 CSR 行为要符合整个社会及其成员应有的行为准则、法律规范、道德伦理和价值标准等；群体层面主要是指 CSR 行为要符合企业群体目标的实现和群体活动的一致性，要与群体成员共有的行为规范和标准保持一致；个体角色层面主要是指 CSR 行为要符合社会对个体角色需要而期待的行为模式或应该达到的行为标准。

社会心理学和行为学领域的研究表明：由于个体道德意识形态差异或社会情境等因素的影响，在上述三个层面的行为规范方面，人们常常会偏离其行为规范，即与现存的行为规范不一致。有些是向上远远超出某一层面的行为规范，即超规范行为；有些则相反，向下远远低于某一层面的行为规范，称为"低规范行为"。而且林多瓦（Rindova）等人（2006）的研究当中提到：与规范一致行为相比，媒体和公众更倾向于关注偏离行为。

### （二）CSR 与 CSR 行为

目前，对于 CSR 行为规范的研究较少，大多停留在对 CSR 及其行为的定义与内涵探讨方面。具有代表性的观点有：从古典经济学视角看，企业唯一的社会责任就是使利润最大化；从利益相关者视角看，CSR 是指企业在创造利润、对企业负责的同时，还要承担对员工、对消费者、对社区和环境的社会责任；从亲社会行为或社会绩效视角看，管理者的义务不仅是为了保护和改善企业的利益，还包括整个社会的福利。基于此，卡罗尔（1991）按照社会义务—社会责任—社会响应的逻辑，提出 CSR 金字塔层级：经济、法律、伦理、慈善四个方面的责任。此后，大多数学者以金字塔层级模型为依据，开始围绕经济行为、法律行为、伦理行为、道德行为和慈善行为展开研究。

### （三）评价分析

实际上 CSR 是需要通过行为的输出来实现的，而 CSR 行为的输出必须要以 CSR 行为规范为依据。这一点在 CSR 的两个前提条件（社会契约和道德代理）当中早有体现，社会契约是作为一种社会规范随人类社会形态发展而产生的，换句话说就是 CSR 行为必须在社会规范的指导下进行，这也是企业身份获得合法性的来源之一；而道德代理人的身份也强调 CSR 行为必须要与社会价值规范相一致。由此可见，从社会规范视角研究 CSR 行为是非常有必要的，而这恰恰也是以往研究的不足和局限。

虽然以往学者也以利益相关者，尤其是消费者需求为导向研究 CSR 行为，但并非从消费者对 CSR 行为规范的需求视角出发。然而，部分学者的研究却分别从企业个体角色、群体互动和社会期望三个层面，暗示了消费者对 CSR 行为规范的需求。例如，在"When good brands do bad"一文中，詹妮弗等人（2004）通过对纯真品牌和兴奋品牌犯错的研究，暗示了 CSR 个体角色规范的差异；在《企业逼捐现象剖析：是大众无理还是企业无良》一文中，黄敏学等人（2008）通过期望比较验证了 CSR 群体行为规范的存在；在《企业家负面行为对品牌形象的影响》一文中，黄静等人（2010）对违情和违法行为的划分与界定充分体现了整个社会层面的 CSR 行为规范。遗憾的是，鲜有学者对此展开深入、系统的研究。

不难看出，无论是从正面还是从负面，以往学者对 CSR 和 CSR 行为均进行了不同的分类研究，但遗憾的是较少有人从个体角色、群体互动和社会期望三个层面的行为规范进行分类，尤其是以上述三个层面的行为规范为标准，将 CSR 行为划分为超规范行为和低规范行为。而且即便是同一个 CSR 偏离行为也有可能会对品牌绩效产生两种不同的结果（正面／负面），那其中的原因是什么，CSR 超／低规范行为对品牌绩效影响的过程和机制又是什么？

| 学术思考 |

# 企业家前台化慈善行为偏离的思考

一直以来，企业家就被认为是企业品牌形象的重要塑造者和影响者，而企业社会责任则被认为是提升品牌形象的重要手段。由此推断：企业家社会责任行为必然会对品牌形象有着十分深刻的影响。因为现实生活中，消费者在做出购买决策时，越来越看重企业的社会责任。企业家作为品牌形象代言人和品牌拟人化的象征，他们的言行则代表着企业品牌的个性和形象。品牌的个性和形象正是基于消费者对企业家或品牌形象代言人强有力的偏好和独特联想而产生的。认知平衡理论认为：如果消费者对一个企业家有好感，也会对其公司的产品和服务有好感。

越来越多的企业家纷纷从幕后走向台前，希望通过履行社会责任行为来提高自身和企业品牌形象。但为了能够从众多企业家当中脱颖而出，吸引媒体和公众的眼球，有些企业家在前台展示了超规范的慈善行为，即指企业家在履行慈善责任时，其行为远远超出了企业家群体规范的要求，同时也远远超出了社会公众的期望，希望借此影响和说服消费者认同他们的行为，并进一步认同他们所背书的品牌。

然而，理论界和企业界也有不少人对此提出质疑和反对意见。根据经济学家弗里德曼的观点：企业家的使命是让股东利益最大化，他们的慈善行为不仅会提高运营成本，而且还会占用广告和研发等方面的财务资源。为此，部分企业家在接受媒体的采访时，不愿履行企业家前台化的慈善行为，可视为低规范行为，即企业家在履行慈善责任时，其行为远远低于企业家群体规范的要求，同时也远远低于社会公众的期望。

根据社会学领域的研究，企业家在慈善方面的超规范和低规范均属于行为偏离。行为偏离依据社会规范可分别体现在角色层面、群体层面和社会层面，无论是违背哪个层面的规范，均可视为行为偏离。那么，企业家在慈善方面的行为偏离会产生怎样的社会反应或评价呢？实践和研究均已表明，可能存在正面和负面的结果。因此，从这个角度来讲，行为偏离又可分为正面偏离和负面偏离。正面偏离主要是指那些超出社会公众的期望而得到正面评价的行为，负面偏离主要是指那些低于社会公众的期望而得到负面评价的行为。

如果社会规范和社会评价相结合，就会发现企业家在前台履行慈善行为时，存在四种情况（见图15-4）：第①象限指的是企业家前台化慈善行为未达到或低于社会群体规范的要求，却激起社会公众的正面评价；第②象限指的是企业家前台化慈善行为未达到或低于社会群体规范的要求，而激起社会公众的负面评价；第③象限指的是企业家前台化慈善行为超出群体或社会规范的要求，却激起社会公众的负面评价；第④象限指的是企业家前台化慈善行为超出群体或社会规范的要求，而激起社会公众的正面评价。

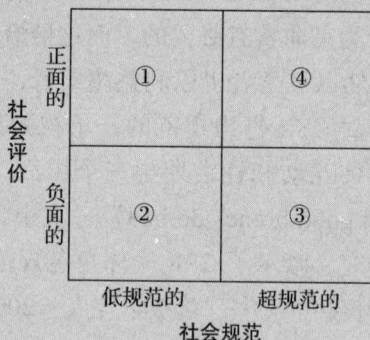

图 15-4　企业家前台化慈善行为偏离的分类

由此可见，对企业家前台化慈善行为的评价因人而异，为什么呢？原因在于：可能有人认为企业家履行慈善行为是"利他的同理心"，进而给予正面评价；也有人认为企业家履行慈善行为是"利己的功利心"，进而给予负面评价。无论社会公众如何评价，只要企业家履行前台化慈善责任行为的初衷是"善"的就可以了。

### 三、拟剧论与 CSR 行为

#### （一）拟剧论的主要观点

拟剧论的观点认为：社会是个大舞台，社会成员作为这个大舞台上的表演者都十分关心自己如何在众多的观众面前塑造能被他人接受的形象。为了表演，舞台分为前台和后台。前台是让观众看到并从中获得特定意义的表演场合，在前台，人们或组织所呈现的是能被他人和社会所接受的形象。后台是相对于前台而言的，是为前台表演做准备、掩饰在前台不能表演的东西的场合，人们或组织会把他人和社会不能或难以接受的形象隐匿在后台。对于企业而言，无论是主动还是被动的 CSR 行为，只要没有被媒体广泛传播，就统称为"CSR 后台行为"。而对于企业主动借助媒体力量传播的社会责任行为，称为"CSR 前台行为"；如果在被动的情况下，媒体将企业的后台行为曝光于前台之后的行为称为"CSR 前台化行为"。不管怎样，在前台的表演都要符合剧本的期望，也就是说演员的表演要符合一定的行为规范，同样，CSR 前台（化）行为的输出也要以上述三个层面的行为规范为依据。

#### （二）CSR 行为沟通策略

关于以往 CSR 行为沟通策略的研究，可以归纳为四个方面：自变量、中介变量、因变量和调节变量。自变量主要有 CSR 本身、CSR 信息、CSR 不同层面的行为等，相关研究在前面的社会规范与 CSR 行为部分已介绍，此处不再赘述。

对于中介变量的研究，具有代表性的观点有：良好的公司声誉中介于 CSR 与消费者购买意向，而良好的公司声誉又可进一步细分为认知声誉和情感声誉，同样在 CSR 与顾客忠诚之间起到中介作用。也有学者将公司声誉转化为消费者对公司的认同，检验了在 CSR 信息与公司评价间的中介作用，更进一步的是有学者直接将消费者满意中介于 CSR 与市场价值，而在负面事件的研究中，有学者验证了消费者归因中介于 CSR 与公司责备。

调节变量方面，以往学者的研究主要集中于三个层面：消费者、企业和文化。消费者层面的调节变量包括道德身份和角色承诺，CSR 信念和 CSR 支持。企业层面的调节变量包括 CSR 行为与企业业务领域的匹配，CSR 行为发起的时机（主动和被动），CSR 的动机，CSR 信息（抽象和具体），CSR 的能力，嵌入策略。文化层面的调节变量则比较单一，研究结论认为：不同文化背景下的消费者对 CSR 及其行为的认识和需求是不同的。

#### （三）评价分析

实际上，在 CSR 行为沟通策略当中，无论是正面的 CSR 行为还是负面的 CSR 行为，都是停留在对 CSR 定义和内涵的探讨上面，侧重于研究做正确／错误的事会对消费者产生怎样的影响，忽视了如何聪明地做事（CSR 行为的输出）以及如何运用 CSR 前台（化）行为来影响消费者的感知。而拟剧论恰恰能够指导企业弥补这方面的不足和局限，因为营销实践当中企业完全可以通过社会责任行为前台的沟通与展示影响消费者的感知和评价。

尽管有研究表明与广告画面中出现捐赠人相比，当出现受害者画面时，人们的捐赠意愿和亲社会行为的意愿更强；当企业履行社会责任，出现言行不一致的时候，则会提高消费者对企业的虚伪感知，但像这样涉及 CSR 行为规范的研究是极其有限的，而且不够系统。所以说从拟剧论视角来看，从正面 / 负面 CSR 前台行为和前台化行为来探讨 CSR 行为的输出与展示，将会弥补现有研究对 CSR 行为沟通策略的不足和局限。

## 四、社会比较理论与 CSR 行为

### （一）社会比较的相关研究

在社会心理学领域，社会比较主要是指个体对自我的知觉和评价是通过与周围参照框架（如他人）相比较而获得的。具体包括向上比较（与比自己优秀的人比较）和向下比较（与比自己差的人比较）对个体自我评价的影响作用。由于受社会背景的影响，常常会出现两种相反的效应：同化效应（assimilation effect）和对比效应（contrast effect）。前者主要是指个体面对向上比较信息时会提升自我评价水平，或面对向下比较信息时会降低自我评价水平；后者主要是指个体面对向上比较信息时会降低自我评价水平，或面对向下比较信息时会提升自我评价水平。项目组认为同样的逻辑适用于消费者对企业群体间 CSR 竞争行为的评价上，因为 CSR 行为是一种社会产品，在企业群体互动竞争的过程中可能会出现"搭便车"的现象，进而产生同化效应。另外，CSR 行为又是企业间的竞争手段之一，常常也可能会产生对比效应。

### （二）CSR 行为比较研究

关于 CSR 行为比较方面的研究主要集中于负面事件的溢出效应，即学者们主要关注负面事件"发讯企业"或品牌对"受讯企业"或品牌的影响。其研究视角有两种：关注负面事件对企业内部其他品牌的溢出效应；关注企业的负面事件对竞争对手的溢出效应。对于前者，雷（Lei，2006）等人研究了品牌组合中负面事件的信息特征（严重程度和归因）对溢出效应的调节作用，他们认为溢出效应不仅要考虑品牌间的联想强度，还要考虑品牌间的联想方向。关于后者，达伦（Dahlen）和兰赫（Lange，2006）发现：一个品牌发生的负面事件会对市场上的整个产品大类产生溢出效应，但对竞争品牌的影响受品牌间相似程度的不同而存在一定的差异。而勒姆（Roehm）和泰鲍特（Tybout，2006）的研究认为：一个品牌所发生的负面事件能否对市场上的整个产品大类产生溢出效应，取决于这个品牌是否为本产品大类的代表性品牌，以及被曝光产品的属性是否与整个产品大类有较强的联系。与之前研究不同的是，费显政等人（2010）将溢出效应上升至社会责任声誉，研究了导致溢出效应（传染效应和对比效应）的三个前置变量：受讯企业和发讯企业的相似程度，公众对企业社会责任议题的卷入程度，以及受讯企业的澄清策略，并探讨了它们是如何影响溢出效应方向及强度的。最后，也有学者将 CSR 行为的研究上升至行业的层面，发现在 CSR 群体行为竞争互动过程中，CSR 行为在行业内的高低不同对消费者购买意愿的影响是存在显著差异的。

## （三）评价分析

从以往学者对溢出效应的研究来看，无论是品牌间还是企业间的溢出效应，大多是一种水平方向的溢出，尽管雷（2006）等人提及母子品牌间的溢出效应，但那仅仅局限于品牌间的组合。而从社会比较理论的视角来看，同化和对比效应则侧重于垂直方向的比较，包括向上比较和向下比较，而且常常因为社会背景等因素的影响可能会产生截然不同的比较方向和强度。

很明显，以往学者关于溢出效应的研究大多停留在负面曝光事件方面，其本质的逻辑无非是负面事件所产生的影响，在发讯与受讯企业或品牌间简单的相互转移。而从社会比较理论视角研究 CSR 群体行为竞争与之不同，因为研究的对象在于比较 CSR 行为，这意味着参与 CSR 行为群体竞争的企业，既可以是发讯企业，也可以是受讯企业。

在溢出效应的研究中，几乎所有的学者都侧重于 CSR 负面事件，很少涉及 CSR 正面行为，而这也恰恰是目前营销实践当中，出现 CSR 行为群体抑制局面的重要原因，因为缺少相关的理论指导企业通过正面的社会责任行为获得持续的竞争优势。而从社会比较理论视角来看，在向上和向下比较的过程中，由于同化和对比效应的存在，CSR 行为在群体间互动影响的结果，是否还可以遵循善有善报、恶有恶报的自然法则？这有待进一步研究。

# 第三节　品牌道德发展观

近些年，随着法治监管和互联网技术的发展，品牌负面曝光事件越来越呈现高发趋势，并有可能被互联网无限放大，让阅读或经历这些事件的消费者对知名品牌产生了怀疑、恐惧和不安全的感觉，严重影响整体社会的信任，来自各方的舆论压力不断拷问着企业品牌道德何在，企业良心何在。

为此，以"品牌道德"为关键词，使用百度搜索，用时 0.052 秒，找到 476 000 篇相关网页。然后，在 EBSCO 数据库中以"brand morality""brand ethics"进行搜索，只找到 1 篇相关的研究；在中国知网数据库中以"品牌道德"为关键词，在文章标题中进行搜索，找到 4 篇文章。上述数据表明，现实社会中人们对品牌道德提得很多，关注度也很高，但相关的研究很少。本节拟借鉴中国人的道德观，对企业品牌的道德发展进行梳理和探讨，既能丰富品牌道德研究的文献，又可为塑造和培育企业品牌提供指导意见。

## 一、品牌似人和品牌道德

万物有灵论认为，品牌是有生命和灵魂的，并且具备人格化的特征。在借鉴西方人格理论"大五"维度的基础上，詹妮弗·阿克（1997）采用归纳法对品牌个性进行了实证研究，得出品牌个性的五个维度：纯真、刺激、称职、教养和粗犷。而黄胜兵和卢泰宏（2003）从中国传统文化角度，通过词汇法、因子分析和特质论对品牌个性进行了研究，得出品牌个性的五个维度：仁、智、勇、乐、雅。消费者正是通过品牌的个性来进行自我的延伸和表达理想中的自我，而企业需要消费者的认可来塑造清晰的品牌个性，达到准确定位的目的。在这种长期的互动过程中，消费者逐渐与品牌建立友谊关系、婚姻关系、暗面关系和暂时导向的关系；而在本土文化背景下，消费者与品牌之间存在四种基本关系：家人关系、好朋友关系、合作伙伴关系、熟人关系。以上所有的研究表明：品牌个性和品牌关系是在人格理论和人际关系理论的基础上发展而来的，最终证实品牌似人，具有人格化特征，消费者按照人际关系准则来处理与品牌之间的关系。

品牌似人，似什么人？豪商巨贾（大品牌）还是小土财主（小品牌）？主要取决于企业品牌的经济实力。不论是豪商巨贾还是小土财主，做品牌就是做人，做人就要讲道德。受儒家思想道德观的影响，品牌道德强调品牌对他人、集体和社会应该承担的责任和应尽的义务，既包括法律范围内要求企业品牌承担的社会责任（如提供优质的产品和服务，不偷税漏税等），也包括法律范围外公众要求企业品牌承担的社会责任（如希望工程捐款和救灾救难等）。前者对企业品牌行为的要求相对明确，但也常使企业品牌陷入道德困境，如哈根达斯黑作坊和婴幼儿奶粉三聚氰胺事件。而后者对企业品牌行为的要求相对模糊，在这种情况下，企业品牌更容易陷入道德的困境。受中国传统文化影响，讲品牌道德就不得不讨论富贵与道德的关系，不得不讨论企业品牌能力与道德间的关系，不得不讨论企业品牌究竟该将何种价值观（利己、互利还是利他）作为指导思想。

## 二、富贵和道德的关系

中国人的价值观当中，对富贵和道德的理解有两种模式：相容和冲突。相容就是承认富贵和道德可以并存，代表性观点有：以富行仁或以仁致富、富而好礼等。冲突就是认为富贵和道德不能并存，代表性观点有：为仁不富和为富不仁等。造成这种价值冲突的原因在于没有对手段和目标做适当安排，企业品牌究竟是通过塑造良好的道德形象而实现财富的积累，还是通过财富的积累来实现良好的道德行为。两者是否可以统一于企业品牌的成长和发展当中，取决于企业管理团队对富贵和道德关系的理解（相容和冲突），亦取决于企业品牌经济实力（强和弱）。这样就有了四种组合（见表15-1）、八种可能的说法：Ⅰ，富贵与道德相容，可能的现象有富贵而守（施）德，或守（施）德而富贵；Ⅱ，贫贱与道德相容，可能的现象有贫贱亦守（施）德，或守（施）德而贫贱；Ⅲ，富贵与道德相斥，可能的现象有富贵而不守（施）德，或不守（施）德而富贵；Ⅳ，贫贱与道德相斥，可能的现象有贫贱而不守（施）德，或不守（施）德而贫贱。

表 15-1　品牌道德与富贵间的关系

| 品牌经济实力 | 品牌行为 | |
| --- | --- | --- |
| | 道　德 | 不（轻）道德 |
| **富贵**<br>（大品牌）<br>（经济实力强） | Ⅰ富贵与道德相容<br>• 富贵而守（施）德<br>• 守（施）德而富贵 | Ⅲ富贵与道德相斥<br>• 富贵而不守（施）德<br>• 不守（施）德而富贵 |
| **贫贱**<br>（小品牌）<br>（经济实力弱） | Ⅱ贫贱与道德相容<br>• 贫贱亦守（施）德<br>• 守（施）德而贫贱 | Ⅳ贫贱与道德相斥<br>• 贫贱而不守（施）德<br>• 不守（施）德而贫贱 |

资料来源：改编自文崇一《富贵贫贱与道德：再论价值的冲突与整合》。

第 I 种情况，富贵与道德相容是指企业品牌经济实力强和实践道德行为是相容的。对富贵而道德的观点有：富而好礼（孔子）；君子富，好行其德（《史记》）；富而教之（《汉书》）；富贵易为善（《旧唐书》）；富要有德等。可以理解为：经济实力强的企业品牌可以实践道德行为；经济实力强的企业品牌容易施以教化，树立榜样；经济实力强的企业品牌不守（施）德是不对的。对于道德而富贵的观点有：富与贵，是人之所欲也，不以其道得之，不处也（孔子）；富贵名誉，自道德来者（洪应明）；无德而富，徒增其过恶（陆九渊）等。可以理解为：企业品牌因实践道德行为而获取经济利益；不通过道德行为而获取经济利益对企业品牌和整个社会来说都是很危险的事。

第 II 种情况，贫贱与道德相容是指企业品牌经济实力弱和实践道德行为是相容的。对贫贱而道德的观点有：贫而乐道（《论语》）；贫则见廉（墨子）；君子贫穷而志广，隆仁也（荀子）等。可以理解为：经济实力弱的企业品牌对道德行为亦应持积极响应的态度；即使经济实力不强，企业品牌也要保持道德行为并施以道德。对于道德而贫贱来说，传统文化中有力的支持观点不多：义不行沽（俗语），为仁不富矣（孟子），原因在于贫贱不一定是道德行为导致的。对于品牌来说，可以理解为：企业品牌重视道德不会带来经济利益，反而会丧失经济利益。

第 III 种情况，富贵与道德相斥是指企业品牌经济实力强和实践道德行为是冲突的。对于富贵而不守（施）德的观点有：贫贱之时……一旦富贵，则背亲捐旧，丧其本心，皆疏骨肉而亲便辟，薄知友而厚狗马（《潜夫论》）；富者愈贪利而不肯为义（《春秋繁露·度制》）等。可以理解为：企业品牌获取经济利益后实践不道德行为或者是不实践道德行为。对于不守（施）德而富贵的观点有：为富不仁矣（孟子）；无耻者富，多信者显（庄子）；欲富乎，忍耻矣（荀子）等。可以理解为：企业品牌通过不道德的手段获取经济利益，不道德成为获取经济利益的工具。

第 IV 种情况，贫贱与道德相斥是指企业品牌经济实力弱和实践道德行为是相互冲突的。对于贫贱而不守（施）德的观点有：民贫则奸邪生……饥寒至身，不顾廉耻（晁错）；盗贼起于贫穷（《潜夫论》）等。可以理解为：企业品牌经济实力弱的时候更容易实践（不实践）不道德行为；实践（不实践）不道德行为是因为经济实力太弱。同样，对于不守（施）德而贫贱来说，传统文化中有力的支持观点不多。对于企业品牌来说，可以理解为：企业品牌如果实践（不实践）不道德行为，将会导致经济利益的下降。

## 三、能力和道德的关系

能力和道德之辩论始于先秦，对个人，它表现为道德品质与气力、能力的关系；对品牌，它表现为道德品质与企业经济、人员等方面能力的关系。孔子是能力和道德问题的最早提出者，也是尚德轻力的倡导者。《论语》中关于"崇德""尚德""宏德"的说法和观点随处可见。例如，骥不称其力，称其德也；道之以政，齐之以刑，民免而无耻；道之以德，齐之以礼，有耻且格……与尚德轻力论观点相反的是务力废德论，以商鞅、韩非等法家人物为代表，主要观点有：当今争于力，古人亟于德；富强起于力，贫弱由于德；尽力者有功，持德者无用（《韩非子》）。如果说尚德轻力和务力废德都因为各执一端而有所偏见的话，德力具足论则是比较公允全面的看法，以东汉王允为代表，基本观点是，"治国之道，所养有二：一曰养德，二曰养力……此所谓文武张设，德力具足者也"（《论衡·非韩》）。

从企业的角度看，企业品牌的塑造采用德力具足论作为指导思想是最佳的选择，但消费者并不像企业内部员工那样感知到企业品牌的能力，更多的感知在于品牌道德方面。当企业品牌出现不道德行为时，消费者更倾向于负面评价，而且品牌能力越大，其破坏力可能就越大；而当企业品牌出现道德行为时，消费者可能会有正面评价或负面评价。

从消费者期望和感知的角度来看，当企业品牌的道德行为和企业品牌的能力相匹配或者超出企业品牌的能力时（图 15-5 中对角线及对角线上面的部分），消费者才会对企业品牌的道德行为感到满意。反之（图 15-5 中对角线下面的部分），消费者对企业品牌的道德行为会感到不满意。但是企业品牌能力对消费者来说是个黑箱，消费者有可能会低估或高估企业品牌的能力（倾向于高估），由此带来对企业品牌道德行为期望的差异。如图 15-5 所示：假设 $X_2$ 为企业品牌的实际能力，$Y_2$ 为匹配的品牌道德水平，如果消费者认为 $X_3$ 是企业品牌的能力，那么企业品牌的道德水平要达到 $Y_3$ 以上，消费者才会满意；如果消费者认为 $X_1$ 是企业品牌的能力，那么企业品牌的道德水平只需达到 $Y_1$ 以上，消费者就会满意。由此看来，企业品牌的道德行为不仅受企业品牌能力的影响，还受消费者对企业品牌能力和道德行为的期望、感知的影响。

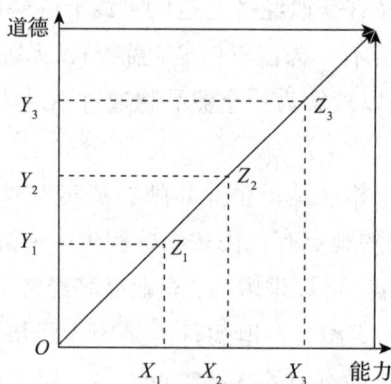

图 15-5　品牌道德与能力间的关系

注：$X_2$—企业品牌的实际能力；$Y_2$—与 $X_2$ 对应的品牌道德水平；$X_1$—消费者低估企业品牌能力；$Y_1$—与 $X_1$ 对应的品牌道德水平；$X_3$—消费者高估企业品牌能力；$Y_3$—与 $X_3$ 对应的品牌道德水平；$Z_1$、$Z_2$、$Z_3$—对品牌道德行为的满意度

## 四、利己—互利—利他的道德发展观

中国人的道德观念实际上是以对他人负责为主的，以为他人着想为前提的，施行不同程度的利他行为。这种不同程度源于费孝通老先生的差序格局理论：在这种格局中，自己是格局的中心，一切价值都是以"己"视为中心，一圈圈推出去，越推越远，也越

推越薄；站在任何一圈向内看可以说是公，是群；向外看，是私，是己。从亲社会的价值观角度来看，维护社会的利益，是每一个个体所应尽的义务和责任。个体只有在完成自己对社会的责任，使社会得以发展之后，他自身的发展才能得到保障。从差序格局和亲社会观点中可以理解为什么中国人在道德思考以及选择道德行动时，是以"为谁着想""对什么人负责"为决定准则。为保障及实现社会的利益，需要个体不断地"社会化"或者"己化"，将"个己"推广至整个社会或世界，使社会或世界变成个体的一部分，达到"无个我"的境界。

品牌似人，对于企业品牌来说，一味地追求自身利润的最大化（社会责任古典观），而不考虑其他主体的利益，是不能健康成长和发展的。企业品牌是在与供应商（原材料供应商、服务供应商）、购买者（中间商、终端消费者）、内部主体（股东、事业部、职能部门、员工）和侧面主体（竞争对手、媒体、政府、非营利组织）的互动过程中谋求发展的，面对错综复杂的关系，企业品牌同样需要差序格局和亲社会的思想来指导其在市场上做人做事。但是，在众多主体中，关系营销理论并未清晰地指出关系主体的远近，而且关系营销仅仅谈到利己和互利，并未谈到利他。因此，社会营销理论提出以辨别和满足人类与社会的需求为导向，将市场需求、企业优势、自然环境和社会发展结合起来，确定企业的经营活动，该理论中所提到的自然环境和人类社会的发展正是企业品牌道德发展中利他的对象。

在品牌的成长和发展过程中，道是抽象的、内隐的，贯穿其中，不可言传，只能意会；而德是具体的、外显的，可以通过行为来体现（如图15-6所示）。道生一（我），一生二（你），二生三（他），三生万物（引自《老子·四十二章》）。品牌源于道，品牌似人、似商人，自私是人的本性，逐利是资本的本性，利己（股东、管理层、普通员工）是品牌道德行为的出发点，此为品牌道德行为的初级阶段。品牌并非生存于真空中，具有社会属性，需要有"地"的支撑，需要与供应商、购买者及侧面主体建立关系，互惠互利，共同成长，将"地"作为"个己"的一部分，此为品牌道德行为的中级阶段。但当品牌意识到"天"的存在和重要时，就会发现"人"和"地"的渺小和不足，这就需要品牌关注自然环境和人类社会的可持续发展，将"天"作为"个己"的一部分，达到"人"和"天"的统一（天人合一），此为品牌道德行为的高级阶段。品牌道德行为的发展实质上是品牌"个己"向上的发展，品牌每一次道德行为的提升，都意味着思想和价值观的蜕变与升华。品牌道德境界的高低决定了品牌成长和发展的上限，决定了品牌未来会是区域的、民族的还是世界的。

天下熙熙，皆为利来；天下攘攘，皆为利往（司马迁）。熙熙攘攘和利来利往皆属"道"，而"德"紧随"道"后，其重要性毋庸置疑。不论消费者将品牌看作是"熟人""朋友"还是"合作伙伴"，从本质上来讲，品牌似商人。既是商人，熙熙攘攘之中，利来利往之际，就应遵"道"守"德"。"利"是品牌成长和发展的基础，"德"是品牌存在与发展的合法性解释，两者相辅相成，相互促进。中国背景下，品牌自诞生之际，就应考虑富贵与道德冲突的文化价值观元素，深刻理解和把握品牌生存的文化土壤；品牌成长过程中，应考虑品牌能力与道德行为间的匹配，以期得到社会对品牌身份合法性的认可；品牌发展过程中，应考虑"个己"向上发展的阶段，完成思想蜕变，达到"无个己（天人合一）"的境界！

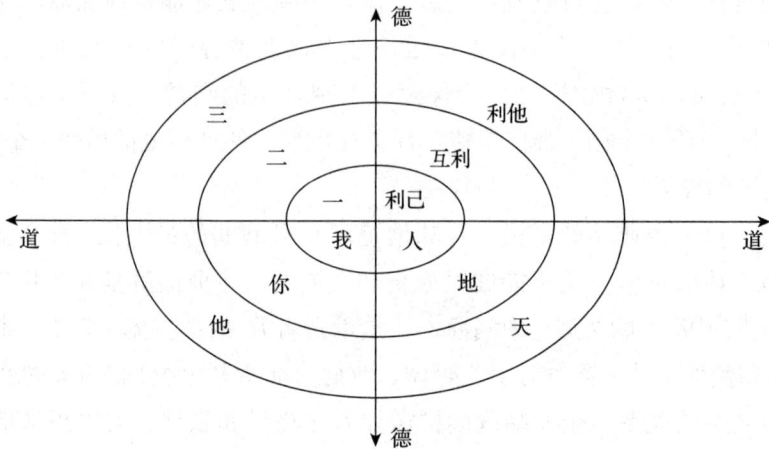

图 15-6　品牌道德发展阶段

## 本章小结

根据美国社会责任监控机构的统计，CSR 内涵主要包括六个方面：社区支持、多样性、员工支持、环境支持、海外责任、产品安全。而学术界普遍认可的还是卡罗尔按照社会义务—社会责任—社会响应的逻辑所提出的金字塔层级模型：经济、法律、伦理和慈善四个方面的责任。

CSR 与财务绩效间关系的 21 个研究当中，有 12 个研究结果指向正相关关系，有 1 个研究结果为负相关关系，有 8 个无相关关系。战略层面，以往学者主要从三个方面展开研究：资源基础导向、利益相关者导向和社会问题导向。战术层面，主要梳理了 CSR 行为沟通策略研究中的自变量、中介变量和调节变量。

本章梳理了相关理论与 CSR 行为间的关系：首先，简单阐述了市场导向逻辑下的 CSR 行为及其规范需求；其次，以社会规范理论为基础，从个体角色、群体互动和社会期望三个层面，对 CSR 与 CSR 行为的定义和内涵进行评价分析；再次，以拟剧论为基础，从 CSR 行为前台沟通与展示的视角，对以往学者关于 CSR 行为沟通策略进行评价分析；最后，以社会比较理论为基础，从同化和对比效应着手，对以往学者关于 CSR 行为比较研究进行评价分析。

品牌道德发展主要从三个方面详细阐述了富贵与品牌道德的关系，能力与品牌道德的关系，利己—互利—利他的品牌道德发展观，指出在不同情境下和企业发展的不同阶段，企业品牌该采取什么样的道德行为。

## 思考题

1. 企业社会责任的内涵是什么？
2. 企业社会责任与经营绩效间的关系是什么？
3. 企业社会责任与社会规范理论、社会比较理论、拟剧论间的关系分别是什么？
4. 品牌社会责任与富贵、能力间的关系分别是什么？
5. 品牌社会责任道德发展分为哪几个阶段？

## 观察感悟

### 伊顿公益：开启儿童哲学启蒙，改善乡村教育生态

公司简介：江苏苏美达伊顿纪德品牌管理有限公司（以下简称"伊顿纪德"）是中国机械工业集团有限公司的成员企业。自2009年成立以来，公司专注于引领中国校园服饰变革、推动共同教育价值重建，迄今已累计为31个省级行政区4 000多所学府提供了校园服饰整体解决方案（以下简称"伊顿公益"），并通过打造实验性公益学园"伊顿学园"、开展"故事田"儿童哲学公益项目等，向全国超过6 500所偏远地区乡村小学提供公益教育支持，推动乡村振兴与可持续发展。

现实问题：目前，我国乡村学校师资、环境、教学质量相对落后，阅读资源有限，学校阅读条件保障不足，德育课程呈现边缘化、课程内涵窄化、目标浅层化。如何让广大农村学校获取更多的优质教育资源，更好地满足农村一些弱势家庭群体子女的教育需求，是中国实现城乡教育公平乃至乡村振兴的关键之所在。

解决方案：伊顿公益发起"故事田"儿童哲学启蒙项目，尝试以教育介入乡村，聚焦偏远乡村小规模学校，携手社会各方从"真善美"出发，用孩子的逻辑启蒙哲学，以哲学童话种下价值启蒙教育的种子，让乡村学校儿童拥有思考的哲学天性，培养学生的思辨力、想象力、价值判断力，同时赋能和支持乡村学校教师开展儿童哲学启蒙教育，增强乡村教育发展的自我造血功能。伊顿公益解决方案如图15-7所示。

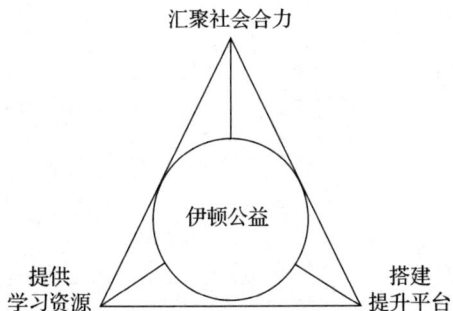

图15-7 伊顿公益解决方案

第一，汇聚社会合力，分层遴选受助对象。建立点、线、面分层的受助学校遴选机制，有针对性地采用差异化的方式，提高支持的科学性与有效性。

点：主动识别和定向邀请符合受助条件的小规模学校；公开招募符合条件的受助学校，根据学校提交的申请书遴选出合格的受助学校。向学校寄送儿童哲学书籍和教学手册，并进行线上教师培训，帮助教师开展儿童哲学书籍阅读课程。

线：与爱心衣橱、中国麦田计划、爱德基金会、中国人民大学乡村建设中心等教育公益组织以及央视《美丽中国》节目合作，借助教育公益组织渠道识别受助小规模学校，开展志愿者培训，由志愿者将儿童哲学书籍带到乡村小规模学校，并开展儿童哲学书籍阅读课程。

面：与全国各地方教育局合作，将儿童哲学阅读课程纳入当地受助学校的课程计划。此外，根据实际工作开展情况，遴选部分学校作为参加儿童哲学阅读课程实验学校，深入探索开展乡村儿童哲学启蒙教育的有效路径。

第二，提供学习资源，给予"菜单式"支持。采用"学习资源包"的形式对受助小规模学校给予教学资源支持。"学习资源包"中有"酷思熊"儿童哲学书籍、教师手册、教学音频与视频课例等多样化内容，呈"菜单式"受助小规模学校可以根据学校硬件条件、教师教学素养和教学设计的不同，自由选择"学习资源包"中的内容，搭配适合自身的学习资源。此外，每年5—8月招募和培训大学生志愿者团队赴乡村学校开展夏令营活动，以丰富、有趣的儿童哲学阅读课程服务乡村留守儿童；每年11月举办讲故事大赛，激励师生以写故事、绘画、制作视频等创意方式阐述对哲学价值的理解。

第三，搭建提升平台，实现教师在地发展。采取体验日课程、线上课堂、教师工作坊等形式，开展线上线下互动结合的教师培训，帮助教师掌握儿童哲学阅读课程专业教学技能，提升教师教学水平。在培训开展过

程中，通过遴选"种子教师"，发挥"种子教师"的辐射带动力，培训和指导更多的当地教师开展乡村儿童哲学启蒙教育，实现教师发展在地化，提升乡村教育发展的自我造血能力。

社会效益：2014年5月至今，"故事田"儿童哲学公益项目已覆盖30个省156个市县4 200余所乡村小规模学校，惠及50万余名乡村师生，累计开办儿童哲学线上公益课101讲，共计3 040分钟，吸引60余万人次参与学习；开展乡村教师培训40余场；举办六届"故事田"讲故事大赛、三届大学生志愿者乡村夏令营。

经济效益：联合3M、顺丰公益基金会、21世纪教育研究院与蒲公英教育智库等组织机构，推动资源整合，实现优势互补，将众多教育学者专家、社会创新架构创始人等纳入专家库，持续深化价值认同，拓展合作深度，推动教育资源输出，汇聚志同道合的教育同行者，促进区域教育生态改善，助力提升"伊顿纪德"企业品牌形象和影响力。到目前为止，伊顿纪德校服市场已拓展至31个省级行政区，服务4 000多所学校，为近500万名学生提供了校园服饰的系统解决方案，成为中国行业和消费者公认的校服领军品牌。

未来展望：伊顿纪德将继续把"故事田"哲思的种子撒向更多偏远山区乡村小规模学校，覆盖更多的城市及村镇，引入更多优质的教育公益资源，在开启和丰盈乡村儿童的价值世界、精神世界，唤醒乡村儿童独立思考力量的同时，助力乡村教师实现在地化发展，提升乡村教育发展的自我造血能力，为中国乡村教育事业的可持续发展做出贡献。

资料来源：金蜜蜂企业社会责任中国网. 江苏苏美达伊顿纪德品牌管理有限公司：开启儿童的价值世界，改善乡村教育生态[EB/OL].（2022-08-20）[2023-02-19]. https://www.csr-china.net/a/zixun/shijian/zrjzlal/guoqi/2021/0625/5129.html.

**思考题**

1. 伊顿纪德是如何通过儿童哲学启蒙公益项目实现校园服饰的市场扩张的？
2. 伊顿公益在具体落实的过程中，可能会遇到哪些困难？该如何解决？

# 参考文献

[ 1 ] AAKER J L, FOURNIER S, BRASEL A. When good brands do bad[J]. Journal of consumer research, 2004, 31(1): 1-16.

[ 2 ] AAKER J L. Dimensions of brand personality[J]. Journal of marketing research, 1997, 34(3): 347-356.

[ 3 ] MCWILLIAMS A, SIEGEL D S. Corporate social responsibility: a theory of the firm perspective[J]. The academy of management review, 2001, 26(1): 117-127.

[ 4 ] KOHLI A K, JAWORSKI B J. Market orientation: the construct, research propositions, and managerial implications[J]. Journal of marketing, 1990(54): 1-18.

[ 5 ] CARROLL A B. A three-dimensional conceptual model of corporate performance[J]. The academy of management review, 1979, 4(4): 497-505.

[ 6 ] BALACHANDER S, GHOSE S. Reciprocal spillover effects: a strategic benefit of brand extensions[J]. Journal of marketing, 2003, 67(1): 4-13.

[ 7 ] BANNISTER J P, SAUNDERS J A. UK consumers'attitudes towards imports: the measurement of national stereotype image[J]. European journal of marketing, 1978, 12(8): 562-570.

[ 8 ] BERENS G, RIEL C B M V, BRUGGEN G H V. Corporate associations and consumer product responses: the moderating role of corporate brand dominance[J].Journal of marketing, 2005, 69(3): 35-48.

[ 9 ] BOULDING K E. National images and international systems[J].Journal of conflict resolution, 1959(3): 120-131.

[10] BROWN T J, DACIN P A. The company and the product: corporate associations and consumer product responses[J]. Journal of marketing, 1997, 61(1): 68-84.

[11] CARROLL A B.The pyramid of corporate social responsibility: toward the moral management of organizational stakeholders[J].Business horizons, 1991,34(4): 39-48.

[12] SUNSTEIN C R. Social norms and social roles[J]. Columbia law review, 1996, 96(4): 903-968.

[13] HORNE C. A Social norms approach to legitimacy[J]. American behavioral scientist, 2009, 53(3): 400-415.

[14] CHOUDHURY S, KAKATI R P. An analytical study of spillover effect of different branding elements on customer-based brand equity[J]. The IUP Journal of brand management, 2014, 11(1): 30-46.

[15] CLEEREN K, VAN HEERDE H J, DEKIMPE G, et al. Rising from the ashes: how brands and categories can overcome product-harm crises[J]. Journal of marketing, 2013, 77(2): 58-77.

[16] COLLINS A M, LOFTUS E F. A spreading activation theory of semantic processing[J]. Psychological review, 1975, 11(6): 407-428.

[17] CUNHA M, SHULMAN J D. Assimilation and contrast in price evaluations[J]. Journal of consumer research, 2011, 37(5): 822-835.

[18] DAHLEN M, LANGE F. A disaster is contagious: how a brand in crisis affects other brands[J]. Journal of advertising research, 2006, 46(12): 388-396.

[19] DAWAR N, PILLUTLA M. Impact of product-harm crises on brand equity: the moderating role of consumer expectations[J]. Journal of marketing research, 2000, 37(5): 215-226.

[20] DEGRABA P, SULLIVAN M W. Spillover effects, cost savings, R&D and the use of brand extensions[J]. International journal of industrial organization, 1995, 13(2): 229-248.

[21] CORKALO D, KAMENOV Z. National identity and social distance: does in-group loyalty lead to out-group hostility[J]. Review of psychology, 2003, 10(2): 85-94.

[22] ROBIN D P, REIDENBACH R E. Social responsibility, ethics, and marketing strategy: closing the gap between concept and application[J]. Journal of marketing, 2007, 51(1): 44-58.

[23] FOLKES V S, KOTSOS B. Buyers' and sellers' explanations for product failure: who done it [J]. Journal of marketing, 1986, 50(2): 74-80.

[24] MILTON F. The social responsibility of business is to increase profits[J]. New York times magazine, 1970(9): 32-33.

[25] GRIFFIN M, BABIN B J, ATTAWAY J S. An empirical investigation of the impact of negative public publicity on consumer attitudes and intentions[J]. Advances in consumer research, 2010, 18(1): 334-341.

[26] HAGTVEDT H. The impact of incomplete typeface logos on perceptions of the firm[J]. Journal of marketing, 2011, 75(4): 86-93.

[27] HAN Y J, NUNES J C. Signaling status with luxury goods: the role of brand prominence[J]. Journal of marketing, 2010, 74(4): 15-30.

[28] HOEFFLER S, Keller K L. Building brand equity through corporate societal marketing[J]. Journal of public policy and marketing, 2002(21): 78-89.

[29] MAIGNAN I. Consumers'perceptions of corporate social responsibilities: a cross-cultural comparison[J]. Journal of business ethics, 2001(30): 57-72.

[30] JING L, DAWAR N. The impact of information characteristics on negative spillover effects in brand portfolios[J]. Advances in consumer research, 2006, 33(1): 324-325.

[31] JING L, DAWAR N. Negative spillover in brand portfolios: exploring the antecedents of asymmetric effects[J]. Journal of marketing, 2008, 72(3): 111-123.

[32] JONGE J. How trust in institutions and organizations builds general consumer confidence in the safety of food: a decomposition of effects[J]. Journal of business research, 2008, 12(3): 311-317.

[33] JORGENSEN B K. Components of consumer reaction to company related mishaps: a structural equation model approach[J]. Advances in consumer research, 2006(23): 346-351.

[34] OLSEN K L B, CUDMORE B A, HILL R P. The impact of perceived corporate social responsibility on consumer behavior[J]. Journal of business research, 2006(59): 46-53.

[35] KLEIN J, DAWAR N. Corporate social responsibility and consumers' attributions and brand evaluations in a product-harm crisis[J]. International journal of research in marketing, 2004(21): 203-217.

[36] KNAPP A K, HENNIG-THURAU T. The importance of reciprocal spillover effects for the valuation of bestseller brands: introducing and testing a contingency model[J]. Journal of the academy of marketing science, 2014, 42(2): 205-221.

[37] UDAYASANKAR K. Corporate social responsibility and firm size[J]. Journal of business ethics, 2008(83): 167-175.

[38] LEI J, DAWAR, N. Base-rate information in consumer attributions of product-harm crises[J]. Journal of marketing research, 2012, 49(3): 336-348.

[39] LEI J, DAWAR N, LEMMINK J. The impact of information characteristics on negative spillover effects in brand portfolios[J]. Advances in consumer research, 2006(33): 324-325.

[40] LICHTENSTEIN D R, DRUMWRIGHT M E. The effect of corporate social responsibility on customer donations to corporate-supported nonprofits[J]. Journal of marketing, 2004, 68(4): 16-32.

[41] LIN Z, YANG H. Alliance partners and firm performance: resource complementarity and status association[J]. Strategic management journal, 2009, 30(9): 921-940.

[42] LONGINOS M, SALVADOR R, ALICIA R. The role of identity salience in the effects of corporate social responsibility on consumer behavior[J]. Journal of business ethics,

2009(84): 65-78.

[43]  LOWREY T M, SHRUM L J. Phonetic symbolism and brand name preference[J]. Journal of consumer research, 2007, 34(3): 406-414.

[44]  LUO X, BHATTACHARYA C B. Corporate social responsibility, customer satisfaction, and market value[J]. Journal of marketing, 2006, 70(4): 1-18.

[45]  MAGILL F N. International encyclopedia of sociology[M]. Pasadena, California: Salem Press, 1995.

[46]  CLARKSON M B E. A stakeholder framework for analyzing and evaluating corporate social performance[J]. Academy of management review, 1995, 20(1): 92-117.

[47]  MENON G, JEWELL R D. When a company does not respond to negative publicity: cognitive elaboration vs. negative affect perspective[J]. Advances in consumer research, 2009, 26(1): 325-329.

[48]  MELNYK V, KLEIN K, VÖLCKNER F. The double-edged sword of foreign brand names for companies from emerging countries[J]. Journal of marketing, 2012, 76(6): 21-37.

[49]  DRUMWRIGHT M E. Socially responsible organizational buying: environmental concern as a noneconomic buying criterion[J]. Journal of marketing, 1994, 58(3): 1-19.

[50]  MOHR L A, WEBB D J. The effects of corporate social responsibility and price on consumer responses[J]. Journal of consumer affairs, 2005, 39 (1): 121-147.

[51]  NAGASHIMA A. A comparison of Japanese and US attitudes toward foreign products[J]. Journal of marketing, 1970, 34(1): 68-74.

[52]  NEBENZAHL I D, JAFFE E D, USUNIER J C. Personifying country of origin research[J]. Management international review, 2003, 43(4): 383-406.

[53]  NOVAK T P, HOFFMAN D L. The fit of thinking style and situation: new measures of situation-specific experiential and rational cognition[J]. Journal of consumer research, 2009, 36(1): 56-72.

[54]  PINA J M, RILEY F D, LOMAX W. Generalizing spillover effects of goods and service brand extensions: a meta-analysis approach[J]. Journal of business research, 2013, 66(9): 1411-1419.

[55]  PULLIG C, NETEMEYER R G, BISWAS A. Attitude basis, certainty, and challenge alignment: a case of negative brand publicity[J]. Academy of marketing science journal, 2006, 34(4): 528-542.

[56]  RINDOVA V P, POLLOCK T G, HAYWARD M. Celebrity firms: the social construction of market popularity[J]. Academy of management review, 2006, 31(1): 50-71.

[57]  ROEHM M L, TYBOUT A M. When will a brand scandal spill over, and how should competitors respond[J]. Journal of marketing research, 2006, 43(3): 366-373.

[58]　QUELLER S, SCHELL T, MASON W. A novel view of between-categories contrast and within-category assimilation[J]. Journal of personality and social psychology, 2006, 9(3): 406-422.

[59]　SEN S, BHATTACHARYA C B. Does doing good always lead to doing better? Consumer reactions to corporate social responsibility[J]. Journal of marketing research, 2001, 38(2): 225-243.

[60]　SIOMOKOS G J, KURZBARD G. The hidden crisis in product harm crisis management[J]. European journal of marketing, 2004, 28(2): 30-41.

[61]　SMALL D A, SIMONSOHN U R I. Friends of victims: personal experience and prosocial behaviour[J]. Journal of consumer research, 2008, 35(3): 532-542.

[62]　SMITH C N. Corporate social responsibility: whether or how[J]. California management review, 2003, 45(4): 52-67.

[63]　STRUTTON D, TRUE S L, RODY R C. Russian consumer perceptions of foreign and domestic consumer goods[J]. Journal of marketing theory practice, 1995, 3(3): 76-87.

[64]　FOURNIER S. Consumers and their brands: developing relationship theory in consumer research[J]. Journal of consumer research, 1998, 24(4): 343-373.

[65]　VALENZUELA A, MELLERS B A, STREBEL J. Pleasurable surprises: a cross-cultural study of consumer responses to unexpected incentives[J]. Journal of consumer research, 2010, 36(5): 792-805.

[66]　VEN van de B, Graafland J J. Strategic and moral motivation for corporate social responsibility[J]. Journal of corporate citizenship, 2006(22): 111-123.

[67]　VOTOLATO N, UNNAVA R. Spillover of negative information on brand alliances[J]. Journal of consumer psychology, 2006, 16(2): 196-202.

[68]　WAGNER T, R J LUTZ, WEITZ B A. Corporate hypocrisy: overcoming the threat of inconsistent corporate social responsibility perceptions[J]. Journal of marketing, 2009, 73(6): 77-91.

[69]　WEINBERGER M G, ALLEN C, DILLON W R. Negative information: perspectives and research directions[J]. Advances in consumer research, 2012, 8(1): 398-404.

[70]　YORKSTON E, MENON G. A sound idea: phonetic effects of brand names on consumer judgments[J]. Journal of consumer research, 2004, 31(1): 43-51.

[71]　LEE Yun, YOUN N, NAYAKANKUPPAM D. The content of a brand scandal moderating the effect of thinking style on the scandal's spillover[J]. Advances in consumer research, 2011(39): 523-524.

[72]　里斯，特劳特 . 定位：有史以来对美国营销影响的观念 [M]. 王恩冕，余少蔚，译 . 北京：中国财政经济出版社，2002.

[73]　里斯，特劳特 . 定位 [M]. 邓德隆，火华强，译 . 北京：机械工业出版社，2017.

[74] 陈放.品牌学：中国品牌实战原理 [M].北京：时事出版社，2002.

[75] 程东升.华为三十年：从"土狼"到"狮子"的生死蜕变 [M].贵阳：贵州人民出版社，2016.

[76] 陈洁光，黄月圆，严登峰，等.中国的品牌命名：十类中国产品品牌名称的语言学分析 [J].南开管理评论，2003(2)：47-54.

[77] 戴维斯.品牌资产管理：赢得客户忠诚度与利润的有效途径 [M].刘莹，李哲，译.北京：中国财政经济出版社，2006.

[78] 阿克.创建强势品牌 [M].李兆丰，译.北京：机械工业出版社，2012.

[79] 阿克，乔基姆塞勒.品牌领导 [M].耿帅，译.北京：机械工业出版社，2012.

[80] 阿克.管理品牌资产 [M].吴进操，常小虹，译.北京：机械工业出版社，2012.

[81] 费孝通.乡土中国 [M].北京：生活·读书·新知三联书店，2013.

[82] 费显政，李陈微，周舒华.一损俱损还是因祸得福：企业社会责任声誉溢出效应研究 [J].管理世界，2010（4）：74-98.

[83] 方正.可辩解型产品伤害危机对顾客购买意愿的影响研究 [D].成都：四川大学，2007.

[84] 高辉，郝佳，周懿瑾，等."洋名"好，还是"土名"好：中国仿洋和仿古品牌命名研究 [J].商业经济与管理，2010(10)：61-68.

[85] 戈夫曼.日常生活中的自我呈现 [M].冯钢，译.北京：北京大学出版社，2008.

[86] 黄静.品牌营销 [M].北京：北京大学出版社，2008.

[87] 黄静，王文超.品牌管理 [M].武汉：武汉大学出版社，2005.

[88] 黄静，王新刚，张司飞，等.企业家违情与违法行为对品牌形象的影响 [J].管理世界，2010(5)：96-107.

[89] 黄静，王新刚，童泽林.企业家社会责任道德发展观：基于本土文化的解读 [J].统计与决策，2011（21）：183-185.

[90] 黄静，熊巍.消费者 – 品牌关系的断裂与再续：理论回顾与展望 [J].外国经济与管理，2007（7）：50-55.

[91] 黄静，姚琦，周南.品牌关系准则对再续品牌关系意愿的影响 [J].经济管理，2010（3）：79-85.

[92] 黄胜兵，卢泰宏.品牌个性维度的本土化研究 [J].南开管理评论，2003(1)：4-9.

[93] 何佳讯.中国文化背景下品牌情感的结构及对中外品牌资产的影响效用 [J].管理世界，2008（6）：95-108.

[94] 江明华，曹鸿星.品牌形象模型的比较研究 [J].北京大学学报（哲学社会科学版），2003，40(2)：108-113.

[95] 江红艳，王海忠，钟科.品牌丑闻对国家形象的溢出效应：原产国刻板印象内容的调节作用 [J].商业经济与管理，2014（6）：55-64.

[96] 凯勒.战略品牌管理：第 3 版 [M].卢泰宏，吴水龙，译.北京：中国人民大学出版社，2009.

[97]　科特勒，凯勒，洪瑞云，等 . 营销管理：亚洲版　第 5 版 [M]. 吕一林，王俊杰，
　　　译 . 北京：中国人民大学出版社，2010.

[98]　科特勒 . 营销管理 [M]. 王永贵，译 . 北京：中国人民大学出版社，2012.

[99]　库马尔 . 营销思变：七种创新为营销再造辉煌 [M]. 李维安，张世云，译 . 北京：商
　　　务印书馆，2006.

[100]　李飞，李翔 . 世界最有价值品牌中文名称命名分析 [J]. 中国工业经济，2004（12）：
　　　　98-104.

[101]　李国峰，邹鹏，陈涛 . 产品伤害危机管理对品牌声誉与品牌忠诚关系的影响研究
　　　　[J]. 中国软科学，2008（1）：108-116.

[102]　李海芹，张子刚 . CSR 对企业声誉及顾客忠诚影响的实证研究 [M]. 南开管理评论，
　　　　2010，13（1）：90-98.

[103]　刘朔 . 品牌命名的十种方法 [J]. 中小企业科技，2006（12）：26-27.

[104]　卢泰宏，黄胜兵，罗纪宁 . 论品牌资产的定义 [J]. 中山大学学报（社会科学版），
　　　　2000，40（4）：17-22.

[105]　卢泰宏 . 品牌资产评估的模型与方法 [J]. 中山大学学报（社会科学版），2002，42
　　　　（3）：88-96.

[106]　陆娟，吴芳，张轶 . 品牌联合研究：综述与构想 [J]. 商业经济与管理，2009，209
　　　　（3）：90-97.

[107]　陆艳梅 . 产品伤害危机处理方式对消费者品牌态度影响 [J]. 社会心理科学，2012，
　　　　27（3）：27-30.

[108]　蓝狮子 . 鹰的重生：TCL 追梦三十年 [M]. 北京：中信出版社，2012.

[109]　宁昌会，李祖兰，王新刚 . 品牌命名文献回顾及未来研究方向 [J]. 软科学，2012
　　　　（9）：142-144.

[110]　乔健，康友兰 . 东方遇到西方：联想国际化之路 [M]. 北京：机械工业出版社，2015.

[111]　施耐庵 . 水浒传 [M]. 北京：中华书局，2008.

[112]　田阳，黄韫慧，王海忠，等 . 品牌丑闻负面溢出效应的跨文化差异研究：基于自我
　　　　建构视角 [J]. 营销科学学报，2013，9（2）：90-98.

[113]　田志龙，贺远琼，高海涛 . 中国企业非市场策略与行为研究：以海尔、中国宝洁、新
　　　　希望为例 [J]. 中国工业经济，2005（9）：82-90.

[114]　汪涛，周玲 . 讲故事塑品牌：建构和传播故事的品牌叙事理论 [J]. 管理世界，2011
　　　　（3）：112-113.

[115]　王正忠 . 品牌个性的形成及发展 [J]. 当代经济，2011（16）：132-135.

[116]　王晓玉，晁钢令 . 企业营销负面曝光事件研究述评 [J]. 外国经济与管理，2009，31
　　　　（2）：33-39.

[117]　王晓玉，晁钢令，吴纪元 . 产品伤害危机响应方式与消费者考虑集变动：跨产品类别
　　　　的比较 [J]. 管理世界，2008（7）：36-46.

[118] 王海忠，赵平.品牌原产地效应及其市场策略建议：基于欧、美、日、中四地品牌形象调查分析 [J].中国工业经济，2004（1）：78-86.

[119] 王新刚，唐兴华，胡瑞芳，等.世界最有价值品牌英文名称研究与分析 [J].中南财经政法大学研究生学报，2014（5）：76-82.

[120] 王新刚，唐兴华.老字号品牌标识特征研究与分析：以商务部首批老字号品牌为例 [J].科技经济市场，2014（4）：60-63.

[121] 王新刚，张琴.品牌摆架子行为对消费者购买意愿的影响 [J].经济管理，2018（6）：86-99.

[122] 王新刚，周玲，周南.品牌丑闻跨国非对称溢出效应研究：国家形象构成要素视角 [J].经济管理，2017，39（4）：128-142.

[123] 王新刚，龚宇，聂燕.假洋品牌概念界定及其存在影响因素扎根研究 [J].南开管理评论，2019，22（6）：40-49.

[124] 王新刚，李祖兰.全球市场产品召回双重标准研究：公平感知偏差视角 [J].江西财经大学学报，2022（2）：12-27.

[125] 王新刚，聂燕，周南.品牌调侃概念界定及其特征的探索性研究 [J].北京工商大学学报（社科版），2020，35（1）：26-34.

[126] 吴水龙，卢泰宏，苏雯.老字号品牌命名研究：基于商务部首批老字号名单的分析 [J].管理学报，2010，7（12）：1799-1804.

[127] 卫海英.品牌危机管理：基于品牌关系视角的研究 [M].广州：暨南大学出版社，2011.

[128] 薛海波，王新新.创建品牌社群的四要素 [J].经济管理，2008，30（3）：59-63.

[129] 谢佩洪，周祖城.中国背景下 CSR 与消费者购买意向关系的实证研究 [J].南开管理评论，2009，12（1）：64-70.

[130] 邢淑芬，俞国良.社会比较：对比效应还是同化效应 [J].心理科学进展，2006，14（6）：944-949.

[131] 许正良，刘娜.基于持续发展的企业社会责任与企业战略目标管理融合研究 [J].中国工业经济，2008，24（9）：129-140.

[132] 杨旭.营销策划：品牌个性塑造六大法则 [EB/OL].(2019-10-21)[2023-02-07]. https://wenku. baidu. com/view/0f166bcd492fb4daa58da0116c175f0e7dd1196a. html?_wkts_=1675922569520&bdQuery.

[133] 原永丹，董大海，刘瑞明，等.品牌联合的研究进展 [J].管理学报，2007（2）：243-248.

[134] 姚琦，黄静.说服策略对消费者再续品牌关系意愿的影响 [J].经济管理，2011，33（1）：155-165.

[135] 周志民，李密.西方品牌社群研究述评 [J].外国经济与管理，2008（1）：46-51.

[136] 周志民，卢泰宏.广义品牌关系结构研究 [J].中国工业经济，2004（11）：98-105.

[137] 周志民.品牌关系研究述评 [J].外国经济与管理，2007（4）：46-54.

[138] 周志民.品牌社群形成机理模型初探 [J].商业经济与管理，2005，169（11）：74-79.

[139] 周志民.品牌管理 [M].天津：南开大学出版社，2008.

[140] 周祖城，张漪杰.企业社会责任相对水平与消费者购买意向关系的实证研究 [J].中国工业经济，2007，234(9)：111-118.

[141] 周南.要钱还是要命：《道德经》的启示 [M].北京：北京大学出版社，2012.

[142] 周三多，邹统钎.战略管理思想史 [M].上海：复旦大学出版社，2003.

[143] 张璇，张红霞.毁灭还是重生：多品牌危机中的替罪羊效应 [J].营销科学学报，2014，9（4）：30-43.

[144] 庄贵军，周南，周连喜.品牌原产地困惑对于消费者喜爱与购买本土品牌和境外品牌的影响 [J].财贸经济，2002（2）：98-104；129.

[145] 曾仕强.中国式人际关系 [M].广州：广东经济出版社，2018.

# 后　记

出于多年对品牌管理的学习和实践，我一直想将其梳理汇编成教材，传递给在校的学生和业界管理人士，希望能够为培养品牌管理人才和企业品牌管理做出贡献。品牌管理内容庞杂，方向众多，系统构建这门课程知识体系的难度很大。在参考国内外众多学者编著的教材的基础上，本书不仅融合了国内外学术前沿研究成果，还有不同行业实践的案例分析；不仅体现了品牌管理专业框架，还融入了品牌经营的思想和精神。

2020年4月，《品牌管理》第1版由机械工业出版社出版。本次第2版理论内容的更新和修改由我本人完成，并负责全书的修订统稿工作。本次修订过程中，第一、二、三章开篇案例由李秀秀负责整理，第四、五、六章开篇案例由王璐璐负责整理，第七、八、九章开篇案例由苏静微负责整理，第十、十一、十二章开篇案例由刘芝彤负责整理，第十三、十四、十五章开篇案例由李梦圆负责整理。同时，非常感谢王璐璐负责配套教辅资料的更新。除此之外，本书还融入中国大学MOOC网上本人主讲的品牌管理课程当中的一些内容，用手机下载中国大学MOOC App，在搜索栏里输入"王新刚 品牌管理"后，点击立即参加，就可以免费学习了。

如今，在本书完成之际，我们不仅没有感觉到如释重负，反而感觉到巨大的压力。因为内容几易其稿，反复地讨论碰撞才得以成稿。本书在编写过程中，参考了大量书刊、网络上的案例，由于记述和追溯的不方便，部分信息或内容并未载明出处，在此对各作者和转述者表示感谢。

由于时间和精力有限，本书可能存在不足之处，我们热切盼望有更多的师生和企业界人士能够关注参与，不断提出建设性的修改意见。

最后，本书得以顺利出版，非常感谢机械工业出版社对该选题的重视，并为本书的出版付出了辛勤的劳动！

王新刚于武汉晓南湖畔

2023年1月